ちくま学芸文庫

大航海時代

旅と発見の二世紀

ボイス・ペンローズ

荒尾克己 訳

筑摩書房

TRAVEL AND DISCOVERY
IN THE RENAISSANCE 1420–1620
by
Boies Penrose

訳者まえがき

……阿蘭陀のこの鏤版の
この繪圖のいづくにか在る、
汝がいふ波羅葦増の國は。

木下杢太郎「天草組」より

本書は一九五二年にハーヴァード大学出版局より刊行、一九六二年にアセネアム叢書（ニューヨーク）の一巻として覆刻された Boies Penrose: *Travel and Discovery in the Renaissance 1420-1620*. の全訳である。ハーヴァード版が今日では入手困難のため、一九七一年のアセネアム版をテキストとして使用した。自序に明快に述べられている如く、ハーヴァード大学ウィリアム・A・ジャクスン教授の慫慂に応えて「ルネッサンス期の旅と発見に関する出来るだけコンパクトで密度の高い鳥瞰図を学生や一般読者に与え得る一冊本」を意図して書かれた入門書・概説である。

西暦一四二〇年から一六二〇年に至る二百年と地球という広大な時空の画布に描き出された叙事詩《大航海・発見時代》が世界史に及ぼした衝撃の大きさや意味については言を俟たないけれども、果してその際立った個々の出来事、例えば本書の目次に掲げられた多彩な事象の一体どれ程を私達は知っているだろうか。もとよりハクルート協会による旅行・航海の諸記録の如き原典の持つ意義は絶大であるが、これは余りにも厖大なシリーズであって素人の手に負えず、通読するさえ既に一種の苦役に近く、原典群から大航海時代の全姿を読者自ら織り上げるのは至難の業であり、空しく多岐亡羊を嘆ずる外はない。そこで待望されるのは、この壮大なテーマを単に大事件の月並な羅列や挿話の点綴に終らせることなく、常に時空の遠近法の中に捉えながら《航海》《発見》の原動力と背景、《征服》の過程や結果そして意味を、歴史に偏せず地理に堕さず手際よく綜合し物語ってくれる一冊の本、ということになるが、不思議にも今日まで全体を大観する優れた通史・物語は暁天の星に等しく、ましてや大航海時代の理解に不可欠な「地理思想・地図学」「船と航海の科学」及び「地理文献解題」の三大要素をも十分に採り入れた本となると、これはもう無いものねだりと言ってよかった。何故なら学問的水準を落すことなく優れた《通史》を面白い《物語》の形で書くことの方が、実は専門的研究書を物するよりも遥かに困難な仕事だからである。

エンリケ航海王からエリザベス女王時代の終焉、即ち大航海時代の前夜から植民地の確立に至る二百年の事蹟と背景・意義を過不足なくしかも密度高く物語ることは並々ならぬ蘊蓄と博引旁証、優れた綜合力と筆力を必要とするが、本書ではその構成と叙述が巧く平衡しており、随処に鋭利な論断や瀟洒軽妙な逸話を用意して各章節に鮮かな結末を与えつつ次々と活写してゆく簡古雄勁な筆致は最後まで読者を倦ましめぬものがあると思う。真に本書の布置結構は大航海時代入門・概史の基本形式を確立したものと言ってよく、以後の本は程度の差こそあれ本書との同工異曲を免れてはいない。以下に引用するアセネアム版所載のG・マティングリイによる短評は、本書の特色の要約として最も正鵠を得たものと思われる。即ち「……私の知る限り、これは《ヨーロッパ人の海外進出》の英雄時代を密度高くしかも簡潔に描いた最高の《通史》であり……その構成の妙と隙間もなく詰め込まれた事実によって……大抵の人が断片的にしか知らなかった話から見事な一貫性を織り出している……緻密に圧縮された本書の幾多の物語は《驚異》や《人間の耐久力と冒険心》に対する私達の愛好や讃嘆に向って、宛らこれら《航海者》や《旅人》自身の口調で語りかけて来る……。これは単に学生や教師のための本ではない。安楽椅子の旅行者（アームチェア・トラヴェラー）を《魅惑の海》に誘（いざな）う旅行案内（ベデカー）なのだ……」と。

大航海時代の全貌を歪みなく写す鏡として内外の関係基本図書の中で本書がしばしば推奨されている訳は、右の様な特色を豊富に具えているからであり、就中、紙数の四分の一を割いて詳説された《地図と航海の科学》及び《地理文献解題》は他に類がなく、今なお新鮮・強力である。真にペンローズのこの本は《大航海時代》の二百年を唯一巻の本に見事に封じ込めた稀有の例であり、繰返し愛読に堪える万華鏡（カレイドスコープ）、豊饒の角（コーヌコピア）であると言っても過言ではない。既に大航海時代に関する様々な書物に親炙された方々にとっても本書は実に便利な纏め・復習の伴侶であると共に、今からそれらの本を繙こうとする若き人々には文字通り恰好の案内役となるものと訳者は信ずる。

著者ボイス・ペンローズは代々造船業を営んで来たフィラデルフィアの旧家に生れた。出身と海事活動に縁の深い環境の故か若年から激しい旅情と異国への果なき好奇心を抱いていたが、大学卒業後は殆ど毎年の如く海外に遊び、同時にお気に入りとなったテーマ《旅行史》研究とルネッサンス期地理文献・古地図の蒐集に没頭する。生涯のコレクションは素晴しく、一九七一年に行われた蔵書半数の売立てはサザビイ商会が宰領した程の有名な出来事であった。ペンシルヴェニア州デヴォンの宏大な自邸内には模型鉄道が敷設され、息子や娘を乗せて自ら石炭焚き蒸気機関車を運転する愉快な父親であり、また英国サマーセット州にも住んでウェールズ地方田園保存運動に尽力したりフィラデルフィア動物園の理事、美術館館長を務めたりする文化活動家であって恰も多芸多才のルネッサンス人を彷彿させるものがある。家門の伝統と十分な教育そして熾烈な知識欲がこの類い稀な《旅行史家》ペンローズを生み出したのであろう。写真で見るペンローズは温厚上品な好男子だがその文章はなかなか雄勁闊達でスピードと機智に溢れ、しかも簡潔にして詞藻豊かである。大航海時代研究の赴くところ、遂にペンローズは牢固たるルソファイル（ポルトガル贔屓）となってしまったとA・コルテサンは言うが、それは本書の筆致からも窺われる。因みにニューヨーク・タイムズのペンローズの訃報の見出しはいみじくも「ルネッサンス期探検史の編年者・旅行史家ボイス・ペンローズ氏逝く」とあって、本書をその代表的著作として称えているのである。

ここでこの訳書に用いた表記その他について凡例風に二、三お断りして置く。

＊地名・人名・事物名などのカタカナ表記は概ね原音に拠ったつもりであるが、一部は世間通用に順ったものもあって一定していない。同じく書名・文献名も定訳と思われるものに倣った一部を除き、大部分は意味を伝えるに足るだけの簡訳に止めた。なおそれと比定しかねた一、二の中国地名は音訳カタカナのままとし、後考を俟つことにした。以上いずれも博雅の批正に委ねたい。

＊マイルなどメートル法によらない長さの単位の概数表示もそのままとしたのは訳者の横着ではなく、換算しても大して意味のない端数が出て却って偽りの精密感を生むからである。航海・航空・気象等で使われるマイル（海里・浬（かいり）。速度なら節（ノット））と陸上で使われるマイル（哩）とでは基準の数値が異って面倒であるが、地理文献等では暗黙の了解事項として特に断ったりせぬのが普通であり、情況に応じて地図上で判断・確認してゆく

のも、この種の本を読む時の一つの愉しみでもあると訳者は考える。

＊地方・地域・国・植民地等の名も執筆時以後の政治的変遷に応じて現称に改めたりはせず、一部に註記したもの以外は総て原著の呼称のままであり、付図についても同様とした。本書は単に『物語』として読み流しても十分面白い筈であるが、座右に詳しい世界地図帳を用意されるならば一層興味が深まろう。地図帳との併読は歴史地理関係の然るべき外国文献に必ず見られる著者の読者に対する希望であり訳者も同感なので、ここで真似をして置く。

＊本文中の角括弧（ブラケット）［　］は訳者による註である。行文渋滞を生じ易いため必要最小限に止めた。また文中の耳馴れない言葉は大抵の場合、海事・航海用語であることが多い。その他特異な訳語には原語をルビとして付けたり一部の文献に原題をそのまま残したのは、訳者としては工夫のつもりであるが、賢明な読者にとっては或はあらずもがなであったかも知れない。

大航海時代を扱った内外の様々な書物の中で、全体を大観する物語・通史の基本図書として刊行以来三十年に亙り常に引用・推奨されながら、何故か今日まで翻訳されずに過ぎて来たペンローズの傑作をここに紹介出来るのは、専ら十年も篋底に眠らせて来た訳稿に光を当て、熱心に推輓の労をとられた知友野田穂積氏の御親切及び本書の内容を公正に吟味・評価の上出版を快諾された筑摩書房の御厚意によるもので、篤く御礼申し上げたい。

また校正刷に終始目を通し不審箇所の教示・補塡と訳文の洗煉に当ってくれた実質的共訳者である畏友橋詰彰蔵君の援助なくしては、本書は恐らく幾多の瑕疵を残したまま江湖に出てしまったかも知れない。併せて深謝する次第である。お蔭を以て些かの割愛部分もなく且つ原本と殆ど同じ頁数によるコンパクトな全訳という意外な結果を得ることが出来たのは訳者の秘かな喜びである。本書訳出に際しては特に茂在寅男『航海術』（昭和四二年、中央公論社）、織田武雄『地図の歴史』（昭和四八年、講談社）、佐波宣平『海の英語』（昭和四六年、研究社）の三つに多大の恩恵を蒙り、またここに挙げ切れぬ多くの本のお世話にもなったことを記して感謝すると共に、日本における関係文献については増田義郎『大航海時代』（昭和五九年、講談社）に行き届いた目録が収載されていることを付記して置く。

訳文は原著の明快俊敏を失わず一気に読了し得る様にひたすら簡潔を期したつもりであるが、果して如何なものか自信がない。ともあれかかる無尽蔵の宝庫にも等しい知識に満ちた一書を後世に遺してくれたボイス・ペンローズに対し改めてここに尊敬と感謝を捧げると共に、書斎派・行動派を問わず《海と船》《旅と地図》そして《歴史》を愛好する人々が早速この《魅惑の海》に遊ばれることを心から期待して止まない。

昭和六十年朱夏　　訳者識

原著者序

十五世紀から十七世紀へかけて行われたヨーロッパ人による非ヨーロッパ地域の探検と開拓は、その古今未曾有の規模と現代世界に今なお占める大きな意義とによって、ルネッサンス時代の最も偉大な事象の一つを形成している。それ故、一八八一年のゾーフス・ルーゲの『発見時代の歴史』Sophus Ruge: *Geschichte des Zeitalters der Entdeckungen* の刊行以後、この人間的努力の極めて重要な一段階を簡潔に論じた手頃な一巻本が見当らないというのは、全く奇妙と言ってよかろう。ルーゲの著書は優れているけれども、ドイツ語で書かれている上に絶版であるから、一般愛好者にとっては容易に近づき得ないものになっている。加えてルーゲ以後、幾多の新知識が明らかにされて来た。『開拓史叢書』*Pioneer Histories* (London: A. & C. Black. Ltd.)（全十巻）がかなり良くこの主題を網羅してはいるものの、必ずしもよく整った叢書とは言い難い。あるいはまたハクルート協会の刊本を挙げる人もあろうが、これは何しろ二百巻にも及ぶ大叢書なのである。

しかしながら、航海王エンリケ王子の華々しい登場に至るまでの地理学史上の期間についてならば名著の誉れ高いレイモンド・ビーズリイ卿の大観『近代地理学の曙』Sir Raymond Beazley: *The Dawn of Modern Geography*（1897–1906）があり、一六〇〇年から一八〇〇年の時代を扱ったものには同じく学殖の典型とも称すべきエドワード・ヒーウッドの『十七・十八世紀の地理的発見』Edward Heawood: *Geographical Discovery in the Seventeenth and Eighteenth Centuries*（1912）を挙げることが出来る。けれども、これら二つの傑出した古典的著作が対象とした時代の間には殆ど二世紀の——セウタの攻略からエリザベス女王の死に至る——空白が、七十年前のルーゲの労作の出現以来、然るべき研究もなされぬままに残されているのである。人類の年代記に遺る最も重要な地理的活動の演ぜられたのが他ならぬルネッサンス期であったことを想えば、この状態はいよいよもって不可解と言わねばならない。そこで私はこの間隙を塡めるべく、偉大な探検家達の物語のみでなく群小の自由旅行者達の、また地図学や航海術の、そして地理文献の物語をも、出来れば簡明且つ遺漏のない形で伝え得る一冊の本を纏めることを微力ながら企図するに至った。総てこれらの要素は全景の中に緊密に統合された部分を成すものであり、各種各様の要因の適切な強調なくしては、全体像の正しい把握もまたあり得ないのである。

同様に、ある地域における初期の発見の諸々を述べただけで主題から逸れてしまうのも正しいこととは思われない。未知の国々に造った足場の強化や植民事業の草創期に払われた努力に対して更に一瞥を与えることも、主題の全き理解にとって不可欠であろう。換言すれば、本書のテーマは植民の歴史に吸収されて行った〝発見と旅行〟なのである。例えばカブラルの航海以後の印度におけるポルトガル人、あるいはピサロ以後の南米におけるスペイン人を抜きにしては、この物語は半ばをも語ったことにはなるまい。

幾つかの大航海とその直接的な結果をそのまま月並に述べたところで、これもまた失格であろう。探検家達がそれを頼りに旅をした地図、彼等を乗せて航海した船の様々な型式（タイプ）、そして彼等が故国へ帰還した後にその旅について書かれた本、のこともまた語られるべきである。別の言い方をするならば、彼等が何を為したかだけではなく、それを如何に遂行したかを、当時の人々に与えた彼等の開拓の衝撃やその後の植民史に及ぼした彼等の探検の影響と共に考察すべきであろう。本書において私はそのようなことを試みてみた。それに成功していないとすれば、それは主題乃至私の意図の故ではなく、専ら私の力不足に帰せられるべきである。

古典古代及び中世的背景に関する序章を以て本書を始めるのが枢要と思われた訳は、そいいなくしては後章の大部分の理解が不完全なものになることを危惧したからに他ならない。物語のもう一方の端に一六二〇年という終結点を置いて、余り成功したとは言えないけれども、それに合せようと努めたのは、単にその年がエンリケ王子のサグレス定住より（かなり疑問が残るけれども）二百年目に当るという純然たる象徴的意義のためだけではなく、むしろルネッサンス期における発見の英雄時代というものの最後の幕が下りたのは丁度その頃であったとも言えるからである。事実、旅と航海の年代記を繙けば、十七世紀の最初の三分の一以降には停滞が認められるが、その期間はアジアの場合は一世代以上、アフリカにあっては一世紀半の余も続いている。南米ではアマゾン河流域を別にすれば、極めて長年月の間、殆ど見るべき成果はない。北米だけはフランス人のお蔭で探査の進展が長年に亙って続いていたが、他の地域では（日常一般の旅とは異り）発見というものには、長い間余り重きを置かれて来なかった。私は便宜上、一六二〇年という一つの終結点を設定したけれども、それにはかなりの融通性を与えておいた。前述の情況を考える時、このことは本書にとって適切であったように思われる。更に附言すれば、物語の筆が余りに深く十七世紀へ入り込まぬように抑えたが、これは私にはエドワード・ヒーウッドの本と競う気など毛頭なかったからである。むしろ先に述べた通り、ビーズリイの著作とヒーウッドのそれとの間隙を本書が塡め得ればと庶幾したに過ぎないのであって、諸家の批評によって本書がもしその位置に値するとなれば、私にとって身に余る光栄という外はない。

以下に記す私の謝辞は簡単ながら何れも心からのものである。就中ボルチモア在住のダグラス・ゴードン氏、ハクルート協会会長のマルコム・レッツ氏、名高いペル・メル商会（ウィリアム・H・ロビンスン社）のライオネル・ロビンスン、フィリップ・ロビンスンの両氏、そして拙稿の相当量を長い間辛抱強く読んでその洗煉に貴重な批判と示唆を惜しまれなかったジョン・カーター・ブラウン図書館のローレンス・ロース博士に衷心より感謝を捧げたい。特にロース博士の数々の御厚意に対して御礼申し上げる。ボストン文庫（アセネアム）館長兼司書のウォルター・ホワイトヒル氏には船の型態（デザイン）に関する部分では色々と教示を忝くした。ボストン美術館のＷ・Ｇ・コンスタブル氏及び米国学術団体協議会のルネッサンス研究部会座長として私の仕事に懇切且つ友情溢れる関心を寄せられたフォルジャー・シエイクスピア図書館のルイス・Ｂ・ライト博士にも負う処が誠に多い。自身の設計になる〈サンタ・マリア三世〉号の写真を恵送されたマドリード海軍博物館館長ドン・フリオ・Ｆ・ギレン大佐、ラ・コーサ地図に関する情報を与えられた『開拓史叢書』編輯長ジェイムズ・Ａ・ウィリアムスン氏、決定稿の編輯について大変お世話になったハーヴァード大学出版局のジェイムズ・Ｅ・ダフィ夫人にそれぞれ厚く御礼申し上げたい。同じくイェール大学地図研究所のロバート・Ｌ・ウィリアムズ氏にはその素晴しい幾つかの地図に関して感謝する。またウィリアム・フォスター卿には、私のアマチュア的熱中に寄せられた終始変らぬ同情ある援助を記念して、敬意を表する次第である。そして最後に、私に本書の執筆をまず慫慂し、一貫してその完成を力づけられたハーヴァード大学のウィリアム・Ａ・ジャクスン教授に深甚なる感謝を捧げるものである。

なお、地名の綴りは大抵の場合、英国王立地理学会の用法に則り、人名のそれはハクルート協会の刊本に用いられた方式に従ったことを附記しておく。

ペンシルヴェニア州デヴォン
バルバドス・ヒルにて

一九五一年　コロンブス記念日　B・P

大航海時代【目次】

大航海時代——旅と発見の二世紀

本書の執筆を慫慂された
ウィリアム・アレグザンダー・ジャクスンに

1　背景＝古代と中世

十五世紀の人々を大航海・大旅行に駆り立てた原動力は背景なしに出現したものではなかった。それは中世のヴェネチア人やジェノヴァ人、カタイ［中国］へ派遣されたフランシスコ修道会の宣教師達、回教太守（カリフ）の学者達、ローマ帝国の船乗り達や四方へ進撃した軍団、アレクサンドリアの地理学者達、そして最終的には古代ギリシャの哲学者達をも含む実に二千年以上の昔に溯る一つの背景を擁している。これらの群像の総て――そして更に一層多くのもの――がこの背景の形成に参加しているために、それらに関する若干の知識なしには、エンリケ航海王やクリストファー・コロンブスの如き人物の鴻業や視野を本当に理解することは不可能である。この背景はその真髄において「理論」「神話」「現実」の三部分から成る――混合の割合によって味の違いに影響を及ぼしてはいるが、その中にはそれぞれの要素が常に含まれているといった――一箇の綜合的混成物として想い描かれねばならない。「理論」とは、自己の周りに展開する世界（そして特に未知の世界）を全く限られた情報を基に説明しようとした学者達の、古代を通じて変らざる企ての産物であり、「神話」とは、伝奇物語（ローマンス）とお伽噺の二千年が生んだ成果であって科学知識の代役を果すものとして中世の人々にとっては特に魅惑的であったし、「現実」とは人々が実際に見たもの——この場合例えばポーロ一家やその後続者の如き人物が、全く未知の乃至はローマ時代以来ヨーロッパ人が訪れたことのない他の土地で経験したもの——を意味する。大発見時代へ向けて扉を開いた十五世紀初頭の地理知識の三重層的基盤はこの様なものであった。

理論

古代世界の大地理学者はギリシャ人である。その最も古い時代からこの極めて知的で天賦の才に恵まれた人々は、地中海という内海の東辺に住んで彼等の地理的環境に関心を抱いていたが、ナイル河やユーフラテス河沿いのもっと古い文化のそれに比べれば、遥かに擢（ぬき）んでていた。ホメーロスの時代においてすらオデュッセウス物語やアルゴナウテースの伝説に見る通り、ギリシャ人（ヘレーネス）は彼等を囲繞する世界を知りたがったし、一方、初期の哲学者達は地球の起源と宇宙体系中に占めるべきその位置といった問題に解答を与えるべく努力した。紀元前五世紀までにピュタゴラス派は地球球体説を発展させており、この理論は経験的基礎よりもむしろ哲学的なものから演繹されたとはいえ、以後自由思想家達によって継承されて来た。暗黒時代の初期キリスト教徒の時期においてのみ、この球体説は異端として斥(しりぞ)けられたが、当時においても敢えて教会に反抗し、この地理学的真理を生かし続けて来た少数の勇気ある人々があって、それは十五世紀になって劃期的な重要性を持つに至る。実に《地球球体説》の創始こそギリシャ地理学の礎石であった。古典期が過ぎるまでは、総ての地理学理論と研究はこの基本的原理から流れ出していたのである。

《周りの世界》に関する実際的知識という点では、ギリシャ人は前四世紀の半ばまでには地中海と黒海の沿岸諸国についてはよく知っており、カスピ海並びに（クセノポーンを通じて）ペルシャに関してある程度の知識を持っていた。その世紀の終り頃には、マルセイユのピュテアスがイギリス諸島にまで及んだ自分の外洋航海の諸々を記しているところから見て、ギリシャ人もまたヨーロッパの西海岸について幾らかは知っていたと思われる。彼等の知識の大凡は、自身地理学者という意識はなかったけれども、ペリクレス時代のアテネ市民が知っていた世界を地理学的に描き出しているヘロドトスの歴史に関する著作に窺うことが出来る。この世界は《オイコウメーネー》*oikoumene* としてギリシャ人に知られるに至るが、これはつまり、ギリシャ人やそれに似た人達の住んでいる土地、の意味である。オイコウメーネーの涯(はて)は（ピュテアスの時代における西方のそれは別として）判っていないが、オイコウメーネーという土地は大洋(オーケアノス)によって限られ、大洋は地球の残りを覆っているものと思われていた。オイコウメーネーの外にある陸地という可能性はプラトンによって発展させられ、その神秘主義は遂に彼をしてあらゆる地理伝説中の最も驚くべき一つ――西方大洋中の何処かにあった失われたアトランティス大陸――を紹介するに至らしめたが、この伝説は中世を生き抜き、初期ルネッサンスの思想にもある程度の影響を及ぼしている。

ギリシャ人は更に、陸地や海洋の分布にはお構いなく、地球を便宜的に幾つかの地帯（ゾーン）に分割した。彼等は次の如く構想している。即ち二つの極地帯（ここは寒くて人間は住めない）、二つの温帯即ち北側（ここにオイコウメーネーがある）と南側、そして一つの赤道地帯（ここは普通その暑さの故に命が保（も）たないとされていた）である。この中でも特に赤道地帯の問題は中世の終りに至るまで地理学者達を悩ませたもので、敢えてこの危険を冒す者がその死の地帯を超えてなお命を完（まっと）う出来るか否かという問題と密接に関連していたのである。少くともポルトガル人の諸航海が開始されるまでは、このことが地理的冒険事業や調査に対する決定的なブレーキの役目を果していたとのみ言えば十分であろう。

マケドニア帝国創建の頃の知識と理論の状態はこの程度であり、続く一世紀の間に〝地平線〟は著しく広大なものとなる。アレクサンドル大王の驚異的な印度遠征（前三三六―前三二四）の結果、ギリシャ人はクセノポーンの極遠の地点を超えてたっぷり一五〇〇マイル、優にインダス河の東側にまで足跡を印するに至る。一方――北部ペルシャと今日のアフガニスタンを東に横断し、そこよりインダス河沿いに南下、次いで概（おおむ）ね海沿いに南部ペルシャを西進した――彼等のルートは、所謂《オイコウメーネー》の範囲（ラチチュード）を大いに拡張したのであった。

アレクサンドル大王の如き行動の人とアリストテレスの如き思索の人を同時に持ち得たという点で、ギリシャ人は実に幸運であった。この大哲人は後世に地理学的著作を特に遺さなかったけれども、科学的地理学の基礎を据えた栄誉はアリストテレスにこそ与えられるべきである。彼は最初から地球球体説の代表的論客であったが、一方ピュタゴラス派は、完全な固体の形は《球》だけであるという意味で、人類の居住区を定めるに適（ふさ）わしい唯一のものであるとの議論から、球体説を採用した。アリストテレスは、《球》のみが蝕の際、月面に円い影を投げかけ得るのだという、もっと近代的な説明を行った。《オイコウメーネー》について言えば、アリストテレスは、それは南方にも東方にも大きな広がりを持っていると信じていた。しかし彼は陸地は水よりも重く、それぞれの質量は平衡していなければならないと考えたために、現在のオイコウメーネー以外に他のオイコウメーネーはないと確信していた。この教義からアリストテレスは、スペインから印度へ大洋を横断する距離はそれ程大きくはなく、途中に陸地は存在しない、と結論した。この理論に照して判断するならば、コロンブスこそロジャー・ベイコンやダイ枢機卿を介してアリストテレスの衣鉢を継いだ直系の子孫と言うべきであった。

他のオイコウメーネーなるものは存在せずというアリストテレスの命題は、全く挑戦を受けなかった訳ではない。前二世紀、マロスのクラテスは「世界対称説」に基いて、世界には四つの大陸塊があり、ギリシャ人の所謂オイコウメーネーはその一つに過ぎないと論じた。二つは北半球にあり、(それに対立する)二つは南半球にあって皆大洋によって囲繞されている、と。クラテス派の理論にはそれぞれ擁護者と反対者があった。ポンポニウス・メラ、マクロビウス及び中世神学教師の多くはその信奉者であったが、しかしこれは初期キリスト教教父時代及びその後に至っても、異端思想の種を包蔵するが故に、正統派の当然の憤激を買った。にも拘らずクラテスの仮説の対蹠論的部分は最後の勝利を占めるに至る。何故なら赤道より下［以南］に人間の住む土地のあることがポルトガル人によって証明され、この対蹠的オイコウメーネーは結局スペイン人の神秘的な《南方大陸》説からオーストラリアという現実のものへと結実したからである。

アレクサンドル大王の最も永続した成果——彼の劇的な征服の数々よりも一層永く後世に遺った業績——は、彼の名を冠したエジプトの都市の創設であった。アレクサンドリアは忽ちギリシャ文化と学問(特に地理学)の中心となり、五百年後のローマ帝国による没落まで栄えたのである。この中心からはプトレマイオスを頂点とする地理学者の一派が輩出した。これらの学者達は天文学と同様、理論・記述の両地理学に興味を抱いたが、彼等を最も悩ませた問題は《地球の大きさ》の測定であった。この学派の初期の人物中で第一人者はエラトステネス(前二七六—前一九四)である。彼は真夏の太陽が深い井戸に反射するのを見て北回帰線の位置をアレクサンドリアのほぼ南の一地点（シエネ乃至アスワン）と決め、そこからアレクサンドリアまでの距離を測り、アレクサンドリアにおける太陽の高度をノーモン〔晷針〕という手段で調べ、既知の基線と既知の二角というユークリッドの公理によって我々の惑星〝地球〟の円周を算出した。彼の得た結果（約二万五〇〇〇地理マイル〔赤道における経度一分の長さ、約一八五四メートル〕）は実際よりほんの少々大きかっただけで実に驚嘆に値する精度であったが、不幸にも後代になると一万八〇〇〇地理マイルという余りにも過小な数値に達したポシドニオスのそれに取って代られてしまった。エラトステネスは《オイコウメーネー》についても興味ある計算をしており、それによれば東西九〇〇〇マイル（約三分の一過大）、南北はその半分（これは極めて正確）であった。エラトステネスとポシドニオスの時代の間には、大変実際的な天文学者で地理学者のヒッパルコス（前一四〇頃の人）がいた。ヒッパルコスが地球の大きさ測定に手を染めた形跡はないけれども、後世の人間は彼に負うところが多い。何故なら彼は大円を三六〇度に分割し、地球儀の表面に緯度平行線と経度子午線を描いたからだ。ヒッパルコスの本初子午線はほぼ十分にアレクサンドリアを通過していた。彼は座標系の導入だけでなく、アストロラーベ〔天測儀〕（その原理は以前から知られていた）を発明し発展させて、緯度決定の道を拓いたのである。実に彼のこの器具は、エリザベス女王の時代に至るまで〝太陽を射る〟ために使われていた。

ヒッパルコスに続く者は、前述の通り地球の大きさの誤った測定とその見解の不幸な人気とで有名なポシドニオスである。アレクサンドリア学派中のポシドニオスの後継者はティルスのマリヌス（二世紀初の人）で、彼は小さな地球という誤りを維持する点では先輩に続いた訳である。しかしながら、他の点では彼は十分記憶に値する。何故ならマリヌスは帰還して来る船乗り達から聞書きを取るという方法を採用し、それによって東アフリカ海岸のかなり南やベンガル湾までの印度洋全域に関する航海の実際的知識の拡大に役立てることで、かのリチャード・ハクルートの先蹤となったからである。就中マリヌスは、あらゆる古典的地理学者中最も有名で影響力の大きかったプトレマイオスの師匠として最もよく知られている。マリヌスと彼の優れた弟子達は共にローマ帝国の極盛期に生き、ローマの商業と海運は真の意味で世界規模と言ってよかった。商業航海と実地の航法は当時でも地理の科学の重要部分であり、西暦二世紀頃まではこれらが地理学の方法を進歩させて来たのである。紀元前四世紀の昔にまで溯っても、後世『スキュラクスの水路誌（ペリプロス）』〔スキュラクスは紀元前五世紀頃のギリシャ人。ペルシャのダリウス大王に従って東方へ航し、インダス河谷まで探検した〕として知られる驚く程優れた地中海と黒海の沿岸水先案内書が現れているし、英雄アレクサンドル大王の時代には部下の船将ネアルコスはインダス河口からペルシャ湾まで航海し、そしてローマ皇帝達の時代になると、帝都の需要を充すべく様々な異国の珍品を求めて印度洋を商船隊が往来していた。プリニウス時代の極めて興味深い航海便覧が今日遺っているが、これは作者不明のギリシャ人による『エリュトリア海の案内記（ペリプロス）』というものである。この便覧は印度洋の一層よく知られた部分だけでなく、印度より向うの国々や海岸について略述しており、その中にはクリュセの島々（恐らくマレー半島）、セレスの国（印度支那か？）、そして東の涯のティン地方――これは西方における中国の最初の言及である――などが見られるのである。

クラウディオス・プトレマイオス（一二七―一六〇年頃活躍）が彼の著作にその古典的地理学の蘊蓄総てを傾け始めた時、彼の自家薬籠中の知識の本体はこれであった。とは言うものの、プトレマイオスは新しいものを多く取込んだ訳ではなかった。彼の地球の寸度はマリヌスを介したポシドニオスのものであったし、「度」と「緯度」「経度」の観念はヒッパルコスから採っている。また彼の地名表はマリヌスと各種の航海案内記（ペリプロイ）、それに恐らくはストラボーンからも得ている。一方プトレマイオスは我々の知っている最初の地図帳（アトラス）を編輯した。また球面を平面上に投影する問題を考え、その結果地図投影法の最も初期の方法を発展させた。そして彼は《地球》の形ではなかったけれども、その大きさの実感を示そうとした最初の地理学者であった。

プトレマイオスの名声はその二つの著作に遺っている。即ち彼の『天文学』（『アルマゲスト』というアラビア語による書名の方がよく知られている）と『地理学』である。これらの二著はアラビア人の手で中世という深淵を渡り切って近代地理学の出発点を形成した。

プトレマイオスの野心は、彼の知っている世界――彼の先輩達の所謂《オイコウメーネー》よりも遥かに大きな世界――の正確な説明を与えることであった。このために彼は、既知の地点総ての経緯度を決定するという際限のないごたごたに捲き込まれることになる。理論的には彼の考えは正しかったけれども、実際問題としては使われた情報が酷い見当違いばかりであったから、彼の『地理学』は誤謬の塊と化してしまったのである。地中海の中でこそ緯度はアストロラーベで、経度は推測航法で地点をある程度の真実性を以て決定出来た。しかしプトレマイオスが勝手知った土地の外に出て、B地点から定かならぬ方角へ何十日もの旅程にあるA地点の位置を決定しようとすれば、その結果は悉くお話にならぬ程馬鹿馬鹿しいものであった。この歪みは彼が地球の円周の過小な数値を採用したことによって一層酷くなり、ために赤道における「度」の長さに僅か五〇地理マイルしか与えない結果になった。これはアジアが著しく東方へ伸びているかの如き効果を与えてしまい――その結果コロンブスの想像力にも影響を及ぼし、彼はそれによって西廻りで印度に達する最短航路を構想するに至るのである。

プトレマイオスの『地理学』は二つの部分より成っている。第一部は地域別に編成された地名索引(ガゼティーア)であり、各地名にはその緯度と経度が与えられている。第二部は地図帳(アトラス)で世界全図一葉と地方図多数から成っている。この世界全図を見ると、昔のギリシャ人の考えた海洋に囲まれたオイコウメーネーがどの様に変貌したかがよく解る。代ってそこにはヨーロッパ、アジア、アフリカの三大陸があり、一方印度洋は地中海よりも大きくなって、東アフリカから東南アジアへ連なる一つの陸橋（ランド・ブリッジ）によって囲繞されている。印度半島は先端が断ち截られた様な形となり、その南にはタプロバーナ（セイロン）という巨大な島がある。また東方遥かには黄金半島（ゴールデン・ケルソネーソス）（マレー半島）が、それを超えた処にシヌス・マグヌス即ち大湾があって、再びその先でアフリカからの陸橋が終っている地域がある。この後の方の特徴こそ十六世紀初頭の地図に二つのマレー半島という描写を惹起した元兇であり、一方〝陸地に囲まれた印度洋〟という観念は、ダ・ガマの時代以前のポルトガル人やその他のヨーロッパ人を大いに当惑させたのであった。アフリカは一つの広大な塊として描かれ、赤道以南にまで拡がっているが、プトレマイオスはこの暗黒大陸の内部を地図にするのにかなり苦心をしたと見え、《月の山脈》とナイル河の源としての湖を描いているが、この二つの特徴はいずれも正確な現地の情報から得たものに相違ない。プトレマイオスの仕事からは臆測や神話は極力排除された。即ちプラトンの〝失われたアトランティス〟もクラテスの〝もう一つのオイコウメーネー〟と〝対蹠大陸〟も悉く放逐されてしまった。アフリカの陸橋のみがプトレマイオスの想像力の産み出した唯一の虚構として、姿を留めているのである。あれ程の知的誠実性を以てしてもプトレマイオスは自身の誤りの数々と名声に対してそれ相当の酬いを受けたのであって、ルネッサンス期の探検家達はプトレマイオスが彼等に教えたことを余りにもしばしば忘れ去り、そして再びすっかり学び直すという苦しい道を歩むことになる。しかしプトレマイオスは、マルコ・ポーロが現れるまでは、地理学の世界の最高峰として記憶さるべき人であった。

ギリシャに比較すると、ローマは地理学思想や文献の歩みに関しては、殆ど見るべきものを遺していない。事実ローマと言えば想起される傑出した地理学者は、ギリシャ人のストラボーン（前六四―二〇）だけである。ギリシャ人と違ってローマ人は彼等の環境をじっくり考えたりはしなかった。むしろ彼等は無味乾燥な実務型の将軍、行政官、帝国の建設者達なのであって、地理学的理論など全く彼等の性に合わなかった。彼等の欲したものは役に立つ参考書なのである。ストラボーンはその頃認められてはいなかったが、彼等の必要を充してやったに違いない。彼は当時知られていた世界に関する百科全書的な政治・記述地理書を著したが、これは古代文明が今日に遺したその種のものの中で最善のものを保持している。本質的にはこれは称賛に値する地名索引であり――粉飾を排し、明白な事実のみを満載した――ローマ軍団の司令官や属領の総督にとっては貴重この上ない宝典の如きものであった。かかる事情を考えると、他の古典的地理学者達がストラボーンの著作について全く知らなかったなどとは信じられないが、彼が何の注目も浴びなかったということは実に不可解と言う以外にない。いずれにせよ、ルネッサンス初期になって彼は再発見されることになるが、その時に彼ストラボーンの与えた影響は極めて大きなものがあったのである。

ラテン民族それ自身については、僅か三人を挙げ得るに過ぎない。プリニウスは彼の『博物誌』四巻を以て地理学に貢献したが、それには神話的虚構の傍に沢山の実に重要な情報が含まれている。ポンポニウス・メラ（四〇年頃）は〝もう一つのオイコウメーネー〟なるクラテス派の理論を復活させ、そして地理学に関する小論を物しているが、これは十五世紀においてすら実際の価値以上の人気を博していた。マクロビウス（四世紀）はメラに追随した〝対蹠論〟の信奉者で、メラと同じく中世において極めて高い世評を獲ていたという点で主として記憶さるべき人物である。またアウグストゥス皇帝の将軍で助言者でもあったアグリッパが、ローマ人の知っていた全世界をローマのある建物の玄関（ポルティコ）にプトレマイオス風に描いた有名な彩色壁画地図に関しても、言及する要がある。以上で本書の目的に関係のある古典的地理学者の名簿は終りである。驚異や綺譚を物してあたら自身の才能を安売りした少数の人々については、この「理論」の節よりも次の「神話」の節で眺めたいと思う。

　ローマ帝国の衰頽と暗黒時代の出現と共に科学としての地理学は冬眠に入り、その眠りを覚ますために初期の教会は殆ど何もしなかった。厳格な聖書の解釈に加えて不撓の教父的頑固さは、イェルサレムを中心とする《平板な地球（フラット・アース）》という理論を生み出し、《エデンの園》は何処かその上方の国にあり、そこから〝楽園の四つの川が流れ出ている〟ことになった。この見解の代表的鼓吹者は修道士コズマス（五四〇年頃）であるが、彼が印度へ旅したことがあり、当然そこをよく知っていたことを考えれば、その殊勝めかしたぺてんはいよいよ奇怪（グロテスク）と言わねばならない。暗黒時代の著述家総てがコズマスの如き盲目ではなかったことを述べておくのもまた公正というものであろう。何故なら聖アウグスチヌスやベーデ尊者は地球が球形であることを是認したし、セビーリャのイシドールとオロシウスは二人とも彼等の著作の中に地理学の部分を設けたが、それらが悉く無価値という訳ではなかった。にも拘らず、当時の地理学上の理論や文献で示唆に富むものは殆ど無きに等しく、人類の思想にとって幸運だったのは、教父的地理学というものがエンリケ航海王の時代にはもはや何等の影響力も持たなくなっていたことである。

地理学の復活には大変長い時を要したのであるが、古代のこの学問を絶やさず守り続けて来た中世初期の回教徒学者達に我々は感謝せねばならない。この刺戟を受けて、十二世紀から十三世紀には、西欧に新しく設立された諸大学からキリスト教徒の学者達が、彼等を待っているアリストテレスやプトレマイオスの知識を求めてトレドやパレルモやチュニスに遊学した。古典的・イスラム的地理学の西欧への導入は、セウタ出身の才気煥発なムーア人でシチリア王ロジェル二世の宮廷に永年仕えたイドリーシー（一一〇〇―六六）の生涯に要約されている。この回教徒地理学者中最も有能なイドリーシーはプトレマイオスを復活させ、その網羅的な『地理学』の中に、キリスト教徒の学者に先んじて殆ど一千年の間に書かれたこの分野の最高の業績を盛込んだのである。この間に西欧にも達していたプトレマイオス自身の『地理学』に対する回教徒の尊崇を考えると、翻訳されたのは遥かに小部分に過ぎず、キリスト教世界はこの極めて重要な文献史的事件をコロンブスやダ・ガマの世紀まで待たねばならなかった。しかしこのことは、アラビア人には『アルマゲスト』(大著述)――この書名はこの著作並びに著者が如何に尊敬を得ていたかを如実に示すものであるが――として知られるプトレマイオスの天文学上の著作には当てはまらない。この本はクレモナのジェラルドによってアラビア語から翻訳され、そして英人ホリイウッドのジョン(ラテン雅号サクロボスコ)が十三世紀半ばに行ったその抄訳は中世の終りに至るまで操船(シーマンシップ)・航海術の一大実用便覧となっていた。サクロボスコの『球形の世界』と題した手頃な校訂版は、あらゆる時代を通じて膾炙した最も有用な本の一つにまで成長した。多くの写本が遺っているけれども、三〇部以上に及ぶインキュナブラ版〔一五〇一年以前の印行本〕はコロンブス時代におけるその人気の程を物語るものである。

中世大学の神学教師達自身はどうであったかと言うと、彼等の時代がキリスト教的ヨーロッパにおける地理学復興に際会するという幸運に恵まれたにも拘らず、地理学理論に対して捗々しい貢献はなし得なかった。球形の世界という理論は、地球を幾つかの気候帯に分けるギリシャ風の分割説と共に、最も反動的な直解主義者を除く総ての人々に受容れられるに至る。アルベルトゥス・マグヌス(一二〇〇―八〇頃)は人間の住む赤道帯と人口の多い対蹠大陸(アンチポデス)の可能性についてさえ論じた。ロジャー・ベイコン(一二一四―九四)はこの点では彼に全く賛意を表している。即ちスペインの岸からそれ程遠くない処に人間の住み得る陸地が存在するとの前提に立って、この英国人はアリストテレスに基く推論を提出した。次いでこれは殆ど一字一句違わずピエール・ダイによって繰返され、ダイを経てクリストファー・コロンブスに全面的な影響を与えたものであった。この故にこそ、中世大学の神学教師達、就中ベイコン、そしてアメリカの発見の間を結ぶこの鐶（リンク）は記憶に値するのである。

ベイコンの死と十五世紀の始りまでの百年乃至それ以上の間、何等かの重要性を持った地理学的研究が何一つなされなかったのは不思議である。この期間の前半がポーロ一家やその後続者による中世の大旅行の時であったことを想えば、ますます不可解と言わねばならない。恐らくこれは当時における理論と実際の間の乖離（かいり）を如実に示すものと言ってよい。フランスの聖職者であるカンブレー司教ピエール・ダイ枢機卿（一三五〇—一四二〇）は、中世大学の神学教師の時代以来最初の地理学者と言ってよかった。彼には二つの著作が遺っている。一つはプトレマイオスの『地理学（ゲオグラフィア）』の発見以前に書かれた包括的な世界地理の本『世界の姿（イマゴ・ムンディ）』であり、もう一つはそれ以後に書かれた『宇宙形態論二説』*Cosmographiae Tractatus Duo* である。ダイは殆ど卑屈なまでに旧套墨守に終始した。何故なら完全無欠に正統な根拠にまで溯り得ない彼の著作には何一つ創見は見当らないし、彼の生活は余りにもこちこちの修道院風であったに相違なく、中世の旅行や探検に関する知識は悉く彼の注意から洩れてしまったらしく思われるからである。ダイは著作の中で当時の人々の記憶にあった中国への伝道については記しているが、アジアやアフリカの旅行者に関しては只の一人も採り上げていないのである。にも拘らずダイは、〝印度に到る近い西廻りの海路〟についてのアリストテレス的見解に関して、ロジャー・ベイコンを殆ど逐一引用することによってコロンブスに頗る大きな影響を与えた。実際コロンブスは『世界の姿（イマゴ・ムンディ）』を常に座右に置いて愛読したらしく、彼が持っていたのは一四八三年頃にルーヴァンで印刷された版（Hain蔵書837）であり——現在でもセビーリャのコロンブス文庫に保存されている——コロンブス自身による数百ヶ所に及ぶ欄外註記が見られる。この偉大な発見者（コロンブス）は、〝人間の居住可能な世界の東方への伸びはプトレマイオスが想像したよりもずっと大きく、当然の結果として《東洋》は《ヘラクレスの柱》〔ジブラルタル海峡〕から余り遠くない処から始っていることになる〟というダイの論証に、疑いもなく強い感銘を受けた。その他ダイは、印度洋は陸地に囲まれておらず、アフリカは人間の住み得る熱帯にあると同時に一つの島であると信じていた。ダイの二番目の著作にはプトレマイオスの『地理学』発見の影響が見られるが、ダイ枢機卿はこの古典作者（プトレマイオス）の教えを自己流に織込んでしまったから、それによる歪曲は必ずしも最善の結果を生んではいない。

　プトレマイオスの『地理学』は十五世紀初頭に甦ったが、一四〇六年から一四一〇年へかけてのヤコブス・アンヘルスによるその翻訳は、学問の世界に対する最初の重要な貢献であった。一定の限界内ではそれは説得的で典拠があり、中世の地理学よりは遥かに優れていた。この発見は、恰(あたか)もシェイクスピアの行方不明の戯曲が今日発見されたとしたら起きそうな大騒ぎを当時惹起したに相違ない。色々な欠点にも拘らず、プトレマイオスの書物は人々を擒(とりこ)にするというよりもむしろ刺戟を与えたのである。文化と批判精神に満ちた啓蒙運動はすでに遥かに前進していたから、それが今更重荷になる様なことはなかった。プトレマイオスの地理学の基本原理は、緯度と経度による地点の正確な決定にあった。彼自身はこの原理を極めて誤りの多い方法で実地に適用してしまったが、この原理は、その知識と器具を有する人々にとっては有効なものとして残ったのである。彼の地図帳(アトラス)（例えば一四八二年のウルム版プトレマイオス・アトラス）の最初の印刷版のあるものにおいてすら、彼の地図が科学的な意味のある線図上に描かれた幾つものポルトラーノ式地図によって補われているのも、そうした事情である。プトレマイオスの最大の誤謬の一つ——陸地に囲繞された印度洋——さえもルネッサンス初期の学者達によって真面目に検討された。とは言うものの、プトレマイオスは古典地理学者の総師として十五・十六世紀には大いに名声を博し、彼の諸々の理論と原則は人類に影響を及ぼし続けたのであった。

大発見時代以前の時期においてこれらにある程度影響を与えた一人の人物について言及しておくべきかも知れぬ。即ちローマ法王ピオ二世は円熟した教養と学識に富む人文主義者であり学者であった。彼の『世界形象論』*Historia Rerum Ubique Gestarum* は大部分プトレマイオスの要約であるが、決して無批判な丸写しではなかった。何故ならピオ二世はアフリカ周航の可能性を信じていたからである。彼はまたマルコ・ポーロやオドリコ・ダ・ポルデノーネがもたらした東アジアや中国に関する情報を織込んだ。コロンブスもこの本を一冊持っていて今日まで遺っており（一四七七年ヴェネチア発行。〔Hain 蔵書 257〕セビーリャのコロンブス文庫所蔵）、その書込みは、彼の中国への関心が並々ならぬことを示している。

以上が発見時代前夜の地理学理論や知識の大略である。当時信じられていたこと及び原理の大部分は古典古代――特にアリストテレスやプトレマイオス――にまで溯及し得るものである。回教徒と中世大学の神学教師達はこの知識にさして多きを加えることもなく後世に伝え、十五世紀の一、二の学者がそれを今日にもたらした。理論的な面では、初期のポルトガルやスペインの探検家達はこのような背景の下で働かねばならなかったのである。

神話

地理学の理論的・抽象的知識を強化したのは神話・伝説・虚誕の巨大な一群であり、ルネッサンス期の航海者達の心情をよく知ろうとすれば、これらを軽視してはならない。この神話的色彩を帯びた知識の大部分は古典に淵源するもので、あるいは『聖書』からあるいは回教から、または単に中世的なものから発していたが、これは旅行譚や伝奇物語の継ぎ接ぎ細工となって老若貴賤を問わず人々を魅了する結果となった。ほんの一握りの例外を除けば、この伝説の塊は《東洋》に関するもので、〝途方もない豪富〟〝自然の驚異〟〝魔法〟といった連想を伴い、古代・中世の人間にとって一種独得の魅力を持っていたのである。そうした神話の一部は実際にはホメーロス起源のものであろうし、大部分は（紀元前四〇〇年頃）ペルシャ宮廷に一七年間を送ったギリシャ人クテシアスの著作にまで確実に溯り得るのであって、クテシアスの『波斯記』*Persica*と『印度記』*Indica*は、東洋の動物や怪物に関する夥しい空想談・驚異譚の一大集成となっている。アレクサンドル大王の印度遠征は同種の物語を更に殖すことになり、中世に至って《アレクサンドル大王譚集成》に成長する。ローマ時代にはプリニウスがその『博物誌』の中で（主にクテシアスから）沢山の地理架空譚を伝えているけれども、その荒唐性ではカイウス・ユリウス・ソリヌス（三世紀頃の人）の右に出る者はない。ソリヌスの『談叢』*Polyhistor*はプリニウスその他からの不思議な動物や怪物的な人種、そしてありそうもない自然界の驚異に関する奇談集であった。この本は殆ど無敵の人気を獲得したので、中世の百科全書編輯者達や年代記作者達によって貪婪に引用されている。この傾向に拍車をかけたものは、古典的神話に対する聖書的・ゴシック的神話の付加的増大である。地理学のこの形式は、西欧の読者層を心酔させたに相違ない十四世紀の見事な文学的虚構『ジョン・マンデヴィル卿［東方］旅行記』によってその真骨頂を窮めるに至る。

人間というものは自分の知っているもの、目にしたものを神秘的だなどとは思わないのが普通であり、むしろ隠されたもの、遠く離れたもの、未知のものにこそそれを感じ、それが人間の想像力を飛翔させるのである。ギリシャの初期からササーン王朝の時代まで、ペルシャは地中海世界と遥かな東洋との間に〝鉄のカーテン〟を垂らしていた。アレクサンドル大王は正々堂々の決戦を以てペルシャ軍を叩くという単純明快な戦法によってこのカーテンをあっさり衝き破ってしまったし、ローマ人はペルシャの勢力範囲を迂回航行したり、バクトリアを横断するかの神秘に満ちた《シルク・ロード》を利用することによってこれを出し抜いた。これら二つの時期以外、十三世紀のタタール人による平和［蒙古帝国］が確立するまでは、西洋人が中央アジア乃至は南アジアにまで達することはなかった。その間伝説はますます肥大して行ったので、ポーロ一家やその後続者による屢次の旅行すらも、伝説に対する人々の信仰を減殺出来なかった。かかる伝説の対象は相当程度にまで印度に集中しており、もしアジアの大部分が幻想に満ちた地方であるならば、印度こそ何処にも増して驚異の国であった。矮人達(ピグミー)が鸛(こうのとり)と、巨人達が鷲頭有翼の獅子(グリフォン)と闘う処であり、吠え唸る犬の頭を持った人間、仰臥して片方の脚を挙げ、その巨大な跖(あしのうら)を日傘にしている人間、腹に眼のある無頭人、毛むくじゃらの体と長い歯を持った密林種族、などが住んでいる筈なのだ。その様にクテシアスは記し、マンデヴィルもそう書いた——それが伝承の連綿性というものである。中世において騎士物語に翻訳され、その主人公に楽園を訪れさせるというキリスト教的潤色を受けたアレクサンドル大王の伝説は、主として印度を舞台とする伝説の山を築いた。キリスト十二使徒の一人聖トマスに纏わる伝説についても同様で、聖トマスの生涯は伝道者・殉教者としての翳と栄光に包まれており、南部印度に富み栄えたキリスト教徒の植民地を創設したと言われる……こうした神話は、ダ・ガマの最初の航海に至るまで一筋に続いていたのである。

その他の神話については一地方に局限するのが更に困難である。教父的地理学の出現と世界の中心にイェルサレムを据えたことにより、《楽園》はアジアに漠然とした位置を与えられたけれども、それは色々な地図製作者や年代記作者の気紛れによって様々に変転した——地理学的な精度で此処だと確定するのは、恰も子供達の頭の中だけに在るお伽の国を経緯度で示せというのに似ていたのである。この桃源境と言えば楽園の四つの川が思い出されるが、それらはエデンの園に源を発し、東方に流れていることになっていた。つまりティグリス河、ユーフラテス河、ピソン河（インダス河かガンジス河のいずれかと考えられる）及び大変都合よく紅海海底の地下水路によってエジプトへ導かれるギオン河、即ちナイル河なのである。また当時はゴグとマゴグの二巨人の伝承があり、彼等は遠いアジアの地に在って物凄い野蛮人共に君臨し、此の世の終りにおける彼等の忿怒の爆発は人類の破滅を惹き起すことになっていた。この聖書の預言は、アレクサンドル大王がこの二巨人とその手下共を巨大な城壁の内に封じ込めたという物語に結び付いた。やはり聖書的だがもっと楽しい話は《オフル》という素晴しい土地の伝説であり、ソロモン王の黄金や宝石はそこからもたらされる筈であった。オフルの在処ほど捉え処のないものはなく、コロンブスはそれを西印度諸島に、カボットは南米に、そしてポルトガル人は東アフリカに索めたのであった。

事実これらの伝説に由来する位置の錯綜は、真面目な地理学者なら気が狂って然るべき底のものであった。特にエチオピアとの混同において印度はその適例である。少くともある中世地図には「エジプトの印度」とか「エチオピアの印度」といった説明が見えるし、実際エジプトはその時代には一貫してアジアに在ると考えられていた。一方エチオピアの端は大抵ずっと東に寄せられ、紅海と印度洋の大きさは最小限にまで縮んでしまったから、中央アフリカは印度から余り遠くない処に位置することになった。疑いもなくこの混乱は、あらゆる地理伝説中の最たるもの《プレスター・ジョンの国》――の移植を物語るものである。

年代記作者オットー・フォン・フライジングは一一四五年にイタリアでシリア人の司教に邂逅した経緯を記しているが、この司教はペルシャの彼方、極東に住む王であり聖職者であるジョンなる人物が、如何にしてメディア人やペルシャ人に対して成功裡に戦いを遂行したか、そしてイェルサレムの危急を救うべく西進を企図していたかを語るのである。これこそ使徒の敬虔とクロイソスの富を兼備した伝説的な印度の支配者に関して西方世界に届いた最初のニュースであった。この噂に何らかの実際的根拠があったとすれば、それは、丁度その頃、中央アジアのある仏教徒の部族民がサマルカンドの近くでペルシャのセルジューク族領主を撃破したことがあったという事実に基くものである。二〇年以上もの間、キリスト教世界は、この雲を摑む様な噂に一杯喰わされていた。そしてそれから一一七〇年頃、あらゆる文学的いんちき中最も驚くべきもの――プレスター・ジョンの手紙――が捏造された。現存する写本によると、ビザンチン皇帝、ローマ法王、そしてフレデリック・バルバロッサ皇帝など様々な人に宛てられたこの怪文書は、かなり明確な言葉でプレスターの王国の栄光の数々と巨富を詳説し、この聖職者＝王が世界の他の君主に比してその富と力が如何に冠絶しているか、その領土がどの様にして三つの印度を併せ、バビロンの沙漠を超えてバベルの塔にまで及んだかを物語るのである。その国は端から端まで旅すれば四ヶ月もかかり、七二州を擁してそれぞれに統治王がいる。王国内にはアマゾン女族やバラモン僧族の国々、使徒聖トマスの聖所、青春の泉、黄金・白銀・宝石の流れ来る多くの河があった。プレスター・ジョンその人については、彼がかの三博士の家系の子孫であり、その人柄はキリスト教的美徳と献身の権化であると書かれている。かくの如き一人の高貴且つ雅量に富むキリスト教徒の帝王が未曾有の版図と信じ難い程の富を有する理想境に君臨しているという風説はヨーロッパに深刻な影響を与え、《プレスター・ジョンの王国》の探求はポルトガル人のアビシニア遠征に至る探検の主因となったのである。

この素晴しい君主について何度も繰返された噂とその発展の跡を辿ることは可能である。かくして一二二一年になると、一人の偉大なキリスト教徒の帝王が回教徒と闘ってその勢力を一掃しつつあるとの風聞が東方から流れて来た。勿論人々は最初の内はそれこそプレスター・ジョンに相違ないと希望的に考えたが、程なくその征服者が実は恐るべき非キリスト教徒の成吉思汗（ジンギス・カン）であることが判明して、夢は打ち摧（くだ）かれてしまう。この迷妄の粉砕を以てしてもなお、この司祭王の国を見つけようとする人々の懸命な熱情を挫くことは出来なかった。マルコ・ポーロの時代には、プレスターはネストリウス派を奉ずる中央アジアのケレトの王と結びつけて考えられたが、この人物はキリスト教徒とはいうものの実は有難くない暴君で、司祭王の令名に泥を塗るものであった。ポルデノーネのオドリコは十四世紀の初期に東方に旅した人で、プレスター・ジョンの王国はカタイ［中国］を西に去ること五〇日の旅程にあるとした。これがアジア大陸におけるかの謎の支配者に関する噂としては最後のものである。プレスター・ジョンへの言及が次に現れるのはほぼ一三四〇年頃のセヴラクのジョルダンによるもので、はっきりとエチオピアにいるとしており、ポルトガル人が一世紀半の後に彼を発見した時にも依然としてそこにいることになっていた。こうした風説の数々が無批判な連中にどの様に作用したか、回教徒に対する闘争においてかくも頼もしい味方であることを示したこの強大な帝王の探求が、航海王（プリンス）エンリケ王子やそれに続くポルトガルの王達、あるいはまたクリストファー・コロンブスにとって如何に抗（あらが）い難い情熱であったかは容易に理解出来るところである。

　プレスター・ジョンの伝説に較べれば他の神話は全く色褪せて見えるが、それでもなお二つばかり、十五世紀の冒険心に影響を与えたものについて言及しておこう。即ち《黄金の河》に関するものと《失われたアトランティス大陸》についての伝承である。前者は中世の幻の黄金郷（エル・ドラード）、リオ・ドロつまり黄金の河に関するもので、全く人に知られぬアフリカの何処かに実在すると信じられていた。これは恐らくニジェール河やセネガル河に関する朧気な情報に基くものであったろう。その河口はボジャドール岬の南の何処かにあると想像されており、イドリーシーが述べている此の世ならぬ富裕の国ビラド・ガーナ（またはギニア）の土地を流れていると言われていた。サハラ沙漠を北へ横断してやって来るアラビア人の隊商が多分こうした噂をもたらしたのであろうし、それがキリスト教ヨーロッパに滲み出てその探索へと人々の心を動かしたのである。後者について言えば、失われたアトランティスの伝説は遠くプラトンにまで溯る。これはキリスト教時代の初期に聖（セント）ブレンダンの物語として復活したが、彼ブレンダンは、アイルランドの西や北西に魔法の島々や空想的な海を求めて経巡ったと言われる。聖ブレンダン伝説に密接な関係を持つのは《七人の司教》の伝説で、彼等はムーア人の支配するスペインを遁れて大胆にも大西洋に乗り出し、一つの美しい島を発見してそこに《七つの都市》を建設したという。この口碑は航海王エンリケ王子の時代には誰もが信じていたことで、実際、ある船長は本当にこの島を発見したとエンリケ王子に報告している。それ故、十五世紀は無論のこと、十六世紀になってすらも聖ブレンダンや七つの都市の島々はブラジルやアンティーリャの島と同じく、失われた大陸が海上に残した断片として地図に姿を現しており、その発見に対しては当時ずっと歴代のポルトガル王から助成金が下賜されていた。事実、一七五五年という年になってすら聖ブレンダンの島はカナリア群島の西五度に在ることになっており、一方この種の幽霊島の最後のものであるブラシル岩島（ロック）は、一八七三年に至るまで英海軍省作製の海図にちゃんと載っていた。

この様に、ルネッサンス期の発見者を誘惑する伝説の、世界規模のネットワークが存在していた。エチオピア、印度、カタイが、そして西アフリカや大西洋すらもこの伝説や物語の大集積の一翼を担っており、その蠱惑（こわく）的な魅力で、こうした幽霊（ファントム）達を見つけ出すだけの勇気と機略を持った男達に富と力と栄光を約束した。伝説の持つ磁力は古来探検者の心情に絶えず働きかけた要因であったらしく、《黄金郷（エル・ドラード）》《シボーラの七つの都市》《モノモタパの帝国》といった十六世紀頃の他の伝説もまた、砂また砂の曠野に、熱帯の密林（ジャングル）に、男達を誘（おび）き寄せ、破滅させて来たのである。

現実

十三世紀の中葉に至るまで、ヨーロッパ人はバグダードより東には誰も旅していないと思われる。確かに度重なる十字軍遠征の結果、多くの人々がシリアやパレスチナそして小アジアについてすらもある程度の知識を持つに至ったし、一方イェルサレムへの巡礼の旅も絶えることなく続いてはいた。しかし、ある出来事、というよりもむしろ一連の事件が文字通り東方への限りない展望を開くまでは、《遥かな東洋》とは断絶したままになっていたのである。十三世紀の初頭、中央アジアの蒙古族中に覇を唱えた成吉思汗（ジンギス・カン）は中国を制圧した後、西方に矛先を転じて一層広範囲の征服作戦を開始したが、この作戦で彼は実際に南ロシアを横断してポーランドにまで侵入したのであった。この韃靼人（タタール）による征服の最初の暴威が熄（や）むと、成吉思汗とその後継者達はドニエストル河から太平洋に跨る彼等の広漠たる版図の地固めに身を入れたが、戦闘では精強無比を誇ったのと同じく、平時にあっては思慮深い賢者ぶりを発揮したのである。彼等は支配地のキリスト教徒には寛容であり、ヨーロッパ商人達を歓迎すらした。一方、彼等の帝国の管理は甚だ行届いていて、旅行者は容易且つ安全に茫漠とした中央アジアを横断出来た。かくしてローマ帝国の全盛期以来絶えて久しく見ることのなかった様な一つの現象が生じたのである。即ち広大な領土と寛容さ、治安が良くてそこではあらゆる国の人間が好むままに往来し得る、そういう国の出現である。宣教師も商人も共にこの情勢を利用したから、一世紀以上にも亙って西欧と遥かな東洋の間には驚くべき数の旅行が続いたのであった。一二四五年にはフランシスコ派の修道士ジョヴァンニ・デ・プラーノ・カルピーニが、ゴビ沙漠とバイカル湖の間のアジアの辺境カラコルムに都する蒙古の支配者に対する使節として派遣され、彼は蒙古帝国を実地踏査した最初のヨーロッパ人として注目されることになった。一二五三年にもまたウィリアム・ド・ルブルクが同様な任務を帯びてカラコルムに遣された。これらの冒険から何年か後、蒙古帝国の支配者達はその首都をカンバルク（北京）へ遷してそこに居を定め、爾来、引続くヨーロッパ人の訪問を迎えたのである。西方からの最初の商業旅行者が中国（カタイ）に着いた時には、詩や物語に名高い東洋の主権者忽必烈汗（フビライ・カン）がそこに君臨していた。この勇気ある実業家はヴェネチアの商人ポーロ家の二人の兄弟で、一二五六年頃陸路を中国まで旅を続け、忽必烈（フビライ）の新首都に殆ど一四年近くも留った。一度ヨーロッパへ帰った後、彼等は再び若きマルコを伴って戻って来たが、このマルコこそ史上最大の旅行家の一人たるべき運命を担っていた。彼等は中国への帰還に四年を費したが、それはペルシャとパミール高原を通り、西蔵（チベット）北部を横断する長途の旅であって、後に彼等がヴェネチアに還るまで、更に一七年を中国で過したのである。この年月の間マルコは汗（カン）の外交官として認められ、忽必烈（フビライ）の領内を広く旅行することが出来た。一二九二年、ポーロ一家は帰国の途に就き、海路をマレー半島、スマトラ、印度の海岸沿いに進んで三年後にヴェネチアに到着した。

マルコ・ポーロに続く旅行者は多かったが、中でもキリスト教の聖職者達が最も傑出していた。十四世紀の初頭に中国へ赴いた数少い人達の名を挙げれば、ジョヴァンニ・デ・モンテ・コルヴィーノ、ポルデノーネのオドリコ、ペルージアのアンドレウ、セヴラクのジヨルダン、そしてジョヴァンニ・デ・マリニョリがある。彼等の多くは途中、印度の海岸地方に淹留（えんりゅう）している。聖職者達に比べると、旅商人達はポーロ一家を例外として殆ど知られていないけれども、フィレンツェの名家バルディ家の代理人フランチェスコ・ペゴロッティなる男の手による極めて興味深い写本（フィレンツェのリカルド図書館所蔵）の存在によっても立証される如く、かなりの数に上ったのである。この本はレヴァント地方から北京に行く旅で採るべき道筋（ルート）の案内書と言うべきもので、道中の宿駅や荷駄の便、中国との交易に最も適した品目、見込み得る儲けなどが記されており、おまけに旅路は昼夜を問わず全く平安なり、と嬉しがらせる様な御託宣すら含んでいる。

　この好もしい状態は、少くともカタイや中央アジアに関する限り、一連の出来事によって事実上崩壊してしまう十四世紀の中葉まで続いたのである。まず黒死病として知られる恐るべき疫病が一三四八年から四九年にヨーロッパを席捲し、中世社会を根柢から揺がせた。二番目はオスマン・トルコの興隆によって東西間に障壁が生れたこと。第三は忽必烈汗（フビライ・カン）の子孫が一三六八年にその壮麗な首都から逐われた時、異国人を優遇した蒙古（タタール）帝国の中国における主権が終りを告げたことである。その結果中国との交際は殆ど二百年間も中絶し、そしてポルトガル人が到頭この《帝政中国（セレスティアル・エムパイア）》にやって来た時には、恰もメキシコにおけるコルテスの如き発見を成し遂げたかの様に思われたことであった。にも拘らず中世の旅行の記憶は生き続けており、現存する写本やインキュナブラ版の数は、この種の文献がコロンブス時代と同じく、コロンブス以前にも如何に人気を博していたかを示すものである。これを基に判断すれば、『マルコ・ポーロ旅行記』〔『東方見聞録』〕は今日少くとも一三八種の写本が存在することから解る通り、この種の本の中では人気や影響力の点で嶄然一頭地を抜いていた。初期印刷版つまりゴウダのレーウによる一四八三―一四八五年版(Hain 蔵書 13244)の一冊をコロンブスも持っていて、現在セビーリャのコロンブス文庫に保管されている。これは同じ印刷者による『マンデヴィル卿東方旅行記』(Hain 蔵書 10644)の姉妹篇として刊行されたものであるから、コロンブスが『マンデヴィル旅行記』も一緒に持っていた可能性は大いにある。ポーロの『東方見聞録』に次ぐ人気があったのはポルデノーネのオドリコによる『東洋紀行』*Descriptio Orientalium Partium* で、少くとも七三の手写本が現存している。これはポーロの本の貴重な補遺となるべきもので、托鉢修道士オドリコによる本書は伝説的な調子から免れ得なかったけれども、マンデヴィルの剽竊作業には大いに役立った。他の伝道師達による現存の写本は数では少く、恐らく旅行者一人当り各一、二点を算するのみであろう。しかしヴェネチアの政治家・政治学者マリノ・サヌートによる戦略的・宗教的作品『十字軍宝典』と回教徒に対し彼等の言葉を使ってペルシャやイラクを説教して歩いた熱烈な福音派布教師モンテ・クローチェのリコルドによる『旅日記』*Itinerario* は相当量が今日遺っている。これらから明らかな様に、アジア地方への陸上の旅行という中世的伝統は生き続けて来ており、そしてピエール・ダイはマルコ・ポーロのことなど聞いたこともなかったが、ポーロのもたらした地理情報は弘まった先々で珍重された。アブラハム・クレスケスは『カタロニア地図帳』の編輯に際してそれを採り入れたし、エンリケ航海王はその写本を蔵しており、そしてコロンブスはその印行本の一冊を所持していたのである。

地中海にあっては東洋貿易は殆どヴェネチア人とジェノヴァ人の手に握られており、その勢力と繁栄は十字軍時代の間に途方もなく成長した。ヴェネチアはラテン人が一二〇四年の第四次十字軍遠征でコンスタンチノープルを占領した時に彼等を後援し、ラテン系皇帝が続いている間は莫大な利益を得て来た。一方ジェノヴァはビザンチン側を支持し、一二六一年にパレオロガス帝が復辟した時には相当な勢力を得るに至る。これは中世後期のコンスタンチノープルにおけるジェノヴァ人の地位を絶対的なものにする結果を生んだ。彼等はここを基地としてその活動を黒海、カスピ海及び北部ペルシャにまで伸長して行った。クリミアのカファではセビーリャ程度の規模を持つ繁栄した都市を支配したし、ドン河口に近いタナには南部ロシア及びトルキスタン方面への強力な中継基地を持っていた。トレビゾンドには堅固な濠を周らした都市を構えたが、ここは一四六一年にオスマン・トルコに奪取されるまで、六代に亙るビザンチン王朝（コムネニ）のロマンチックな帝国が続いた処である。十三世紀末以前には、それより更に東のカスピ海にも彼等の商船隊の姿が見られたし、タブリーズでは貴重な通商特権を享受していた。ここは一二九一年にウォルター・ラングレイが訪れた所で、彼は中東に達した英人としては最初であった。ジェノヴァ人のこの中央アジア貿易は蒙古帝国の分解後も長い間存続した。アフリカにおいてもジェノヴァ人は積極的であって、彼等はナイル河の上流、スーダンのドンゴラまで溯っていた証拠がある。チュニスにある商館からはサハラ地方まで入り込んでいた。一四七七年、アントニオ・マルファンテは沙漠の遥か奥地まで往き、ニジェール河流域に関する記述を残した。このイタリア都市国家の精力的な活動は遂にその船乗り達を大西洋にまで送り込み、一二九一年にはギドー・ヴィヴァルド、ウンゴリーノ・ヴィヴァルドのジェノヴァ人兄弟が、後世ポルトガル人が殆ど一世紀も要した事業を一挙に成就せんものと、天晴れな向う見ずの冒険心を発揮した。喜望峰廻り（ケイプ・ルート）で印度に到達する意図を以てこの兄弟は大胆不敵にも大西洋に乗り出したが——再びその消息を聞くことはなかった。ジェノヴァ＝ポルトガル共同遠征隊が十四世紀の中葉にマディラ諸島やアソーレス［アゾレス］群島を発見したことは一般に認められている。けれどもこれら初期の大西洋航海は間歇的な冒険事業であったと見えて徹底を欠き、間もなく忘れられてしまうが、それらが事実として存在した証拠は主としてポルトラーノ海図に求めることが出来る。

ジェノヴァ人の広汎な商業活動に比べればヴェネチア人の貿易でさえむしろ二流に見えてくるけれども、さりとてヴェネチア人を無視することは決して出来ない。彼等はラテン系皇帝が衰微し、ビザンチン側皇帝がコンスタンチノープルで復位した時には相当の傷手を被ったが、黒海貿易の相応の分け前はカファやタナ、そしてトレビゾンドの代理機関によって維持し続けたのである。西部地中海では彼等は余り活潑でなく、北アフリカに対して毎年僅かに一船団を送るに過ぎなかった。事実ジェノヴァの方針がますます拡散していたのと全く対照的に、ヴェネチアの政策はいよいよ集中化して行った。そしてヴェネチア人はエジプト貿易では他国を完全に閉め出してしまう程の独占を果した。アドリア海、多島海（エーゲ）、そしてアレクサンドリア――これこそヴェネチアの生命線であり、この極めて価値ある独占を保持するためには、どこか他の地域との交易の可能性をも見送ってしまう傾向があった。エジプト貿易は広い意味では南アジア及び東印度諸島との貿易であって、モルッカの香料群島から来る貨物はマラッカからカリカットへ、カリカットからスエズへ、スエズからアレクサンドリアへ、そしてアレクサンドリアでヴェネチアの貨物船（ボトムズ）に積み替えられる。この貿易はますますヴェネチア人の活動の大部分を占めるに至ったが、このことは十五世紀になってニコロ・コンティやジョン〔ジョヴァンニ〕・カボットの如きヴェネチア市民が何故《東洋》へ突き進んだかをよく説明するものである。

　その他の地中海民族、特にマルセイユとカタロニアの船乗り達も当時なかなか活潑であった。彼等は黒海貿易の一部及び北アフリカとの通商のかなりの部分を担っていた。殊にカタロニア人は航海術に貴重な進歩をもたらし、ジェノヴァ人同様、大西洋水域に誘惑を感じていた。ハイメ・フェレルに率いられた遠征隊は一三四六年、《黄金の河》を発見すべく果敢にも船出して行った。ヴィヴァルド兄弟の冒険と同じく、彼等はその後、杳(よう)として消息を断ってしまったけれども、『カタロニア地図帳』にはボジャドール岬沖を未知の世界へ進むフェレルの船が描かれている。更にまた船乗り稼業のノルマン人も発見への衝動に駆られており、一四〇二年のベタンクールとガディフェによるカナリア群島への航海によって、中世の航海年代誌は一気にエンリケ航海王の時代へと移るのである。

このフランス人達がカナリア群島の征服を果しつつあった同じ年に、彼等の同胞の一人が西アフリカで新天地を開拓した。即ちトゥルーズの冒険好きな市民アンセルム・ディザルギエは、サハラ沙漠を横断してティンブクトゥの東二〇〇マイルのニジェール河畔にあるガオという半開の都邑まで行った。途中の敵意ある回教徒達の住む何百マイルもの沙漠を越えて行くのは、極めて勇気を要する一つの事業であったに相違ない。しかしディザルギエはそれをやり遂げてガオにたっぷり一〇年間も滞在し、遂に一四一三年、混血の家族と現地人の家来の一団を引具して故郷に還って来た。

この他の旅行者達にも一瞥を与える要がある。何故なら彼等の様々な旅から得られた知識は彼等の死後も生き延びてルネッサンスへと承け継がれたからである。一四〇三年から一四〇五年へかけて、サマルカンドのタメルラン王［帖木児(チムール)のヨーロッパ訛り］宮廷への外交使命を帯びて派遣されたカスティーリャの騎士クラビホ、あるいは（一三九五年の）ニコポリスの戦いで捕えられ、故国に帰還するまでの数年間をスルタン・バヤズィドとタメルラン双方の捕虜として過したドイツ人シルトベルガーなども看過し難い。

本書ではグリーンランド、マルクランド及びヴィンランドにおけるノーズ人の諸発見に関する論議は省略したが、それはスカンジナヴィア以外ではそうした土地が存在するなどという意識は殆どなく、一方十五世紀まではそれらの記憶すらもが極めて仄かなものであったから、ルネッサンス期の旅行には全く影響がなかったとも言えるからである。グリーンランドだけは記憶に残っていたらしいが、しかしこれは単にノールウェイの北及び西に張り出したスカンジナヴィアに連なる半島と考えられていた。従って本書の目的からすれば、ヴァイキングによる諸航海は無視してよかろう。同様に、十五世紀の地理学者や探検家には《西方の大陸》とか《新世界》といった考えはなかった。《失われたアトランティス》の断片的な残影は、伝説の島々という形で生き続けていることはあっても、西欧と極東の間に然るべき大きさの陸塊が存在するなどとは誰一人期待していなかったのである。

恐らく中世後期におけるあるがままの地理的知識の全体像は、パリの国立図書館所蔵（MS スペインの部 30番）のかの名高い『カタロニア地図帳』の中に最もよく示されている。この一連の地図はマヨルカ島のユダヤ人アブラハム・クレスケスが一三七五年に製作したもので、マルコ・ポーロやその後続者である伝道師達のカタイへの旅、ヴェネチアやジェノヴァの商人達による近東・中東及び北アフリカへの諸々の旅行から得られた知識によって世界を描いている。地中海も含んで英国諸島から黒海に至るこれらの地図は標準（ノーマル）ポルトラーノ式であるが、極めて高い水準に達している。デンマーク、ノールウェイ南部とスウェーデン及びバルト海は総て相当な精度で並んでおり、北アフリカはボジャドール岬までは見事であるが、その緯度から以南は推測で描かれている。このため西部サハラには大きな湖があることになり、そこから一条の河（セネガル河）が西に流れて大西洋に注ぎ、もう一本の河（ニジェール河）は東流してナイル河に合している。湖の直ぐ北にテンブク（ティンブクトゥ）を置いたことは、ペトラルカやチョウサーの時代としては驚嘆に値するニジェール河流域の知識を示すものではあるが、察するにモロッコに住むクレスケスの同宗の者［ユダヤ人］から得た情報の結果であろう。アジアについて述べれば、アラビア半島の輪郭は大体において正確だがペルシャ湾が深く入り込み過ぎており、このためバスラとスエズの間の陸地はむしろ狭隘な地峡と化している。カスピ海はある程度詳しく且つ相当な知識を以て描かれたものの如く、中央アジアの各都市の配置はポーロやオドリコの書物に広く親炙していたことを明らかに物語っている。印度はその本当の姿である半島の形で示され、北部にはデリーの王国があり――そして、アレクサンドル大王がそこら辺に多くの都市を建設した、と記載してある。イアナ（原文のまま）と命名された南北に長い一大島はマレー半島に相当するが、多分スマトラ島を意味するつもりなのであろう。遥か東方にはもっと大きな島トラポバーナ（原文のまま）［タプロバネー］があるが、これは何処を表しているのか容易には決め難い。中国は特に興味津々である。半円形の海岸線が示されているのみならず、ポーロ［の『東方見聞録』］によって不朽のものとなった諸都市は悉くそこに在るのだ。即ちカンバルク（北京）、ザイトン（廈門湾の刺桐［泉州の別名］）、キンサイ（杭州）、その他の地名である。この注目に値する正確さを以てしてもなお、伝説的な架空の地理が顔を出しているのもまた止むを得ないところであろう。中国と印度の間には矮人国があり、中国の北のぶっきら棒で円味を帯びた半島はゴグとマゴグの国でアレクサンドル大王の城壁が山岳地帯から海まで伸び（ひょっとしたらこれは所謂《万里の長城》か？）、その向うは鷲頭有翼の獅子達の島々である。中国の東方及び南方の海は無数の小島で一杯で、そのため島々は殆ど触れ合わんばかりに犇いているのだ。とは言うものの『カタロニア地図帳』は立派な作品であり、それがコロンブスやダ・ガマより一世紀以上も前に出来たことを考える時、真に感銘深いものがあり、一五〇二年のカンティノ地図の出現までは、東半球をかくも見事に描いたものは他に見当らない。同時に、エンリケ航海王がこの『カタロニア地図帳』またはそれに似たものを見た、ということもまず確実と言ってよい。何故ならアブラハム・クレスケスの息子はヤフダ・クレスケスで、彼はヤコメ先生という名でエンリケ王子の首席地図製作官兼航海学教官を務めたからである。

この《地球》に関する知識と同等の重要性を持つものに航海知識があった。外洋を満足に航海するには次の三つ、即ち針路を決める地図、《北》の位置を決定する羅針儀、そして太陽または月の位置を捉えて緯度を決定する器具が不可欠である。一四〇〇年という年には既に、西方世界の人間はこうした点についてかなりの程度まで有効な装置を持っていた。その日付が約一三〇〇年頃にまで溯るポルトラーノ海図の幾多の例は、気味の悪い程の精度を示している。事実地中海の海岸線に関する限り、現代最新の地図学を以てしても殆ど改善の余地はないのである。羅針儀について言えば、その原理は多分二世紀も以前から知られていた。その原始形態は単に磁化した針を麦稈に十文字に突き刺し、水を張った鉢に浮べたものであったが、一三八〇年頃には、下面に北を指す指針の付いた回転する方位牌（カード）を具えた、実質的には今日と同形式のものが出現していた。船位測定にはアストロラーベがギリシャ時代から知られており、アラビア人の手を経て地中海の船乗り稼業の人々に承け継がれて来た。簡単に説明すると、アストロラーベは一箇の円盤で周縁部には角度が順に刻まれ、中心には回転する棒（バー）が取付けられたもので、太陽の高度［仰角］を照準出来る。水平線に対する太陽の角度はこうして読み取られ、緯度が算出される。これの変り種は特に英国ではよく知られている十字桿（クロス・スタフ）で、本質的には原始的象限儀（コードラント）［四分儀］であった。一年の毎日についてそれぞれ異る太陽の赤緯に基いて計算された位置表は十三世紀の終りには早くも出来上っており、一四七八年頃アブラハム・ザクートによって大いに改良された。帆走航海の実際的知識については、マッシリア［マルセイユの古名］人・カタロニア人・ポルトガル人は、イドリーシーの時代にアラビア人からシチリア人へ、シチリア人からジェノヴァ人へ継承された伝統の中に総て学んで来た。かくの如くルネッサンス前夜においては、地中海と南西ヨーロッパの海洋民族は《世界(グローブ)》に関する知識を少なからず持っており、航海技能もまたかなりの域に達していたのである。

2 ルネッサンス初期の漫遊者

本章で語られる気儘な徒歩旅行者達は、マルコ・ポーロ時代の中世の旅行と偉大なポルトガル人達に上るルネッサンス期の諸航海を結ぶ生きた連環を成すものである。ある意味では彼等自由旅行者達はルネッサンス的というよりもっと中世的であったが、それでもなお、未詳の東洋を索めるルネッサンス的気風の最初の動きを代表している。必要に応じてその土地土地の原始的な船で海を渡って旅をしたけれども、彼等は何よりもまず陸上旅行者であった。ある者は公式の使命を帯びて旅行をし、またある者は放浪癖に憑かれた商人達なのであった。しかしいずれの場合にせよ、彼等がもたらした話は東方の神秘の国々に対する関心を刺戟し、ルネッサンス人の知的視野を拡大したのであった。

意義の点ではともかく、年代の点でこれらの第一に来るのは貴族出身のヴェネチアの商人ニコロ・コンティであって、彼は一四一九年に故郷のヴェネチアを後にし、それから二五年間も続く一連の旅に上った。シリアまでの道中は変哲もないもので、殆ど語るに足りない。アラビア語を覚えるのに十分なだけダマスカスに逗留すると、後年ポッジョに口述した如き波瀾に満ちた旅が始った。彼はダマスカスからアラビア沙漠を越えてユーフラテス流域に到り、メソポタミア南部を通過してバグダードまで行った。ここで土地の船に乗ってティグリス河をバスラまで下り、それからホルムーズへ船旅をする。印度洋に面したペルシャのある港（彼はそれをカラバシアと呼んでいる）で暫く滞在してペルシャ語を学び、土地の商人の幾人かと商売上の仲間になった。コンティの次の目的地は印度で、湾（ガルフ）「アラビア海」地帯からカンベイの町に進み、そこで印度の生活習俗の観察を始めたのだが、彼は特に宝石類の多いこととサッティ「妻の殉死」の慣習の流行に注目している。

コンティはカンベイから印度の西海岸をアラビア人船乗り達が陸地初見（ランドフォール）の目標として使っている突兀（とっこつ）たる海角マウント・エリイまで南下し、そこから田野を横断してゴアから一五〇マイル内陸へ入ったデカン高原の主要なヒンドゥー教徒国の首都ヴィジャヤナガルに達した。この大都会は一五六五年の回教徒との提携によって破壊されてしまったが、コンティが訪れた頃は彼の談話に確証される如く、壮大な都であった。コンティは陸上を踏破したのか海路コモリン岬を廻って行ったのか定かではないが、「印度半島の反対側の」現在のマドラスのある処に近いマイラプールへ往った。マイラプールは使徒聖トマス由縁の霊場であり、コンティも書いている通り、ユダヤ人がヨーロッパ中に居たのと同様、当時は印度の到る所に土地のキリスト教徒達の聖堂が点在していたのである。

コンティはこの時期に結婚したに相違ない。彼の妻は印度人で、マイラプールを離れるとコンティは妻とそして当然ながら次々と生れる四人の子供を伴って東印度諸島へ旅立つ。彼の物語のこの辺でコンティはセイロン島に言及しているが、彼がセイロンを訪れたのが本当だとしても、それは帰路の旅のことに違いない。セイロン島の全周が三〇〇〇マイルもあるという彼の法螺話は読者の微笑を誘うけれども、肉桂（シナモン）の樹に関するコンティの説明は、彼がいつか確かにセイロン島を訪れているという結論を保証するだけの的確さがある。コンティの次の放浪地はスマトラである。彼はここに約一年ほど留って、残忍な人喰いの風習を持つ住民やこの島が産する黄金、樟脳、胡椒について相当確かな知識を得ている。スマトラ逗留後、マレー半島の突端に近いテナセリムという処へ一六日間の疾風のような旅行をしたが、そこには喫驚する程沢山の象がいた。コンティの次の滞在地はガンジス河三角洲地帯で、彼はガンジス河を船で上り下りし、どことは判然としないけれども色々な町を訪れて数ヶ月を送ったらしい。フーグリイ河沿いのブルドワンを訪れた後、東へ向きを変えてアラカン山脈を横断してイラワジ河に達し、その流れをマンダレイまで下って行った。彼のビルマにおける冒険の数々は、この国の多彩な動物誌（ファウナ）の面白い一節となって結実したが、この鋭い観察力を具えたイタリア人は象狩り、犀、錦蛇（ピユートーン）について語り、また刺青という土俗にも言及している。この大河を甘美な果実で名高い富裕な都布ペグーまで下ったコンティは、再びマレー群島へと飛び出して行き、彼の足跡を印した極遠の地ジャワ島に九ヶ月間滞在した。ここではその土地に盛んな闘鶏を観察し、東方にある《香料群島》に纏わる不思議な話を知る。しかしその放浪癖にも拘らず、コンティはそこへ行ってみなかった。ジャワを去ったコンティは永い間忍従し続けて来た家族を連れてチャンパ（交趾支那(コーチ・シナ)〔現ヴェトナム〕と思われる）へ航海したが、その後、印度の南西端キロンに姿を現すまで、消息を絶っている。彼がセイロン島に往ったのは恐らくこの間のことと思われる。コチンやカリカット、それからカンベイといったマラバール海岸〔印度半島西海岸〕の諸港も訪れている。カンベイ地方からこの疲れを知らぬ放浪者の路は漸く故郷に向う。彼は依然としてネストリウス教徒の住民が大半を占めるソコトラ島に寄港し、アデンの賑かな町とその立派な建物を観た。コンティが紅海を北上する前に逗留するのはメッカの港ジッダである。スエズから彼は脇道をしてシナイ山の聖カタリナ修道院を訪れた。そこの聖所でコンティはペーロ・タフールというスペイン人旅行者に遇うのだが、タフールはヨーロッパ中と近東を流離して歩いた男で、ビザンチン帝国終焉の頽唐期におけるコンスタンチノープルに関する彼の話は忘れ難い迫真力を持っていた。コンティはこのお人好しのスペイン人に〝プレスター・ジョン王の宮廷におけるコンティ自身の経験〟といった風なマンデヴィル的旅行譚を吹込み、これ以上ない厚かましい法螺話で烟(けむ)に捲いてやった。

間もなく（一四四四年）ヴェネチアに帰還したコンティが流石に同じ様な架空綺譚を吹く訳には参らなかったのは、旅行中の止むを得ざるキリスト教信仰の抛棄を償う苦行を科すべく、法王エフゲニウス四世が彼の旅の報告談を法王書記官長ポッジョ＝ブラッチョリーニに逐一物語れと命じたからである。ポッジョは鋭い知性と極めて批判的な洞察力を持った人物であり、コンティもまた大いに畏って神妙にしたことは明らかで、騙し易いタフールに吹いた時とは事変り、遥かに控え目な自身の体験談を物語った。ともあれこのポッジョ版は、ヴァルテマ以前のヨーロッパ人による南アジアの記述としては、ほぼ最高のものと言ってよい。

印度に関するもう一つの、また聞きでない報告が西欧に現れるのには、更に多くの歳月が流れた。一四六八年から一四七四年の間アジアに在ってボンベイの南隣チョウルの遠くまで行ったことのあるロシアの馬商人アタナシウス・ニキチンの旅については、ここであげつらう要はない。何故なら当時のロシアは殆どルネッサンスの一国などとは言えなかったからである。十五世紀も今や終ろうとするその時、もう一人のイタリア人サント＝ステパノが南アジアへ旅するまでは何も無かった。もっともその間、ヴェネチア統治委員会から興味深い三回の外交使節派遣が行われたが、印度へではなく、嘘みたいだが、ペルシャへであった。

十五世紀の後半はトルコの脅威が最高に達した時代であった。キリスト教諸国は、世界支配を目指して殆ど比類を絶する程の努力を払いつつ情容赦なく押出して来るオスマン・トルコの大軍を、恐怖を以て見守っていた。特にヴェネチアは、気がついてみると自国が文字通り最前線に押出されており、一方トルコの進出の影響によって生命線と恃むレヴァント地方との貿易が脅かされ、この島国共和国（ヴェネチア）に惨害をもたらすことを悟らされる。しかもこの熱狂的なスンニー派トルコの東には、決して他の回教圏諸国程には怖れられもせず嫌われてもいなかったペルシャという国があるのだ。ペルシャは回教徒の国ではあるが、その国民はシーア派に属しているために、預言者マホメットの正統派信者達からはまるでキリスト教徒であるかの如く蔑視されていた。事実ペルシャの回教色は淡く、かなりな数のキリスト教徒少数派に対しても寛容であり、古典古代の英雄的な君主国の一つとしての栄光に満ちた伝統を代表していたのである。従ってヴェネチアにとっては、共通の敵に対抗してこの古代からの王国と同盟を形成することは当然の分別であり賢明な方策であった。加えてペルシャを支配している王家とヴェネチアとの間には不思議とも言える血脈があった。当時の王（《シャー》という称号は一四九九年のイスマイルの即位まではなかった）はウズン・ハッサンで、先王の暗殺という甚だ実際的な方法で王位を簒奪した、手段を択ばぬ辣腕家であった。この人物は――当時のロマンチックな表現を藉りれば――傾国の美姫であり、やんごとなき淑女、生粋のキリスト教徒と言われたビザンチンの皇女デスピナを妃に迎えていた。デスピナはトレビゾンドの皇帝カロ・ジョン（コムネヌス）の息女であり、その妹はエーゲ海大公ニコロ・クレスポに嫁して四人の娘を儲け、悉くヴェネチア商人に縁付かせていたのである。

これら商人の一人にカテリーノ・ゼノがあり、勇気と才幹に富む男であったから、ヴェネチアとペルシャの対トルコ同盟結成を目論んだヴェネチア統治委員会は、彼を使節として派遣した。ゼノは一四七一年に出発し、ロドス島に暫時滞在した後、シリアのマムルーク軍閥の支配地を越えてタブリーズにあるペルシャ宮廷へ赴いた。タブリーズでは彼の妻の伯母とその夫王に大歓迎を受けた。実際ラムージォによれば「……ゼノはウスン・カッサーノ［ウズン・ハッサン］の大変な好意と親愛を獲たので、いつ何刻でも好むままに王と女王の私室に出入り勝手となり、（もっと魂消たことには）両陛下が御寝なされている時でも、そうだった……」と言われる。この親密さは成果をもたらした。ゼノはデスピナの口添えを得て弁じ立て、トルコに対して戦端を開くことをウズン・ハッサンに承諾させたからである。これに続く戦争では、ペルシャ軍は侵入するトルコの大軍をユーフラテス河で撃退したとは言うものの、同盟側にとって戦勢は決して有利ではなかった。トルコの武力の厳しい脅威の故に、ハンガリイとポーランドに応援を得るべくゼノはペルシャ王国の大使としてヨーロッパに派遣されることになる。その路順はアルメニアを越えて黒海へ出、そこから船でクリミア半島カファに至るものであったが、カファにはジェノヴァ人の拠点があって、ゼノは危くコンスタンチノープルへ送られてしまうところを辛うじて遁れた。そこから後はウクライナ地方を真直ぐ西へ突き進んだ。ゼノの帰国途中の使命は殆ど成功せず、ポーランドもハンガリイもトルコと戦うことには全くと言ってよい程関心を示さなかったが、マチアス・コルヴィヌス〔ハンガリイ王〕だけはゼノを手厚く持てなした。ゼノは一四七四年に故国ヴェネチアに帰還し、沸き返る様な歓迎を受けている。ヴェネチアではペルシャとの緊密な関係は持続すべきだとはっきり感じられており、このために第二次使節の派遣が行われた。この男ヨサファト・バルバロは若い頃ドン河下流のタタール系クリミア住民の間で暮して商売したことがあり、この東方民族との経験は彼を優れた旅行者、細心の観察者に仕立てたのである。セレウキアの街道を辿りペルシャ北部からヴァン湖へ旅を続け、その途中クルド系の部族民から散々に掠奪や殴打を受けたりした後、一四七四年の春、バルバロは漸くタブリーズへ到着した。彼はゼノ程の鄭重な待遇をウズン・ハッサンから受けられなかった。この頃までにペルシャもまた対トルコ戦争の傷手を被っていたから、オスマン・トルコと戦場で再び相目見えるよう王を説得するのは、如何なる議論を以てしても不可能だった。とは言え、バルバロはゼノよりもずっと広範囲に動き廻ったことは確かで、彼は国内を巡幸する王に従ってスルタニエ、カシャン、イスファハン、イェズドそしてシラズの町々を随いて巡った。その間ヴェネチアの忠実な息子の一人として、バルバロはその耳を油断なく敧てることも怠ってはいない。ペルシャ宮廷は外国使臣の盛んな往来の場であったから、バルバロは美麗な磁器、紙幣、巨大な首都カンバルク、といった中国に関する知識を仕入れることが出来た。同様にホルムーズの豊かな市場とその殷賑な交通、そして〝真珠採る蜑の商人の、大いなる買いの市と謳われしカリカット〟なる都市のことを聞く。一四七八年にウズン・ハッサンが歿するとバルバロはアレッポとベイルートを経由してヴェネチアに帰還したが、数々の豊かな経験は別として、四年間に及ぶ淹留の割には特にこれというものはもたらさなかった。

殆ど時を同じくして、三度目のヴェネチア使節が丁度バルバロの滞在していたペルシャを訪れ、帰還している。ヴェネチアで最も古い名家の一つの子弟アンブロジオ・コンタリーニが、対トルコ戦争の促進を目指してバルバロと協力するために、一四七四年の初めにペルシャへ派遣された。コンタリーニのとった道は往路復路共に東ヨーロッパを通るものであった。彼はポーランドと南部ロシアを横断し、クリミアからミングレリアへ船で渡った後、夏の頃タブリーズに到着した。王子と会見した後、彼はウズン・ハッサンの迹を逐って出発し、イスファハンで国王に追い付く。この由緒ある市でバルバロはコンタリーニを支配者ウズン・ハッサンに紹介し、この二人のヴェネチア人は翌年までペルシャ宮廷の随員として留ることになる。一四七五年六月、コンタリーニはウズンとバルバロに別れを告げてタブリーズを後にし、帰国の途に就いた。黒海沿岸のポティに着いてみると、彼はトルコがカファを占領したことを知る。この報せで計画はすっかり滅茶苦茶になり、絶望に陥ったコンタリーニは熱病に罹って危く死に損った。十分に恢復すると、彼はティフリスを通ってカスピ海沿岸のデルベンドへ出る路をとり、そこで一冬を送った。カスピ海をアストラハンへ渡る苦難の航海とヴォルガ河を溯航する冒険旅行の果にモスクワに到着した彼は、そこでまた一冬を過す。それから故国を目指して大陸を横断し、一四七七年四月、遂にヴェネチアに還って来た。彼の旅は長年に亙るペルシャ派遣ヴェネチア使節の最後であった。ウズン・ハッサンが歿したこと及びメフメット二世の歿後はトルコの脅威が若干緩和されたことにより、ヴェネチアはオスマン・トルコに対抗してこれ以上東方に同盟国を求めることは止めてしまったのである。

それにも拘らずヴェネチア商人達は、カテリーノ・ゼノの父ドラゴン・ゼノが十五世紀中頃にダマスカスとバスラに往き、メッカを訪れた如く、中東へ入り込む努力を抛棄しなかった。その一人にジョン［ジョヴァンニ］・カボットがある。彼は一四八〇年頃、スエズ地峡を越えて回教徒の聖なる町々へ踏み込んで行った。東洋に居る間、東の悠かな国々からくる香辛料を満載した隊商を目にし、アラビア商人達からは、商品・産物は地の涯からの旅の途中多くの人の手を経て送られて来るものだと聞かされる。このことからカボットは地球が丸い以上、香料の国に行く捷径は西廻りの航海の筈だとの結論に到達する。

しかしながら、これら放浪者が悉くヴェネチア人であった訳ではない。その他の国々もルネッサンスの生気溢れる影響の下で、探検の強い衝動を感じ始めていたのである。それはポルトガルにおいて特に著しかった。ポルトガルは喜望峰廻りの印度航路の発見に乗り出していたけれども、一方、プレスター・ジョンの王国やオフル、タルシシといった土地を発見する手段としての近東・中東を通過する独自の陸上旅行の可能性も棄てようとはしなかった。この目的のために、ペーロ・ダ・コヴィリャンとアフォンソ・ダ・パイヴァ（二人の旅の詳細は後述する）が一四八七年にリスボンから派遣された。コヴィリャンはアビシニアに足を踏み入れる前にカリカット、ホルムーズ、そして東南アフリカのソファラを訪れている。しかし、コヴィリャンは東アフリカのこの遐(はる)かなキリスト教国に達した最初のヨーロッパ人という訳ではなかった。何故なら、この世紀を通じてプレスター・ジョンの国への旅が時々行われた微かな痕跡を辿ることが出来るからである。一四〇二年にはアントニオ・バルトーリなる男に率いられたヴェネチア使節派遣の漠とした記録があり、一四三〇年ナポリのピエトロとかいう男がその地に往き、簡単ながら信用出来るその体験談を遺している。一四八二年にはバチスタ・ダ・イモーラの率いるフランシスコ派の代表団が紅海経由でアビシニアに赴き、アクスムでネガス［エチオピア王の称号］の出迎えを受け、ツァナ湖の南、ゴジャム地方に至る長い道程を王と行を共にしている。イモーラとその同僚は歓迎されず、土地の聖職者達の猛烈な反対に遭遇した。第二次代表団派遣は翌年にカイロから行われたが何の成果も挙げられず、この種の努力は中絶するに至る。けれども、一四五九年のフラ・マウロ地図に明らかな如く、この国に関する正確な知識がヨーロッパにもたらされたのは、一四四一年、教会会議に出席すべくフィレンツェに到着したイェルサレムの一修道院からのエチオピア人使節団に依るものであった。

この辺りでいよいよ、ポルトガル人が登場する以前に南アジアへ旅をした最後のヨーロッパ人達の物語をする段階となる。これら旅行者中の白眉はジェノヴァ人ヒエロニモ・デ・サント＝ステパノで、不運ではあったが驚くべき旅行を演じた興味津々たる人物である。彼の旅は多分一四九三年または翌年に始った明らかに商売上の投機を狙ったものであり、仲間の商人ヒエロニモ・アドルノと一緒に行った旅であった。その道筋はイタリアからカイロへ、そして紅海に下ってそこを片々たる土民のダウ船〔印度洋・アラビア海の沿海貿易用帆船〕によって横断するもので、その船材は細索（コード）で互に緊縛されており、帆は藺草の蓆（むしろ）という代物であった。彼等の船旅は至極のんびりしたものである。アビシニアの外港マッサワで二ヶ月、アデンでは更に四ヶ月を過した後、そこから別の、綿布の帆を張った一層小さな船に乗ってカリカットへ渡航した。サント＝ステパノはこの富み栄えた南部印度の都市について適切な意見を述べ、生姜（しょうが）や胡椒の大規模な取引、太陽と牛を尊ぶ住民の偶像崇拝、あるいは婦人は皆七乃至八人の夫を持ち、〝男は未通女（おとめ）とは決して結婚せず、万一処女のままで婚約すれば婚礼の前に誰か他の男に彼女を引渡し、その純潔を奪って貰う〟といった奇妙な一妻多夫の風習を指摘している。

この二人の旅行者はカリカットからセイロンへ、そこから更にコロマンデル海岸〔印度半島のベンガル湾側〕へ行って、そこで七ヶ月間商売をした。ペグーが彼等の次の目的地で、そこからイラワジ河をマンダレイ近くのアヴァへ溯航しようとしたが、奥地には部族間の戦争が行われていて、この計画は沙汰止みになってしまう。それに代って一層刻薄な運命が彼等の前途に待構えていた。と言うのは、ペグーの支配者は一万頭の象を所有する程裕福でありながら酷い欲張りだった。二人のジェノヴァ人は商品を強制的に買上げられてしまったがその支払は全く渋く、土地の人間ならいざ知らず、ヨーロッパ人にとってはこの上ない窮乏と迷惑の只中で毎日嘆願を繰返している内に丸一年経ってしまう。決して頑健な方ではなかったアドルノは過労で仆れてしまい、サント＝ステパノも悲嘆のあまり危く死にかけたのである。漸く王から若干の代償を得てステパノはスマトラに船で渡ったが、それはまるで彼の財産をそこの支配者に没収されに行った様なものだった。彼がカイロから携行して来た一通の送り状のお蔭で自分の商品を幾らか返却して貰ったが、それとて多大の出費と悶着なしには済まなかったのである。このため、彼は出来るだけ早くスマトラを離れてカンベイ行きの船に乗ったが、不運は更に募って来た。悪天候のためモルディヴ諸島で六ヶ月も足止めを喰い、やっと天候が回復して航行が再開されると今度は驟雨(スコール)に襲われて船は浸水し、彼の全財産と共に沈没してしまう。丸一日、板切れに獅嚙(しが)み付いていたこの気の毒な男は、命一つをとり留めて夕方には印度行きの船に拾い上げられる。カンベイに到着すると、彼の運勢は少しばかり好転し始めた。と言うのは、ステパノはダマスカスから来た商人と偶然にも出遇い、その商人はこのぼろぼろになった惨めなジェノヴァ人を奉公人として雇ってくれたからである。かくしてサント＝ステパノは上乗り［積荷監督添乗員(スーパーカーゴ)］としてホルムーズに行くことが出来、そこからシラズ→イスファハン→

タブリーズの路順でペルシャを過ぎてアレッポからトリポリへ出、その地で一四九九年の九月、彼はその感動的な物語を書き上げたのであった。

ドイツ人の巡礼行脚者アルノルト・フォン・ハルフは、一四九七年から一四九九年にかけてレヴァント地方へ注目に値する旅行をした。カイロに暫く滞在した後、彼はシナイ山の聖カタリナ修道院へ行き、それからイェルサレムへ直行する代りにメッカへ向う隊商の一行に加わったという。フォン・ハルフの話が本当だとすれば（些か怪しいが）、彼は聖地へ入ることが出来、そこから更に南下してイェーメンを通りアデンまで行った、と述べている。その物語によれば、フォン・ハルフはそれから印度とマダガスカルへ航海したことになっているけれども、長い冒険旅行（オディッセイ）のこの部分は、ソマリランドのソコトラ島やマガドショ〔現モガジシオ〕辺までは往ったかも知れないが、真偽の程は疑わしいとされている。《月の山脈》経由のカイロへの帰還もまた彼の想像力の生んだ絵空事らしい。彼が帰途に辿ったアダナからプルーサへ、そしてコンスタンチノープルへの小アジアを越える大陸縦断の旅は疑問を残さぬ正確さがあって一層興味深いものがある。

ルネッサンス初期のもう一人の独往者——生涯コロンブスやマジェランとその名声を競い、今なおその勇気と縦横の機智によって我々の感嘆を恣（ほしいまま）にするに違いない一人の男——は、イタリアはボローニャの名家の産で、その陽気で威勢のよい物語が十六世紀には絶大な人気を博したためにヨーロッパ中に雷名を轟かせたルドヴィコ・ディ・ヴァルテマである。疑いもなくヴァルテマは、旅の喜びがその支配的情熱となっている様な人達の一人であり、ジョージ・ボロウに似て異国語を好み、風変りな役をもこなすだけの俳優の技倆を具えた男であった。その諸々の旅を別にすると、彼自身については殆ど何も判っていないけれども、一五〇二年に旅行を開始した時には、恐らく若々しい青年であったと思われる。そこで我々は、彼の生年を一四七五年乃至それに近い数年後としておこう。

ヴァルテマは一五〇二年も終りに近い頃にヴェネチアを出発し、アレクサンドリアとカイロを訪れた後、シリア海岸を北上してトリポリに進む。この地点から彼は内陸へ入ってアレッポからダマスカスに行き、アラビア語を物にするまでそこにゆっくり滞在した。彼は回教徒の服を纏い、ユーヌス(ヨナ)と名を変えて、メッカへ向う巡礼の一行にマムルーク護衛兵として参加した。無論彼の偽装は彼が回教信者になったことを意味するものではない。むしろ旅行者に特有の気味悪い程に鋭い言葉に対する勘の如きものであり、回教徒の遵守すべき慣例・作法の習得に示された彼のスピードによって、彼等の嫌疑を被らずに真に驚嘆に値する旅行が出来たのである(これとは対照的にフォン・ハルフは商人の一行に加わってメッカへ行き、且つ自身は自他共に許すキリスト教徒であったから、ハージ[聖地参詣者]の称号を得るのとは少々目的が違っていた)。聖地巡礼団の御多分に洩れず、彼の参加した一行は大変な人数——ヴァルテマによれば何と四万人!——であった。これを守るために六〇人の護衛兵が付いた。巡礼の路はヨルダンを越えてアカバ湾頭に出るもので、その近くでヴァルテマとその同僚の傭兵達（マムルーク）はアラビアの蛮族共と二日間ぶっ通しの激戦を展開し、勇敢にこの大巡礼団を護り抜いた。巡礼団はメディナの北方にある古代ユダヤの都市ハイバールへ達するべく沙漠や山を遮二無二越えて行った。メディナに着くには更に三日を要したが、これについてヴァルテマは優れた描写を遺している。そして一五〇三年五月二十二日、巡礼団はヴァルテマと共に無事メッカに到着する。かくしてヴァルテマはキリスト教徒としては最初のハージの称を得た人として知られるに至るが、その旅は当時でも、そしてその後何世紀間も、本当の信者でない者にとっては危険極まる仕業なのであった。フォン・ハルフの他にも例えばジョン・カボットの如きキリスト教徒がヴァルテマより以前にメッカに行っているが、彼等はジッダより内陸には全くこっそりと潜入したに過ぎないのである。仮にヴァルテマより早い先行者が居たとすれば恐らくペーロ・ダ・コヴィリャンということになろうが、彼のメッカ訪問に関する信頼出来る詳細は殆ど判っていない。

　ヴァルテマはメッカ滞在中に巡礼に伴う伝統的な儀式慣例をすっかりやり遂げたが、それらやメッカの町そのものに関する彼の物語は大変長く且つ桁外れに正確である——ヴァルテマが手引となる様なヨーロッパ側の資料を何も持たず、またアラビア文学に関して特別な知識を持っていた訳ではないことを考えると、なお更この感が深い。彼のメッカ逗留は約三週間であったが、旅を続けたくてうずうずしていたから、全く当然の様に且つ無頓着にこのシリア人の一行から脱走し、ジッダから海路帰国する印度人の巡礼団と一緒になった。この裏切りのためには、ヴァルテマはある回教寺院に一日中隠れ、身をすっぽり包んで恰も痛い処でもあるかの如く呻吟して見せる芝居を打つ羽目となったが、ともかく彼は無事に乗船出来、かくしてまんまと逃げ出したのである。しかし航海中にキリスト教徒という本当の身分が初めて露見する。アデンに着くと、そこの支配者は近頃の印度洋におけるポルトガル人の海賊行為のためにキリスト教徒に対しては黒煙を噴き上げて怒っていたから、ヴァルテマは牢屋にぶち込まれてしまった。投獄二ヶ月の後、彼は回教徒の同房者と共に東へ約六〇マイル離れたスルタンの宮廷に送られるが、そこで何とスルタンの妃の一人が、このヨーロッパ人の異教徒ヴァルテマと絶望的な恋に陥ってしまうのである。彼女の取りなしとヴァルテマの偽狂人ぶりのお蔭で捕囚から解放されたものの、ヴァルテマは彼女の愛情に報いるどころか、恩知らずにも脚の続く限りすたこらとアデンに遁げ戻って来た。しかし着いてみると、次の印度行き便船が出るのには一ヶ月もあった。そこで危険を避け時を消すためにイェーメンを通過する徒歩旅行に出発し、サナまで往った。彼のこのアラビアの一隅での彷徨は延べ六〇〇マイルにも達したと思われるが、アラビア半島南西部の地勢は凸凹で山だらけなのを考えると、ヴァルテマの耐久力には舌を捲くのみである。

ジッダでやったのと同じくアデンでも一日を回教寺院に潜伏した後、ヴァルテマは印度洋へと乗り出す。彼の船はグジャラットへ舳を向ける前にアフリカのゼイラとベルベラに寄港した。印度に着くと不可解にもヴァルテマは今来た路をとって返し、アラビアに向けて再び船上の人となるのである。彼はドファルとマスカットにちょっと立ち寄り、それからペルシャ湾をホルムーズまで行った。事実、一五〇四年の大部分を彼は南部ペルシャで送っている。ヴァルテマはバンダル・アッバースに上陸し、シラズまで旅をするが、そこで――全く無一文になっていた彼は――メッカでの巡礼仲間として顔馴染みだったペルシャの一商人と邂逅するという幸運に恵まれた。この男はシラズの近くのヘラート（アフガニスタンのヘラートとは別）の町に住んでいた。彼はヴァルテマを家へ連れて帰り、一緒にサマルカンドへの旅を目論む。この冒険旅行は実現しなかったけれども、ヴァルテマは友人の姪の内縁の亭主に納って、大いに青春を満喫する。

一五〇四年の秋、ヴァルテマはこのペルシャ人と連れ立って再び印度へと志し、まずカンベイを訪れ、それからガーツ海岸沿いに航海した。彼はデカン高原の首都ビジャプールへの内陸旅行をするためにゴアで上陸し、カナノールからは更に奥地への長い旅を続け、大都市ヴィジャヤナガルの消えなんとする栄耀を目の当りにする。けれども印度のどの都市にも増して遐(はる)かなのはカリカットであり、ペルシャの商人が商売上の都合で先を急いだために最初の訪問はごく短いものであったにも拘らず、ヴァルテマの心を捉えた。ヴァルテマが言っている様に、カリカットはポルトガル王の命によって荒廃させられてしまい、そこによくやって来ていた商人達にとっては無いも同然の市と化し、また彼等の往来も絶えていた。半島の反対側コロマンデル海岸ではもっと望みの持てそうな情況に思われた。そこでヴァルテマとこのペルシャ人はコモリン岬を回航し、セイロン島に一時寄港した後、現在のマドラスのある処に近いプリカットに上陸する。次いでベンガル湾をテナセリムに向って横断し、それから急いでガンジス河三角洲地帯へ折り返した。彼等の次の目的地はペグーで、一五〇五年の春には遂にマラッカに到達したのである。

　さていよいよヴァルテマの漫遊譚の中では極めて問題とされている部分――彼の香料群島への旅――について語ろう。彼自身の証言によれば、彼がテルナテやバンダ海の遠くまで航海したものと信じさせられそうだが、リチャード・カーナック・テンプル卿が定めたヴァルテマの時間表によれば、スマトラ島のペディルに戻る復航とジャワでの二週間の滞在を計算に入れると、この旅行をするのにたった二ヶ月しか余裕がなく、殆ど不可能に近い慌しい旅になってしまう。アルマンド・コルテサン程の泰斗になるとこの航海をきっぱりと否定してしまうのみならず、ヴァルテマは印度より東には往ったことがないとさえ述べていて、にべもない。従ってヴァルテマのモルッカ諸島への航海は、精々割引して聞いておくべきであろう。しかし、ヴァルテマ自身の物語では一五〇五年の夏にマラッカから印度へ帰還したと述べており、それ以後についての彼の話の信憑性に疑問を投げる必要はあるまいと思われる。

帰還の途次カリカットに着いてから後でさえ、ヴァルテマは信心深い回教徒の役を演じ、回教寺院で寝て聖者を装い続けながら「吾が手に、吾が膝に接吻する者は幸いなるかな……」などとやっていた。だがヴァルテマは懐郷の憶いに憑かれていたに相違ない。と言うのほ、ポルトガル艦隊と共にやって来た二人のミラノ人宝石商とゆくりなくも邂逅したことが忽ちヴァルテマの心に火を点けて、彼は山師稼業から足を洗う決心をしてしまうのである。そこで彼は磊落な豪傑を気取って彼の親切で信義に篤いペルシャの友人を見棄ててカナノールへ往ってしまい、そこでポルトガル人に傭われる。かくしてヴァルテマはカリカットとコチン両市のポルトガル商館代表に任命され、一年半をその資格で務めた。この間に彼がポルトガルの印度副王アルメイダと親密になったのは確かで、カリカットの南にある港市ポンナニに対するポルトガル軍の攻撃を観戦している。この交戦（一五〇七年十一月二十四日）に関するヴァルテマの物語は彼の東方淹留譚の最後の記録であり、その年が終るより前に彼は喜望峰（ケイプ）経由でヨーロッパに向けて出帆しており、帰国航海の完了と共にヴァルテマの数々の旅は大団円を告げ、旅行家としての名声が始るのである。

喧伝された点ではヴァルテマはマルコ・ポーロ同様甚だ恵まれていた。ヴァルテマの遊歴記は刊行（一五一〇年）されるや否や忽ち〝大当り〟し、ヨーロッパ中で夥しい版を重ねたからである。しかしヴァルテマがもて囃されたのは理由のないことではなかった。彼は新しき土地（特に中東）にあまねく足跡を印した大胆不敵な遊歴者であり、紅海を経て印度に達し、喜望峰を廻って還って来た初の旅行家、そしてポーロの後続者達とポルトガル人征服者達との間の空白を塡めた自由旅行者の壮大な系譜の締括りをなした人だからである。

十五世紀末の全般、そして十六世紀の初頭になってすら、聖地巡礼の旅は総てのキリスト教国で人気が続いており、この種の旅行はほんの僅かな地理学上の成果しかもたらさなかったとは言え、巡礼者達は無辺の知的視野を持ち帰って来たのであって、それがルネッサンス期の探検に対する一般的関心となって結実したことは疑いを容れない。聖地巡礼というものは当時全く規格化されていた。つまり巡礼専用船に乗ってヴェネチアから出帆する巡礼者はあちこちのギリシャの島々に寄港した後、ヤッファで下船する。そこからイェルサレム街道を辿り、死海その他の聖書由縁の地を訪れ、それから南に向ってシナイ沙漠を横断して聖カタリナ修道院に赴く。それ以後は多分カイロに行き、ナイル河をアレクサンドリアまで下り、そこから船に乗ってヴェネチアに還って来るのだ。聖地巡礼をした人々の多くが幾らかの価値を持った記述を遺しているけれども、これらは当時の旅行文献中では見逃すことの出来ないものとなっている。次に掲げるのはそうした人々の一部である。イートン校評議員で二度（一四五八年と一四六二年）巡礼をしたウィリアム・ウェイ、ニュールンベルクの醸造業者でデューラーの友人ハンス・トゥヘル（一四七九年）、多分最も優れていると思われる記録を遺したドミニコ会修道士フェリックス・ファーベル（一四八〇年と一四八三年）、後年『愚者の船』を著した有名な人文主義者セバスチャン・ブラント（一四九〇年）、そしてヘンリイ七世の下で造兵監を務め、一五〇六年にイェルサレムで死んだリチャード・ギルドフォード卿、など。しかしこれらの物語の中で最も美麗なのはマインツの聖堂参事会会員でファーベルの仲間、ベルナルト・フォン・ブライデンバッハのそれであろう。彼の巡礼の旅は十五世紀では最も豪奢に挿絵を盛込んだ旅行記『聖地巡礼』*Peregrinatio in Terram Sanctam*（一四八六年のマインツ版及びその後の諸版）となって結実している。

しかしながら十六世紀も二〇年ほど経過すると、聖地巡礼の人気は急速に凋落してゆく。一五一七年には、それまで聖地を支配して来た寛容なエジプトのマムルーク王朝が怒濤の如く押寄せるオスマン・トルコ軍の前に倒れ、パレスチナは抑圧的なトルコの支配下に入ってしまった。聖ヨハネ騎士団の根拠地であり、長い間キリスト教世界の東の前哨地点であったロドス島は、一五二二年シュレイマン大帝によって奪取された。ヨーロッパ内部自体でも間もなく宗教改革が続いて起り、諸々の事件の重なりは中東への巡礼旅行を消滅に導くのである。

3 航海王エンリケ王子とアフリカ航路の開拓

アヴィシュ王家の系譜	在位期間
ジョアン一世（大王）ペドロ一世の庶子	一三八五―一四三三年
ドゥアルテ王　ジョアン一世の子	一四三三―一四三八年
アフォンソ五世（アフリカ王）ドゥアルテ王の子	一四三八―一四八一年
ジョアン二世（完全王）アフォンソ五世の子	一四八一―一四九五年
マヌエル王（幸運王）ジョアン二世の従弟	一四九五―一五二一年
ジョアン三世　マヌエル王の子	一五二一―一五五七年
セバスチャン王　ジョアン三世の孫	一五五七―一五七八年
エンリケ王　マヌエル王の子	一五七八―一五八〇年

ルネッサンス期大発見の第一段階に登場する叙事詩的人物はジョアン一世とその妃、英国ランカスター公ジョン・オブ・ゴーントの女フィリッパ王女との間に生れた五番目の子で高潔英邁の誉れ高いエンリケ王子である。モロッコより遠くまでは行ったことがないにも拘らず、《航海王》の名を冠せられたこの王子は、地理学史上に真に偉大な名を遺している。彼はあらゆる意味で〝作る人〟であり、世界史上空前の航海・発見・征服の世紀へポルトガルを送り出したのは、唯この王子の洞察力と不退転の決意なのであった。長身金髪の筋骨逞しい風姿は英国人のそれで、エンリケ王子は彼を生んだ二つの偉大な海洋民族の最高の資質を一身に具現していた。剛毅な心情、鋭敏な知力、高邁な魂の持主であったエンリケは常に自己の前に理想を掲げた人、そしてポルトガルとキリスト教世界の栄光に寄与する功業を打ち樹てんとする情熱に燃えた人であった。

一四一五年、エンリケがまだ二十一歳の時、父王はモロッコ北端にある回教徒の要塞セウタに対する遠征を指揮したが、エンリケもこれに参加した。こうした一つの出来事が歴史においてかくも決定的な転機となったことは稀であるが、当時の他国の人間にとっては、よしんば彼等が実際耳にしたところで、それは結局取るに足りぬ事と思われたに相違ない。しかしエンリケが武勇を顕して殊勲を樹てたこの北アフリカの港市の占領は、彼の全生涯とその国民の性格を形成すべき天啓をこの若き王子に与えることになったのである。エンリケの如き気質の人――夢見る人であると同時に実際家――にとっては、この出来事は実に強烈な活力剤であり刺戟剤であった。即ちそれは、エンリケ王子を回教世界に直面させるもの、アフリカ海岸沿いに南下し、アフリカを廻って印度にさえも達する路を直指するもの、好機に乗ずるだけの指導性さえ持っていればポルトガル国民を待つ無限の可能性を以てエンリケの胸を膨ますもの、であった。セウタ陥落の正にその日から、ポルトガルはそれまでの（沿岸航海や漁業、十四世紀中葉のアソーレス群島・マデイラ諸島に対するやや定かならぬジェノヴァ人の冒険航海への参加の可能性等の他には）航洋（シーフェアリング）の経験を殆ど乃至全く持たなかったイベリア半島西端のちっぽけな国ではなくなり、地球の隅々にまでその旗を推し進める運命を担った壮大な歴史へと突入して行くのである。この歴史の殆ど大半はエンリケ王子の精力と頭脳に負うていると言っても過言ではない。

セウタでは、この感受性豊かな若い王子はチュニスよりティンブクトゥに至る隊商ルート、セネガル河や西部ナイル、ガンビア河畔のカントールなる豊かな交易中心地、そして黄金海岸のことなどをムーア人の捕虜から聞かされる。この知識に照せば、ギニアに達するにはアフリカ西岸の巨大な肩を迂回せねばならず、アフリカ南端に行くには更にギニアを、印度地方に赴くにはアフリカそのものを廻ること――そして最後に、印度が大賞だとすれば黄金海岸如きはほんの序の口の成功に対する褒美に過ぎぬこと、をエンリケは実感したのである。この様にエンリケ王子のアフリカへの諸航海とそれに続くギニア地方の探検は、ジブラルタル海峡にあった回教圏の小さな前哨地点を征服したことの直接的結果であった。

エンリケの長期目標が印度航路の発見にあったことは、その新知識の故のみでなく、その知識が与えたであろう力から言っても殆ど疑いを容れない。同じくエンリケはポルトガルの偉大さと富に貢献しようと望んだ。何故なら印度貿易こそ世界の宝であり、そして《東方》の富は――普通の人間の眼で見れば確かに――探検を行う明白且つ第一の理由だったからである。それ故当然のことながら、この目的が心に在る限り、印度に到る途中のたまたまの貿易取引などは単なる余禄に過ぎない。エンリケはまた十字軍という純真なキリスト教精神に燃えており、回教世界に強烈な一撃を与えると共に異教徒を改宗させたいものと願っていた。彼は死ぬまで、この漠たる東洋やエチオピアにあるという伝説的な聖職王プレスター・ジョンの国、マホメットの家来共によって長い間キリスト教圏から隔離されて来た国を見つけ、それによって回教圏を巨大なやっとこで挟撃ちにしたいと望んでいたのである。

エンリケ時代以前では、発見というものは臨時の仕事に過ぎず、未知の世界への航海は突発的で無計画、そして時たまのものであった。彼等の記録は真に貧弱で、嘘っぱちかあるいは全くありもしないものであったかのいずれかである。同様に当時の地理学は（第1章で強調した如く）部分部分はかなりのものではあったが、総て余りにもプトレマイオス的、マンデヴィル的であり過ぎた。先人達に比べると、エンリケは恰も灯台(ビーコン)の如く屹立している。何故なら明確な地理学の方針を史上初めて据えたのは彼であって、組織的、継続的な探検事業を遂行し、探検を芸術と科学にまで高め、航海を国民的関心事としたからである。大まかに言えば、エンリケは何よりもまず我々の住む世界を知ることに努め、部下に新知識を教えようとした人であったが、同時に彼のもっと実質的な狙いがその時代と国民のそれと一致したことにより、それらは紛れもなくエンリケの生涯そのものとなったのである。

一四一八年、エンリケは再びセウタに戻った。ムーア人がセウタ奪還の企図を示したからであるが、援軍を率いた王子の到着によって囲みは解かれた。翌年ポルトガルに凱旋すると、父王はエンリケをアルガルヴェ（ポルトガル南端の州）の総督に任命した。エンリケ王子は同州南西端のサグレスに落着き、大西洋の長濤（うねり）が三方から押寄せるそこの聖なる岬［サン・ヴィセンテ岬］に小規模の宮殿、天文台（ポルトガル最古のもの）、礼拝堂及び使用人・従者達の村を建設した。以後サグレスはエンリケの生涯に亙る事業の指揮中枢となるのである。エンリケ王子がここに創った学術研究所の個々の活動に関する我々の無知という点では、真に歴史の無力を嘆かざるを得ない。しかし実際問題としては、学者はエンリケ王子に関する僅かばかりの事実、莫大な量の推測、そして実際の成果に依拠する以外にないのである。けれどもエンリケが自らの周りに宇宙形状誌学者、天文学者、医師等の一団を集め、その多くはユダヤ人であり一部はスペイン系ムーア人ですらあったこと、及びその長はマヨルカ島から来たユダヤ人ヤコメ先生であり、その父は有名な一三七五年の『カタロニア地図帳』の作者アブラハム・クレスケスであったこと（第1章参照）、が知られている。彼を取巻くこれらの学者達と共にエンリケはサグレスで宇宙形態論や数学の研究に没頭した。エンリケがその船長達や水先案内人達を選抜したのはここである。彼等を教育し、新発見の都度、彼の海図を最新のものに改訂させたのもここである。実にサグレスこそは《発見》の原動力が放射される焦点であった。

二つの重要な進歩は、恐らくその淵源を直接このサグレス研究所にまで溯ることが出来よう。第一は地図製作の技術であり、第二は造船術である。サグレス製の海図は一つも今日まで遺らなかったけれども、ポルトガルの色々な年代記から、そしてイタリアのポルトラーノ海図製作者達の仕事から、この面で夥しい活動が行われた証拠を求めることが出来る。造船に関しては、ヴェネチア人カダモストはエンリケの晩年を叙したものの中で、ポルトガルのカラヴェル船はそれまでの船では最も航洋性に優れた帆船であると述べているが——事実その設計(デザイン)はサグレスに発している証拠がある。けれどもこの《サグレス学派》の業績の全体的証明は、エンリケ王子の指揮した航海事業とそれらが捲き起した植民地の発展の中にこそ求められるべきであろう。

航海王エンリケの最初の事業は大西洋中の島々の征服と植民地化であった。既に見て来た如く、カナリア群島は古代人にも知られており、一方マデイラ諸島とアソーレス群島は恐らく十四世紀中葉にジェノヴァ人によって発見されていたらしいが、マデイラ、アソーレス両群島の実質的な発見と拓植はエンリケによるのである。従って一四一五年のジョアン・デ・トラストによるグラン・カナリア島への航海は決して発見とは言えないが、同群島の間に強い潮流が存在するという彼の報告によって、エンリケはその原因を見つけるために翌年ゴンサロ・ヴェーリョを派遣する——この種の学術探検（エクスペディション）としては記録に遺る最初のものである。もっと思いがけない偶然はマデイラ諸島の再発見であった。一四一八年、手柄を樹てたくて腕を撫していたエンリケ王子の従者ジョアン・ゴンサルヴェス・サルコとトリスタン・ヴァス・テイセイラの二人はギニアの国を索めて出帆したが、嵐に吹かれてマデイラ島そのものの四〇マイル北東にあるポルト・サント島に漂着してしまった。彼等がこの胸の躍る様な報告を携えてポルトガルに帰還すると、エンリケは一四二〇年、この島を植民地化すべく彼等を送り出し、その航海では彼等はマデイラの本島に着いてそこに入植した。マデイラの拓植事業は潰滅的な森林火災（七年間も燃え狂ったと言われる！）によって最初の挫折を経験した。しかしこの災厄の後、クレタ島からマームジイ葡萄が導入され、マデイラの将来は安定することになる。一〇年後にカダモストがこの島を訪れた時には、その葡萄畠は世界で最も素晴しい光景だと書かしめる程になっていた。

この功業に続いてエンリケは一四二五年、グラン・カナリア島の征服にフェルナンド・デ・カストロを派遣した。原住民の抵抗と食糧の不足によってこの作戦は拋棄の止むなきに至り、二年後に行われた第二次遠征も同様の理由で失敗に帰した。しかし、これらの航海がカナリア群島とその周辺水域の詳細な知識をポルトガルの航海者達に与える結果になったことは確かである。

アソーレス群島の実質的な発見がいつであったかを正確に決めることは不可能である。一四二七年から一四三二年の間に行われたことは確かであるが――大抵後者の日付を採るのが普通である。その時ゴンサロ・ヴェーリョはその辺にあると信じられていた島々を捜せというエンリケ王子の命を受けて西航し、そしてその通りサンタ・マリア島を発見した……と。この点は諸説紛々である。地方史家アントニオ・コルデイロ（『島嶼誌』*Historia Insulana* 中の言及）によれば、一四四四年ヴェーリョが別の探検の折にサン・ミゲル島を探検するまではそれ以上の発見はなく、一年ほど経った後に〝第三の島〟テルセイラ島が発見されたのだという。しかしエンリケ王子の従僕ディオゴ・ゴメスは、ヴェーリョが偶然サンタ・マリア島を見つけたのと同じ航海でサン・ミゲル、テルセイラ、ファヤル、ピコの島々を発見したのだと語っている。どうもこの方が可能性が高いように思われる。と言うのは、一四三九年にポルトガル国王は群島中の七島に対する植民権をエンリケ王子に与えており、そしてアスララによれば一四四五年には植民事業が順調に進行していたからである。しかし見方によれば、その日付に関して重箱の隅を穿（ほじく）るのはむしろ余計なことかも知れない。何故ならこれら三つの群島――カナリア、マデイラ、そしてアソーレス

——は、アフリカへの航海事業が軌道に乗り始めた頃には既に十分探検されていたからである。

若くしてサグレスに腰を据えて以来、エンリケ王子は毎年アフリカ海岸沿いに船を派遣し続けて来たが、それらの偵察航海は恐らく、昼間は帆走し夜間は投錨するといった一乃至二隻の船によるおっかなびっくりの小冒険であり、多分カナリア群島から一直線の対岸に当るユービ岬以南まで行くことは滅多になかったと思われるのだ。ユービ岬の南には怖るべきボジャドール岬が控えており、誰もそこから先へは決して船を遣ろうとしなかった——現代地図の上では殆ど目につかぬ程の障壁であり、低い砂地なので接近して初めて視認出来るのだが、それでもなお、油断のならない潮流や暗礁、そして特にその向うに待伏せている迷信的な恐怖の数々の故に、全く通過不能とされていた難所であることに変りはなかった。エンリケ麾下の乗組員達は皆例外なくこの岬の手前で引返し、彼等の被った迷惑の帳尻を合せるべく沿岸のムーア人部落を襲うことで鬱憤を晴らしていた。この岬を越すと、それを考えただけでアラビア人地理学者の血を凍らせたという晦冥の海が展け、その向うには白人が黒ん坊になってしまう炎熱地帯が待っているのである。エンリケ王子が一四三三年に最も老練な船長の一人ジル・エアンネスをこの未知の世界へ送り込んだ時、彼は憑き纏う恐怖を覚えてカナリア群島以遠には踏込めなかった。翌年王子は彼に二度目の挑戦を命じ、エアンネスは再び試みて今度は成功した。ボジャドール岬の回航はかくして成就し、印度に往く途上の第一の障碍物は除かれた。ダ・ガマやコロンブスの航海に較べるとエアンネスの手柄は全く意気地無しでつまらぬことに映るが、この不敵なポルトガル人は畏怖すべき《未知の海》に乗り入れた一箇の開拓者なのであって、彼の行為の重要性は評価し切れぬものがある。

一四三五年、エンリケ王子は王室酌取人アフォンソ・バルダーヤと一緒にエアンネスをまたも派遣する。彼等はボジャドール岬を難なく廻って南へ更に五〇リーグも航海し、ガーネット湾（北緯二五度）に達した。この地点で小舟を漕いで上陸してみると、人間と駱駝の足跡が残っており、彼等は遠からぬ処に人間が住んでいる地域があるとの結論に達した。エンリケはこの手掛りの追及に大変な熱意を示し、一四三六年には再びバルダーヤを送り出す。今度はアングラ・ドス・カヴァリョス湾（北緯二四度）まで達し、バルダーヤは騎兵二名を上陸させ、彼等は沙漠を越えて奥地へ七リーグも馬を進めたが、細身の投槍（アサゲイ）で武装した蛮人の一隊に襲われ、馬を飛ばして海岸まで逃げ帰って来た。この出来事それ自体はボジャドール岬回航と同じく些細なことであったが、象徴的に言うならば、未知のアフリカ海岸におけるキリスト教徒騎士の初上陸は、捜し求めていたこの新世界に対するキリスト教ヨーロッパによる征服の到来を予告するものであったと言ってよい。バルダーヤはアングラ・ドス・カヴァリョスから前進を続け、リオ・ド・オウロの海岸を過ぎて更にブランコ岬（＝Blanco。ポルトガル語ではBranco）のすぐ近くでボジャドール岬からは四〇〇マイルもあるガーリャ海角と名付けられた巨巌の南まで航海した。ポルトガル人はかくて回教圏地帯を越えてその旗を押し進め、その外側の一層広い世界に取付き始めたのであった。

この輝かしいアフリカ周航の開始にも拘らず、その間全く探検の進展を見ない四、五年の休止期があった。これは恐らくその期間、エンリケにとって気懸りなことが他にあったという事実、特にエンリケ自身も参加し、そして彼の弟フェルナンドが捕虜になってしまった悲劇的なタンジール遠征によるものと思われる。一四三八年国王ドゥアルテが没した原因も主としてこの失敗の衝撃によるもので、次いでポルトガル王国の大変な内輪揉めに発展したから——アスララがいみじくも仄めかしている如く——エンリケは他の一切を忘れ、差当りアフリカにはそれ以上探検船を派遣しなかったのだと思われる。

一四四一年になって漸くエンリケは次の遠征隊を送り出すが——それは次の四世紀間、文明世界を毒することになる悪質な貿易の幕開けという意味で記憶さるべき遠征であった。その年エンリケ王子の二人の船長アンタン・ゴンサルヴェスとヌーノ・トリスタンはリオ・ド・オウロまで行き、陸に一隊を派遣して初めてアフリカ土人を捕えさせた。ゴンサルヴェスは奴隷を一杯積んで帰還したが、トリスタンは出来るだけ遠くまで進めとの命令を受けていたので、恰もテージョ河［ポルトガルの大河。河口はリスボン］に在って汐時を測るかの如く、悠々と船を岸に曳き揚げて傾船修理をした——ポルトガル本国を離れてのかかる大胆不敵な行動は破天荒のことで、驚嘆すべき事件とされた。修理が終るとトリスタンはブランコ岬へ船を進め、アルギム湾を発見したが、ここきこそ来るべき数年間、奴隷取引の中枢として悪名を馳せることになる。

ポルトガルの航海事業に与えた直接的影響という点では、奴隷貿易の開始は善悪両面の効果を持っていた。それは儲けのための強力な刺戟となり、そしてその住民の持つ商品価値を喚起することによって航海事業を国民的関心事にまで高めはしたが、一方では《探検》というエンリケの雄図から航海者達を逸脱させてしまい、そのため未知の世界に向って出来るだけ南航したいとエンリケが望んだ遠征に次ぐ遠征は、単にアルギム湾で彼等の努力を空費する結果となる。奴隷制を一つの制度として正当化することは勿論許されないが、これら初期の奴隷狩りの犠牲達は、ポルトガルに送られると直ぐ、かなり良い待遇を受けたとも思われるのであって、彼等は洗礼を施されてある程度の教育を受け、最終的にはポルトガル国民全体の中に吸収されて行くのである。奴隷貿易の最初の五年間に、捕えられるかまたはボジャドール岬からアルギム湾に至る沿岸住民の酋長達から買取られるかして、ポルトガルに連れて来られた奴隷は殆ど千人にも達したものと思われる。

従って次の数年間、ポルトガルの努力はゴンサルヴェス、トリスタンそしてジル・エアンネスに率いられた奴隷狩りの航海に限られる。無秩序で兇暴な往来が起きたが、これは一四四八年のアルギム要塞——西アフリカ海岸における最初のヨーロッパ人居留地——の建設と共にエンリケ王子によって最終的に統制されてゆく。しかしこの期間、探検の成果が何もなかった訳ではない。一四四四年、ゴンサルヴェスはジョアン・フェルナンデスという従者を陸に残していったが、彼は七ヶ月間内陸を漂泊して土民と一緒に暮し、大変貴重な情報を持ち帰って来た。多分同じ年にトリスタンはアルギムを遥かに越えて進み、沙漠の尽きる処を過ぎて〝本当の黒ん坊の国〟に達するが、そこは椰子などの熱帯植物の繁茂する緑豊かな地域であった。この冒険は船乗り稼業の名門の子弟ディニス・ディアスの競争心を煽り立てた。一四四五年エンリケ王子の祝福を受けて出帆した彼は、途中一度も投錨することなく一気にセネガル河に達した。ディニス・ディアスは彼がヴェルデ岬〔緑の岬〕と名付けた翠滴(みどりしたた)る海角へ向けて航行を続け、アフリカ最西端を廻って今日のダカールから湾を横切ったところにあるゴレー島に着くと、彼は賢明にも、この地点を過ぎればアフリカの海岸線は次第に東に向うことを確信する。ディアスの航海によってポルトガルの航海者達は遂に——伝え聞く《ビラド・ガーナ》またの名は《富の国》、即ちイドリーシーやその後のアラビア人地理学者達によってその伝承が守り継がれて来た——かのギニアへ達したのである。

　同年（一四四五年）、一大船団がランセローテ・ペッサーニャの指揮の下に派遣され、大きな希望がこの冒険に託されたが、結果は期待を裏切った。以前の連中の一部と同じく、この航海は単なる奴隷狩りの冒険に堕してしまったのである。アルギム周辺では戦闘が行われ、ほんの数隻のみがヴェルデ岬まで進んだに過ぎない。しかしアルヴァロ・フェルナンデス——有名なマデイラのサルコの甥——が指揮する一隻は多分更に一〇〇マイル先の一海角に達し、そこに《帆柱岬(マスト)》の名を与えたが、それは彼がこの海角で葉の落ちた椰子の樹を沢山見かけたことに由来する。更に好結果が続く。一四四六年トリスタンはゲバ河に達し、それにリオ・グランデの名を与えた。ヴェルデ岬を去る三〇〇マイルの地点に当る。ここでトリスタンは土民との小競合いで毒矢に仆れるが、この航海はエンリケ王子の数ある船長達の中で恐らく最も有能且つ不敵であった男の記念となるものである。一四四七年、フェルナンデスは次の巡航を行い、これまでの誰よりも遠くまで往き、今の［旧仏領］ギニア沿岸を航して現在のコナクリの町のある処に達した。ここがエンリケ王子在世中に到達した事実上の最遠点である。

さてここで何らかの意義を持った冒険事業が全く行われなかった数年間の空白が生ずる。この間隙の原因は、摂政ペドロ王子と貴族階級の間に起きてペドロ王子がアルファロベイラの野に果てた一四四九年の小さな内乱に、同じくカナリア群島をカスティーリャから奪取せんとしたエンリケ王子の三度に及ぶ試み（一四五〇年、一四五一年、一四五三年）にも、そして特にエンリケ王子の財政不如意に帰することが出来よう。それにも拘らずアフリカ海岸沿いの襲撃や奴隷狩りの冒険航海は続いていたものと見えて、リスボンに初めて生きているライオンが連れて来られたこと（一四四七年）や一四四八年のデーン人ヴァラルテによるヴェルデ岬への悲劇的航海などを例として挙げることが出来る。

注目に値する遠征が次に起るのには一四五五年まで待たねばならない。それは聡明で鋭い観察力を具えたヴェネチア人アルヴィーゼ・ダ・カダモストによるもので、彼は他国のために働いた一連の傑出したイタリア系船長達の魁(さきがけ)であり、従ってコロンブス、ヴェスプッチ、カボット父子等の先駆者になる訳である。カダモストはその航海で特に新しい土地まで行った訳ではないが、それまでよりも一層徹底的にアフリカ海岸を探査したと見えて、彼の物語は今日まで伝えられて来たものの中では当時の西アフリカの姿を最も迫真的に描いている。カダモストは補給のためにまずマデイラに航し(これはそれ以前の諸航海から始っていた仕来りであると同時に、エンリケ王子の植民事業が成功していたことを物語るものでもある)、それからカナリア群島を経てアルギムまで進んだ。その地にある間、彼は内陸の事情について多く学ぶところがあった。例えばオーデン(ワダン)の富める隊商基地(センター)のこと、岩塩で名高いテガッサ地区のこと、南にあって耐え難い暑熱だが黄金の豊かな土地メリ帝国のこと、などである。カダモストはアルギムからセネガル河まで通過し、セネガル河とヴェルデ岬の間のある地点ではジャロフ黒人の王の賓客として何週間も滞在した。それから彼はガンビア河まで船を進めそれを溯ろうとしたけれども、土人達との小競合いが続いて部下が沮喪し、数マイル溯航した辺で彼等はカダモストに引返してくれと強要した。ところでこの地方に留っている間にカダモストは南十字星を使って星の観測を随分しているが、この様なことが行われたのはこれが最初である。

明らかにガンビア河はカダモストの想像力を痛く刺戟してしまったらしい。何故なら彼は一四五六年、もう一人のイタリア人自由旅行家アントニオット・ウソディマーレと共に、そこへ向けて再び航海の途に上ったからである。ブランコ岬を通過した後、時化（しけ）で針路から吹き流されてしまうが、この運命の悪戯によってヴェルデ岬諸島を発見することになった。ガンビア河に着いてみると、土人達は前回よりはずっと好意的になっていて、河口からたっぷり六〇マイルはある酋長の住居まで帆を張って溯ることが出来た。ここで彼等は数日滞在して交易したが、商売は大繁昌であった。カダモストはガンビア河のこの部分を眼前に彷彿させる筆致で描いている。見事に生い茂った植物、河馬や象、そして絵の様な水辺の生活風景、無数の小舟、綿布の鎧を着けて戦闘用丸木舟（カヌー）に乗った戦士達……。部下の間に熱病が発生したため、カダモストは止むなくガンビアを離れるが、ポルトガルに帰還する前に同地方の海岸を約一五〇マイルも南方のゲバ河辺まで探検している。

カダモストの二度の航海の次にはディオゴ・ゴメスの二つの航海が登場するが、ゴメスが晩年になってドイツの地理学者マルティン・ベハイムに口述した話は頗る（すこぶる）曖昧で矛盾に満ちているため、その航路や日付に関する決定的な正確さを求めることは不可能である。一四五六年または一四五八年のいずれかに行われた一回目の航海ではゲバ河の向うまで行っている。帰途彼はカダモストよりも上流までガンビア河を溯り、内陸へ直線距離にして二〇〇マイルの処にある伝説的なカントール（現在のクントー）の町に達し、そこでティンブクトゥから来た連中や、あり余る黄金で知られた南西の大市クキアからの男達に逢った。カダモストの場合と同様、ゴメスの部下の大半は瘴癘（しょうれい）の蕃地で健康を害ねてしまったため、彼はそれ以上の内陸遠征を抛棄して海に戻る外はなかったのである。一四五八年乃至一四六〇年に行われた二度目の航海では、ゴメスは僅かにヴェルデ岬まで往ったに過ぎないが、ポルトガルに向けて帰航中、偶然にもヴェルデ岬諸島に行き当り、後にその発見者は自分だと主張することになる。

一期を劃した時代の大仕事に相応しい最高の場面は、エンリケ航海王時代の諸航海の最後に訪れる——即ちエンリケ王子の従者でカダモストの友達でもあったペドロ・デ・シントラによる航海である。王子はこの航海より前に他界していたけれども、やはり彼の魂魄がこの壮挙を行わしめたとしか言い様がない。デ・シントラはカラヴェル船二隻でアフリカ西岸をこれまでのどのポルトガル人より三五〇マイルも先まで南下してゲバからシエラ・レオーネに至る海岸線を探検し、しばしば上陸して原住民と交易している。現在のフリータウンのある処を越えた地点で一つの岬を発見してサンタ・アンナ岬と命名し、今日のモンロヴィアがあるメスラードの海角まで沿岸を航行してリベリア海岸より少々南の最遠地点に到達した。全体としてこれは一つの記憶に値する遠征であったと言ってよい。

一四五八年エンリケ王子は北アフリカのムーア人に対する四度目の作戦に参加し、六十四歳という年齢にも拘らず、セウタに近いアルカサールの攻略に偉功を樹てた。しかしながら幾十星霜に亙る獅子奮迅の生涯と武人としての劇務はあまりにも酷しかった。殆ど半世紀の間、ポルトガル人による航海探検の核心であったこの人物は、一四六〇年十一月十三日、サグレスで静かに此の世を去る。本書にはこれから先、多くの英雄が登場するけれども、エンリケ程の人物に出会うことは再びあるまい。

エンリケの指導下に行われた諸航海は、彼の後続者達にその往くべき路を指し示していたと言ってよい。何故ならアフリカの巨大な西側の膨みの回航はデ・シントラの巡航によって殆ど達成され、引続く《大航海》の布石はここに完了したからである。僅か一世紀の間に地球の半ばを超えた海洋探検というものについて人類はエンリケ王子に負うところが非常に大きいのであって、この見事な業績は彼の偉大さに相応しい記念碑となるものだ。レイモンド・ビーズリイ卿はいみじくも言う。「仮令コロンブスが一四九二年、カスティーリャ＝レオン王国に《新世界》を与えようとも、将また一四八六年（原文のまま）〔正しくは一四八八年〕にディアスが《嵐の岬》〔喜望峰のこと《嵐の岬》はディアスの命名。本書一一二頁参照〕を回航したとしても、よしんばマジェランが一五二〇―二二年に世界周航を成し遂げようとも、彼等を教えた師匠こそ誰あろう航海王エンリケその人であった」と。デ・シントラの帰還後七年の間、探検は不活潑になるが——それはエンリケの死によって生じた虚脱の紛れもない証拠である。しかし一四六九年になると、国王アフォンソ五世

（エンリケの甥）はリスボンのフェルナン・ゴメスなる富豪と五年契約を結び、ゴメスは一定の貿易特権と引換えにアフリカ海岸を毎年一〇〇リーグずつ発見する事業を請負ったのである。このやり方は大変成功し、且つゴメスは十分その任に耐える人間を選んだために、急速な進展が見られた。ゴメスによる諸航海の詳細が殆ど判っていないのは、疑いもなくアフリカにおける諸発見のニュースをポルトガル王とその顧問官達という限られた世界だけの高度の機密に留めた所謂〝沈黙の申合せ〟のなせる業であった。判っているのは唯バロスの『十年記』*Decades*中の短い記載のみであり、従って歴史家たる者もまた、単なる年表的羅列（カタログ）を以て満足せざるを得ないのである。

一四七〇年　ソエイロ・ダ・コスタ、パルマ岬を回航し、象牙海岸のカモエ河に到達。

一四七一年　ジョアン・デ・サンタレムとペーロ・デ・エスコラール、黄金海岸エルミナの地点に到達。恐らくラゴスまで前進し、サン・トメ島及びO・プリンシペ島を発見したものと推定される。

一四七二年　フェルナンド・ポー、ベニン海岸伝いにカメルーンに到り、一大島を発見して自身の名を冠す。

一四七三年　ロポ・ゴンサルヴェス、赤道を通過。

一四七四年　ルイ・デ・セケイラ、聖カタリナ岬（南緯二度）に達し、サン・トメ島及び〇・プリンシペ島を訪れる。

一四七四年、ゴメスとの契約は期限切れとなって失効し、国王はその権利をジョアン王子［後のジョアン二世］に与えた。それから暫くの間、次の一服が続くが、これはどうもポルトガルの航海活動の特徴でもあるらしい。ゴメスとその部下の船長達の輝かしい業績については知られるところ余りにも寡い（すくな）が、エンリケ王子麾下の航海者達が三〇年を費して成就したのに匹敵する海岸線を、僅々五年間で発見したという点で、あらゆる称賛に値するものではあった。しかし彼等は、航海王エンリケの時代に非常な苦労を重ねて獲ち得た偉大な伝統や知識を置き忘れて来たのである。疑いもなくゴメスの部下達は、カメルーンでアフリカ海岸が南へ曲っているのを発見して困惑してしまったに違いない。これは印度に到る途上に新たな障碍物を置くことであり、そのために十年間位は相対的活動不能に陥る虞れがあった。

しかしながら、もしも印度が最終の目標であるとするなら、ギニアは直ぐにも手の届く獲物であり、それ故ポルトガル人は早々と西アフリカの富の刈入れを始めたのである。貿易は四つの商品つまり「胡椒」「象牙」「黄金」そして「奴隷」に集中した。これらはその産物の名が今でも付いている海岸のあちこちから集められた――即ち、穀物海岸（グレイン・コースト）（南部シエラ・レオーネとリベリア）、象牙海岸（アイヴォリイ・コースト）（パルマ岬からスリー・ポインツ岬まで）、黄金海岸（ゴールド・コースト）（スリー・ポインツ岬からセント・ポール岬まで）、そして奴隷海岸（スレイヴ・コースト）（セント・ポール岬からベニンまで）である。カスティーリャとの戦争に続く条約でポルトガルのギニア領有が公認されたが、貿易を独占的に牛耳ろうとするポルトガルの企図を無視してスペインの密猟者達（インタローパー）がポルトガルの《禁猟区》に侵入し始める。一四八二年にアフリカ海岸では最も有名となったポルトガルの要塞エルミナが造られたのは専らこの脅威に備えるためであり、これを築いたのはディオゴ・デ・アサンブジャという名の個性豊かな古強者で、出来上ると最初の数年間その司令官を務めた。エルミナに砦（とりで）が置かれたのは全く正しい選択であった。その名は〝金鉱（ザ・マイン）〟を意味し、恰も黄金海岸の中央に位置しており、豊かな金産地区であることが判ったのである。ここを最も早い時期に訪れた人達の一人がアサンブジャの発見航海に同行したらしい若いジェノヴァ人の船長クリストファー・コロンブスであり、この海岸における諸々の経験は彼に深く且つ忘れ難い印象を与えたのであった。サン・ジョルジェ・ダ・ミーナの要塞は（その西にある）サンマとアクシムという周辺の金産地と共に、来るべき一世紀に亙って西アフリカにおけるヨーロッパ人の活動の焦点となる運命を担う。

ギニアにおけるポルトガルの二番目の商館は一四八六年にアフォンソ・デ・アヴェイロがベニンに設けたもので、瘴癘の地のために数年後には拋棄されるけれども、ともあれその創設は一つの極めて重要な成果を生むことになる。アヴェイロはベニンから土地の王の使節を連れて帰国したが、その使節は「……海岸から二十の月の旅を重ねた処にオガネという名の強大な君主が住んでおり、ローマ法王がキリスト教徒から受けるのと同様な尊敬をその臣民から聚めている……」と語ったのである。プレスター・ジョンの所在を何とかして突き止め、発見することに夢中になっていたポルトガルは忽ちプレスター・ジョンとオガネは同一人物であるとの結論に飛躍してしまった。ジョアン二世の宇宙形状誌学者達は《二十の月の旅》を約三〇〇リーグの道程と解釈し、それならエチオピアに到達出来そうだと結論した。この情報に鑑み、ジョアン二世は――後述する如く――更に二つの遠征隊の派遣を決意した。即ち一つは地中海ルート、もう一つはアフリカ廻りで、共にプレスター・ジョンの発見と印度への到達という二重の目的を持つものであった。前者はペーロ・ダ・コヴィリャンとアフォンソ・ダ・パイヴァに、後者はバルトロメウ・ディアスに委ねられたのだが、この話は先の愉しみとして残しておくことにしよう。

一四八一年に父王アフォンソ五世の後を承けたジョアン二世は、探検に与えた影響の大きさでは殆ど大叔父エンリケに匹敵する程であり――ある点ではむしろ凌駕していたと言ってよい。何故ならその背後には王室財産という資金が控えており、自身も航海王エンリケより一段と厳しく人使いの荒い事業主であったからである。彼は治世の初めからその推進力を遺憾なく発揮してエルミナを創設し、アフリカ内部へも度々遠征隊を送り込んだ。その中にはティンブクトゥに対するペドロ・デ・エーヴォラとゴンサロ・エアンネスの特派やシエラ・レオーネの後背地深くにあるマンディンガ国の支配者に対する大使派遣がある。ジョアン王はまた宇宙形状誌や天文学に非常な興味を示し、海上における位置決定の問題を解決するために才能優れたユダヤ人ヨセフ・ヴィシニョとアブラハム・ザクートを長とする専門家の委員会――ジュンタ〔Junta＝会議〕を組織していた。ザクートはそれより一〇年前に彼の『万年暦』*Almanach Perpetuum* を著したが、これはこの主題に関してはそれまでのどれよりも進歩した仕事で、太陽の完全な赤緯表を含むものであった。しかしそこに盛られた技術的内容は並の船長達にとってはちんぷんかんぷんの言葉〔ヘブライ語〕で書かれていたこととも相俟って、全く実際の役に立たなかった。そこでヴィシニョはそれをラテン語に翻訳（一四九六年レイリアで印刷。Hain 蔵書16267）し、後にその簡約版を作ったが、それには『アストロラーベ及び象限儀（コードラント）の使用規則（レジメント）』*Regimento do Estrolabio e do Quadrente*（一五〇九年頃の印刷）と題したサクロボスコの校訂が付けられている。こうした技術研究の成果の一つは、ギニア全域に亙って太陽赤緯を決定すべくギニア海岸沿いにフェルナンド・ポー島まで往った一四八五年のヴィシニョの航海であった。今日では、この遠征におけるヴィシニョの仲間にニュールンベルクの地理学者マルティン・ベハイムがいたということは大いにあり得ることと考えられている。ヴィシニョの遠征で行われた観測はポルトガルに漸長緯度目盛の付いた航洋海図をもたらすことになった。しかしながらその頃、遥かに重要な幾つかの出来事が起りつつあった。ディオゴ・カーンがその一連の航海に乗り出していたからである。

カーンはギニア貿易で経験を積んだ、生れは微賤ながら老練の航海者で、アフリカ海岸の探検を続行すべく派遣されていた。彼は一四八二年六月に出帆したが、発見の印［占領標識］として樹てるための《パドローネス》*Padrões* と呼ばれる大きな石柱を沢山船に積んでいた。この航海ではまずエルミナに往った。そこからロポ・ゴンサルヴェス岬に直航し、次いで南に向けて沿岸航路をとって聖カタリナ岬（それまでに到達されていた最遠地点）を過ぎ、そのままぴったりと岸沿いに航行を続けて一つの大河に行き着き、その北岸に一本の石柱を建てた。このため、元来この附近の原住民がマニ・コンゴ河と呼んでいたこの大河はリオ・ド・パドロンと命名されてしまう。後になってポルトガル人はそれをザイール河と改めたが、それは「河」を意味するエンザディ（nzadi）という土語の崩れたものである。しかし現代の読者にはこの大河は〝コンゴ河〟の方が通りが良い。カーンはこの河口乃至その附近に数ヶ月も留り、部下数名を使節としてその地方の有力者のいる奥地にまで送り込んだとさえ言われている。なおも南へ航海を続けたカーンは、海岸が次第に西に向って伸びるベングェラ周辺の高地をその眸に映す地点まで沖合に船を進め、サンタ・マリア岬（南緯一三度）に達するまで引返さず、そこに第二の石柱を建てたのである。カーンはコンゴ河に帰還してみると彼の送った使節はまだ土地の王の許から帰っておらず、カーンはそこで黒人の族長（チーフテン）四人を人質として捕え、ポルトガルへ帰国の途につく。ほぼ二年間海外に出ていた彼は漸く一四八四年四月、テージョ河口に錨を下したのである。ジョアン二世はこの遠征の成果を大いに嘉(よみ)してカーンを騎士に叙し、気前よく年金を与えた。しかし王は探検の続行に執心していたから、カーンは僅々数ヶ月の上陸賜暇を愉しんだに過ぎない。

一四八五年になると間もなくカーンは第二次航海の途に上るが、この時は、ゴメスの老練な水先案内人(パイロット)の一人でその後も生き延びてダ・ガマと共に印度へ航海したペーロ・デ・エスコラールが一緒だった。『ニュールンベルク年代記』*Nürnberg Chronicle* 中の記述にも拘らず、有名な地球儀の製作者マルティン・ベハイムが同行していたというのは眉唾ものである。むしろ先に示唆した如く、ヴィシニョまたはアヴェイロと一緒にギニアに行ったとする可能性の方が高い。今度の航海ではカーンは未知の海を一層遠くまで突き進み、二本の石柱を建てた。一本はサンタ・マリア岬近くのモンテ・ネグロに、もう一本はダマラランドにあるクロス岬（南緯二二度）［現在のウォルヴィス湾］である。帰航の途中、彼はコンゴ河口に立寄り、前回の航海で残して来た部下達を捜し集めたが、彼等は――語るも嬉しいことだが――無事でぴんぴんしていた！　エンポソ河との合流点附近にある巌に遺る当時の刻文は、カーンがその本流を少くとも一〇〇マイルは溯ったことを示すものである。この刻文にはポルトガルのジョアン王が派遣した船がそこへ着いたことを記録する碑銘やカーンとその仲間の名前が含まれており、更にその巌の背面には十字形やフリーメイソンの象徴（シンボル）の付いた幾つもの名前が見られる。これらは、カーンが《地獄の釜》として知られる渦巻を乗切って船を進めたこと、そこでは河が幅半マイルの水路を毎時一〇節（ノット）の速さで奔下していること、これら初期のポルトガル人が航海者として如何に名人の域に達していたかを示す操船技術の冴えを物語るものである。次いでカーンはポルトガルへの帰還に際し、原住民の首長（プリンス）カスータをマニ・コンゴからの大使として連れて行った。この遠征隊は一四八七年の前半にリスボンに帰着し、かくしてカーンは、その二回に及ぶ航海で暗黒大陸の海岸を一五〇〇マイル以上に亙って明らかにしたのであった。しかし彼の二度の航海の完全な詳細は、これまた例の《沈黙の申合せ》のお蔭で知る由もないのである。

　この勇敢なカーンのその後の消息については歴史は語るところがない（カーンは、バロスによればポルトガルに帰還したと言い、マルテルス・ゲルマヌス地図にはアフリカ海岸で歿したと記載されている）が、カスータがどうなったかの記録はなかなか面白い。この原住民の酋長はその仲間と共にキリスト教の教育を受け、盛大な儀式でジョアン・ダ・シルヴァなる洗礼名を授かり、ポルトガル語を教え込まれた。一四九〇年頃、彼はジョアン二世の大使ゴンサロ・デ・ソウサの一行と共にコンゴに送り還され、そしてこの使節団は《コンゴ》という文明と未開が混在したキリスト教王国を創成した。このコンゴ王国はポルトガルの強力な影響下で十六世紀一杯続くことになる。

　しかしデ・ソウサとカスータがポルトガルを離れる前に、初期（クラシック）アフリカ航海の最後にして最大のものが行われた。この航海はそれまでの総ての航海とは比較にならぬ程大きく印度への路を拓いたものであるが、ここでもまた、かの《沈黙の申合せ》によって、我々後世の人間は隔靴掻痒の思いを強いられる。一四八七年の八月、バルトロメウ・ディアスはカラヴェル船二隻と補給船一隻を率いてリスボンを出帆するが、その船長達には、後にダ・ガマと共に印度へ行くことになるギニア航路の老練な水先案内人で疲れを知らぬペーロ・デ・アレムケールや近衛騎士のジョアン・インファンテがいた。ディアスは恐らくパルマ岬からコンゴ河口へ直航し、そこから海岸線に密着しながら南方に向い、途中の地形特徴の総てに対し、その発見日に因むキリスト教の聖人の名を次々に付けて行った(当時の慣習)ものと思われる。カーンと同じくディアスも沢山の石柱を積んで行った。彼はまたカーンの諸航海でコンゴ河地方からポルトガルへ連れて来られた何人かの黒人を率いていたが、これらの黒人は、あわよくばプレスター・ジョンの耳にもその噂が届く様なやり方でポルトガル人の到来を宣伝するために、アフリカ海岸の各地で上陸させられることになっていた。二人の黒人が立派な衣裳と金・銀・香辛料の見本を与えられ、ポート・アレグザンダー(南緯一六度)で船から降されたが、ポルトガル人来着の報が果してエチオピアの聖職王の宮廷にまで届いたか否か、頗る怪しいものがある。

カボ・ダ・ヴォルタ(現在のリューデリッツ)でディアスは彼の最初の石柱を建てた。そこを離れた後、彼はずっと時化に付き纏われて針路から遥かに吹き流され、その結果図らずも喜望峰を廻ってしまい、次に陸地を望見したのは殆ど二五〇マイルも東へ行き過ぎたモッセル湾に到ってからである。アフリカの海岸線が東に向っているのを認めて雀躍したディアスは船をアルゴア湾に進め、そしてパドローネ岬に二番目の石柱を建てた。けれども遠征隊が印度洋の戸口に立った正にその時から、事態は好ましからざる方向をとり始めるのである。乗組員達は打続く艱難と努力に疲れ果てており、補給船とははぐれてしまい、食糧が不足し始めて二隻の船は荒天に痛めつけられていた。殆ど叛乱寸前の状態で部下はポルトガルへ船を向けてくれと彼等の指揮者に嘆願し、ディアスは譲歩を余儀なくされてしまう。パドローネ岬の約五〇マイル先のグレート・フィッシュ河の河口でこの小艦隊は反転する。帰途パドローネ岬に建てた石柱を通過する時、ディアスはその石柱が恰も永の遠島に処された息子ででもあるかの如く、声を放って慟哭したという記録が残っている。とは言えディアスの仕事はここに成就されたのである。アフリカ大陸の海岸線は今や紛れもなく北東に向っており、この堅忍不抜の船長は、自分がその任務を完遂したことを沁々と実感していたに違いない。

帰国の途中この小艦隊は、彼等が捜し索めていた偉大な岬を発見した。彼が遭遇した荒天に因んでディアスはこれをカボ・トルメントソ（嵐の岬）と命名し、聖フィリップに捧げる石柱を樹てるために上陸した。それから北方へ巡航し、行方不明だった補給船と偶然にも再会してO・プリンシペ島やエルミナに寄航した後、遂に十二月、テージョ河口に帰り着いた。実に一六ヶ月に及ぶ航海である。ポルトガル宮廷におけるディアス歓迎の模様や彼の功労に対する恩賞について公式記録が――ポルトガルの秘密主義に適(ふさ)わしく――何も語っていないのは当然ながら、彼の航海こそ実に印度への路を遂に現実のものに変えたのであり、国王ジョアン二世は自ら長年追求して来た願望の成就を見越して《嵐の岬》を《喜望峰(カボ・ダ・ボア・エスペランサ)》(ケイプ・オブ・グッド・ホープ)という人を鼓舞する、そして永続性ある名に改めたのである。

4

東洋におけるポルトガル人

　ディアスは喜望峰を回航して印度洋に船を乗入れたものの、印度もしくは伝説的なプレスター・ジョンの国のいずれかに到達しようという彼の企図そのものは失敗に終った。しかし国王ジョアン二世が同時に送り出した別の特派使節はディアスよりも幸運に恵まれて、事前偵察としては申し分のない期待以上の成果を挙げたのである。これは二人の男、ペーロ・ダ・コヴィリャンとアフォンソ・ダ・パイヴァによって遂行された。両人とも聡明で旅の経験に富み、あらゆる点でこの種の任務には打ってつけであった。特にコヴィリャンは北アフリカでは広い経験を積んでおり、フェズやトレムケンには度々使節として赴き、アラビア語を流暢に操ることが出来た。パイヴァについては余りよく判っていないが、彼はカナリア群島に関係していたから、モロッコについて同様によく知っていたとしても不思議ではない。この旅行は万端遺漏なく準備された。即ち旅行者達は、宇宙形状誌の専門家で王室礼拝堂付き牧師のディオゴ・オルティス師、王室侍医で博学のユダヤ人ロドリゴ師、そしてかの高名な学者ヴィシニョによって徹底的に任務説明と指示を受けたのである。その指令は、旅行者の中の一人はプレスター・ジョンの国へ赴くこと、もう一人はアフリカを回航して東方の海に至る可能性を確認すること、であった。パイヴァをエチオピアに派遣するジョアン王の意図は、エンリケ航海王の如く回教圏に対抗する同盟国を是非とも捜し出そうというのではなく、むしろプレスターの勢力圏を通してポルトガル発展の道を探ることにあった。

一四八七年五月、この二人の冒険者はジョアン王に暇乞いの拝謁をし、程なくその故国を後にした。彼等の路順はまずスペインを横断してバルセロナに出、そこから船に乗ってナポリへ、次いでロドス島に至るものである。途次幾らかの商取引を行いながら到頭アレクサンドリアに着くが、ここで両人とも明日をも知れぬ酷い熱病に罹り、命旦夕と睨んだ役人は彼等の商品を没収してしまう。漸く病癒えた彼等は若干の補償金を貰い、新たに商品を仕入れてカイロに向った。エジプトの商人達との経験は、回教徒の商人や東方貿易に関する二人の知識を深めるのに大いに役立ったのである。従って一四八八年の春、ムーア人商人の一行と共に一艘の沿海貿易船(ダウ)で紅海をアデンまで下ったことなど、彼等にとってはごく当り前のことであった。アデンでこの放浪者達は袂を訣ち、パイヴァはエチオピアを目指して進むが、その使命を達成したら彼はそこからポルトガルへ帰還する心算であった。一方コヴィリャンはポルトガル人の所謂《メッカ巡礼船》に乗り、一ヶ月のうちに印度本土のカナノール港に到着する。これによって彼はあの様に長く且つ執拗に追求して来たその土地に足跡を印した初のポルトガル人となるのである。

カナノールからはコヴィリャンはマラバール海岸をカリカットへ下るが、そこは当時印度で最も殷賑を極めていた港市であり、香辛料貿易を独占して紅海、ペルシャ湾、アフリカ東岸の諸港と広く往来していた回教徒商人達の大きな居留地を擁していた。コヴィリャンはこのカリカットで油断なく観察を続け、彼等の扱う商品について学んだだけでなく、彼等貿易商が二月に香辛料、宝石、磁器を満載した船をアラビア方面に送り、八月と九月に帰りの船荷を受取るために印度洋の季節風（モンスーン）を如何に巧く利用していたかを知る。カリカットに暫く逗留した後、コヴィリャンは北方のゴアに往く。ここは次の世紀には大都市となる処であるが、一四八九年当時は印度各地の支配者達の軍用や儀式用に供するべくアラビアから連れて来た馬の市の立つ所として専ら有名な都市であった。ポルトガルの発展より一年先んじていたこの孤独で一風変ったコヴィリャンは、遂に印度を去って海路ペルシャ湾岸の商業中心地ホルムーズに赴く。一四八九年の末には、彼は再び移動を始めていた。即ち船に乗ってアラビアと東アフリカの長い海岸沿いに黒人国（ポルトガル領東アフリカ）の町ソファラ（南緯二一度）に行くが、ここには奥地から黄金を運んで来るアラビア人達が住み着いていた。彼の旅行目的は明らかであった。アフリカを廻って東洋に至る海上の道があるか否かを知ることである。この点に関して肯定的確信を深め且つアラビア人が《月の島》と呼んでいた東方に横たわる一大島（マダガスカル島）のことを知った後、ジョアン王に自分の発見の数々を披露すべくコヴィリャンはポルトガルへの帰還を志し、路を北にとってアデンからカイロに向った。コヴィリャンは一四九〇年の末頃にカイロに着いたが、そこで彼の同僚パイヴァが、病いを重らせてからエジプトの首都に辿り着いたこと以外は、その遍歴の記録を何一つ遺さないまま死んでしまっていたことを知る。しかし、コヴィリャンはここカイロでパイヴァの代りにポルトガル系ユダヤ人二人に邂逅する。彼等はジョアン二世がコヴィリャンを見つけるべく派遣した者達であり、そしてこの疲れ切った旅行者コヴィリャンの矢の如き望郷の憶いは、如何なる犠牲を払うともプレスター・ジョンの国に到達すべしとの王命によって打砕かれてしまう。再び旅立つ前に、コヴィリャンはそれまでの旅行の完全な報告書を仕上げ、そのユダヤ人の一人ラメゴのヨセフの手でポルトガルに届けられる。これは後のダ・ガマの航海の計画と実施に測り知れぬ貢献をすることになり、以後のポルトガルの歴史全体の流れに決定的な重要性を占めるに至る。これまで一部の懐疑派はこの報告書の存在を疑問視して来たが、今日では歴史家は一般にその確実性と重要性を認めていることを付言しておこう。

コヴィリャンはもう一人のユダヤ人ベジャの律法博士（ラビ）アブラハムと共にホルムーズに向う。この律法博士はこの地を訪れるべき命令を受けていたのである。アブラハムはここでコヴィリャンに別れ、その使命を果してポルトガルに帰還する一方、不撓不屈のキリスト教徒コヴィリャンは紅海への路を再び辿り始め、ハージの称号を得んとする回教徒の如き扮装をし、メッカに行った。この危険を孕んだ訪問旅行は、彼の受けた命令の故とするよりも専ら彼自身の冒険好きのなせる業と見るべきであろう。それでもまだ彼の好奇心は飽くことを知らなかった。何故ならコヴィリャンはメディナに往き、そこから更にシナイ山へ、そしてそこの聖カタリナ修道院で実に五年ぶりのキリスト教礼拝式を聴聞したからである。一四九三年、遂に彼はプレスター・ジョンの国に達し、コヴィリャンはそれから更に三〇年も生きたとはいえ、その旅は永遠に終りを告げることになる。彼は実際エチオピアの偉い皇帝にすっかり気に入られてしまい、その国を離れることは許されなかった。一五二〇年にロドリゴ・デ・リマがアビシニアに大使として使いした時、コヴィリャンはその頃は既に初老を迎え、アフリカ風になってしまった流謫者であったけれども、大使を輔け、自らの生涯の話を物語るべく宮廷に顔を出したのである。

ポルトガルの宮廷では、コヴィリャンの印度旅行のニュースはディアスのアフリカ回航の報告と相俟って、王室顧問官達の間に相当の反響を呼んだに相違ないのだが、それからの数年が何故無為に過ぎてしまったのか不思議と言う外はない。察するにこの沈滞は国王ジョアン二世の長期に亙る水腫(むくみ)の発作によるものであろうし、それは彼を病弱者にし、結局死(一四九五年)に至らしめたのであった。完全王ジョアンの王位は従弟の幸運王マヌエルが継いだが、彼は先王の熱意と推進力の総てを具え、如何なる犠牲を払っても印度に到達する競争に勝ち抜く願望に燃えた二十六歳の青年王であった。かくして、マヌエルの気持に最も近かった計画がその即位後直ちに実行に移されることになる。即ち、東洋の歴史に革命を捲き起すべき一つの艦隊の艤装が徹底的且つ組織的な方法で始ったのである。

バルトロメウ・ディアスの監督の下に四隻の船が建造された。横帆式の旗艦〈サン・ガブリエル〉、同じく横帆式の〈サン・ラファエル〉、大三角（ラティーン）帆式カラヴェル船〈ベリオ〉と大型補給船一隻である。ディオゴ・オルティス司教は艦隊のために地図や参考書を調えてやり、アブラハム・ザクートは天測器械を用意し、太陽赤緯表を作って船の士官達に天測実技の訓練を施した。乗組員の選抜にも同様な配慮がなされ、水先案内人の中にはディオゴ・ゴメスの航海に参加しカーンとも一緒だったペーロ・デ・エスコラールやディアスと共に喜望峰へ航海したペーロ・デ・アレムケールの如き人々がいたのである。アレムケール同様乗組員の多くはディアスの航海に参加した古強者であった。最高指揮権はヴァスコ・ダ・ガマに授けられたが、彼の海上勤務の経験についてはそれまで何ら記録がない。しかし、誰の目にも当然と思われたディアスを差措いてこの地位にダ・ガマを任じた選択は、この冒険航海の成功によって完全にその正しさを証明したのである。ポルトガル王家に由縁のあるこの貴顕は航海王エンリケの歿年（一四六〇年）に生れた人で、南部ポルトガルの海岸の町シネスのある役人の息子であった。彼がこれ程重要な地位に選ばれたのはその剛毅果断な性格だけでなく、相当な海上経験を有していたことを示すものかも知れぬ。

一四九七年七月八日、劇的な歓送裡に艦隊はテージョ河口を離れ、アフリカ海岸を一路ヴェルデ岬諸島目指して南下し、そこでまず錨を投じた。バルトロメウ・ディアスはカラヴェル船でギニアの突出部（バルジ）を過ぎるまで行を共にし、そこからエルミナに向うが、艦隊主力はギニア湾の無風帯（ドルドラム）と潮流を避けるべく、南西遥か洋心を通る大圏航路をとった。ヴェルデ岬から南アフリカへかけてのダ・ガマの航路は、それまでに行われた航海一切を顔色無からしめる放胆な離れ業であった。ゴメラからバハマ諸島に至るコロンブスの航程は順風に恵まれた二六〇〇マイルであったが、ダ・ガマの航路はそれとは著しく異り、殆ど南大西洋を横断するに至らしめた三八〇〇マイルもの海路（シーウェイ）であり、潮流と逆風のため大圏航行は不可能な処であった。コロンブスは五週間かかったが、ダ・ガマは何と三ヶ月——そして喜望峰の約一三〇マイル北方、ホッテントット族の国のサンタ・エレナ湾に投錨するのは漸く十一月八日のことである。ダ・ガマ麾下の乗組員も彼等の素晴しい業績を誇らしく思っていたから、この海岸に接近した時には一張羅を着込み、大砲をぶっ放し、船を旗旒（きりゅう）で飾り立てた。艦隊はこの湾に八日間停泊したが、その間に傾船修理が行われ、材木と真水が積込まれた。しかし土民達は敵意を示し、ある小競合いでダ・ガマは投槍を受け、負傷してしまう。十一月十六日に錨地を離れると六日後に艦隊は喜望峰を回航し、モッセル湾に寄航するが、そこで補給船を解体し艤装品や積荷を移すために二週間停っていた。猛り狂う荒天と未遂に終った叛乱の最中にこのポルトガル艦隊はディアスの到達した最遠点を通過し、降誕祭当日には美しい海岸が視野に入って来、これをナタール海岸と命名した。ここでは休む暇もなく、リンポポ河口とコレンテス岬の間のサヴォーラ河に達するまで探検者達は北上を続ける。この地の原住民からは歓迎を受けるが、女が男より圧倒的に多いこと、主な産物は銅であることを観察し、その河にリオ・デ・コブレ「銅の河」という名を付ける。次の寄港地キリマーネでは一ヶ月以上も留り、傾船修理や改装を行った。彼等は土民達と仲良くなったが、この訪問は壊血病の発生によって台無しになってしまう。キリマーネから艦隊はモザンビークに進むが、その町の回教寺院の尖塔（ミナレット）と白い家並を眸に収めたダ・ガマは、未開の野蛮国がもはや我が背後に遠離（とおざか）ってしまったことを実感していた。今や回教徒世界と接触したのであり、少くとも印度洋商業圏の周辺に辿り着いたのである。

回教徒達は最初の内は友好的であった。何故なら、彼等はこの新来者達が同じ信仰に属しているものと思い込んだからである。しかしそうでないことが判った時、彼等は腹を立ててポルトガル船の奪取をさえ図った。その返報にダ・ガマは町を砲撃し、飲料水の樽に真水を詰込んで出帆してしまう。次の寄港地モンバサではモザンビークよりもっと手荒い歓迎を受けた。到着したその夜、反身の短剣（カトラス）で武装した百人程の一団が旗艦〈サン・ガブリエル〉に乗込みを企て、これに失敗するやこのムーア人達は船を拿捕（だほ）すべく町の近くへ引張り込もうと試みたのである。全く偶然にも、軽い衝突事故を起した〈サン・ガブリエル〉は投錨を余儀なくされていたので、この企みはおじゃんになってしまった。またある時は武器を帯びた泳者達による錨索(ケーブル)の切断が企図されたが、これも間一髪で発見されてしまう。ダ・ガマはこうしたどぎつい敵対行為に直面しながらも、印度への航海遂行にとって不可欠な練達の水先案内人を得るために、六日の間、じっと耐えた。この計画が駄目になると提督ダ・ガマは艦隊を率いて同海岸に沿う次の寄港地マリンディに赴き、復活祭前日に到着する。モンバサと同じくここの住民は回教徒であったが、全く意外にもポルトガル人達は土侯とその家来達から熱狂的歓迎を受けたから、一〇日間に及ぶこの訪問は航海全体を通じて至福の幕間劇といった趣があった。入江の岸沿いに家々が並んでいるこの瀟洒な石灰(のろ)塗りの町は、ポルトガルの水夫達に例えばリスボン北方テージョ河畔のアルコシエーテの如き故国の町々を想い出させた。そして精一杯の美服を纏い、頭上に差し懸けられた深紅の傘の付いた青銅の椅子に腰掛け、象牙製の巨大な楽器で此の世のものとも思われぬ不協和音を生産する土民の楽士達を従えて〈サン・ガブリエル〉目がけて漕ぎ出して来る土侯(スルタン)、といった愉快な光景が見られたのである。またこの町においてポルトガル人達は初めてヒンドゥー人に逢う。彼等は全く見境もなく嬉しがってそれをキリスト教徒だと決め込んでしまうが、これは察するに《クリシュナ》(ヒンドゥー教三神の第二神)の音を《クリスト》と取違えた故であろう。ダ・ガマはこの町で遂にイブン・マジッドという名のグジャラット[印度西岸の町]の男の助力を得るのに成功するが、彼は恐らく印度洋全域に通じた最高の水先案内人であり、航海術に関する幾つかの大層な著述をアラビア語で物した人物でもあった。この練達者を舵手にして艦隊は四月二十四日マリンディを離れ、ポルトガルの希望が託された最終目標を目指して一路印度洋横断に突き進んだ。航海は平安裡に過ぎ、五月十八日になると西ガーツ山脈の峻峰エリイ山が水平線の彼方から姿を見せ始め、二日後（一四九八年五月二十日）、艦隊はカリカット沖に錨を投げた。七〇年以上にも及ぶ努力の果に、この大冒険事業は遂に成就したのである。

ダ・ガマはムガール人の印度征服より二八年前に印度に到達した。北印度とデカン高原には幾つもの回教小王朝があったが、当時の南印度の支配勢力はヴィジャヤナガルのヒンドゥー帝国であり、十四世紀から十六世紀にかけて印度半島の下部全体に輪郭のはっきりしない統治権を行使しており、あらゆるものを征服して熄まぬ回教世界に対する国家的信仰の最後の抵抗を代表していた。この統治圏内には沢山の小藩国があって、互に喧嘩しながら独立を主張していたのである。こうした藩王の一人にカリカットのサムリ（ザモリン）が居たが、彼がこれらのポルトガル人に邂逅したことは、ある意味では宿命だったと言える。と同時に、通商、特に輸出貿易は回教徒――長年印度に住み着いているか近年になってやって来たアラビア人やペルシャ人の手に握られていたけれども、彼等は皆、その独占を侵害しかねない如何なる潜り商人（インタローパー）に対しても強烈な憎悪と嫉妬に燃えていた。

到着すると直ちに、ダ・ガマはその来訪目的についてサムリに挨拶を送り、折返しサムリはこれら新来者達を謁見に招いた。このポルトガルの船長［指揮官ダ・ガマ］は、まず数マイル北方のパンダラニにあるもっと安全な泊地に船を移動させることを命じておいて、一三人の随員を従えて上陸する。ダ・ガマとその部下は教会らしきところに案内され、そこで聖処女マリアを表した（と聞かされたのだが……）一つの像を見、全員跪いて恭しい祈りを捧げたのである。この建物は本当はヒンドゥー寺院であって、かの像は恐らくクリシュナの母デヴァキであったろう。僧侶達はダ・ガマに聖水を振りかけ、白っぽい土塊を与えたのだが、それが土と牛糞で出来ているのに彼は気が付いたし、そしてこのことは長い歯や腕が何本も生えた人物像の壁画と相俟って、カリカットの住民達が果してキリスト教徒なのか否か、ダ・ガマに容易ならぬ疑念を抱かせたに違いない。とは言え、ダ・ガマの市中行進はまあまあの成功と言ってよかった。何故なら喇叭を吹き鳴らし太鼓を敲き、火縄銃を撃ち上げる連中を引具していたからである。ポルトガル人達は宮殿の金ぴかの天蓋の下に倚り掛り、黄金の壺に檳榔子の汁を吐き出しているサムリに迎えられた。最初の会見は友好裡に過ぎたものの、次の日になるとサムリは、ポルトガル国王の遣した贈物に対する露骨な不満をさらけ出した。とかくする内に回教徒貿易商人達はサムリに取り入り、かのポルトガル人共は掠奪者に過ぎないと吹込んでしまった。ダ・ガマが艦隊へ帰還すべく出発しようとした時、数日間強制的に宿舎に足留めを喰ったり、辛うじて暗殺を免れたりしたのはこの様な事情による。自らの胆略とサムリが回教徒の勧めた敵対陰謀を斥けたお蔭でダ・ガマは救われたのであるが、ポルトガルから雲煙万里を運んで来た積荷は土地の商人達から排斥され、損して捌かざるを得なかった。それにも拘らずダ・ガマ艦隊の乗員達はヒンドゥー人と全く仲良くなったから、彼等はぞろぞろと物見遊山よろしく船の見物にやって来たものである。回教徒総てが敵対的であった訳ではない。モンサイーデという名のチュニスから来た友好的なムーア人がいて、彼はスペイン語を話し、オランフリカ」の港ではポルトガルの水夫達とも会ったことがあった。ダ・ガマ暗殺の陰謀があることを明かしたのはモンサイーデであり、それによって指揮官ガマは乗船して来た上流人士数名を捕えて人質とし、サムリと土壇場の取引を行うことが出来、かくてある程度の積荷を故国にもたらし得たのである。しかし交渉は一日刻みの遅々たるもので、回教徒商人が牛耳っている限り、満足な通商貿易を確立し得ないことはガマの目にも明らかであったに相違ない。

三ヶ月に亙る滞在の後、八月の末に艦隊はポルトガルに向けて帰航の途に就くが、これには、カリカットでは今や命が危くなったモンサイーデとポルトガル王マヌエルに献上される数人のヒンドゥー人が乗っていた。沿岸航路をとって北方に向ったダ・ガマは、ゴアの南のアンジェディヴァ島に寄港して補給したが、ここでは諸国を漫遊した一人のユダヤ人を便乗させ、ガスパール・ダ・ガマという洗礼名を付けてやった。

印度洋の横断航海は長く退屈極まるもので殆ど三ヶ月を要し、壊血病の猛威は凄じかった。漸くマガドショでアフリカ海岸を望見し、一四九九年一月七日、艦隊は懐しいマリンディに入港した。この頃までに乗組員が激減したため、ダ・ガマの手許には三隻に配置する水夫が足りなくなっていた。そこで〈サン・ラファエル〉を焼却処分し、その乗組員を〈サン・ガブリエル〉と〈ベリオ〉に配分した。マリンディの親切な住民の間での休養で大いに健康と士気が恢復し、アフリカ沿岸を南下する航海は平穏そのものであった。ザンジバールを過ぎ、石柱を建てるために一時モザンビークに寄港した。モッセル湾で一〇日間を修理に費し、そして三月二十日、〈サン・ガブリエル〉と〈ベリオ〉は一緒に喜望峰を回航した。一ヶ月後、両船は南大西洋で嵐に見舞われて別れ別れとなり、勇敢なニコラス・コエリョが指揮する〈ベリオ〉はポルトガルへの針路を保持し続け、一四九九年七月十日、テージョ河口にその錨を投じた。故国を留守にすること二年と二日であった。ダ・ガマはヴェルデ岬諸島に寄航し、それからアソーレス群島のテルセイラ島に向った。そこで弟パウロが航海中の無理が祟って不帰の客となった。ヴァスコは次いでポルトガル本国への帰航を開始し、九月九日にリスボンに到着するのである。

　九日後にダ・ガマの凱旋市中行進が行われたが、これは真に晴れがましいものであった。回教徒の陰謀に妨げられて外交使命は達成できなかったとはいえ、彼は印度とそこに至る海路を発見し、その宝石や香辛料の見本をもたらし、そして史上三乃至四大航海の一つと称されるものを成就したのである。しかし何事にまれ最初の一歩を踏み出すことこそ至難の業である以上、彼の成し遂げたことはいずれ再び繰返されることであろう――ともあれ、彼の老練さと勇気のお蔭で、幻想的な東洋の富の扉はポルトガル人の前に開かれた。

しかしながら、ダ・ガマや一層慎重な同僚達にとって次のことは明白な事実であった。即ち、印度洋全域に独占を維持している回教徒商人達から東方海域の商業支配権を奪取するまでは、ポルトガルによる貿易利益の独占もまたあり得ない、ということである。この貿易は長い歴史の中で確立されて来たものであり、十五世紀の末頃には紅海から中国に至るよく組織された通商網があって、しかもその殆ど全部が回教徒の手中に握られていた。東からの貿易の流れが西からのそれと出遇うところカリカットは、この貿易体系全体の中心であった。東方遥かには同じく回教徒の牛耳るマラッカがあり、そこでは広東(カントン)から来る戎克(ジャンク)と東印度諸島からの香辛料を積んだ船が互に船荷を交換する。西の方にはホルムーズとアデンがあってそれぞれ独自の西洋(オクシデント)への大道を成していた。ホルムーズからは商品はペルシャ湾を通ってユーフラテス河を溯り、アレッポに到る。アデンからは二ルート中の本通りとも言うべき幹線が紅海からスエズへ、更にアレクサンドリアに通じている。どの路もその最終目的地はヴェネチアであった。この全体的システムの基盤は季節風(モンスーン)であって、これを利用すればその輸送――冬は西航、夏は東航――は容易であった。同時にこれは、この交通線沿いのあらゆる人々を潤す効果を持ったシステムであり、トルコの皇帝、エジプトの回教太守、そしてヴェネチアの総督といった権力者達は揃ってその保護に死活の関心を寄せていた。ダ・ガマが印度航海に出発した時、この渺たるポルトガルは自らの予想を超えた大事業に、それと気付かず乗り出したことになる！

それ故、ダ・ガマの航海の結果としてポルトガルは、以後一五年間に亙り、その目的を達するまで全く情容赦のないやり方で断行する一つの政策を採り上げるに至るが、その方針とは、印度洋から回教徒の支配を完全に駆逐すること、これであった。かかる政策に照して見れば、回教徒の敵意やカリカットのサムリの如き起り得べき非友好的態度もまた理解出来るし、同情すら呼ぶのである。

ポルトガルの第二次印度航海が第一次を遥かに凌ぐ規模で行われたのも、これまた当然と言えた。四隻に代るに一三隻の、そして悉く舷側砲（ガンネル）で武装し、千二百人が乗り組んだ艨艟（もうどう）。遠征隊の指揮権は特にこれという経験もなかった青年貴族ペドロ・アルヴァレス・カブラルに与えられたが、彼は有能且つ豪胆な将帥であることを実証した。カブラルの下には、ヨーロッパで見出し得る最も老練な航海者の幾人か、即ちニコラス・コエリョ、バルトロメウ・ディアスとその弟で積荷監督（スーパーカーゴ）としてダ・ガマと共に航海したことのあるディオゴ・ディアス、そして過去三〇年間の重要な航海の殆ど全部に参加したペーロ・デ・エスコラールなどが控えていた。

一五〇〇年三月八日、艦隊はリスボンを解纜（かいらん）して初の印度通商航海の途に上った。順風に恵まれた航程は急速に捗った。一週間後にはカナリア群島中に在り、二週間後にはヴェルデ岬諸島を通過していた。それから一ヶ月間、南南西の針路を保持し続けて行くと、陸地の存在を示す徴候が明らかになって来た。四月二十二日にはブラジル海岸にあるパスコアル山（南緯一七度）を視認する。翌日上陸が行われたが、これこそアメリカ大陸における彼等の勢力圏にポルトガル人として最初の足跡を印するものであった。原住民達が彼等を迎えるためにやって来た。絵具を塗り、文身（いれずみ）をした奇妙な連中で、その唯一の衣裳といえば目も彩な羽毛の肩マントだけであった。その夜は嵐に見舞われ、暴露した錨地では危険になったため、艦隊は数マイル北方の入江に移動し、カブラルはそこをポルト・セグロ〔安全な港〕と呼んだが、その名は今日まで残っている。カブラルはここに五月二日まで留り、それからブラジル本土（カブラルの呼び方に従えばテラ・ダ・ヴェラ・クルース〔真実の十字架の国〕）の発見を報せるためにポルトガルへ船を一隻送り還すと、艦隊を率いて南大西洋の横断を目指す。カブラルによるブラジル海岸のこの部分の発見は、その後長い間、地理史家の意見を二分して来た。ある派は、この発見は偶然であり、全く航海の必要上とられただけの西寄りの針路を保持し続けた結果に過ぎないとし、別の派は、陸地を発見するための意識的な試みであって、陸地の存在は少くとも予想はされていたのだ、と譲らない。僭越ながら私は後者の見解に与するものであるが、しかしこれは独断論は成立し難いということに落着くのが精々かも知れない。

南回帰線より遥か下〔南〕のコースで南大西洋を横断している時、艦隊は物凄い暴風雨に突っ込んでしまい、この壮挙は危くその時そこでお終いになりかけた。四隻が乗員もろとも沈没し、残りは四方に散り散りとなって手酷く打ちのめされてしまった。驍名を馳せた老練の船乗りバルトロメウ・ディアスもこの時海の藻屑と化した一人である。彼に優る偉大な働きを示したポルトガルの航海者は曾て見なかった。本隊から分離してしまった船の一隻を指揮していた彼の弟ディオゴは、孤独な航海を続けた。その航海は後になって相当な地理学的意義を帯びることになる。七月半ばになって漸く残った七隻がモザンビークに集結を完了し、そこで数日を修理に費した。遠征隊はその地の支配者が二年前に比べると遥かに御し易くなっているのに気付いた。ダ・ガマの浴びせた砲撃が余程応えたのは明らかだった。東アフリカにおける最も富裕な重要都市キルワではもっと冷淡な歓迎が待っていた。ダ・ガマはここには寄らなかったので、ポルトガル人がそこを支配している回教徒達に恐怖を与えていた訳ではなかった。カブラルは通商協定を結びたかったのだが、ポルトガル人に対する悪意が余りに露骨なため、為すところなく立ち去る外はなかった。モンバサはその敵意を考えて慎重に回避されたけれども、マリンディは以前と同じく好意を示してくれ、印度洋横断に必要な水先案内人達をこの町で容易に雇うことが出来たのである。

ブラジル遠航や颶風(ハリケーン)遭遇にも拘らず、僅か六ヶ月の航海の後、艦隊は一五〇〇年八月末にゴアに近いアンジェディヴァに到着した。この所要日数(タイム)は、蒸気船の時代を迎えるまでは、順調な印度航海の標準所要日数となっていた。カブラルはアンジェディヴァからは沿岸航路をとってカリカットまで南下し、航海の商業目的がいよいよ開始された。人質確保の予防措置をとった後、カブラルとその幕僚達はサムリと会見したが、それは回教徒商人達の猛烈な反対を惹起する結果となった。結局ポルトガル人達は散々待たされた揚句、漸くサムリと一つの協定を締結した。この協定によれば、ポルトガルの商館を陸上に建設すること、商館長アイレス・コレアの下に七〇名の職員を置くこと、などが許されていた。印度におけるこの西側帝国主義の第一歩は、悲劇的且つ短命に終る宿命を持っていた。カブラルが(サムリへの贈物として象一頭を確保すべく)回教徒商人の持船一隻を拿捕したことが導火線となり、回教徒達は商館を襲ってコレアを含む五〇人のポルトガル人を殺戮した。この報復にカブラルはアラビア船一〇隻を乗員もろとも焼き払い、それから艦隊の全砲門を開いてカリカットの町を砲撃した。これが印度におけるアラビア商人達に対する積極的な戦争の第一歩である。カリカットは瓦礫の街と化し、サムリがその日以後長くポルトガル人の不倶戴天の仇敵となったのも蓋(けだ)し当然であった。

カリカットでは死傷者が増えるのみでこれ以上得る所がないため、艦隊は南方のコチンに移動した。カリカットにおける戦争のニュースは艦隊より早く届いていて、コチンの王はポルトガルの大砲が怖かったのと己より強い隣人の被った屈辱を快しとする気持から、この異国人達を鄭重に迎え入れた。コチンとその入海に沿った近くの町クラガノールでは大量の香辛料が船積みされた。カリカットの北のカナノールでも同様に好意的な歓迎が彼等を待ち受けており、土侯はカブラルの必要とする物なら何でも供給すると言って聴かなかった。艦隊は今やその船腹を膨ませ、カブラルはポルトガルへ向けて錨を揚げた。帰国の航海は――コヴィリャンは行ったことがあるが、ポルトガル船はこれまで訪れたことのなかった東アフリカにおけるアラビア人町の最南端ソファラに寄港したこと以外は――これという事件もなかった。喜望峰を廻ってからは各船とも独航に移った。一番先にリスボンへ帰って来たのは一五〇一年六月二十三日に到着したイタリア人の持船〈アヌンチアダ〉で、ダ・ガマの航海の時にも真っ先に還って来たその同じニコラス・コエリョが船長を務めていた。

大暴風の中で僚船を悉く見失ったディオゴ・ディアスは一気に押し流され、大きな弧を描いて喜望峰を廻ってしまい、気が付いてみると船はマダガスカル島の東側沿岸を航行していた。これによってこの島を発見するに至るのである。島の北端では上陸が行われた。北西の針路を保持して行くと、ディアスはマガドショ近くで突然アフリカ海岸にぶつかり、そのまま岸伝いにグァルダフイ岬辺からアデン湾のベルベラに行った。このことによって、この海岸線を遥々と辿ればエチオピアに達することをルネッサンス期の人々に明らかにしたのである。南ブラジル、マダガスカル島、そしてソマリランドという三重の発見をしたカブラルの航海は、地理学的に見れば実に第一級の重要性を持つものであった。経済面に及ぼした影響は更に大きかった。艦隊は東洋の商品という素晴しい積荷を持ち帰ったからである。一五〇一年もまだ終らぬ内に香辛料はポルトガルからアントワープに達し、それから間もなく、ドイツやイタリアの金融業者が続々とリスボンにやって来始める。ヴェネチアではダ・ガマの航海に関する消息は、どちらかと言えばうんざりだという冷淡さで迎えられたものだが、カブラル帰還のニュースは――〝ヴェネチア共和国肇って以来の凶報〟と当時の日録作者プリウリが記した如く――大変な災厄として受け取られた。通商の均衡は正に破れ始めていたのである。

カブラル艦隊の第一船が帰着するより以前に、マヌエル国王はもう一つの艦隊を派遣した。これにより年次航海の実施が開始される。ジョアン・ダ・ノヴァの指揮する四隻から成る艦隊は、カリカットの反撃に対抗出来る程強力ではなかったから、カナノールへ直航した。その捗り具合は極めて順調だったらしく、申し分のない貨物を積込み、サムリが差し向けた艦隊を蹴散らしている。この航海が地理学史上興味深い主な訳は、帰途にセント・ヘレナ島を発見したからである。

カブラルの報告の結果、マヌエル王はカリカットにおける商館守備隊の大虐殺に復讐すべく、大艦隊の派遣を決意した。カブラルがその指揮官に任ぜられ、彼は八ヶ月の間、その準備に忙殺されるけれども、直前になってヴァスコ・ダ・ガマに取って代られてしまう。この交替についてはこれまで満足な説明は何一つ与えられていないが、これがこの二人の間の意趣の原因をなしたことは明らかで、カブラルは隠退し、二度と仕えようとはしなかった。《印度の提督》という称号を授かったダ・ガマは一五〇二年二月、一五隻で出帆――後から弟ステパノが五隻を率いて合流――した。往航の途次、ダ・ガマはキルワに寄港してその地の首長から相当の貢物をせしめ、それからカリカットに進んで砲火を浴びせ、邀撃して来た敵艦隊を撃滅してしまう。ダ・ガマは語るも凄じい蛮行をカリカットの住民に加えたと言われるが、しかし彼のこの残忍性は、これらのポルトガル人が数において劣り、故国を遠く離れて四面を何千という敵に囲まれた状況では、安全のためには神に対する畏れも暫し心に蔵って置かねばならなかったという事実によって、（弁解は出来ないが）説明し得るかも知れない。しかしながら、ダ・ガマの第二次航海が悉く報復のためのものであった訳ではなく、彼はコチンとカナノールに商館を設立し、それらを護り且つ紅海通いの回教徒商人の船を阻止するために、艦隊の一部を残置した。一五〇三年九月、ダ・ガマは貨物を満載した艦隊を率い、リスボンに向けて帰国の途についた。

さていよいよポルトガル史上最大の英雄が初めて東洋にその姿を現すことになる。ダ・ガマやカブラルの如き、どちらかと言えば青年といってよい人々とは対照的に、一五〇三年に従弟フランシスコと共に東方へ向けて船出した時のアフォンソ・デ・アルブケルケは、アフリカでの殊勲に輝く、既に髪に霜を置いた五十歳の老雄であった。彼の艦隊はコチンに直航したが、その到着は、怒れるサムリに領土を侵されていた友好的なコチンの藩王を救うのに丁度間に合った。王はその返礼に、ポルトガル商館とコチン市民を防衛するためにコチンに城砦を築くことを許した。城砦の構築は支配への第一歩であり、東方におけるポルトガル帝国の礎石であった。その後の出来事は、この建設が一つの有効な手段であったことを完全に証明した。アルブケルケが故国に向けて出帆するや否や、忽ちサムリが銃火と剣を閃かせて舞い戻って来たからである。しかしそれが彼の宿命でもあった訳だが、サムリはここで無双の勇士の抵抗に遭遇する。コチン守備隊司令官は——カブラルと共に印度に来たことがあり、カーンやディアスの時代にはギニアにも往った経験を持つ船乗りで、航海に関する著述もあり、後には《ポルトガルのアキレウス》として知られるに至る男——ドゥアルテ・パシェコ・ペレイラであった。ヨーロッパ人に使われた初の土民兵（シーポイ）を含む僅かな兵力を以て、パシェコはコチンの浅瀬における七度の戦闘でサムリを撃破し、最後の戦闘ではサムリ自身も討たれてしまう。それでもまだ足りず、この勇士パシェコは手当り次第に船を掻き集め、カリカットから敵の大艦隊を追い散らしてしまうのである。

こうした波瀾の年月の間に、異国の珍品という形をとって印度からリスボンへ富の流入が始り、ここでこの東洋の船荷はアントワープその他の北ヨーロッパ諸都市へ積替えられた。例えば一五〇四年には英国向け東方商品の最初の船荷がリスボンからファルマスに到着している。ヴェネチアとエジプトが喜望峰ルートの影響を感じ始めるのに長い時間はかからなかった。ヴェネチア共和国は彼等の相互の権益を防衛する手段を講ずるべく、エジプト皇帝（スルタン）［当時トルコの支配下］との盟約を求めて早々と使節団をカイロに派遣した。皇帝は東洋風の策略を弄してまず脅迫を試み、次いでポルトガルがその印度航海を拋棄せぬ限り、イェルサレムの聖地を破壊すると恫喝した。このため法王に縋るべく、シナイ山の聖カタリナ修道院次長フレイ・マウロがローマへ派遣される。この使節派遣を耳にしたマヌエル王は却ってその決意を固め、修道院次長がローマからリスボンへ向った頃にはマヌエルは既にフランシスコ・デ・アルメイダを大艦隊の司令長官、印度副王として送り出していた。

高級貴族を副王の地位に任命すること自体、ポルトガルの支配におけるもう一つの決定的な段階を示すものであり、またアルメイダは任務に対する責任感の旺盛な人であったから、それは結局正しい選択でもあったのである。回教徒の根拠地の征服が必要なことを明確に認識していたアルメイダは、往航時（一五〇五年）に東アフリカの敵性諸港――ソファラ、キルワそしてモンバサ――を攻略して要塞化し、二年後にはモザンビークも手に入れた。彼が如何に見事にこれを成し遂げたかは、アルメイダの有能な下僚ペドロ・ダナヤがソファラに築き、四世紀半後の今日もなお昔の俤を止めている城址を見れば明らかである。キルワでは〝フランス王と雖も寄せつけぬ鉄壁の〟城砦を建設した。飽くまでも抵抗を続けたモンバサの町は已むなくこれを掠奪し破壊してしまった。彼の息子ロウレンソ・アルメイダはコモリン岬近くのキロンに対する遠征を指揮し、この町を砲撃したが、これはポルトガル人商館員の殺害に対する報復であった。この高飛車な行動の後、ロウレンソはセイロンに向うが、これは次の一五〇年間ポルトガルの支配するところとなった島に対するポルトガル人としては最初の訪問であった。

ダ・ガマがカリカットに初めて上陸してから以後一〇年間のポルトガル帝国主義の着実な進展の跡を辿るのは難しくはない。徹底的且つ容赦のない拡張政策に苦しむ連中は、反抗の機を間もなく逸してしまいそうなこと、どの道やるのなら直ちに反撃を繰出さねばならぬことを看て取っていた。ヴェネチア人の共謀と支援の下にエジプト皇帝は戦いを決意し、そして一五〇七年、レヴァント人、トルコ人、アラビア人の混成乗組員を配した大艦隊を整備して、ヨーロッパの異教徒共を剿滅すべく印度沿岸に向けて送り出した。一五〇八年三月、チョウル沖で起った彼我入り乱れての引分け戦闘では、ロウレンソ・アルメイダは寡兵を率いて大敵相手に奮戦し、戦死を遂げた。単にポルトガル人の名誉のみならず、東洋における彼等の存在自体もまた、一つの決定的な勝利如何に懸っていたから、大アルメイダは回教徒軍に鉄槌を下すべく出撃した。集め得る限りの兵力を率いてコチンから北上を開始し、ゴアとダブールを焼き払い、遭遇する回教徒船を悉く屠って行った。一五〇八年二月、彼は遂にディウ沖で一〇〇隻の増援を得たエジプト艦隊を発見し、ネルソンが比較を絶した劣勢を物ともしなかった如く、敢然と戦いを挑んでこの回教徒艦隊を殲滅した。この勝利は正に雌雄を決したものと言うべく、以後長年に亙り印度洋は完全にポルトガルの支配下に置かれるのである。

これらの赫々たる勲功に比べるとアルメイダの最期は殆ど悲劇そのものに思われる。コチンに凱旋してみると、そこには何とアルブケルケが彼に取って代るべき任命辞令を持って到着していた（アルブケルケの地位は印度総督で、副王ではなかった）。数ヶ月の間、アルメイダはその競争者の要求に抵抗したが、一五〇九年十一月になると遂に屈服を余儀なくされ、それから間もなく故国へ向けて出帆する――そして船が喜望峰に立ち寄った際のホッテントット族とのつまらぬ小競合いで横死する運命が待っていたのみである……。

しかし、もしアルメイダが英雄肌の人であったと言うなら、アルブケルケは更にその典型であり、ここでもまた指導者選択の正しさが証明された。一五〇六年、アルブケルケはトリスタン・ダ・クーニャと共に東方に帰還した。ある遠征ではマダガスカル沿岸を巡航し、次いでマリンディの王と同盟して南部ソマリランド海岸の諸都市を攻撃した。これらの地点及びオマーン海岸のアラビア人の町々を征服した後、アルブケルケはホルムーズに航し（一五〇七年九月）、ダ・クーニャのソコトラ島占領と期を同じくしてこれを奪取し、数ヶ月間確保した。しかし情況はアルブケルケにホルムーズ維持を許さず、止むなくこれを拋棄してコチンへの航海を続行する。最初彼がアルメイダの後任として任命されたことを明らかにした時、アルブケルケは投獄されたが、この非運の副王がポルトガルに向けて出帆するや否や、アルブケルケは忽ちその精力と果断な性格を発揮した。回教徒の海軍はアルメイダによって粉砕されていたとは言え、アルブケルケは、ポルトガルの優位は陸上基地によってもまた保障されねばならないこと――仮に少数の根拠地でも戦略的要衝にあれば、それらによって、小なりとは言え断乎たる決意を持ったヨーロッパの一国が印度洋の広大な周辺を制し得ること――を看取していたのである。こうした根拠地は――東に一つ、西に二つ、そして中央に一つの――四ヶ所もあれば十分であろう。アルブケルケはその非凡な洞察力を以て、版図の拡大したルシタニア［ポルトガルの古名］帝国を支える四本柱としてマラッカ、ホルムーズ、アデン、そしてゴアを選んだ。マラバール海岸を北上する途中にあるゴアはこれまで副次的な港に過ぎなかったが、ここが彼の最初の目標であり、一五一〇年二月、アルブケルケは強襲を加えて奪取するけれども、三ヶ月後には六万人の熱狂的回教徒達によって追出される。同年十一月、アルブケルケは強大な装備を以て捲土重来し、死物狂いの抵抗を排して再び同市を占領し、回教徒達を刀の錆にした。以後ここが彼の首府であり、総督としての偉大な記念碑となるのである。それは東方におけるポルトガルの最初の領土であり、以前コチンやカナノールに建設された様な防備を施した商館とは対照的に、初めから植民地兼海軍基地を目指したものであった。正にゴアは、印度洋の周辺によって構成されるアーチの要石であった。その位置と貿易はゴアにロマンチックで放蕩的な繁栄の光輝を漲らせた一世紀をもたらし、殆ど五百年の後になってもゴアは東洋におけるポルトガル第一の植民地としての地位を保つことになる。

アルブケルケの次の目標はマラッカである。マレー半島の西岸に位置し、半島本土とスマトラ島の間の海峡が最も狭くなっている地点にあるマラッカは、単に中国向けのみならず東印度諸島全域に対する港でもあったから、回教徒通商網の中で第一の重要性を持つ居留地であった。ヨーロッパで莫大な需要のある香辛料の大部分はここで積替えられる。その地理的位置はとりも直さず印度洋の支配を目指す如何なる国にとっても東の抑えであり、更に香料群島に到る門口でもあった。ディオゴ・ロペス・デ・セケイラ麾下の艦隊は一五〇九年にマラッカを訪れたが、その貿易と探検の計画は回教徒商人達の卑劣な陰謀で妨げられてしまう。しかし幸いにも危険が及ぶ前に、フェルナン・デ・マガリャンエス即ち我々がフェルディナンド・マジェランと呼んでいる一人の若い士官によってこの陰謀が暴露される。そこでセケイラは多くの同胞を土侯の手に残したまま、直ちにポルトガルへ向けて出発した。ゴアがポルトガルの基地として整備されるとアルブケルケは艦隊を率いてマラッカに進攻し、二度の強襲(一五一一年七月―八月)を加えて陥落させ、ポルトガルの人質を救出した。ゴアに倣って植民地が建設され、かくてマラッカは一六四一年に遂にオランダ人の手に帰するまで、ポルトガルの東方経済の死命を制する鐶の一つを形成するのである。

アルブケルケは東印度諸島を探検するために、アントニオ・デ・アブレウを指揮官とする遠征隊をマラッカから送り出した(一五一一―一二年)。これは地理学的には重要な意味を持つ遠征であったが、惜しいかな詳細が殆ど判っていない。フランシスコ・セルランが副司令を務め、フェルディナンド・マジェランは士官の一人であった。知られている限りでは、艦隊はスマトラ東岸沿いにスンダ海峡まで航海してジャワの北岸を測量し、バリ、マドゥラ、スンバワ、フロレスの諸島についてある程度の知識を得た。それからブールー、アンボイナ、セラムを経てバンダ諸島まで進んだ。セルランはバンダ近くのルシパラ島嶼で難船し、土民の船に拾われてモルッカ諸島の一島テルナテへ連れて行かれ、その地で数年間、近隣の仇敵ティドーレ島の頭目と抗争している酋長の軍師に納っていた。セルランの仲間の若干はミンダナオ島まで往ったと言われているが、もしそうなら、彼等はフィリピン群島に達した最初のヨーロッパ人ということになる。アブレウの帰還のコースは往路と大体同じであったから、セレベス島乃至ボルネオ島のいずれかを発見したということはどうもありそうにない。この遠征は重要な結果をもたらした。即ちこのニュースがスペインに達すると、フェルナンド王は、分界線を定めた一四九三年の法王教書の条件に照せばこれらの島々がスペイン圏の内にあると結論した。従ってマジェランの世界周航はその直接の帰結であり、一方ポルトガルはポルトガルで同じくその権利の主張に怠りなく、テルナテに再び艦隊を派遣した（一五一四年）。この島は次の数年間、この多島海におけるポルトガル人の活動の中心となり、マラッカとの間に定期的な往来が始って、テルナテの土侯はポルトガル王に臣従することになる。

この間アルブケルケは印度洋にポルトガルの勢力を強化する政策を推進していた。敵性回教徒の船は各海域から駆逐されてゆき、ポルトガルの認可状を得て一か八かの冒険に乗り出す大胆な土民の船も現れて来た。アルブケルケは敵の勢力圏内までも戦いを推し進め、一五一三年にはアデンの攻略を企図した。これは撃退されてしまったが、この様に紅海にまで進入するのがこの総督の不動の信念であり野望でもあった。彼の生涯のこの時期には、その心の中に途方もない夢が渦巻いていたのである。即ちナイル河から紅海に至る運河を開鑿し、ナイルの流れを変えてエジプトを乾し上げてしまうことを考えており、またメッカを寇掠してマホメットの柩を担ぎ出し――それを《聖地》との引換えに利用することを目論んでいた。ポルトガル人達がアフリカの海岸に目撃した火の十字形は瑞兆と考えられたけれども、アルブケルケの冷静な分別とそれにゴアに山積する仕事のために彼は印度に帰還を余儀なくされ、この冒険は再興されることはなかった。彼がもっと永く生きたならば、最後には必ずやアデンを攻略したに相違ない。何故なら、アデンが戦略上の要であることは夙にアルブケルケの慧眼の見抜くところであったからである。しかしながら次々と生起する出来事は、彼にペルシャ湾とユーフラテス流域の関門ホルムーズを再占領するだけの余生しか与えなかった。一五一五年アルブケルケが歿した時、その戦略拠点の連鎖はまだ完成していなかったけれども、アデンが一五二四年にポルトガルの属領となり、一五三八年にトルコ人に奪われるまで命脈を保っていたことを付言しておくべきであろう。この英雄が死んでも、回教徒勢力は既に手酷く打ちのめされていたから、少くとも今後相当期間、もはや脅威とはなり得なくなった。むしろポルトガルの《小国性》、今日知らぬ人とてない《熱帯における白人（ホワイト・マン）》の問題、そして《植民地帝国の過度の拡大》のもたらす累積効果こそ却って脅威となって来たのである。

次の一〇〇年間にポルトガルがどうなったかはさて措き、アルブケルケは後世《ポルトガルの軍神》として知られる古強者に全く相応しい功業のもたらした一つの壮大な遺産を残した。それは次の三つの要因から成るものである。第一はホルムーズ、ゴア、マラッカの戦略拠点とその保護下にポルトガルの支配を強化するソファラ、モザンビーク、キルワ、モンバサ（東アフリカ沿岸）及びグジャラットのディウ（印度）等の貿易副中心。第二はマヌエル王とその後継者に朝貢する土侯達に対する宗主権。第三はゴア地区の植民地化で、アルブケルケはここを海の彼方の《小ポルトガル》にする心算であった。ダ・ガマやカブラルが真正面からぶつかって行った回教徒通商網は僅かな年月の間に完全に過去のものとなり、そこに代って座を占めたのは《ポルトガル帝国》であった。ヨーロッパの西南端にへばり付いた、人口も恐らく二百万に満たぬ僻陬（へきすう）の国にしては、真に雄大を極めた成果と言う外はない！

ヨーロッパ人が東洋に樹立したこの最初の覇権は基本的にはアルブケルケの仕事なのであり、彼の天稟に対する最大の記念碑である。ポルトガルは当時偉大な人材——ディアス、ダ・ガマ、パシェコ、アルメイダ——を輩出したが、これら群雄中の白眉はアルブケルケであった。彼の名は、単にポルトガル東方史においてのみならず印度洋の長い年代記を通じても依然最大のものである。彼の死以後、我々は何となき退潮感（アンチクライマックス）を覚えるのを如何ともし難い。一五二四年にダ・ガマが副王として印度へ帰任する条（くだり）を読んでも、それはむしろ過ぎ去った昔の残照に他ならぬ。今や征服は終りを告げ、作られるべき歴史も残り少くなった。ポルトガルはその地歩を固め、その報酬——印度諸国の富——を収穫する。下り坂は間違いなくやって来たものの、それは緩徐であり、世紀半ばに至るまで殆ど気が付かぬ程のものであったのだ。

ポルトガルの船乗りや貿易商人達は印度洋の周辺到る処にキリスト教の旗を押し進めて行った。ロポ・ソアレス・デ・アルベルガリアはアルブケルケの後任印度総督として一五一六年に紅海進攻作戦を実施するけれども、諸種の事情によってジッダから引返さざるを得ず、犠牲の大きい失敗に終った。二年後、彼はセイロン島に順調な遠征を試み、その間同島沿岸を各処で測量し、コロンボに砦を築いた。同時にコロマンデル海岸が探検され、マイラプール（一五一七年）とマドラス近くのプリカット（一五二二年）には居留地が造られた。それより北方のベンガル湾沿岸地方には、どちらかと言えばポルトガル人は重きを置かなかったらしいが、それは同地方に魅力的な産物が殆どなかったせいであろう。しかし一五一六年頃にジョアン・コエリョなる男がガンジス三角洲地方を訪れているし、三年ほど経つとポルトガル人はペグー王国と貿易を開始し、以後間もなくジョアン・ダ・シルヴェイラは一隊を率いて同海岸沿いに北方のアキャブと《ベンガラの都》チッタゴンへ行った。かくしてマラッカまでの印度洋の東半分の全貌が明らかになり、更にそれを超えるに至る。即ち一五一一年と次の年にかけて、アントニオ・デ・ミランダとドゥアルテ・コエリョに率いられた使節団が暹羅（シャム）［今日のタイ国］に向っていたのである。

二世紀前のマルコ・ポーロや中国伝道団の著作等から知られていた中国が目標として残っていた。中国商人達はマラッカでも異彩を放つ存在であり、彼等の酷い恰好をした戎克（ジャンク）は一五〇九年のセケイラの訪問以来、ポルトガルの航海者達に目撃され（そして嗤（わら）いの種にされ）て来た。この意味からすれば、中国との交際の開始は殆ど〝発見〟とは言えないのであって――むしろその浪漫的気分から《遐（はる）かなるカタイ》といった幻影を禱り出してしまったに相違ない人々の、百年に及ぶ航海の涯（はて）にあるもの、であった。それ故に《帝政中国》との接触を図るこの初のポルトガルの冒険事業は、マラッカ攻略以後は単に時間の問題に過ぎなかったのである。ジョルジェ・アルヴァレスは、十四世紀以後この《古き国》に達した最初のヨーロッパ人という点で、正に栄誉を担うべき人物である。一五一三年に彼は広東河（カントン）［珠江］口にある伶仃（リンテイン）島へ航海したけれども、その市に入ることは許されなかった。二年後ラファエル・ペレストレリョ（その姓からするとコロンブスの妻の縁者とも思われる）は、他のポルトガル人若干名と共に土民の戎克で広東河を溯航した。珍奇高価な貨物と共に、彼は中国人が善良な人間でポルトガルとの友好関係を熱望しているというニュースも持ち帰って来た。

こうした瀬踏み的遠征の次に、一五一七年にマラッカを出発したフェルナン・ペレス・デ・アンドラーデとトメ・ピレスの率いる公式使節団が続く。最初からこの使節団は中国式の延引策と馬鹿気た繁文縟礼に悩まされ、ポルトガル人が漸く広東に着いたのは、うんざりする程の応酬の揚句であった。やっと居住と通商の特権を得ると、アンドラーデは皇帝に拝謁すべくトメ・ピレスを陸路遥々と北京に赴かせたが——長途の旅も空しく、ピレスの謁見は叶わなかった。アンドラーデは広東に在って中国人との取引に敏腕を揮い、貴重な載貨を手に入れることが出来た——けれども、次の遠征（一五一九—二〇年）における彼の後釜（アンドラーデの弟シモン）が不始末を仕出かしてその仕事が台無しになってしまった。シモンが中国人を余りにも疎んじたため、折角千辛万苦して得た貿易特権を剝奪され、一五二二年にポルトガル人は放逐されてしまったのである。不運なピレスは広東への帰途に拘禁され、何年か後に死ぬまで投獄されたままであった。ポルトガル人が中国に恒久的な足懸りを獲得出来たのは更に四〇年の後のことである。一五五七年彼等は漸くマカオ［澳門（アオメン）。マカオは所在の海の女神天后の廟を媽閣（マーコウ）と呼ぶところからポルトガル人が町の名としたもの］に居留を始めたが、マカオはカモエンスの駐在によって不朽のものとなり、今日もなおルシタニアの旗の下に生き続けている。

しかしながら、中国の様な富める国と密貿易を行おうという誘惑は強いものがあって、一五四二年にはアントニオ・ダ・モタ、フランシスコ・セイモト及びアントニオ・ペイショトの三人の男は長洲（チンチヨウ）［香港（ホンコン）南西の島］向けの船荷と共にシャムを出帆した。猛烈な颱風は彼等を航路から吹き飛ばし、滅茶苦茶に叩き潰された戎克（ジャンク）は、二週間後にとある見知らぬ島に漂着する。そこでこの生存者達は小柄で優しく聡明な人々に迎えられた。ヨーロッパ人が日本に初めて上陸したのは、この様な全く思いもかけなかった偶然の事情による。この皮切りの旅のすぐ後には、熱烈に伝道の旗を押し進める耶蘇会（イエズス）修道士達の貿易と布教活動双方を目的とする旅が続くのである。

ポルトガルの冒険事業の影響を被ったもう一つの古代からの東洋君主国にペルシャがあった。既述の通り、ペルシャ人は回教徒であるがシーア派に属し、正統スンニー派ではなかった。従って彼等を取り巻くアラビア人やトルコ人にとっては不倶戴天の敵なのである。アラビア人とポルトガル人が啀（いが）み合った程には、ペルシャ人とポルトガル人の利害がしばしば相容れないということはなかった。ペルシャを強力な同盟国にしたいと望んだアルブケルケは一五一三年にミグェル・フェレイラ以下の使節団をイスマイル国王の宮廷に送り込んだ。この使節はシラズで王（ソフィ）に迎えられ、それから北上してタブリーズまで往った。その帰還後、一五一五年には第二次使節のフェルナン・ゴメス・デ・レモスという男が国王の許に派遣され、イスファハンまで行ったが、ホルムーズ占領に激怒した国王から散々なあしらいを受ける羽目となる。こうした経緯にも拘らず、ペルシャとポルトガルの関係は十六世紀を通じて見れば全体として友好的であり、ポルトガルの貿易商人や聖職者達はペルシャ領土を自由に往来した。中でも注目に値する旅はアントニオ・テンレイロのそれで、彼はホルムーズからタブリーズまで殆どペルシャ全体を横断し、一五二八年、苦労してバスラまで戻ると今度はユーフラテス流域を溯って地中海に達したが、これはポルトガル人としては最初であった。

四大漂泊者

ペルシャ、中国、そして日本の門戸を開いたことにより、ポルトガルの海外事業はその全盛に達していた。東方では、繁栄ばかりではなかったにせよ四分の三世紀以上に亙ってポルトガルはその独占を満喫する筈であった。しかし、ヴァスコ・ダ・ガマの最初の航海からアルブケルケの死に至る間の叙事詩的な時代が後景に退いてゆくにつれ、全体の様相は次第に静的なものに変ってゆく。それでもなお、時として古風な快挙の再現がディウとマラッカを回教徒から防衛した勇壮な戦いやゴアそのものの防衛（一五七〇年）の中に主として見られた。更にまたこの頃、極めて興味深い旅が続けられており、特に放浪で名高かったのは次の四人、即ちジョアン・デ・カストロ、フランシスコ・ザビエル、フェルナン・メンデス・ピント、そしてルイス・デ・カモエンスであった。

ディウの籠城といえば直ちに想い出されるのは、ルネッサンス期ポルトガルの万能の天才で言わば《天晴れクライトン》［ジェイムズ・クライトン。一五六〇―八二。スコットランドの文武両道、多芸多能の軍人・冒険家］でもあったドン・ジョアン・デ・カストロの名である。この才気横溢の貴族は往くとして可ならざるはなく、軍人、航海者、科学者、人文主義者、著述家等々、いずれも嶄然一頭地を抜き、彼の生涯のコースでその殆どに足を踏み入れた。植民地行政官としてはアルブケルケに次ぐ地位に昇り、将軍としてはポルトガル最大の英雄達の一人となり、航海者・水路測量家そして熟練した地形観察者としてはバレンツとジョン・デイヴィスの時代になるまでその右に出る者なしという有様であった。彼は十六世紀の偉大さと多芸ぶりの権化であり、その業績はウォルター・ローリイ卿やフィリップ・シドニイ卿のそれと比肩するものである。

一五一八年、まだ若かった彼がモロッコで戦うべく母国を飛び出したその時以来、デ・カストロは危険に生きるルネッサンス人の物怖じしない果断な性格を発揮して来た。自ら語っている通り、彼は軍人として北アフリカに往き、六回を下らぬ作戦に参加した。その後彼は船乗りになり、一五三五年には有名な回教徒の海賊（コルセア）ハイレッディン・バルバロッサ［トルコ人］に対抗して巡航したが、この時キリスト教国の艦隊はチュニスを占領している。ポルトガルに帰還してからのデ・カストロは快適な邸と成長してゆく家族を持ち、そろそろ中年にさしかかる一人の男であった。書物と子供達との生活という彼のこの時期は長くは続かなかった。何故なら彼の義兄ガルシア・デ・ノローニャが印度副王に任命され、デ・カストロはこの支配者と同行する機会を摑んだからであるが、これには非公式ながら自由調査旅行権限らしきものが付随していたのは確かである。

一五三八年の赴任航海はドン・ジョアンに地理学者としての彼の天賦の才を十分愉しむ好機を与えた。航海自体は変哲もないもので——モザンビークにおける二週間の碇泊のみが精々目につく挿話であるが、この長い航海の経験はデ・カストロの三つの『周航記』*Roteiros* の最初の一巻に結実した。この有用な航海便覧『リスボンからゴアへの路』*Roteiro de Lisboa a Goa* は、あらゆる観測結果と《水の曠野》を渡る半年に及ぶ航海の夥しい畏怖と驚異に満ちている。

デ・カストロは大変な時に印度へ到着した。シュレイマン大帝が派遣した強力なトルコ艦隊が折からグジャラット海岸のディゥ要塞の封鎖を開始しており、それは東洋におけるポルトガルの態勢全体に重大な脅威を形成しつつあったのである。新任の印度副王とその義弟は忽ち救援の遠征準備の渦中にはまり込んだ。しかし事態の進展と共にこの必要はなくなった。ディウのポルトガル守備隊は寡兵ながら善戦して要塞を死守したため、トルコ艦隊は二ヶ月後に囲みを解いたからである。それでもノローニャ麾下の艦隊は要塞に砲・弾薬を補給すべく、包囲が解けた後にディウに向けて出帆した。デ・カストロも乗組んでおり、この巡航は印度海岸の風物に対する彼の憧憬を十分に満足させる素晴しい機会を与えることになる。『ゴアからディウへの路』*Roteiro de Goa a Diu* はその成果であるが、この記録はその熱帯風景の精彩ある描写の点でコロンブスの『日誌』と双璧を成している。作者デ・カストロは、知識を索めるためには自ら船の下の海にも潜り、丘陵を馳け、海辺の湿地帯を繞るクリークや入江を跋渉し、密林に蔽われた岬や海角を攀じた……と書いている。彼はダブール、チョウル、ボンベイそしてバッセインを訪れ、エレファンタ島では考古学に対する人文学者としての情熱を満足させた。ディウから彼はゴアに戻り、それから重要な使節としてカリカットへ赴いた。しかし一五四〇年の大半はどちらかと言えば彼は余り活動しなかった。その年の最後の日、デ・カストロは彼の諸航海の中では最も向う見ずな航海に乗出したが、これは紅海を端から端まで、つまりスエズまで入り込もうというのである。この冒険には絶大な危険が伴った。即ち紅海は未だ曾て征服されたことのない回教徒の聖域であって（一五一六年にロポ・ソアレスがジッダまで往復した以外、如何なるポルトガル艦隊もそこから先に踏み込んだことはなく）、そしてもしもキリスト教徒の艦隊が季節風（モンスーン）の変る前にバブ＝エル＝マンデブ海峡の通過に失敗すれば、彼等は脱出の望みを断たれて行き暮れてしまうのだ。デ・カストロとエステヴァン・ダ・ガマは紅海の一番奥まで航海し、スエズ港在泊のトルコ艦隊の射程内に接近した。多数の陸兵の存在が望見されたので上陸は中止されたが、回教圏防衛線の内奥深く侵入した初のポルトガル艦隊に乗組んでいるという満足感に浸ることが出来たのである。クリストヴァン・ダ・ガマの指揮する遠征隊が回教徒軍と苦闘しているアビシニア帝国を援けるべくマッサワに上陸したのも、この時の航海であった。この航海に基いてデ・カストロは彼の『周航記』の第三巻、そして最大の『ゴアからスエズへの路』*Roteiro de Goa ate Soez* を書いているが、この本は単に見事な沿岸航路案内に止らず、際どい冒険の素晴しいまでに迫真的な記録でもある。

一五四二年、デ・カストロはポルトガルに帰還した。それから回教徒海賊船の掃蕩任務に服し、家庭生活を短い年月送った後、一五四五年彼は総督として印度に戻って行くが、その到着は彼の名が常に想い出される事件――第二次ディウ攻囲――の直前であった。一五四六年四月、カンベイ王の軍隊はディウを包囲したが、ジョアン・マスカレーニャスの指揮する勇敢な守備隊が頑強に死守していた。総督デ・カストロは直ちに息子二人を送って防禦戦に参加させたが、その一人は戦死し、もう一人はその防衛に殊勲を樹てた。その間ドン・ジョアン(デ・カストロ)は大規模な戦備を整え、攻囲が始ってから七ヶ月後の同年十一月、彼は増援部隊を率いて重圧を受けている要塞に上陸した。一週間後、彼は決死の守備隊員と共に猛攻を加えて回教徒軍を完全に撃破し、包囲を粉砕し去ったのである。さて、ここでデ・カストロの生涯中最もよく知られた逸話を語ろう。……当面の敵は打ち負かしたけれども、ディウの状態は惨憺たるものであった。緊急に資金を工面しなければならなかったが、総督は全く遣り繰りがつかず、止むなく自慢の鬚(あごひげ)を担保にしてゴア商人達に借金を談じ込み、ともかくも何とかして貰ったのである！　同じく彼の華美を極めたゴア凱旋はルネッサンス気質の典型であって、その有様はウィーン美術工芸博物館所蔵の壮麗な一連の綴れ織に遺憾なく偲ぶことが出来る。デ・カストロは正に得意の絶頂にあった。その後も休みなく続いたこの印度海岸を上下する幾多の作戦はドン・ジョアンにとって余りにも過重であり、ディウからの帰還後一年余りでこの偉大な英雄は副王に任ぜられ、そして世を辞することになる。とは言うもののデ・カストロは、《ポルトガルの印度》を滅亡の危機から救出し、そして更にもう一世代以上に亙るかなり安定した状態を謳歌し得るだけの準備をしておいてから逝ったのであった。

デ・カストロが晩年最も肝胆相照(あいてら)した友人は、デ・カストロを上廻る旅行者聖フランシスコ・ザビエルであった。この〝印度地方の最初のキリスト教伝道者〟は一五四一年、イグナチウス・ロヨラによって東洋に派遣された。同年春リスボンを船出したザビエルはモザンビークでその冬を過し、翌年五月ゴアに到着した。それから彼は南に旅を続けてトラヴァンコールのフィッシャリイ海岸に到り、そこで一五ヶ月の間、異教徒の真珠採り達と一緒に労働し、四五ヶ所を下らぬキリスト教徒の居留地を造ったと言われる。言葉が苦手で、通訳が得られない場合は絵文字や身ぶり手ぶりの記号言語に舞い戻らざるを得なかったというザビエル自らの告白を見れば、この偉業はいよいよ以て驚くべきものがある。短期間ゴアに戻った後、彼は再びこの地を離れて伝道の旅に上り、セイロン島やマドラスにある聖トメ（サン）［聖トマス（セント）］の霊場を訪れ、一五四五年の晩夏、マラッカへ渡った。マラッカから彼はポルトガル国王に書簡を送り、ゴアに異端審問所を設置すべきことを促したが――この示唆は結局採り上げられ、印度地方におけるポルトガルの影響に深刻な撥（は）ね返りをもたらすに至る。聖フランシスコ・ザビエルはマラッカから東方に航し、香料群島に一年半を送った。その間彼はアンボイナやモルッカ諸島及びマレー群島の各処を訪れた。それからゴアに帰還して死に瀕したデ・カストロを慰め、再びマラッカにとって返すが、そこで遇った一人の日本人亡命者は、日本を改宗させたいというザビエルの情熱に火を点けてしまった。元の名はヤジロウ、〝聖信（サンタ・フェ）のパウロ〟なる洗礼名を与えられたこの仲間と共に、一五四九年ザビエルは日本を目指して出帆し、同年八月半ばに鹿児島へ到着した。彼は《ニッポン国》に一五五一年まで留ったが、その間ある年の冬には帝（みかど）に謁するべく京都までの二ヶ月に及ぶ徒歩旅行を余儀なくされながら、結果は全く無駄であったという様な辛酸を嘗めさせられた。しかしザビエルは遂にキリスト教伝道の許可を得、離日する前には数百人の帰依者を獲得することが出来た。

一五五二年二月、この不屈の伝道者は、中国教化の計画で頭を一杯にしながらゴアに還って来た。彼は印度副王アフォンソ・デ・ノローニャに、異邦人を悉く閉め出していた帝政中国の当時の掟を無視しても中国へ使節団を送るべきこと、その供廻りに自分も参加したい旨を語った。この使節団は正式に派遣されたのだが、マラッカでその地の総督と使節一行との間に軋轢が生じて空中分解してしまった。聖フランシスコは独りで往くより他になく、シンガポール廻りの一隻のポルトガル船に乗って航海し、遂に広東河口の南にある聖ジョン島［上川島］に達した。ここはマカオの取得以前は、中国本土に入国を許されなかったヨーロッパ人のための港として使われていた所である。ザビエルがこの地点から密入国という形ではなくても、一種の非公式入国が許されるものと希望していたのは疑いないが、中国本土の海岸に達したいというその雄図の実現を前にして彼は熱病に冒され、一五五二年十二月二日に不帰の客となる。かくして旅行者中の最大の一人が消えた。ザビエルは荒くれの船乗りや海賊の群に投じ、彼等の親友となってうまくやってゆくという、真の旅行者の資質を具えた人であった。彼の目的は地理学というよりもキリスト教の伝道にあったが、それにも拘らずザビエルはポルトガル領印度地方とそれ以遠の、彼以前にも以後にも僅かな人達しか行き得なかった土地にまで、その足跡を印したのである。

聖フランシスコ・ザビエルと鮮かな対照をなす人にフェルナン・メンデス・ピントがある。彼は恐らくポルトガルの生んだ最大の冒険家であろう。二一年間、彼は東アフリカから日本に至る地域で絶えず旅をし、戦い、そして商売をした。難破すること数回、捕虜になること一三回、そして奴隷に売られること一七回！　彼の楽天的で勇気に溢れた肝っ玉は——鉄の如き強健な体質と相俟って——彼に無数の死地を切り抜けさせ、ポルトガルに還ってその破天荒の冒険の血沸き肉躍る物語を著すまで生き延びさせてくれたのである。

一五〇九年にコインブラの近くで生れたピントは、一五三七年、かの老ヴァスコの数多い息子の一人ペドロ・ダ・ガマの指揮する艦隊に乗組んで東方に向った。ゴアに着くや否や彼は軍人で船乗り、商人で医者、そして宣教師で外交使節という真に興味津々たる彼の生涯を始めるのに愚図愚図してはいなかった。初期の旅行ではアビシニアあるいは少くともエチオピアの海岸まで往ったが、それに続く冒険では南部アラビアとホルムーズで牢に抛り込まれる。漸く自由を得てゴアに戻ると今度は軍人になってマラッカに行き、その地の総督に仕えた。そこからスマトラを訪れ、マレー半島ケダー州では身の毛もよだつ脱出行を演ずる。この時期彼は、アントニオ・デ・ファリアなる私掠船商人と邂逅し、彼と一緒にシャム湾の奥まで冒険商売に出かけた。彼等はマレー半島を半分ほど北上したリゴール沖で襲われ、そしてパタニ沖ではラスカール海賊［外国船乗組みの印度人水夫の崩れた海賊］と必死に闘って勝利を収めた。しかし海賊の首領コジャ・アセムを追跡して行く内に、ピントとファリア自身も次第に海賊みたいになってゆき、商業航海として出発したものが遂に掠奪巡航にまで堕落してしまった。

　しかしこのピントの航海は印度支那の門戸をヨーロッパ人に開放する結果となったのである。彼とその仲間はメコン河口沖にあるプロ・コンドル島に行き、それからカンボジャ本土へ航海し、そこが鉱物資源に甚だ富んでいることを知った。彼等は海岸沿いにツーランに行ったがそこはメコン河経由の対中国陸上貿易の中心地であった。ピントはまた海南（ハイナン）

島という大きな島も訪れている。それからファリアとその仲間の冒険者達と共にメンデス・ピントは中国本土の寧波（ニンポー）へ航海するが、その途中でコジャ・アセムを打ち負かし、ノウダイという名の港町を掠奪した。このポルトガル人達は寧波で、カレンプルイと呼ばれる一つの島があり、そこには一七代に亙る中国の君主達が莫大な財宝と共に墓の下に眠っている、という話を聞いた。ピントとファリアは嫌がるどころか大喜びでその島に押し渡り、その場所を盗掘掠奪したが、帰還する際にナンキン湾で難破するという罰が当ってしまったところを見ると、中国本土が彼等を決して歓迎しなかったことは確かである。ピントとその仲間は蛭で一杯の池に頭を押し込まれたり、嫌という程鞭打ち刑を喰った揚句、鎖で数珠繋ぎになって北京へ送られた。これ程の目に遭いながらピントにはなおも周囲を観察する余裕があったと見え、南京と北京という二大都市の生彩ある記述だけでなく、彼が曳かれて行く途中の河川や運河沿いの色彩豊かな風物をも活写している。韃靼（タタール）人の間での幕間狂言が過ぎると彼は自由を取戻して日本に向ったが、それは最初のポルトガル人がこの国にやって来てからほんの少々後のことであった。その他様々な事の中にも、彼は日本に初めてマスケット銃をもたらすという奇妙な役割を演じた、とも言われている。

ピントの日本からの帰還は、彼自身の厳しい基準に照してみてもなお冒険的と言える程のものであった。彼は琉球諸島で難破し、ビルマでは奴隷に売られ、カンボジャ沖で再び難船の厄に遭い、シャムでは血沸き肉躍る戦争に捲込まれた、という。一五四七年にマラッカでフランシスコ・ザビエルと会ったことにより、二度目の日本訪問が行われることになる。この殆ど無茶苦茶な冒険家はザビエルという偉大な宣教師にすっかり魅せられてしまったため、日本に福音を弘めるべく耶蘇（イエズス）修道会に入会し、彼が東方で稼いだ少なからざる金を喜捨する決心をしたのである。彼は耶蘇修道会の見習僧になったけれども結局それを離れたのは、多分ピントにユダヤ人の血が混っていたからだと専ら言われている。彼の気質からして修道士的生活は到底合わなかったからだとする方が、もっと納得出来る理由ではあるけれども……。ともあれポルトガルの印度副王は一五五四年、彼をベルシオール・ヌーネス神父と共に公式使節として日本に派遣した。日本における彼の使節活動はキリスト教とその文明に対する顕著な奉仕を代表するものと言われている。一五五七年、ピントはヌーネスと共にゴアに戻り、そして翌年ポルトガルへ海路帰国するが、その遊歴の冒険譚は彼の名を故国で一躍高からしめることになる。しかし彼の名高い本は長い間作りばなしの寄せ集めではないかと疑われ、作者はメンデス・ピントではなくメンダス・ピント《Mendax Pinto：嘘吐きピント》だろうなどと軽蔑的な意味で有名になってしまったけれども、東方に関する今日の知識に照して見るならば、彼は全体としては注意深い観察者であり、正直な語り手であったことが立証されるのである。

ポルトガル最大の詩人の遍歴は、かの冒険に満ちたメンデス・ピントのそれと同じく、まことに面白く多彩なものであった。ルイス・デ・カモエンスは一五五三年三月、印度地方での五年の兵役を課せられた一兵卒という情ない形で故国を後にする。長い赴任航海の間に彼の『ルシタニア讃歌』*Lusiads* の構想が心に宿り始めた。事実その詩篇の少くとも二つは、彼がゴアに着く以前に出来上っていたらしい。彼のゴア滞在は短いものであった。一五五三年の終りの数ヶ月はマラバール海岸への遠征に従事した。翌年にはアラビア沿岸の海賊制圧作戦に参加しており、艦隊は紅海まで行った後はホルムーズからバスラへ敵船を拿捕しながら巡航したが、これはいつもながら〝左手(ゆんで)に剣、右手(めて)にペン〟よろしく、カモエンスの詩興を大いに掻き立てるものがあった。一五五五年には彼は別の海賊追撃戦に出動していたが、グァルダフイ岬沖でのうんざりする様な六ヶ月を送った後、ゴアに帰還する前にモンバサを訪れたことがあった。副王を諷した詩もその一因であったが、軍務上の魅力もあって一五五六年、カモエンスは東印度地方で長期の勤務に就くためにゴアを後にする。東印度地方では戦闘をしたり詩を書いたりの二年間を送り、テルナテ、バンダそしてアンボイナの諸島を訪れている。一五五八年になると彼は中国のマカオの軍事占領に参加し、そしてその頃には五年の兵役は満了していたけれども、彼はそのままマカオに長い間腰を落着け、今でも彼の名が付けられている洞窟(グロットー)でその『ルシタニア讃歌』の大半を書き上げたのである。長い淹留の果に印度へ出発した時の彼は、不正行為の嫌疑による拘引という囹圄(れいご)の身であったけれども、印度支那のメコン河口沖で難船したため、この詩人は詩の草稿を頭に括りつけて岸に泳ぎ着き、自らの生命とそのかけ替えのない原稿を救った。カンボジャ海岸を裸でほっつき歩いた後、彼は何とかかんとかマラッカに辿り着き、そこから遂に一五六一年六月、依然囚人のままゴアへ戻って来た。

それから三ヶ月後には出獄を赦され、以後の六年間はゴアで文人才子の連中に取り巻かれ、愉快で呑気な貧乏暮しを送る。やがて一五六七年、モザンビークの司令官に新任されたペドロ・バーレトウに随いて彼は東アフリカへ赴いた。カモエンスは自身が故国へ一歩近づいたことは解っていたものの、余りにも尾羽打枯らして借金だらけだったので、友人達が救けに来てくれるまで、更に二年間モザンビークに立ち往生したままだった。だから彼は一五七〇年四月、正確に言えば国を出てから一七年後になって、漸くリスボンに還って来たのである。この間のカモエンスの艱難辛苦は枚挙に遑ないが、そうした試練のお蔭で、彼は人類にかの叙事詩の最高峰の一つ――『ルシタニア讃歌』――を遺すことになるのであった。

《ポルトガル帝国》の衰頽に関する若干の考察

《ポルトガル帝国》の衰微はその勃興程には劇的ではなかったけれども、極めて印象深い歴史上の一事象であることに変りはない。衰えは徐々に始ったために一五五〇年以前ではその萌芽らしきものを見るのみであり、進行は緩慢であったが、一五五〇年から一六〇〇年の間には次第にその速度を増して行った。一六〇〇年以後になると、もはやその頽勢は蔽うべくもなかった。この衰頽の原因を唯一のものに帰する訳にはゆかない。そこには主因――ポルトガルが小国であったこと――の他に幾つもの副次的原因があり、それらの相互作用が遂に悲劇的な結果を招来したのである。

東方におけるポルトガルの衰頽に関するあらゆる理由の最たるものは母国の領土、人口が小さかったことであり、それはポルトガルの人的資源並びに財力の限界を超えた致命的な伸び過ぎという結果を呼んでしまった。これこそアルブケルケが築き上げた王国に潜む虚弱性の根本原因であった。もしも他の諸原因が作用しなかったならば、ポルトガルは多分その〝白人としての責任〟を無期限に負い続け得たかも知れない。しかし、伸び過ぎという最大原因を更に助長する他の様々な原因があっては、衰微もまた不可避と言えた。これが如何に国力不相応の膨脹であったかは、十六世紀中にポルトガル本国の人口が約二百万人から百万人そこそこに激減したと見積られることからしても、余りに明白である。リスボンが繰返し疫病に見舞われて荒廃したばかりか、国民の花とも言うべき青年達は年々歳々、兵士や船乗りあるいは役人となって印度に往ってしまった。これらの内ほんの少数が故国に還り得たに過ぎず、彼等が減った分は埋合されぬままという不可避的な結果を招いたのである。オランダの評者リンスホーテンは、東方に出掛けた者の内、ヨーロッパへ帰って来た者は十人中一人にも達しなかった、と計算している。これには更に一五七八年の、後代のポルトガル人の資質に悪影響を遺すことになったアルカサール・ケビール〔クサル・エル・ケビル」（モロッコ）におけるポルトガルの優秀な貴族階級の潰滅も追加されるべきであろう。要するに、かくも広大な帝国を支えるにはポルトガルは余りにも小さ過ぎたのであり、ダ・ガマ、カブラル、アルメイダそしてアルブケルケを次々に送り出したこの国は、結局その血と精気を搾り尽されてしまったのであった。十六世紀末になると、ポルトガルは――勿論例外はあったけれども――有能な人材は愚か、並の指導者を産み出すことすら至難な状態に陥っていた。こうした衰頽がスペイン領アメリカでは殆ど見られなかった訳は、この姉妹国（スペイン）が十六世紀末では八百万以上の人口があって、難局を乗り切るだけの人的資源を擁していたからに他ならない。

一方、ポルトガルの過度の拡大と極めて縁の近い衰頽原因の一つが印度そのもので作用を及ぼしていた。即ち征服者達の子孫の人種的退化である。ポルトガルの婦人で東方に移住したのはごく少く、出掛けて行った白人の男達の間には、有色人種に対する偏見はそれ程強くはなかった。現地人との異人種間結婚を奨励したアルブケルケの御都合主義的政策は、双方の弱点は継承したが優れた特質を殆ど失った合の子人口を創り出す結果となってしまった。生粋のポルトガル人であったお歴々の世代が死んでしまうと、その空隙は次第に半亜・半欧人種によって塡（う）められてゆく。この種の雑種繁殖から免れた一部のポルトガル人といえども、明らかに風土環境条件による惨めな変質を余りにも度度経験せざるを得なかった。この退化の影響はポルトガル人の航海・操船術の低下に最も著しく見られる。

本国から人員が殆ど得られないために、艦船には未熟な合の子達が配置された。浮標設置や水先案内は次第に杜撰になり、世紀も終りに近づくにつれて海難が相次ぎ、印度に到るポルトガルの航路帯の支配そのものが危くなって行くのである。

東方におけるポルトガル人の人種的退化と軌を一にするものに、植民地政府全体に瀰漫（びまん）した不正と腐敗があった。上は副王から下は木っ端（こっぱ）役人に至るまで専ら私腹を肥すためにのみその職を利用したのは日常茶飯のことであり、闇取引・密売買・強請・脅喝・贈収賄・詐欺・横領等、今日の所謂《組織的不正行為》のあらゆる形が大規模且つ慣習的に行われていた。縁者贔屓（びいき）、収税請負業（みつぎとり）、私的投機並びにそれに類する例は枚挙に遑なく、これらは本国政府が数ヶ月もかかる遠隔の地にある以上、総てを巧く胡麻化すのは易々たる業であり、権力の座にある者が自ら悪の手本を示したのである。

性根の腐っていたのは官僚政治だけでなく、教会も同断であった。ゴアが後年、神権政治にまで肥大したことは何人も否定し得ないところである。ポルトガルの支配の最初から征服者達は土着の色々な宗教に対して驚くべき鈍さしか示さず、彼等の狭量はヒンドゥー教徒の伝統的な寛容とは全く背馳していた。異端審問の導入と政府自身の大っぴらな公式改宗局への変身は、宗教的頑固さとキリスト教会の堕落を助長したし、また一方では、ポルトガル領印度の教会や修道院は植民地の富の大半を吸い上げていた。教会は、教会として東方における永遠の絶大な権力ではあったが、その世俗的な面が本来の機能を上廻った時、教会に関る万人にとっては一つの悲劇となるのである。

東洋における《ポルトガル帝国》退潮のもう一つの強力な原因は、原住民の情勢が絶えず不穏であったことで、これはポルトガルの支配及び人的資源と財力にとって手痛い負担となった。ルネッサンス期の間でも南アジアや東南アジアの回教徒勢力による強力な捲き返しがあり、これは侵略的・好戦的な性格を持っていた。北部印度に樹立されていたムガール帝国のみならず、デカン高原の強力なヴィジャヤナガル王国もまた一五六五年には総てを征服して止まぬ回教徒の手に陥ち、それによって南印度全体は回教徒の支配下に置かれてしまう。印度ではデ・カストロの時代以来、印度やマレー半島における好戦的な回教徒勢力の伸張に勢いを得て、この様な抗争が続いていた。デ・カストロの死と英国人の登場の間には、マラッカは六回も、コロンボは三回、カナノールとチョウルは二回ずつ、ホルムーズ、ダマン及びゴアそのものも各一回の包囲攻撃を受けている——これは海では海賊、陸では山賊に対する制圧討伐戦を遂行しているポルトガルに一層の重荷を課すものであった。実にポルトガルは東方において《一つの帝国》を征服・獲得したものの、それを維持するためには、細りゆく国家資源を動員してすら闘わねばならなかったのである。それは印度からポルトガル人を一掃せんものと決意した東方諸侯の強力な連携が生んだゴア、チョウル、マラッカの殆ど同時の攻囲によって最高潮に達した。いずれの場合も攻撃は失敗に帰したものの、同時にそこに発揚されたポルトガル人の勇武はそのままポルトガルの生血の喪失を意味するものであり、早晩払われねばならぬ犠牲であった。ポルトガルはもはやそのペースを保持し得なくなっていた。そしてポルトガルが弱くなるにつれ、その敵は勢いを倍加して行ったのである。

頽唐の諸因の中で最後の、そして多分最も明白な一つは、スペインによるポルトガルの併合であろう。一五七八年セバスチャン王はモロッコのアルカサール・ケビールにおけるムーア人との野戦で討死し、白痴の王子エンリケが王位を継承したが、これまた一年半後に世を去る。これがポルトガルのジョアン一世とゴーントのジョンの娘を祖とする偉大なアヴィシュ王家の悲劇的な終焉である。ある朝、目を覚してみると、ポルトガル人はスペイン王フェリーペの臣下になっていた、という訳である。今やポルトガルの展望は全く変ってしまっていた。東方にその命運を托した一小国からヨーロッパの権謀術数の大渦に引摺り込まれ、そして最後に自由な独立国家に戻った時（一六四〇年）、印度地方の王権は回復不能なまでにオランダと英国の手に渡ってしまっていた。

しかしポルトガルの衰微に関する右の様な概括を終えてみると、今度はその当否の吟味があれこれ必要になって来る。何故なら、《ポルトガル帝国》が一六〇〇年頃に幾つかに分裂していたと仮定すること程見当外れな結論はないからである。ジョアン・デ・カストロの時代以後に始る衰微は緩徐なもので、活気を取戻した幾多の意外な例によって中断されており、東方におけるポルトガルの権力の完全且つ比較的急激な解体、という在来史家の理論は改訂さるべき時に来ていると思われる。例えば一五七〇—七一年のゴア、チョウル、マラッカに指向された三ヶ所同時の脅威は、アルブケルケやデ・カストロと比肩する程の人物であった副王ルイス・デ・アタイデの老練勇敢な指揮の下に、ディウの攻囲に勝るとも劣らぬ壮烈且つ断乎たる抵抗に遭遇している。

一六〇六年には四ヶ月に及ぶ決死のマラッカ籠城でオランダ人の攻撃を却け、翌年にはモザンビークの二ヶ月に亙る果敢な防衛戦で同じくオランダ人を撃退した。澳門(マカオ)では一六二二年の仲夏日［六月二十四日］、攻撃して来たオランダ人に対し、オランダ植民史上最も圧倒的といわれる大敗を喫せしめている。英国人の勝利に帰した海戦（一六一二年のキャプテン・ベストの戦闘、一六一五年のキャプテン・ダウントンの戦闘）においてすら、ポルトガル人は豪胆且つ頑強に戦ったし、一六三〇年代になってさえ、どんな国の政府にとっても名誉となる程の有能な行政官であり先見の明ある政治家であったコンデ・デ・リニャレスを彼等は副王として擁していた。要するに十七世紀の初期までは彼等は依然として侮り難い存在であったし、一方、アジア間の通商における仲買人としてのポルトガルの貿易は大きな収益をもたらし続けていた。にも拘らずポルトガルの星は次第に光芒を失ってゆき、一六二二年の英国人によるホルムーズ奪取はポルトガル権力体系の全部が懸っていたアルブケルケの要衝の一つを破壊してしまった。一六三八—四〇年にはポルトガル人の殉教と日本からの追放が起きて有利な澳門(マカオ)貿易の終熄に繋がり、そして一六四一年、マラッカがオランダ人の手に陥ちたことによって、アルブケルケの戦略拠点がもう一つポルトガルから奪われることになる。しかし、ポルトガル勢力の《皆既日蝕》は一六五六年から六五年に至る十年を迎えるまでは起らなかった。この期の中にボンベイは英国人に割譲され、キロン、コチン及びカナノールはセイロン島やコロマンデル海岸に築いた要塞と同じくオランダ人の手に帰し、その時期以後においてのみ、ポルトガルは畏怖すべく尊敬さるべき《印度洋の強国》ではなくなったのであった。けれども、ポルトガルの頽唐という終局の悲劇によって我々は、その《東方帝国》の創造におけるポルトガルの無比の業績を見失ってはならないのであって、その成果は独りポルトガルの雄大な遺産であるのみならず——人類の遺産でもあるのである。

5 コロンブスの諸航海

十五世紀の後半が過ぎゆくにつれ、発見はますます拡大して行った。《印度地方の探求》はヨーロッパ中の人間に情熱を吹き込み、ポルトガルの強力な隣人も、世界史の流れの中ではポルトガル人の叙事詩的功業すら大きく凌駕する程の成果を生むに至った探検と征服の事業に乗り出すべく名告りを挙げた。海外発展という面ではスペインはそれまで微々たる役割しか演じて来なかったけれども、海上経験が全くなかった訳ではなく、事実その背後には些かなりとはいえ、航海の伝統を負うていたのである。ジブラルタルからポルトガル国境に至る間に点在する港はバーバリイ海岸と大西洋諸島に面し、これら諸港は昔の年代記作者の所謂《オーケアノスの海》を南西に見渡す位置を占めている。アンダルシアのこの部分には強壮大胆な船乗り稼業の人々が増えてゆき、最初は沿岸航海や漁撈に満足していた男達も、後にはカナリア群島に航海したり、特に《カスティーリャ継承戦争》の期間中（一四七五—八〇）にはギニアに対する幾多の遠征を実施するに至った。この意味では、コロンブスの第一次航海は決して革新的な、あるいは孤立的な冒険事業ではなくて、むしろ海を我が家と心得た経験豊かで冒険心に富む人々の西アフリカ航海に淵源する一つの更に優れた成果であった。従ってコロンブスが〝中国に到る大西洋横断コース〟というものにスペイン王の関心を惹くべく努力していた時、彼はずぶの素人の国民を相手にしていた訳ではないのである。それどころかコロンブスは、ビスケー湾からギニア湾に至る沿岸一帯で漁業や貿易を営んでいた人々と一緒に仕事をしていたことになる。

正に偶然の情況に際会したと言ってよかった。即ち、スペインは船乗りを持ち、そして少くともアンダルシアでは相当な航海経験を積んでいたし、一方コロンブスには夢と激しい情熱があった。コロンブスがどれ程永い間その夢を温めて来たかは知る由もないが、二十三歳の青年でまだ生れ故郷のジェノヴァに住んでいたこの未来の発見者は、一四七四年には西廻り航路による東洋到達の可能性について、パオロ・トスカネリと極めて真剣な(曾ては疑問視されたが、今日では一般に本物とされている)手紙のやりとりを始めていた。トスカネリは職業は医者だが道楽に地理学に凝っていたフィレンツェの高名な古典学者であった。彼は特にマルコ・ポーロを崇拝しており、アジア大陸はプトレマイオスが論じたよりも遥か東方にまで拡っているとするポーロの説に賛成した。と同時にトスカネリは、地球の大きさに関するプトレマイオスの推測値を可としたため、地球の全周は一万八〇〇〇地理マイルになってしまった。この結果カナリア群島とキンサイ(杭州(ハンチヨウ))との距離は僅か五〇〇〇マイルという数字になり――コロンブスはそこへ行きたい一心から、それを更に三五〇〇マイルにまで縮めている。当時《印度地方に到る西廻り航路》の熱心な提唱者として隠れもなかったトスカネリは、同じく基本的にはプトレマイオス的地球観の持主でありマルコ・ポーロやジョン・マンデヴィル卿は申すに及ばずピエール・ダイの『世界の姿』(イマゴ・ムンディ)などに強く影響されていたその若い弟子コロンブスに対する信頼を些かも失っていなかった。コロンブスの観念の中にあるこの奇妙な中世的性格は、彼の人となりの実際面、例えば航海者としての卓越した伎倆といったものと均衡していたけれども、彼の性格のこうした二面性は、常に心理学者には一つの問題を、歴史家には解き難い一つの謎を提供し続けて来たのである。

　要約すれば、コロンブスは世界が球体であることを信じていたがその大きさを著しく過小評価し、アジア大陸の広さを過大視したため――アジアが東へ伸びるにつれて、それはますますスペインに近づくという結論へ導くことになった。彼が夙に決意し、不退転の粘りで堅持した計画によれば、アソーレス群島とアジアの東海岸の間には発見さるべき土地は存在せず、従って、出来るだけ直航ルートを採って大西洋を横断する以外に、他の航路は一切考えられなかった。この全く理に適った予測とそれに基く計画に固執した彼の不動の意志は、コロンブスの偉大さを示すものとして最も鮮かな位置を占めている。

　彼の船乗りとしての経験は、大部分その青少年時代から始っている。若きジェノヴァ人コロンブスは地中海で一度ならず商業航海に出かけており、多分ギリシャの多島海の遠くまで行ったらしい。一四七六年、英国向けの貿易航海に乗組んだ折、その船団はラゴーシュ[サン・ヴィセンテ岬の東]で敵性国フランス＝ポルトガル連合の大艦隊に襲われ、乗船が沈没してしまったこの未来の新世界発見者は、岸まで泳ぎ着いてポルトガルに初の足跡を印したのである。この椿事を機に彼はポルトガルに傭われ、同年晩くにはイギリス諸島への航海に従事し、そしてアイスランドまで往ったと思われる(中世後期にはブリストルやゴールウェイといった港とアイスランドとの間で活潑な貿易があったことが知られているからには、コロンブスのこの冒険も決してあり得ぬことではない)。こうした初期の航海の最後の一つであり且つコロンブスに最も忘れ難い印象を与えたものに、一四八二年かあるいはその翌年に行われたギニア海岸エルミナへの遠征があり、この時彼は明らかに責任の重い持場で働いていた。その上ポルトガルの老練な水先案内人達と共に西アフリカ沿岸を南下帆走したことにより、彼は船乗りとしての腕を大いに上げたに相違ない。コロンブスの夢に及ぼしたもう一つの影響は、彼が当時の年月の大部分をマデイラ諸島とその近くのポルト・サント島に住んでいたことであった。彼はポルト・サント島の世襲領主(キャプテン)の妹フェリーパ・ペレストレリョと結婚したため、一四七九年頃にはマデイラ諸島に往っており、約五年後に妻が死亡するまで、《未知の世界》へ続く西への路を実際に指し示すが如きこのロマンチックな群島は、コロンブスの作戦本部でもあったのである。

アフリカ航海以後、コロンブスはその《印度地方探検計画》に没頭し、問題の研究と立案、そして然るべき王室の後援を取付ける努力に一〇年の大半を費すことになる。各国の支配者達にコロンブスの人生の使命を納得させるのは容易なことではなかった。彼はまずポルトガル王ジョアン二世に当ってみたが、この王は（バロスによれば）コロンブスを「……大風呂敷、業績の説明に当っては自慢たらたらで、その語る処について確信を抱いているというよりも彼の所謂《シパンゴの島》（日本）に関する気紛れと空想に満ちた男……」と考えた。それでもジョアン二世にはコロンブスの提案を検討する委員会を設けるだけの公正さがあったし、交渉が失敗に終ったのは主としてコロンブスの申し出た費用が高過ぎたためである。一四八五年、コロンブスはフェルナンド王とイサベラ女王の前に彼の計画を披瀝すべくスペインに赴いた。更に両天秤をかけて弟バルトロメオをフランス及び英国に派遣し、シャルル八世とヘンリイ七世を説いてカタイを目指す西廻り遠征艦隊の準備を目論んだが、これは徒労に終った。コロンブスとスペイン宮廷との交渉は信じ難い程退屈で焦れったいものであった。その際どさは殆ど最後の瞬間まで予断を許さず、纔か（わず）に女王の誠実な後楯によってのみコロンブスの航海は実現したのである。クリストファー・コロンブスは王室諮問委員会が彼の野心的計画を吟味している間の五年という長い歳月を、哀れな請願人よろしく宮廷で御機嫌を取り結んだ揚句、歴史の進路に大変革をもたらすことになった一つの艦隊を準備する権限をイサベラ女王から与えられた。この遅延の理由を別に遠くに求める必要はない。即ちスペインは自身の統一国家建設とムーア人の駆逐に忙しかったからなのであり——モリソン教授の表現を借りれば、それは恰(あたか)もゲティスバーグ戦の最中にアブラハム・リンカーンの気持を南極征服に引張り込もうと試みる極地探検家の如き趣があったからである。しかもなお、更に大きな意味では、アメリカの征服なるものはスペインの《国土回復運動(レコンキスタ)》の連続として、領土拡張と十字軍的熱情の新しい冒険として——と同時に儲かる事業として——構想し得るものであったのだ。彼女にとって青史に遺る名誉となったのもむべなるかな、イサベラ女王は計画の本質を誰にもまして明確に把握していたのである。

王室という強力な後楯を得たコロンブスは一四九二年の春、ウエルバ近くのリオ・ティント河畔の小港パロスに赴いたが、このパロスこそ彼の事業の基地となるべき所であった。これは極めて適切な選択であったことが判った。と言うのはパロスはギニア航海では積極的な役割を果していたし、その船舶の大半は船主であり船長でもあったピンソン一家の手に握られていたのである。コロンブスの説得を受けたピンソン一族の長マルティン・アロンソは計画に賛同し、乗組員の雇い入れやカラヴェル船の調達を行い、この冒険事業は今や完全に軌道に乗った。この航海には三隻の船が傭船契約された。即ち約六〇トンの大三角帆船(ラティーン・リグド)〈ニーニャ〉、ほぼ同じトン数の横帆船(スクエア・リグド)〈ピンタ〉、そしてカラヴェル船と言うよりもむしろ小型帆船つまりナオ船の部類に入るが、もっと小型の僚船二隻のいずれよりもトン数では多分二倍はあった横帆式の旗艦〈サンタ・マリア〉である。〈サンタ・マリア〉ではコロンブスが指揮官、ファン・デ・ラ・コーサ（同名の地図製作者と混同しないこと）が船長兼船主、そしてペラロンソ・ニーニョが水先案内人。〈ピンタ〉ではマルティン・アロンソ・ピンソンが指揮官でフランシスコ・ピンソンが船長。〈ニーニャ〉ではビセンテ・ヤニェス・ピンソンが指揮官、そしてファン・ニーニョが水先案内人兼船主であった。これらの面々は悉く優れた伎倆と経験に富む船乗りであり、彼等の内少くとも二人（ペラロンソ・ニーニョとビセンテ・ヤニェス・ピンソン）は、後になって自前で重要な幾つかの航海を行っている。

一四九二年八月三日の払暁、この小艦隊はパロス港を後に史上最大の単独航海の壮途に就いた。コロンブスは最初の寄航地としてまずカナリア群島を目指したが、出港三日後に〈ピンタ〉が舵を壊したため、他の二隻だけでゴメラに先行して八月十二日に到着する。この結果、三週間乃至それ以上の遅れを生ずることになるが、この間にはぐれていた〈ピンタ〉がラス・パルマスに到着して舵も修理されたことが判り、また〈ニーニャ〉は大三角帆式（ラティーン）から横帆式（スクエア・リグ）に改装された。九月六日、三隻の船は大西洋の涯知らぬ水の曠野を分けて西進を開始した。気象は快晴順風、そして士気も一般に高かった。航程の半ばに達する間、コロンブスは宛ら（さながら）綱渡りの如く北緯二八度線にぴったり沿って離れず、それから次第に南へ針路を取って行った。一ヶ月の極めて快調な帆走の後、陸地の存在を示す兆候がはっきりし始めて来た。十月十二日午前二時、〈ピンタ〉の船首楼で見張りに就いていたロドリゴ・デ・トリアーナが叫ぶ。「陸(ティエラ)だ！　陸(ティエラ)が見える！」——新世界は発見されたのである。この土地は絵の様に飾り立てた快活な土民が住むほぼ全長一三マイル、幅六マイルの珊瑚礁の島で、サン・サルバドール島即ちバハマ諸島中のワトリング島であることが後に判明する。コロンブスはそこで三日間を過し、それから島々の間を縫って南下した。ラム・キイで錨泊し、ロング島を探検し、クルックト島に四日間停泊した。その島の好意的な原住民から南方に豊かで美しい土地があると聞かされたコロンブスは、これこそ大汗(グラン・カン)の国であろうと希望に胸躍らせて南下を急ぎ、十月二十七日、キューバの山々をその視野に捉える。それに続く五週間乃至それ以上に亙って彼はキューバ島の東北沿岸を探検した。コロンブスの最初の錨地はバイア・バリアイであった。翌日はプエルト・パードレまでの約四〇マイルを海岸沿いに西航し、次いでその航路を逆にプエルト・ヒバラまで折返した。この泊地にコロンブスは十一日間留り、大汗(グラン・カン)を見つけるべく内陸へ使節を送りさえしたものである。この使節派遣は全く空しいものだったが、コロンブスのこの地における逗留は、一つの極めて重要な結果をもたらした——即ちここでヨーロッパ人は初めて喫煙の術とその極意を伝授されたのである。プエルト・ヒバラから艦隊は東方に向い、この間提督コロンブスは自ら月や星を色々と観測した。

しかしながら、艦隊上層部の統制は必ずしも万全ではなく、十一月二十二日、マルティン・アロンソ・ピンソンは司令官コロンブスに一言の挨拶もなく〈ピンタ〉に乗って航し去ってしまう。この脱走に激怒したコロンブスは残った二隻を率いて今日のバラコアのある港に寄ったところ、天候が悪化してそこに一週間釘付けになった。土民の話から東方に大きな島のあることを知ったコロンブスは、十二月四日航進を起し、二日後にエスパニョーラ島西北端を発見した。またもや悪天候が続いてムウスティク湾に一週間縛り付けられてしまうが、その暇を利して内陸に探検隊を派遣し、フェルナンド王とイサベラ女王に代って同島の正式領有を宣言した。風上へ間切って行く退屈な操船を続けながらコロンブスは艦隊を徐々に同島の北岸沿いに進めた。カプ・ハイチアン［ハイチ岬］沖で一大災厄がこの遠征隊に降りかかる。降誕祭当日〈サンタ・マリア〉が珊瑚礁に乗り上げて難破してしまったのである。この不運によって計画は根本的な変更を余儀なくされる。今や唯一隻残った船〈ニーニャ〉は、自身の乗組員の他に僚船のそれらまでも母国スペインに連れ帰るには、余りにも小さ過ぎた。コロンブスはこの島に植民することなどこの瞬間まで毛頭考えていなかったが、この事故によって、新世界における初のスペイン植民地を創始すべく〈サンタ・マリア〉の乗員の大部分を残留させる決意を固めた。旗艦〈サンタ・マリア〉を解体し、その船材を使ってカプ・ハイチアンの東約五マイルに砦を構築した。これはその発端の日に因んでいみじくも〈ナビダー〉［スペイン語で〝(キリスト) 降誕祭〟の意］

と命名された。ラテン・アメリカ植民地全体の先駆者たるべく志願した水夫達三九人を残し、一四九三年一月四日、コロンブスは〈ニーニャ〉に坐乗してスペインに向った。二日後、モンテ・クリスティ沖であの移り気な〈ピンタ〉を見つけた提督コロンブスは、裏切者ピンソンに対する抑え難い憤怒を辛くも呑み込んで、帰航の道連れが出来たことを喜んだ。

今は両船とも酷く傷んでいたので、修理のためにエスパニョーラ島の東北端にあるサマナ湾へ赴いた。ここでは敵意あるインディアンから攻撃を受けたため、両船ともあちこち充塡補修（コーキング）が必要であったけれども、コロンブスにはいっそのこと真冬の大西洋を横断する――下手をすれば海の藻屑となる――危険を冒した方がましの様に思われた。一月十六日、両船はこの居心地の悪い泊地に別れを告げ、故国へ向けて錨を揚げた。三週間以上の間、好天が続いて航海は順調を極め、毎日の航程は往航時のそれさえ凌ぐ程であったけれども、二月に入ると猛烈な疾風（ゲイル）が連日吹き荒んで船は叩きに叩かれた。〈ピンタ〉は例によって独りで先に往ってしまい、〈ニーニャ〉は苦闘を続けて漸くアソーレス群島中のサンタ・マリア島の陰に逃げ込んだ。一〇日間の避泊休息の後、傷ついた〈ニーニャ〉は航行を再開するが、今度はもっと酷い時化に突っ込んでしまう。三月三日は航海中最悪の日であったが、翌朝この雄々しく健気な〈ニーニャ〉は難関を乗切ってリスボンに辿り着いた。それから直ぐにジョアン王の名代としてバルトロメウ・ディアスが〈ニーニャ〉に乗り込むことになる。〈ピンタ〉は一週間ばかり前にビゴ［スペイン北部大西洋岸の町］の近くのバヨナに到着、アソーレス群島には寄らず、そして二番目の嵐に遭遇しなかったので、帰国競走(レース)に勝った。〈ピンタ〉の身勝手な指揮官マルティン・アロンソ・ピンソンはコロンブスの栄光を横取りすべく両陛下に謁を請うたものの、当然ながら厳しく撥ねつけられた。ピンソンは〈ピンタ〉を母港パロスまで南下させ、到着後間もなく死んでしまうが、これは関係者総てにとって恐らく好都合なことであった。

かくしてコロンブスの生涯最高の偉業は達成された。これに較べれば彼のその後の屢次の航海は龍頭蛇尾の観がある。何故ならカナリア群島からバハマ諸島に至る五週間の航海は、遅々たる歩みを続けていた地球に関する人類の知識における一大転機であることを紛れもなく立証したからである。彼の素晴しい発見――よしんばそれが誤解であったにせよ――のニュースはスペイン中を驚喜させた。コロンブスは自分の求めていたもの［印度］を発見した訳ではなかったが、彼はそれを見つけたと確信していた。しかしコロンブスは、筆舌に尽し難い熱帯の美しさとあり余る豊かさに恵まれた地域を発見したのであり、奇抜な衣裳を著け、赤銅色の肌をしたインディアンの一団を連れたコロンブスがバルセロナでアラゴンとカスティーリャ両王家に迎えられ――協定書に明記されたあらゆる大権や特典と共に《大洋の提督》並びに《印度地方副王》に任命され――た一四九三年四月という時こそ、正に生涯最高の栄光に包まれた瞬間であった。

コロンブスの《発見》の報は忽ち全欧を馳け巡った。彼自身の報告（有名な『コロンブスの手紙』）はバルセロナのみならず、ローマ、パリそしてバーゼルでも出版され、予想されるポルトガルの権利主張を未然に防ぐべく新発見の島々に対するスペインの主権の確認を求めて、ローマ法王アレクサンデル六世に請願書が送られた。これはアソーレス群島の西一〇〇リーグを南北に走る分界線を定め、その西側の探検をスペイン人に公許し、その東側における発見はポルトガルの独占に委ねることを規定した有名な法王教書の発布に導くのである。この分界線は後〔翌一四九四年〕に「ヴェルデ岬諸島の西三七〇リーグ」と修正されるが、これはアソーレス群島と新たに発見された土地との間の中央線として選ばれたもので、この結果ブラジルの膨満部（バルジ）はポルトガル圏に入ることになった。

コロンブスは今やスペイン王室の全幅の信頼を獲得するに至り、バルセロナにおける謁見の間に出来るだけ早く第二次航海の準備をして送り出すことが決定された。彼の第一次冒険航海が当時の普通の標準から見ても小さい程の三隻の船と一握りの人員で行われたのに反し、コロンブスは今や、《印度地方》の富の分け前に与らんものと彼の旗の下に群をなして馳せ参じて来た水夫、工人、入植者、役人そして聖職者といった千五百人の人間を運ぶ一七隻の堂々たる大艦隊（アルマダ）を指揮することになった己自身を見出すのであった。後に名を顕す多くの人々がコロンブスの下で働くべく登録されているが、その中にはコロンブスの最も勇敢な後継者の一人となったアロンソ・デ・オヘーダ、地図製作者・探検家のファン・デ・ラ・コーサ、フロリダの発見者ポンセ・デ・レオン、コロンブスの弟ディエゴ・コロンブス、遠征隊の軍医であり記録者（ヒストリアン）であるディエゴ・チャンカ博士などがいた。第一次航海の際にコロンブスが味わされた不服従の経験からピンソン一家の者は除外されたけれども、忠実だったニーニョ一党の面々は船長・水先案内人として名を連ねた。名実共にこれは大艦隊といってよかった。

一四九三年九月二十五日、この威風堂々たる艦隊はカディスを出港し、カナリア群島に寄って新鮮な食糧や水を補給した後、十月十三日、大洋横断を目指してイエロ島を後にした。運命の女神は前年よりも一層コロンブスに味方した。輝くばかりの好天が続き、終始変らぬ順風は三週間という短時日で艦隊を大洋の彼方に吹き送った。十一月三日、ドミニカ島「小アンティル列島中の一島」で初めて陸地を望見し、以後提督（コロンブス）は西北に舵を取って美しいリーワード諸島の内側に沿って進んで行く。グァダループ島で六日間碇泊するうち陸上偵察隊が熱帯のジャングルの中で行方不明になってしまう。（結局発見されたが）その捜索のために航海が遅れてしまった。そこでコロンブスは急遽前進を再開し、同諸島の沢山の麗しい小島を次々に発見しては名前を付けて行ったが、大部分は今日もそのまま残っている。ネビスとサン・クロワで一時投錨し、次いで艦隊は数日間、プエルト・リコの南西端に立ち寄っている。遂に彼等はエスパニョーラ島を視認してその北岸を航行し、十一月二十七日にナビダーに着いてみると、植民地はインディアンの攻撃を受けて全滅していた。そこで提督（コロンブス）は改めて植民地の新しい場所を提案し、モンテ・クリスティ東方の一地点を選定したが、それはシバオの名でよく知られた内陸の金産地帯に近かったからである。一四九四年一月の初め、ナビダーから岸沿いに七〇マイル離れたここに一つの居留地イサベラが拓かれたが、これはその庇護のお蔭で新世界が発見出来た、かの権勢双びなき女王の名に因むものである。

この生れたばかりの居留地の街衢を整え、シバオまでの内陸を偵察し終えるとコロンブスは、聊か冗談めかせば第一次西印度諸島巡航とも称すべきものに出発した。彼に随うものは選抜された人員と沿岸航行に適した三隻の小型船で、その中には先の航海以来のお気に入り〈ニーニャ〉も含まれていた。四月下旬、これらの船はイサベラを離れ、今は馴染深いものとなったエスパニョーラ島の岸伝いに航行した後、キューバ東端マイシ岬に針路を取った。コロンブスは依然として大汗（グラン・カン）とプレスター・ジョンの跡を熱心に追い続けていた。彼のコースは岩礁の多いキューバ南岸に沿ってグァンタナモと今日のサンチアゴを過ぎ、西端のカボ・デ・クルースに至る沿岸航路であった。巡航を続けるにつれて、土民から南方に豊かで美しい一つの島があることを知ったコロンブスはキューバを離れ、五月五日にジャマイカの目も鮮かな海岸線を視認した。最初に立寄ったのはセント・アンズ湾で、後に彼が最も深刻な苦難の数年を送った時に、嫌という程係り合う処となる。そこから更に西進してモンテゴ湾まで行くが、その土地は〝曾て目にした最も麗しい島〟だとコロンブスは思った。

五月十三日にコロンブスはカボ・デ・クルースに帰還し、それからキューバ島南岸全域の探検航海に乗り出した。キューバ本土の南に連なる島嶼で出来たこの群島の間を進むにつれて、コロンブスの心は、印度地方には五千もの島々があると書いたジョン・マンデヴィル卿に戻って行き、あの捉え処のない《東洋（オリエント）》は今や手の届く距離にあると思われた。コロンブスは巧みにもこの島々に《エル・ハルディン・デ・ラ・レイナ》即ち《女王の庭》という至って詩的な名を与えている。彼はフランセス岬近くのキューバ島西端まで航行した。ここが彼の遠地点であり、ここから向うはかの《黄金の半島（ゴールデン・ケルソネーソス）》に続いていると結論を下し、東へ折り返す。ピノス島の沿岸を航してカボ・デ・クルースまで風上へ間切って行き、それから再びジャマイカへ針路を定めた。コロンブスはモンテゴ湾から時計と反対廻りにこの島を周り、夜になると錨を下し、巨大で遠洋航海も出来そうな丸木舟（カヌー）を舷側に乗り付けて来る土人達と交易しながら、船を進めた。ポートランド・バイトからブルー・マウンテンに直航したためコロンブスはキングストン湾（ハーバー）を見落し、そしてモーラント岬（ポイント）を廻ってエスパニョーラ島南岸を目指した。彼の採ったコースはエスパニョーラ島の直ぐ近くを通ることになり、サン・ラファエル岬を過ぎ、第一次航海の時にピンソンと共に入港したラス・フレチャスを通過して、五ヶ月の留守の後、九月の末にイサベラへ帰着した。

コロンブスの出発以後、この渺たる辺境植民地にはありとあらゆる事件が起っていた。この数ヶ月間の居留地イサベラの歴史は疾病・死・食糧難・険悪な叛乱の脅威——そして果しないインディアンとの紛争のそれと言ってよい。コロンブスの末弟ディエゴとマルガリットという無能なやくざ者が留守を任されたが彼等は到底その器ではなく、植民地は破滅に瀕していた。コロンブスの次弟バルトロメオはその年の夏にスペインからやって来ており、彼は一種の独裁者(ストロング・マン)で時に冷酷に傾くところもあったが、相当な行政手腕を具えていた。バルトロメオが居ることは事態好転の希望を約束するかに思われた。翌年泣く子も黙る王室派遣委員会が到着し、六ヶ月の後——疲れ切って失意のどん底に陥ちた——コロンブスは弟バルトロメオに後事を託し、懐しい船〈ニーニャ〉でスペインに帰還する。弟バルトロメオは明察を働かせてこの呪われたついていない植民地イサベラを拋棄し、入植者をエスパニョーラ島南岸のもっと自然条件に恵まれた一地点に移した。そこは(近年シウダー・トルヒーヨと改称した一時期もあったが)今日サント・ドミンゴと呼ばれ、西半球におけるヨーロッパ人の造った最も古い町として知られている。

コロンブスの第二次アメリカ訪問の期間中に行われた諸探検に別れを告げる前に、仮説というよりは少くとも状況証拠に近い、ある記述に一瞥を与えてもよいかと思う。米国議会図書館所蔵のスナイド=サッチャー写本によれば、一四九四年の秋、エスパニョーラ島から南へ向った五隻の船があり、マルガリータの近くで南米海岸に行き当り、それに沿ってパナマ乃至その向うまで往った、とある。この航海の実在性については全く一般の承認を得るに至っていないが、しかしもし本当に行われたとすれば、それは、アメリカ本土の発見の日付がコロンブスの第三次航海時の一四九八年八月一日とされている通説よりも四年前に溯ることを意味することになる。

スペイン宮廷におけるコロンブスの歓迎ぶりは全く予想された通りであった。彼は重い黄金の鎖で飾り立てたインディアンの王(キング)を一人連れて行き、そしてソロモン王のオフルの金鉱を発見したと報告する——そしてコロンブスの特権が改めて確認されると共に両陛下から優渥(ゆうあく)な歓待を受けた。けれどもコロンブスの旗の下に熱心な志願者の群が蝟集することはなかった。一四九三年当時の熱狂はもはや過ぎ去っていたのである。二年の間この疲れた夢想家は新しい艦隊の準備に苦闘を続け、そして遂に一四九八年の春(殆どダ・ガマのカリカット到着の一週間前)、コロンブスは僅か六隻を率いてグァダルキビル河口のサン・ルカールから出帆した。この第三次航海では、これまでの跳躍点カナリア群島に行く前にまずマデイラ諸島に寄航している。ゴメラからは三隻を分離してエスパニョーラ島に直航させ、コロンブスは残り三隻と共にヴェルデ岬まで西アフリカ海岸を南下した。彼がそうした理由は、西方の大洋中のどこかに一大陸塊が赤道と斜(はすか)いに横たわっている、とのポルトガル王の意見に感銘を受けていたからであり、従ってアンティル列島の南にある筈の土地を発見したかったからである。この冒険航海の航跡を海図に記入してみると、コロンブスは後の西印度諸島海域の船乗り達の所謂「牛酪(バター)が融けるまで南下し、それから真西に向え」という大雑把な航法の先鞭をつけたことになる。

しかしながらコロンブスの往航時の大西洋横断はこれまでの最悪のものであった。度々べた凪(なぎ)や火傷する程の炎天に見舞われ、トリニダードの三連峰を見張りが発見したのは、漸く七月も末の三十一日のことである。コロンブスの直観は正しかった。彼は南方陸塊を発見する――船首左舷遥かにベネスエラの低い海岸線が視野に盛上って来た。コロンブスは《蛇の瀬戸(ボカ・デル・シエルペ)》を抜けてパリア湾に進入した。そこで数日を費してパリア半島を探検し、そのスペイン領有を宣言した後、《龍の瀬戸(ボカ・デル・ドラゴン)》を通って南米を後にし、マルガリータを通過してエスパニョーラ島へ向う。オリノコ河の幾つもの河口から吐き出される莫大な水量からコロンブスは、これ程の流域を持つ島など有り得ない以上、この土地は大陸規模のものに相違ないと、賢明にも結論した。しかし、ここでもまた彼の牢固たる中世気質がもう一つの合理的判断を破壊してしまった。彼はオリノコ河は《地上の楽園》から流れ出ているものと確信する。これは、地球が実際には真の球体ではなく西洋梨の形をしており、その西洋梨の蔕(へた)に似た突出部が赤道で天国に向って盛上っていること、そして《地上の楽園》はこの突出部の天辺にある、との説の固執によってコロンブスが到達した奇妙な推定なのであった。この前提からコロンブスは遂に《東方》の端に達したものと主張したのである。ともあれ、コロンブスによるベネスエラとトリニダードの発見は重要なものではあったが、第三次航海における地理学上の貢献としては結局これだけであった。

彼が到着した時のエスパニョーラ島の事情は危険な状態にあった。と言うのは、インディアンと闘っていない時はお互同士が喧嘩しているという反抗的で餓えた入植者達には、流石（さすが）の弟バルトロメオも手を焼いていたからである。こうした悪い噂が大西洋の彼方まで洩れて行ったため、スペイン王と女王はボバディーリャという名の査問官を派遣した。彼は一五〇〇年十月、コロンブス三兄弟を馘にし――鎖をつけて――スペインに送還してしまった。コロンブスは植民地行政官としては失敗したし、結果的にスペイン中で人気を喪うことになるが、彼は決して両陛下――特にイサベラ女王――の信頼をすっかり失った訳ではなく、その航海者としての異能と発見者としての力量の程は、両王共よく理解していたのである。だからこそ女王はコロンブスを鎖から解放し、探検に専念させるべくもう一度冒険航海に送り出すことを承諾したのであるし、またそれこそ提督（コロンブス）に相応しい仕事なのであった。この最後の航海は、発見の年代誌の中では注目に値する。何故ならコロンブスが一四九二年にアンティル列島に、一四九八年にはスパニッシュ・メイン〔南米北岸〕にそれぞれ初めて達した如く、彼は今や中央アメリカ沿岸部を探検する最初の人――そしてメキシコ周辺の驚嘆すべきインディアン文明と接触するためにやって来た最初の人――となるからである。

一五〇二年の春、かなりの大きさのカラヴェル船四隻を率いてセビーリャを出帆したコロンブスは、ムーア人に包囲されたポルトガルの守備隊を救出するためにモロッコ海岸のアルシーリャに立ち寄った後、カナリア群島へ向けて航海を続けた。今回の大西洋横断は、これまでの彼の記録中最高のもので、二一日間でグラン・カナリア島からマルチニーク島に到達し、六月十五日にマルチニークを望見し（そして発見し）ている。リーワード諸島の列島線沿いに走破して同月末にはサント・ドミンゴに着くが、コロンブスは総督によって上陸を禁止されてしまう。サント・ドミンゴの港には大船団が在泊しており、スペインに向けて直ぐにも出帆する態勢にあった。コロンブスは航海者としての不思議な程の鋭い勘で、颶風（ハリケーン）が発生しつつあるという殆ど心霊的な虫の知らせを受け、船団のお偉方に出発の延期を勧めた。しかし彼等は提督（コロンブス）を嫌っていたからその忠告には全く耳を傾けず、そして彼等が出帆した後間もなく、コロンブスは宿敵ボバディーリャを含む船団の大部分が海没してしまったことを知り、冷やかな満足を覚えるのである。コロンブスはサント・ドミンゴ沖でこの嵐を乗り切った。それは恐怖そのものであったがコロンブス達の船は助かり、窮状を認めた総督はコロンブスに損傷した船の修理を許した。スパニッシュ・メイン沿いにパナマ地峡に至る巡航から帰還したばかりのロドリゴ・デ・バスチダス遠征隊の乗組員数名とコロンブスが遇ったのはどうもこの時のことだったらしく、彼等の情報は南方にある土地についてコロンブスを大いに啓蒙したに違いない。

コロンブスは七月半ばにサント・ドミンゴを離れ、ジャマイカの南を通過、カイマン諸島の傍を過ぎてホンジュラスに舳を向けた。ホンジュラス海岸沖のボナッカ島でコロンブスは商品を積んだ途方もなく巨きな丸木舟(カヌー)に出遇ったが、そのしっかりした造りの船室は染めた綿布を纏った人間で満ち、彼等は銅製の武器や家庭道具を持っていた。彼等はこれらの品物を西の方、即ちユカタンから運んで来たと言う。コロンブスは今やマヤとアステカの文化の見える処まで来ていたのであるが、こうした富と精妙さの証拠に惹かれて西の方に引き寄せられる代りに、彼はその土地を反対方向に辿って行くという当初の意志を貫徹した。それ故、皮肉にもこれは、コロンブスがこれらの驚異の数々を一瞥した唯一の機会に止り、総ては彼の後続者の来着を待つことになるのである。

恐らくコロンブスは後になって自らの決定を悔んだことであろう。ともあれ、ホンジュラスの北岸を辿る航路は——止むことを知らぬ雨混りの強風を真向に受けながら風上に間切りを続け、一ヶ月かかっても二〇〇マイル以下の航程といった——生気も何も萎えてしまう程の惨憺たる航海であった。印度と中国へ近づく海峡を捜そうとする提督コロンブスの鉄の意志のみが、この苛烈な試練を突破して艦隊を前進させ続けるのである。コロンブスが嬉しさの余り《グラシアス・ア・ディオス〔神への感謝〕》と命名した岬を一度廻ってしまうと遠征は順調に進み始め、ニカラグア沿岸を航し終えると、コロンブスは疲労困憊した乗組員に苦労の報酬である休養を与えるべく現在のコスタ・リカのプエルト・リモンに当る地点で数日間碇泊した。艦隊は次いでチリキ礁湖を探検する。これはあの焦れったい程捉え処のない《東洋》に導く捷径になるだろうという、年来抱き続けて来た希望の表れに外ならなかった。それから彼等はベラグア島海岸を航し、そこで幾らかの黄金とそれらがもっと有りそうな証拠を見つけ、更に荒れ狂う雨と嵐を冒して遮二無二前進を続け、後に《ノンブレ・デ・ディオス》と命名される地点を過ぎた。それでもなお陸地は冷たくとり澄まし、インディアン達は敵意に満ちていたため、提督（コロンブス）はベラグアの金鉱へ引返すことに決めた。彼等は現在のパナマ運河の入口に当る処で降誕祭を送り、そして一五〇三年一月の初め、コロンブスは約五〇マイル西のベレムに居留地の場所を選んだ。この植民地の盛衰を誌すには三ヶ月もあれば十分過ぎた。原住民は手のつけられぬ程敵対的なのである。彼等は飲料水を汲みに陸へ派遣した一隊を待伏せして、最後の一人になるまで虐殺してしまったし、またある時はこの新植民地の総督バルトロメオ・コロンブスまでもが重傷を負わされた。数々の危険と苦難を考え、また磯波の打寄せる海岸では荒天時には救援が遅れる心配もあったため、生存者を船に収容してこの企ては拋棄された。

遠征は決して危険を脱した訳ではなかった。各船とも一年に及ぶ巡航で酷使され続けて来たから、乗組員は〝篩（ふるい）に乗って航海している〟のも同然であった。四隻中二隻は中米海岸で拋棄され、残った二隻も実際今にもばらばらに分解しそうだったが、それでもなおコロンブスには、藻搔きながらでもエスパニョーラ島に辿り着く以外に道は残されていなかった。やっとジャマイカの北岸まで這って来たが、両船共もはや数時間とは浮んでいられぬ状態なのは誰の目にも明らかだった。提督は二隻の船をセント・アンズ湾で浜に乗り上げさせたが、奇しくもここは九年前に同島で初めて錨泊した処であった。ここでコロンブスは丸一年の間〝島流し〟になり、そして全面的な叛乱に立ち向う運命を背負う一方、彼に忠誠を誓った部下の一人ディエゴ・メンデスはエスパニョーラ島まで丸木舟（カヌー）を漕ぎ通して救助を求めた。一五〇四年六月、遂に救援隊が到着してコロンブスと生残りの水夫達はその〝島の牢獄〟から解放された。むべなるかな、この雄々しきメンデスは世を辞する時、己の墓石には一艘の丸木舟（カヌー）を刻めと遺言した！

偉大な庇護者イサベラ女王の死（一五〇四年十一月二十四日）の直前、コロンブスは身も心も打ち拉がれてスペインに還り着き、再び西印度諸島に赴くことはなかった。まだ五十代の半ばに過ぎなかったけれども、その積年の奮闘は精神的にも肉体的にも彼に老化と消耗をもたらし、その世を早める結果となった。一五〇六年五月、スペイン宮廷がバリャドリーに在った時——あらゆる発見者中の最高峰でありながら、恐らくは自らの発見した土地はアジアの一部であると最期まで確信していた——コロンブスはそこで歿した。晩年のコロンブスは不遇であり且つ不当に権利を剝奪されたとはいえ、決して窮乏していた訳ではなく、西印度諸島の収益から上る王室の取り分から、正当な分け前を受けていた。彼の息子達ディエゴとフェルナンドは宮廷で近習（ペイジ）として訓育され、ディエゴは後年提督・副王に出世するのみならず、国王の縁戚と婚姻することにもなるのである。

コロンブスが剝奪された諸権利の中でも、スペインの臣民なら（厳重な条件付きではあったが）誰でも西方探検の認可状が得られるとした一四九五年の国王布告ほど彼を苛立たせたものはなかった。彼はこれに反対して強硬に異議を申し立てたけれども、それらは総て空しかった。その世紀の替り目には少くとも五つの遠征隊がアメリカへ向けて出発したが、皆それぞれ地理学上の知識に大きな貢献をすることになるのであった。ルーゲはいみじくもこれら遠征隊の指揮者達を《小発見者》die kleinen Entdecker と呼んでいる。

一四九九年の春、コロンブスの曾ての部下であった二人の士官アロンソ・デ・オヘーダとファン・デ・ラ・コーサ（デ・ラ・コーサの地図はコロンブス時代の諸発見について非常に多くのことを伝えている）は、コロンブスの第三次航海における最遠点より南方の海岸地帯を解明しようとする航路を辿っていた。彼等はスリナム附近で南米本土に行き当り、ギアナとベネスエラ（〝風変りな小ヴェネチア〟の意）の浜辺を探検した後、海賊行為や人攫いを働いて航海に景気をつけながら、遥かマラカイボ湾まで西進を続けた。麾下の船長達の一人にアメリゴ・ヴェスプッチというフィレンツェ人がいて、彼は自由旅行権限を持っていたらしい。ヴェスプッチが艦隊の以後の航海から離れてアマゾン河口を訪れ、彼の指揮官の後を追って折返す前に、サン・ロケ岬まで東進した形跡がある。

コロンブスの第三次航海はパリア湾とその近辺水域に真珠採取業があることを明らかにしたが、これはコロンブスの後続者達による五つの航海が何故かくも短期間に次々と行われたかを十分に説明するものである。それはクロンダイク〔カナダのユーコン河畔の町。金鉱が発見された〕における一攫千金の狂奔（ゴールド・ラッシュ）宛らであった。オヘーダの航跡にぴったりついて、第一次航海時にクリストバル・グエラと共に〈ニーニャ〉の水先案内人を務めたペラロンソ・ニーニョが出帆した。彼等はオヘーダがそこを離れた僅か数日後にパリア海岸沖に到着し、それから西進してマルガリータ島に行き、その小さな船に高価な貨物《真珠》を積んで一五〇〇年の四月、スペインに帰還して来た時は〝船に余れる白珠（しらたま）は賤（しず）の水夫（かこ）をも飾りけり〟という有様であった。

ニーニョの冒険が華々しい金銭的大成功であったとすれば、その次の航海は商業的には大失敗となる運命にあったとはいえ、その地理学上の意義は遥かに大きなものがあった。コロンブスの第一次航海で〈ニーニャ〉の船長を務めたビセンテ・ヤニェス・ピンソンに率いられたこの遠征隊は、一四九九年も末の頃、四隻でパロス港を船出した。ピンソンの採った針路は著しく南に偏ったもので、今日のペルナンブコ〔＝レシフェ〕の辺でブラジル海岸とぶつかった。それから彼は往路を折返してブラジルの膨満部を廻り、南米海岸沿いに巡航しながらアマゾン三角洲地帯を探検し、パリア湾を横断して真珠採取場まで航行した。しかし彼の行手には不運が待ち構えていた。というのは暴風雨とそれに続く難破により、この冒険航海で命懸けで手に入れた物を悉く失い、精根尽きた僅かばかりの生残りと共にスペインに還らねばならなかったからである。にも拘らずヴェスプッチのブラジル北岸巡航にはどうにも疑問が残る以上、ブラジルとアマゾン河の発見、南緯八度以南の海岸の解明という勝利の棕櫚はピンソンの手に移らざるを得ないのである。とは言うものの、このことはカブラルの発見を貶めるものではない。ピンソンがブラジルに達したのは二月、カブラルは四月であった。カブラルの陸地発見の報は直ちにヨーロッパに伝えられたのに反し、ピンソンの方のニュースは彼自身が九月に帰還した時にもたらされたからであり――且つカブラルが発見した陸地は、ピンソンの最南到達点よりも更に約六〇〇マイル南であったのだ。

ディエゴ・デ・レペの遠征はそれ程知られていないが、彼はピンソンの直ぐ後からパロスを出帆し、パリア湾へ向けてそのコースを折返す前にブラジル沿岸を一層遠くまで南下した。この航海の記録が殆ど遺っていないのは後代にとって大きな損失であり、もしその完全な記述があれば、我々の知識の間隙を幾つも塡めることが出来たろうと思われる。

こうしたコロンブス以後の諸航海の最後のものは、一五〇〇年十月にセビーリャの公証人ロドリゴ・デ・バスチダスがファン・デ・ラ・コーサと一緒に行った航海である。彼等はカディスからベネスエラへ航海し、同海岸を西の方へ大変克明に探査しながら進んで行った。土民と交易するためにしばしば停泊を繰返しながらカボ・デ・ラ・ベラを通過し、マグダレナ河の幾つかの河口、カルタヘナの港、そしてダリエン湾を探検した。しかし彼等は西側へ抜ける海峡の探索には成功せず、パナマ海岸治いにノンブレ・デ・ディオスまで航行した後、エスパニョーラ島へ帰還の途に就いた。その頃までに彼等の船は船食い虫にすっかりやられていたため、バスチダスはサント・ドミンゴ附近で両船とも喪ってしまったが、部下達が財宝をたっぷり陸揚げしていたので、この航海は巨利を博することになった。彼等は徒歩でサント・ドミンゴに着いたが、丁度その時そこには第四次航海でやって来たコロンブスの艦隊が到着していたのである。

かくして一〇年そこそこの中に四次に及ぶコロンブスの航海と五回のコロンブス以後の航海はホンジュラスからペルナンブコ以遠に至る海岸線を連続的に解明し、そしてバルバドスは別として、何らかの重要性を持った西印度地方の島を残らず発見したのである。初期の頃これらの海域を航海した船長や航海者達総てがコロンブスの如き偏窟な中世的感覚の持主ばかりであった訳ではなく、コロンブスよりも批判的であった多くの人々は、これらの土地がアジアの一部ではなく《新世界》の一部であることを実感したに相違ない。しかしながらアメリゴ・ヴェスプッチについては、巷間言われるところをそのまま記す以外にないのである。オヘーダの遠征の後、ヴェスプッチはポルトガルに傭われ、一五〇一年には前年のカブラルの発見を更に拡大すべき航海に派遣された。この航海では彼はブラジル海岸をサン・ロケ岬より更に南下した。一説によれば、ヴェスプッチはラ・プラタ河口に達し、そして南下を続けて遥かパタゴニアにまで往ったらしいとも言われている。地理学者兼古典学者のマルティン・ヴァルトゼーミュラーがヴェスプッチを西半球の真の発見者と見倣し、我が大陸に《アメリカ》なる名称を冠することを思いついたのは、ヴェスプッチのこの航海及びオヘーダと共に行った先の冒険航海が因をなしていた。

コロンブス大航海物語集の続篇を大アンティル列島の征服・植民地化とその強化に見るのは自然の成行きである。長年に亙りエスパニョーラ島は単にスペインの最も重要な植民地であったばかりか、その唯一の植民地でもあって、サント・ドミンゴの居留地は半世紀の間ずっとスペイン領アメリカの政治中枢であった。植民地として存在し始めた草創時代には、エスパニョーラ島は大いなる希望と底知れぬ絶望の交錯から遂に中庸を得た再生に至る諸段階を経験し尽したのである。コロンブスは黄金に飢えた熱狂的入植者の大群を率いてその第二次航海に出発したのであるが、この連中は未開の荒野に解き放たれると忽ち幻滅してゆく。あの不運な居留地イサベラの暗い日々は、この冒険事業のどん底を示すものであった。バルトロメオ・コロンブスがサント・ドミンゴの新しい場所へ入植者を移した時、一旦はその道はよい方に向いたけれども、数年もすると事態は絶望的となってしまう。

冷酷ではあったが有能なニコラス・デ・オバンドが総督として派遣された一五〇二年になって漸く情勢は回復し始め、以来新局面に沿って修正された政策が明確化され、無頼の黄金追求者達は農業というもっと平凡な仕事に身を入れて取組む様になって行った。この頃はまた、スペイン人の残虐行為と彼等が持ち込んだ病気のお蔭で原住民人口が次第に絶滅して行くのを目の当りにした時代でもあった。人道的見地からすればこれは到底弁解し得ることではないが、経済的には有利な結果を生んだ。何故なら、原住民のインディアンはアフリカの奴隷の如き元気（スタミナ）もなければ喜んで働こうとする気もなかったから、間もなくアフリカの奴隷が大量に輸入されて、彼等に取って代ったからである。黄金には失望させられたが、入植者達は二つのもっと地味な富の源泉――砂糖と豚――を発見した。スペインから持って来た甘蔗（砂糖黍）は殊の外よく繁茂し、一四九三年にもたらされた豚は途方もなく殖えてゆく。ベーコンは船や陸上遠征隊の糧食として大きな地位を占めていたから、養豚は大変儲かる事業であった。従ってエスパニョーラ島は間もなく精励な入植者や牧畜業者の一大農場と化し、黄金の幸運を摑もうとする野心家達はどこか他に彼等の征服地を捜さねばならなかった。サント・ドミンゴからエスパニョーラ島北岸に至る森林の道に沿って四つ乃至五つの小村落が忽ち出現し、そのシバオ地区は農民達を吸い寄せた。首府自体は大司教管区の一つとなり、色彩豊かな中庭の観を呈するようになった。

植民地政策の成熟ぶりはスペイン本国でも歴然として来た。植民地監督庁が形をとり始め、後にこれは有名な《印度地方評議会》を構成するに至る。そして一五〇二年、大西洋横断の対アメリカ貿易を扱う契約局（カーサ・デ・コントラタシオン）（即ち商務省）がセビーリャに設立された。

エスパニョーラ島に次ぐ重要性を持っていたのはキューバであった。一五〇八年にはセバスチャン・デ・オカンポが入植を目指してこの島を周航・探検している。三年後にはディエゴ・ベラスケスとパンフィロ・デ・ナルバエスが同島の東端に近いバラコアに上陸して征服事業に着手し――敵意ある土民に対するナルバエスの果敢な襲撃と占領地の強化に政治的手腕を示したベラスケスのお蔭で、この征服は一五一四年には完成する。その後程なくキューバ島における主要な居留地の大部分、即ちハバナ、サンチアゴ（初期の首府）、プエルト・プリンシペ、サンクティ・スピリトスそしてトリニダードが拓かれる一方、繁栄の噂は沢山の移民をこの島に吸引した。キューバは上々のスタートを切ったのである。

　獰猛なインディアンが住み、それに劣らず残忍なスペイン人が入植したプエルト・リコはそうは行かなかった。ポンセ・デ・レオンが一五〇八年に初めてこの島を探検し、翌年には同島の臨時総督に任命された。その時彼の仲間達は今日のサン・ファンの近くのカパラに居留地を建設した。後にポンセは更迭されるが、後任者に内戦を挑んだばかりか嘔吐を催す残虐さでインディアンの蜂起を鎮圧したため、原住民人口は殆ど死滅してしまった。一五二〇年には瘴癘のカパラに代るべき首都としてサン・ファンが建設され、司教管区（エピスコパル・シー）の一つとなった。しかしこの島は人口不足と悪政、そして無法状態に永らく委ねられたままであった。

　大アンティル列島の四番目ジャマイカは、初期開拓史中では最も地味で重要性に乏しかった。一五〇九年、フアン・デ・エスキベルの率いる遠征隊がこの島の占領を目指して出帆した。原住民征服には彼等はさしたる困難も経験しなかった。黄金こそ発見されなかったけれども、エスキベルは牧畜に大きな可能性を見つけて大規模な牧場を幾つも造り、それらは平原地帯で大いに繁栄を誇った。当初の居留地は同島の北岸に造られたが、一五三四年には、健康に良く船積みにも便利という理由でサンチアゴ・デ・ラ・ベガ（今日のスパニッシュ・タウン）が建設された。しかしながらジャマイカは一度も大量のスペイン人流入を見ることもなく、集中的な入植ということも殆ど考慮されなかった。

アンティル列島の植民地化と共に新世界におけるヨーロッパ人の歴史の第一章は終りを告げ、一段と凄じい第二の局面——アメリカ本土の原住民帝国の征服——が始るのである。

6 征服者達(コンキスタドーレス)

一群のコロンブス航海譚集成というものは、ある意味では殆ど一つの自己完結的様相を示しているに過ぎぬとも言えよう。コロンブスの第四次航海以後、発見の進展には数年の休止期間があり、その間、大アンティル列島では探検と植民が行われていたものの、一方、中米・南米の本土奥深く突き進む努力は全くなされなかったのである。しかし新しい世紀［十六世紀］の最初の一〇年の終る頃、島々の開発の当然の結果としてそれが現れて来て、スペインの冒険事業は初期よりも一層雄大で壮烈な第二局面――新世界の未開帝国の征服――に乗り出すことになるのである。これは殆ど世紀半ばまで続く期間であって四段階に分けられる。即ち、一五〇九―一五一九年の中央アメリカ地峡の征服、一五一七―一五二五年のメキシコ征服、一五三〇―一五四八年のペルー征服、そして一五三五―一五三九年の新(ヌエバ)グラナダの征服である。これらの征服は地理学よりもむしろ歴史に属するものとの議論があるかも知れない。事実、一連の征服を遂行した連中は何よりもまず《征服者》であって、《探検者》であったのは単に偶然の結果に過ぎないが、それにも拘らず、何万平方マイルという土地がヨーロッパ人によって初めて踏破されたのであり、これらの破廉恥極まる冒険者の横行によって、人類の地球に関する知識が量り知れない程増大したのもまた事実なのである。

こうした大事業をやってのけた人々を我々は《コンキスタドーレス》〔征服者達〕と呼んでいるが、実に彼等は人間の魂がなし得る最善と最悪の大部分を体現した連中であった。彼等の勇気は無双と言うべく、その残虐さは嘔吐を催すばかりであり、彼等の忍耐力は壮烈だったが富を求める貪婪さは唾棄すべく、指揮者に対する献身はしばしば忠誠の権化であった一方、指揮者間の互の裏切りは殆ど侮蔑にも値しなかった。ジョン・フィスクがいみじくも言う如く「アメリカにおけるスペインの冒険者達を弁護するには、寛容というものが彼等に与え得るありとあらゆる赦しを以てしなければならない」程であった。もう一人の征服史家アーサー・ヘルプス卿は読者に「もしも酷烈な新しい風土で苦しい行軍を続け、自身想像もしなかった惨めさに耐えながら次第に文明的手段を抛棄し、ますます生命――動物の、敵の、仲間の、そして自分自身の生命すら――の破壊に無関心になって行き、人間としての抜け目のなさと狡猾さを保持しつつ、森の中の最も兇暴な野獣の如く残忍で無鉄砲、飽くことを知らぬ貪婪さに陥ってゆく群の一人であったら、彼の人間性が一体どうなってゆくか……」を自身で想像して見給えと言う。さもあらばあれ、人は無数の軍隊に守られた強大な王国を打倒するだけの不屈の勇気に溢れたルネッサンス期スペイン人達のこうした小集団に対する驚嘆を禁じ得ないのである。真に《コンキスタドーレス》こそ比類を絶した極限の人々であった。

中央アメリカ地峡の征服

アメリカ本土に対するスペインの冒険事業は一五〇九年に始っている。その年国王は二つの認可状を与えた。一つはパナマ地峡とそれ以西の土地への植民を、もう一つは今日のコロンビアの北岸への植民を認めるものであった。ディエゴ・デ・ニクエサがパナマ方面の事業を指揮したが、これは惨憺たる失敗であることが判って来た。数ヶ月の内に入植者の九割が死んでしまい、植民地は抛棄された。コロンビア方面の事業の指導者は幾多の航海の古強者アロンソ・デ・オヘーダで、地図製作者ファン・デ・ラ・コーサが次席指揮官を務めた。この遠征隊は一五〇九年十一月にエスパニョーラ島を後にしたが、ニクエサと同様の惨めな運命を分ち合うものと思われた。

現在のカルタヘナの地に上陸するや、オヘーダとその部下はインディアンと惨烈な戦闘を演じ、ラ・コーサと多くの兵士が毒矢を受けて悶死した。そこでオヘーダは西へ航し、ウラバ湾岸に居留地を造ったが、この移動は事態の好転を殆ど約束しなかった。この一隊は飢餓と毒矢で日毎に減って行った。オヘーダ自身も負傷したが生命はとり止め、救援を求めてエスパニョーラ島に航した。しかし彼は苦闘を続ける植民地に還ることはなかった。オヘーダの留守は勇敢だが無節操な軍人フランシスコ・ピサロなる男が預り、オヘーダの正式後任者マルティン・ヘルナンデス・デ・エンシソが遂に待望の増援部隊や兵糧と共に到着するまで、この居留地をどうやら守り抜いたのであった。エンシソは野蕃な土地で腹を空かし、捨て鉢になっている一団を指揮するという大変困難な任務にはおよそ適(ふさ)わしからぬ人物であった。彼はエスパニョーラ島では弁護士をしていた人で世事に疎く、温厚な学究肌であった。全く偶然にもエンシソの艦隊には、何年か前にバスチダスと共にスパニッシュ・メイン沿いに航海したことのあるバスコ・ヌーニェス・デ・バルボアという一人の密航者が潜んでいたが、彼の密航はサント・ドミンゴの債鬼から遁れるための止むを得ない仕儀であった。バルボアこそこの植民地を救い得る唯一の人間であることが判り、忽ちその事実上の指導者にのし上った。彼が最初にとった措置は植民地をウラバ湾の西側の場所に移すことであり、そこには食糧こそあれ毒矢の心配はなく、そしてバルボアは新たに建設された〝都市〟ダリエンのいわば町奉行(アルカルデ)つまり裁判官兼市長に満場一致で推戴される。彼の次の行動はエンシソを片付けることであった。エンシソは下剋上の憂目に遭って荷物と共にスペインに送還されてしまうが、スペインの宮廷でエンシソが陳述した一部始終はバルボアに究極的な傷手を与えることになる。こうした経緯があったものの、エンシソは十分注目に値する。彼は学究であり教養に富む宇宙形状誌学者であってその『地理学大全』*Suma de Geographia*（セビーリャ、一五一九年）は航海文献史上の礎石であるのみならず、印刷されたアメリカ沿岸水路誌としても最古のものである。

今や完全に支配権を握ったバルボアはニクエサが失敗した植民地の生残り達を併せ、彼の植民地をある程度の成功に導く仕事にとり掛った。バルボアは生れついての指導者であって、骨の折れる仕事や危険には常に真っ先に立ち向い、戦利品の分配では几帳面過ぎる程に公正であったし、部下の面倒を見る点では慎重で思い遣りが深かった。インディアンに対しては彼は残酷にもなり得た——し、時には事実苛烈であった——が、決して不必要にそうだった訳ではなく、実力の行使は最後の手段であって、懐柔と外交折衝によるのを善とした。あらゆる点でバルボアは征服者達（コンキスタドーレス）の中では最も優れた人物であった。その植民地を一本立ちにすることに加えて、彼は艦隊を率いて曾てニクエサが拋棄したノンブレ・デ・ディオスの前哨点まで海岸地帯を探検して廻り、食糧、黄金そして奴隷を索（もと）めて内陸深く侵入した。この様にして彼は中央アメリカが地峡であること、その彼方には渺茫たる《南海（マール・デル・スール）》が展開していることを知り、この一片の情報が有名なバルボアの《太平洋》発見に繋がるのである。

彼の太平洋岸への遠征は、恐らくチュクナケ河を渡り、現在のパナマ運河より何マイルも東の地点でサン・ミグェル湾に出るものであったと思われるが、そこはインディアンの情報によれば地峡が一番狭くなっている処であった。バルボアはインディアンやスペイン人（その中にはフランシスコ・ピサロも居た）を大勢引連れていた。彼等は沼沢地や熱帯の密林に喘ぎ、起伏の激しい丘陵地帯を越え、二度までも敵意を漲らせたインディアン戦士達の中を強引に突破して進んで行った。一五一三年九月二十五日、最後の山巓に近づくやバルボアは単身先に出て、その高みから彼の前に展けたもう一つの大海原を眼下にした。かくして彼は新大陸に纏わる大きな秘密を解いたのである。コロンブスの第一次航海を去ること僅か二一年のこの出来事は、アメリカ発見史上二番目に位置する劃期的壮挙であった。実にバルボアは事の意義をそれなりに正しく把握していたと見えて、この発見をなすに当っての彼の振舞は些か儼しく儀式張ったものであった。彼は抜身を提げ、鎧を著けたままつかつかと胸の深さまで海に踏み込むと、高々とカスティーリャの旗を掲げた。これに比べると、頼りない丸木舟による太平洋の広大な水域の短い冒険はずっと俗っぽいもので、豊かな真珠採取場の発見に結びつく。陸上の旅で黄金を幾らか手に入れたこともあって、この冒険は大いに儲ったのである。

その後のメキシコやペルーにおける大成功と比較すれば、中央アメリカ地峡の征服は少々生彩に乏しい観があるに相違ない。それはバルボアの太平洋発見という副産物を伴ったアメリカ本土に対する最初の遠征作戦であるという事実によってのみ、コルテスやピサロの業績と比肩し得る。そこには原住民の大きな王国は一つもなく、また進歩した土着の文化も存在しなかった。スペイン人達は単に熱帯の密林の中で《部族生活》に遭遇したに過ぎなかったのである。それにも拘らずバルボアのやり方は来るべき事態を予告するものであったし、コロンブスの到来とコルテスの出現の間の《地峡地方》における入植者の一団の追い詰められた行動を抜きにしては、スペイン領アメリカの初期の歴史を語ることは出来ない。

バルボアが丁度その大発見をなし遂げた時、海の彼方のスペインでは彼に対する悶着が起りつつあった。エンシソはバルボアの簒奪について陳述し、国王は新総督ペドロ・アリアス・デ・アビラ（ペドラリアスとしての方がよく知られている）を派遣した。彼は一五一四年、エンシソ及び後にスペイン人の諸発見に関する大歴史家の一人となるオビエド・イ・バルデスと共に出帆する。ペドラリアスは気性の激しい冷酷な人物で、法の条文は墨守したがその精神は無視する男であった。バルボアは権力を全く剝奪された訳ではなくて、《南海及びその周辺諸州の先遣都督（アデランタード）》に任命された。けれどもバルボアとペドラリアスの間の抗争は所詮不可避であった。二年乃至精々三年の間は表面的には少くとも融和が保たれていたが、バルボアはインディアンに対するペドラリアスのいわれなき残虐ぶりには心底から嫌悪を感じており、この新総督の蛮行と冷酷さによってバルボアの事業が台無しになるのは必定と暗澹たる思いであった。この期間バルボアは《南海》に接する土地の開拓事業の継続に専念しており、この目的のため、彼は船を建造すべく地峡を横断して資材を運搬していた。四隻の船が殆ど完成に近づいた頃、バルボアはペドラリアスの命令で逮捕され、地峡を越えて連行の上、処刑されてしまう。この冷酷無残な所業は《南米》に降りかかった最大の災厄の一つであったと言えよう。何故なら《南海》の発見者バルボアはその頃には単なる冒険者から一箇の政治家にまで成長していたし、もし彼が生きていたならば、恐らくはあの兇暴で無学極まるピサロの代りに、もっと人間味と分別に富んだペルーの征服者になっていたのではないかと思われるからだ。

ペドラリアスについて言えば、血も涙もない苛政を押し進めて行った。一五三〇年、この恐るべき老人が一六年にわたる暴君的支配の果に死んだ時、オビエドによれば、二百万人に達するインディアンの死と奴隷化はペドラリアスの責任であった。しかしながらそうした兇悪無残な面を別にすると、ペドラリアスの名は記憶に値する。というのは彼はニカラグアに勢力を伸ばしたし、一五一九年にはアメリカ本土に現存するヨーロッパ人植民地としては最古のパナマ市を建設したからである。それから今日に至るまで地峡を横断するこの大道(ハイウェイ)は——騾馬の背に揺られるにせよ、運河によるにせよ——世界中で最も重要な本街道の一つとなって来たのである。

メキシコの征服

新世界の発見以後の最初の四半世紀は、忌憚なく言ってその経済的成果には見るべきものがなかった。幾らかの真珠が発見されたことは事実であり、黄金もまた然りであったが、この程度の埋め合せでは母国における人と金との持出しには到底釣り合わず、以後の植民地はややもすれば甚だ夢に乏しい農業経済に逆戻りし勝ちであった。しかし運命の女神は間もなく以前よりは親切になり、そして諺に言う通り、勇者に対して頬笑もうとしていた。コロンブスの陸地初見二五周年には、ハプスブルク王家と雖も夢想だにしなかった程の富をもたらす征服の戸口にスペインは立っていたのである。

中央アメリカ本土の北部には、スペイン人の到来の約二世紀前にメキシコ渓谷に移住した際、同族トルテカの荒々しい文明を継承した好戦的だが有能なアステカ族の富裕強力な国が覇を唱えていた。一三二五年、アステカ人はテスクコ湖中の浮洲の上に難攻不落の首都テノチティトランを建設し、そこから彼等の卓越した軍事組織と政治力を通じてメキシコ湾から太平洋にかけて、メキシコ中にその支配を伸長して行った。モンテスマの治世にはテノチティトランは戸数六万戸に達し、アステカ帝国は恐らく五百万人の臣民を擁していたと思われる。選挙による君主を戴く政府は中央集権化され、そして利害で密接に結ばれた聖職者層は、地球上に曾て存在した最も徹底的な人身御供の制度の一つを発展させていた。技芸や学問の分野ではアステカ人は土木工事、建築、数学及び天文学で相当な域に達していて、その建物は石材、漆喰（モルタル）、化粧漆喰（スタッコ）で出来ており、彼等の農業も同じくかなり進んだものであったし、そして口誦と絵文字の双方で伝えられる伝承・歴史・詩歌の一群を有していたのである。しかし彼等の統治方法は仮借なく残酷なものであった。臣民の多くはその圧政下に不安の日々を送っており、一方テスクコ湖東方の山岳地帯には、アステカ人を不倶戴天の仇敵と見做していたトラスカラの独立共和国があった。こうした諸条件は当然ながらコルテス以下の征服者達(コンキスタドーレス)にとって誂え向きの情勢を醸し出す結果となった。それでもなお十六世紀初頭にはアステカ帝国はその権勢の頂点にあって、有能且つ聡明な統治者モンテスマは征服者達に眩暈を起させた程の一種荒削りな華麗さの只中に暮していたのである。

その第四次航海時にホンジュラス沖で舟一杯のマヤ人に遭遇した折、コロンブスには束の間ながらメキシコ文明を垣間見る機会があったことは既述の通りであり、更にバルボアやペドラリアスも〝遥か北方の〟幻想的な帝国の噂を幾度か耳にしたに相違ない。しかし、専らキューバ植民地の開発に携っていた長い間、こうした風説が所詮〝旅行者の法螺話〟に留らざるを得なかったのは、強力な王国の征服という尨大な計画の基地となる前に、キューバはまずある程度の大きさにまで成長する必要があったからである。

スペイン人による征服は総て予備偵察を以て始められており、メキシコ遠征もその例に洩れなかった。《富める帝国》という様々な風聞の謎を解こうとする断乎たる決定は、一五一七年にフランシスコ・ヘルナンデス・デ・コルドバを西方探検の旅に送り出したキューバ総督ディエゴ・ベラスケスの旺盛な推進力によるところが大きい。この航海は上っ面を撫でただけで忽ち大損害を被った。コルドバはユカタン半島の東北の角に達し、多分カンペチェまで沿岸を航行したらしい。彼とその部下は染めた木綿の衣服を着けた人々が玉蜀黍の畠を耕しているのを見たし、また奇怪な偶像や実に見事な石工技術の冴えを見せて聳える都市を発見して《大カイロ》と命名している。しかし土民は何処でも手のつけられぬ程の敵意に燃えており、数次の戦闘を交えた後、コルドバはキューバに戻ったが手傷のためにそこで果ててしまった。彼と共に帰還出来た部下乗組員は、叩きのめされた僅かな生残りに過ぎなかった。

しかしこの裏目は却ってベラスケスの欲望に油を注ぐ結果となった。翌年彼は甥ファン・デ・グリハルバの指揮する三倍もの規模の遠征隊を繰出した。この冒険は実に重要な意義を持つものであった。グリハルバはカトーチェ岬附近でユカタン半島に達し、南航してホンジュラス湾に入った。それから同じ路を引返し、ユカタン半島を回航してメキシコそのものを発見した。グリハルバは周到慎重な男でコルドバの失敗の教訓をよく読み取っていたから、内陸へ踏み込むことはせず、交戦回避に細心の注意を払った。カンペチェにおける血みどろの衝突では一三人のスペイン人が殺されたとはいえ、その長い沿岸航行中到る処で彼の用心深さと外交的努力は親切な歓迎を獲得した。彼は遂にタンピコにまで到り、アステカ帝国の話やその統治者モンテスマは山中の湖にある大都市に住んでいること——メキシコの絵文字のこと、グリハルバの艦隊がまだ沖合に在った頃モンテスマに白人の到来を報じた伝令制度のこと——そして就中、かの黄金の噂等々を土産にキューバへ帰還した。

単なる沿岸航海以上の成果を期待していた積極的なベラスケスは、余りにも慎重で指令に忠実過ぎたグリハルバに満足せず、第三次遠征が準備された。その指揮者にはベラスケスの秘書官としてキューバに来ていたエルナンド・コルテスが任命されたが、彼は所謂コンキスタドーレス中では（サラマンカ大学に学んだ）大学出として際立った存在であり、同時に、ある時は獄に繋がれ、ある時は本意なき結婚をせざるを得ない羽目に陥る程の数知れぬ女出入りでも有名な男であった。けれどもコルテスは決して学者でもなければカサノヴァでもなく、大胆不敵で冷徹果断、そして叛骨稜々たる行動の人であった。恐らく手後れではあったが、ベラスケスはコルテスの性格に潜むこの御し難さを見抜いて任命を取消したけれども、コルテスは彼の先手を打つだけの直観力を持っていたから、総督が行動を起す前にサンチアゴから西キューバへ向けて出帆してしまった。かくしてコルテスは一時的にもせよ少くとも総督の手の届かぬところへ脱出し、キューバ海岸沿いに進みながら新入りを募り、兵糧・装備を徴発して行ったが、無論その代償を支払う当てなど全くなかった。コルテスの欠点は他にも色々あったけれども、彼もまた部下をして感奮興起せしめる底の指導者であったことは、彼が忽ちの内にアルバラード、オリード、サンドバル、ベルナル・ディアス、そして総督ベラスケスの甥で後にテノチティトランからの退却戦《悲啾の夜（ノーチエ・トリステ）》で戦死することになるディエゴ・デ・ベラスケスといった、凄じい冒険に参加した命知らず共（デスペラードス）の一団を自分の周囲に集めていたことからも間違いのないところである。

こうした皆一癖ある連中を従えたコルテスは、激怒したベラスケスの逮捕の手が伸びる前に、一五一九年早々出帆してしまったのである。彼のコースは海岸沿いにユカタンからタバスコに至るもので、そこで彼等は上陸し、土民と――彼の皮切りの、しかし決して最後ではなかった――死物狂いの戦闘を交えた。次いで彼は、土民の話で明らかになったアステカの首都に最も近い港といわれる地点まで同海岸を北上した。一五一九年の聖金曜日（グッド・フライディ）〔四月。復活祭の前の金曜日〕にそこへ上陸したコルテスは、そこにスペインの町特有の大袈裟な役人と精密な組織総てを具えた自治体を設立し、この生れたての首都にベラ・クルース〔真実の十字架〕なる名を付けた。コルテスは四ヶ月をここで送り、その間に自身の地歩を固め、沿岸地方の忠誠を取り付けて奥地への放胆な作戦を練り上げる。次いでコルテスは、劇的効果を狙った深慮遠謀を以て乗って来た船を悉く焼き払って背水の陣を布（し）き、八月の半ばに僅か四〇〇人のスペイン歩兵を率いて未知の大敵に挑むべく壮途に就いた。メキシコへの進軍は空路なら二〇〇マイルに過ぎないが、殆ど三ヶ月を要した。加えて獰猛な部族を打破り、山路や峠を突破する必要があった。カリブ海の熱帯海岸と峻嶮なメキシコ渓谷との間の障壁に登った時、彼等は好戦的でアステカ人の宿敵であったトラスカラ族の領分に足を踏み入れたのである。トラスカラ族は三度スペイン人に攻撃を加え、その都度大損害を被って敗退した。そしてそれまで決して諦めることのなかったトラスカラ族は遂に屈服したのである。平和を恢復すると共にコルテスは実に頼もしい同盟軍を獲得した。トラスカラ族の国はこの時以来、スペインの征服者達の忠実な友人となったからである。彼等の助力なしには、コルテスは決してモンテスマの帝国を打倒出来なかったと言ってよい。

トラスカラ作戦の後、コルテスはメキシコ・シティ（テノチティトラン）への路を進撃し、十一月初めにそこへ到着する。部下の兵士の一人ベルナル・ディアス・デル・カスティーリョはメキシコ渓谷を突破した《コンキスタドーレス》の接近の模様を次の如く描写している。

「……水上に建設された沢山の都市や村落、陸上の大きな町々や真直ぐにメキシコ〔テノチティトラン〕へ向って伸びる坦々たる堤道（コーズウェイ）を眼にした時、我々は驚嘆し、巨大な塔や神殿、建物が水上に聳え、しかも悉く石で出来ていることから、アマディスの伝説〔十五―十六世紀にスペインに流行した騎士道物語の一つ〕に謂う《魅惑》に似ていると言い合った。我々の仲間は今見ているものは夢幻ではないのか、とさえ言う……これまで見たことも聞いたことも、夢想さえしたこともないものを眼前にして何と描写してよいか判らず……余りに素晴しい光景を喰い入る様に眺めて言葉を失い、眼前に現れたものが果して《現実》なのか否かすら模糊として来る――何故なら一方の側、即ち陸上には大都市が連なり、湖には更に多くの町があり、湖上には丸木舟が一杯群れていた……我々の目の前にはメキシコの大都市が聳えており、そして我々は――我々と来たら四〇〇人にも満たぬ兵隊でしかなかった！……」

コルテスとその部下は大変な歓呼を浴びて平和裡に市内に入った。しかし数日の中に卑劣極まりない詭計を弄してモンテスマの身柄を抑え、恭しくはあったが厳重なスペイン兵の監視下に置いた。統治者を我が手に握ったコルテスには莫大な量の金銀の蓄積は意のまとなり、その年の冬は殆どアステカのあらゆる地方からの財宝蒐集で過ぎてしまった。

春（一五二〇年）と共に悪い報せが海岸地方から届いた。ベラスケスがコルテスを叛逆者として逮捕すべく、キューバからパンフィロ・デ・ナルバエスを指揮官とする追討軍を送り出した、というのである。コルテスは不運なモンテスマが相変らず監禁されているテノチティトランにペドロ・デ・アルバラードを長とする守備隊を残し、海岸地方に戻ってナルバエスを決定的に打破った。そこでナルバエスの部下の大部分はコルテス軍に合流してしまい、彼等は直ちに首都テノチティトランへ引返した。コルテスは留守の間に事態が極めて悪化していたのを知る。ある儀式の踊りの中で犯されたアステカの貴族数人の不必要な殺戮――残虐且つ気の利かぬ所業――によってアステカ人全体がスペイン人に対して暴動を起していたのである。民衆を鎮めるためにコルテスはモンテスマの姿を臣民に見せた。ところが、自分はスペイン人の友人であるとその統治者モンテスマが宣言した時、激昂した暴徒の抛げた石の一つがその頭に当った。そしてこの気の毒なモンテスマはどんな治療も拒否して受付けず、間もなく傷心と怪我のために死んでしまった。

この悲劇はコルテスの目論みにとって手痛い誤算となった。何故なら、モンテスマは生きている限りはスペイン人の掌中にある強力な一つの道具であったからである。彼を喪っては、全市を敵に廻して孤立した侵略者の一団に残された路は只一つ、一刻も早く逃げ出すことしかなかった。この脱出行は莫大な損害を被りつつ遂行された軍事史上最も困難な作戦の一つであった。西側堤道を本土へ向けて突破する夜間行軍では、スペイン人とその同盟者トラスカラ人は一フィート毎に猛り狂った敵の包囲攻撃を受けた。この夜は余りにも凄惨を極めたため、以後長く《悲啾の夜（ノーチエ・トリステ）》（一五二〇年六月三十日）として知られるに至る。憎むべき侵略者を殲滅せんものとアステカ人はぴったり追撃して来たが、オトゥンバにおける捨身の反撃でスペイン人達は彼等を打破り、トラスカラへの血路を拓くのに成功した。その地の忠実な友人達の中で数ヶ月間、スペイン人は英気と戦力の回復を図ったのである。

明くる年（一五二一年）の春、新鋭の増援部隊及びトラスカラ人戦士の大群と共にスペイン軍は再びメキシコ・シティへ進撃を開始する。そこで起きたメキシコ・シティの攻囲（同年五月―八月）は、征服の勝利を告げるクライマックスであった。湖岸の各処で造った戦闘用舟艇の巧妙な使用によって侵略者達はアステカ民衆の勇敢な防戦を圧倒し去り、首都陥落と共にアステカ全土の組織的抵抗は終熄する。これに続くペルーの歴史と比較する時、メキシコの征服は迅速且つ完璧であった。征服者の掟は苛烈を極め、アステカ王国と宗教のあらゆる残滓は一掃され、スペインの規則とスペインの制度が全能且つ絶対となった。しかしながら、当時の蛮行と暴虐の中でも、コルテスがその同盟軍に感謝して一人のトラスカラ人も奴隷に売ることを許さず、神聖ローマ帝国皇帝カール五世［＝スペイン王カルロス一世］を説いて進貢の義務を永代免除してやったことを想起するのは聊かの慰めとなるかも知れない。

アステカ王国の屈服によって探検と版図の拡大はその当然のコースを辿って行った。この征服事業の間にメキシコの大部分は必然的にその全貌を現して来る。ベラ・クルースとメキシコ渓谷の間の地域は繰返し往復され、メキシコの最高峰ポポカテペトルすら向う見ずな登山者によって登攀されたが、これはアメリカ登高史の最初を飾るものであった。今やメキシコを慴伏（しょうふく）せしめたコルテスは、南は中央アメリカへ、西は太平洋へ向ってその征服を推し進めるのに逡巡してはいなかった。一五二三年、コルテスは副将アルバラードにグァテマラ征服を命じたが、この剛勇の戦士は山岳地帯を突破し、陸路を進撃してウティトランの土民の都を占領し、それからグァテマラ最初の都市を建設した（一五二四年）。同じ頃クリストバル・デ・オリードがホンジュラスの北岸に植民地を造るために海路派遣された。オリードは万事自分の意のままに出来る様になると、躊躇なくコルテスの権威を無視し始めたので、コルテスは彼を懲しめる必要を感じた。この目的のためにコルテスは一隊を率いてユカタン半島の基部を東へ横断したが――これは未知の国を通り抜ける大胆な行軍で、楽士や手品師、捕虜の王様達を引具した旅は、コルテス一流の綺羅を飾ったやり方でますます人目を驚かせた。オリードはコルテスがホンジュラスに到着する前に殺され、叛乱は鎮まっていたが、この遠征は大変な壮挙であって、コルテスの鉄の意志と縦横の機略によらなければ、彼の部下は悉く熱帯の密林や峨峨たる山中で死に絶えてしまったことであろう。

この冒険旅行はコルテスの犯した唯一最大の失策であった。健康を損ねてホンジュラスから帰還してみると(一五二六年)、メキシコ・シティは乱脈を極めていた。それ故次の数年間は、殊にスペインに還って長期間滞在したこともあって、探検に対してまともに専心出来なかった。一五三三年、彼はその活動を太平洋岸に指向し得る様になり、この年に派遣した艦隊は南部カリフォルニアを発見した。一五三六年自ら参加した航海では、カリフォルニア半島の南東部にラ・パスの町を建設した。四年後には、カリフォルニア湾をすっかり探検する仕事がフランシスコ・デ・ウリョアに残されることになる。彼は同湾の一方の岸に沿って一番奥まで進入し、次いで反対側を下った。それからウリョアは太平洋岸を北緯三〇度まで北上し、この土地が《島》ではなく《半島》であることに確信を持った。

こうした航海は、次の二世紀の間、新スペイン(ヌエバ・エスパーニャ)[メキシコ]とフィリピンとの貿易で主要な役割を演ずることになるアカプルコという太平洋岸の港の開発によって可能になったのである。

このウリョアの探検はコルテスの指令によって行われた最後のものであった。偉大な首領コルテスは皇帝カール五世にその利権を請願すべく、一五四〇年スペインに向けて出発したからである。コルテスは一五四七年、セビーリャの近くで歿し、再び彼の栄光の土地を見ることはなかった。しかし彼が起動したこの勢いはその後も衰えず、コルテス出発後もメキシコを基地とする幾多の探検が行われた。これら後年の探検旅行は主としてリオ・グランデ河以北になるので、《北米の発見》を扱う第9章に叙述を譲ることとする。

ペルーの征服

メキシコだけが新世界唯一の未開帝国ではなく、悠(はる)か南、アンデス山脈の高地にはもっと富んだ国があった。クスコを首都とするこのインカ帝国は、征服当時、南北にはエクアドルからチリー北部へかけて、東西には太平洋岸からアンデス山脈東斜面まで拡っていた。その領土の拡大は十四世紀から十五世紀へかけて特に目覚しく、偉大な帝国建設者の一人ワイナ・カパックはピサロの到着の七年前まで存命していた。六百万から八百万の人口を擁するこの帝国は、アステカ帝国よりもずっと人道的なやり方で統治された、事実上最も徹底的且つ温情主義的な社会主義国家であり、その中で個人は定められた職分を持ち、そして国家は臣民の福祉を親切に保障していた。絶対的支配者としての、また太陽神の典型としての至高の世俗的・聖職的任務を体現していたのはインカ皇帝であった。この福祉国家の支配の下で技術はアステカ帝国より遥かに高い発達を遂げ、土木工事・建築・織物及び陶芸ではペルー人はメキシコの兄弟分を凌駕しており、帝国全土に伸びた宿駅と軍用道路の組織はスペイン人達の賞讃の的となったものである。文字はなかったけれども、インカ人は多数の紐と結び目の系列と組合せからなる《結節縄(キープ)》という道具を使っており、このキープで観念を表したり事実を記録したりすることが出来た。政治の面では、インカ人はコロンブスのアメリカ大陸発見以前の人々の中では最も進んでいたと思われる。彼等はまた商業と沿岸航海を発達させており、黄金細工では高度な伎倆に達していた。僅か一握りのスペイン人がこれ程の王国の征服を企てることなど、誰の目にも不可能事と映ったであろうが、全く偶然にもピサロはインカの政権継承に伴う紛乱の最中に到着した。老ワイナ・カパックの遺した嫡流と庶出の二人の息子の間の帝位をめぐる内戦が酣(たけなわ)の頃である。

この神秘的な王国の噂は一五一五年にはスペイン人の耳に届いていたが、丁度その頃フランシスコ・ピサロはパナマ地峡から真珠諸島(ペルラス)［パナマ湾内の群島］へ掠奪遠征を行っていた。一五二二年パスクワル・デ・アンダゴヤという経験豊かな船長がパナマから今日のコロンビアの沿岸まで航海した時、この風説は確認された。冒険事業としてはペルーの征服はメキシコの征服とは比較にならぬ困難が予想されるもので、インカ帝国の遠さ、山岳重畳たる地勢、行手を阻む熱帯の風土等々、あらゆるものが重なっていて、並の人間には慄え上る程の計画であった。しかしその万に一つの僥倖に賭けた闘士は只者ではなかったのである。エストレマドゥラの騎士従者の私生子であったフランシスコ・ピサロはおよそ想像し得る限りの勇気と決断力と強壮な肉体に恵まれた男で——その無慈悲さ、残虐性、我儘にも拘らず、そうした資質には羨望を禁じ得ないものがあった。ピサロはアンデス山中の半ば文明化した国の存在とその征服に確信を抱いた。未だ曾てこれ程大きな自負と妄想に燃えた男はなく、ピサロの確信はその後の出来事並びに自身の勇気と蛮行によって立証されることになる。

この頃既にピサロはオヘーダ、バルボアそしてペドラリアスに仕えたパナマ植民地の老練な古強者であり、常に有能な士官ではあったが、まだその親玉にはなっていなかった。彼の同僚にはパナマではある程度の地位を得ていた無学な一旗組の一人ディエゴ・アルマグロや大聖堂所属の学校長をしていた聖職者ヘルナンド・デ・ルーケなどがいた。この三人組は一つの目標——ペルーの征服、を目指して強固な提携を結んだ。ある意味では彼等は今日の所謂《山師的試掘計画》の発起人に似ていたに相違ない。彼等の計画は彼等だけが妄信している狐火みたいなもので、収奪者の現れるのを待っている《富》について隣人達を納得させるには、酷い苦労をしなければならなかった。初期の偵察は自前の資金による私的なものであって、ピサロの一歩一歩に憑き纏って放れぬ失敗が増えれば増える程、この事業を継続するための人員や金を調達することはいよいよ困難になって行った。兄弟分の盟約を交したちっぽけな一旗組の殆ど超人的とも言うべき決意のみが、この冒険事業を成功に導いてゆく。

一五二四―二五年に行われたピサロの第一次遠征は完全な失敗であった。彼の小艦隊は逆風を間切りつつ海岸沿いに一〇〇リーグも南下した。ピサロは部下を率い、食糧を索めて沼沢地や豪雨の森林地帯を奥地へ分け入ったが、敵意に満ちたインディアンに襲われただけであった。七人の負傷者を出して戦力を殺がれたピサロは漸くのことで生残りの隊員を船に連れ戻った。アルマグロは独自の道を進んで殆ど同様の目に遭い、土民との闘いで隻眼を失ったが、さなきだに美しからざるアルマグロの顔はこれで一層惨たる相貌を呈するに至った。この惨めな一旗組がパナマに還った時は語るも情ない話ばかりで、有り金残らず虚しい冒険に費い果していた。それにも拘らずこの計画に賭けた彼等の執念は並々ならぬものがあって、落胆するどころではなかったのである。

ともかく、彼等は何とかかんとかして第二次遠征を行うに足る資金を工面し、大変な苦労をして一六〇人の人員と二隻の船を掻き集めると、ピサロとアルマグロが一五二六年の初め、パナマからコロンビア海岸目指して出帆した。ピサロはインディアンの町を掠奪するために上陸した後、増援部隊を求めてアルマグロをパナマに送り、バルトロメ・ルイスの水先案内でもう一隻の船を更に南方へ派遣した。発見年代誌の上で以後有名となるこの老練の船乗りは、この仕事を見事にやり遂げた。彼はエクアドル海岸数ヶ所で接岸し、赤道を越え、行く先々でますます増大する《文明》の証拠を発見して行った。それ故彼の帰還は、当時既にアルマグロの増援隊が到着して遠征隊の南進を再興し得る段階にあったピサロにとっては一大朗報であった。しかしながら指導者間の軋轢と部下達の不穏な動きは、遠征隊が赤道の二度北にあるガヨ島に達した時には、壮挙全体を危く崩壊させてしまう程に昂まっていた。この島の絶え間のない熱帯雨、蚊の大群、そして深刻な食糧の欠乏の中でピサロは一芝居打った。彼は砂上に一本の線を引き、自分に忠誠を誓う者はこの線を踏み越えよ、と命じた。線を越えた僅かばかりの忠実な者達と一緒にピサロは少しは条件の良い近くのゴルゴナ島に渡り、アルマグロは更に増援部隊を求めて再びパナマに帰還した。ピサロと一三人の忠誠を誓った部下達は、アルマグロが北方から再び姿を現すまで飢餓と熱帯雨の七ヶ月をゴルゴナ島で耐え抜き、そして一隻の船と一握りの人間で遠征が再開されることになる。練達のルイスに導かれてグァヤキル湾へ向けて直航し、遂にトゥンベスの町でペルー海岸に到達した。ここでは一つの極めて進歩した文化を示す多くの徴候を目にしながら彼等は手厚い歓迎を受け、そして短くはあったが満足すべき訪問の後、南緯九度の地点まで南下を続けた。彼等は到る処でその建物の堅牢なこと、人々の工芸の腕前、インカ皇帝の富と力に関する話に感銘を受けた。そして漸くパナマに帰って来た彼等がもたらしたものは、その訪れた未知の国々の豊かさを物語る鮮烈目も眩むばかりの土産話であったのである。

これら総てにも拘らず、ピサロのもたらした壮大な報告の数々は、パナマでは全く相手にされなかった。何故ならこれまでパナマの植民地開拓者達はこの種の話には耳に胝（たこ）が出来ており、すっかり疑い深くなっていたのである。何としてでも事を成就させるべく前よりも一層決意を固めたピサロは、皇帝カール五世に自分の提案を開陳すべく、スペインに向った。一五二八年の晩夏、トレドの宮廷に姿を現したピサロは、好結果を収めたコルテスの征服のお蔭もあって、皇帝の耳を傾けさせるのに成功した。翌年（一五二九年）の夏までには皇帝の名による権利協定書が調印され、これによってピサロはペルーの終身総督に任ぜられた。その代り、ゴーマラによれば、ピサロは皇帝に「莫大な富と王国とを約束し、人々を惹き付けるために自分の知っている以上に輪をかけて吹聴したが、本当はそれでもなお足りない程の富が実際あったのだ」と言う。

宮廷を辞したピサロは生れ故郷エストレマドゥラのトルヒーヨの町を訪れる暇を見つけ、そこで自分の兄弟や親類縁者に彼の大事業に参加することを勧めた。こうした連中やその他の志願者達を率いてパナマに戻り、ピサロはアルマグロに対して些か殿様顔に振舞うことになるが、これは彼等の今後の協調に暗雲を生ずる因となった。結局、一五三〇年の末近く遠征隊はその途に就き、赤道附近のコアケという処に進んだが、そこで奇妙なことに半年を過すことになる。（メキシコ征服時にキューバが果したのと同じ役割を演じた）パナマから更に人員を受取るとピサロはトゥンベスに航し、ペルーの土地にその歴史的な足跡を印した。この地にサン・ミグェルの町を建設する間、更に多くの時が費された。ピサロが六二名の騎兵と一〇六名の歩兵の先頭に立ち、向う見ずで危険に満ちたアンデス越えの進軍を開始したのは漸く一五三二年の初秋になってからだった。凍てつく様な高地を攀じ、絶壁の隘路を縫う幾多の艱苦を経て、遂にこの小部隊はカハマルカに在ったインカ皇帝アタワルパの陣営（キャンプ）に到着する。

カハマルカに着いた時ピサロの星は昇りつつあり、運命の女神はスペイン人達に極めて幸いした。嫡出のインカ皇帝ワスカルと庶出の弟アタワルパの皇位継承争いによる内乱で、アタワルパはつい最近ワスカルの軍勢を打倒したばかりであり、昔からの都クスコからではなく、カハマルカから不安な状態で支配を続けていたのである。ピサロは今やコルテスの筋書の一頁をめくり始め、大胆且つ用意周到な行動によってインカ皇帝の身柄を抑えることに成功する。これに続く戦闘でインカ軍は大殺戮を蒙って潰走し、局面は完全にピサロの手中に握られた。その後の出来事は、コルテスとモンテスマのそれと全く同じである。インカの財宝の掻き集めに何ヶ月もが費され、その間擒（とりこ）になった皇帝は豪奢な待遇ながら厳重に幽閉されていた。この不運なアタワルパがもはや傀儡として役に立たなくなると、ピサロは彼を縊（くび）ってしまった（一五三三年八月二十九日）。この背信に満ちた卑劣極まる犯罪の後、スペイン人達はクスコに向けて素晴しいインカ道路を辿り、十一月にそこへ入城したのである。

ここまではピサロはコルテスより遥かに容易で、血風吹き荒ぶことも尠く済んで来たが、その支配権の確立は逆に際限もなく困難で時を要することが判って来た。と言うのは征服が終ると共にペルーの内戦が始ったのである。ピサロの凱報は風の翼に乗って瞬く間に北方に伝わり、グァテマラにさえも達したが、そこにはコルテスの曾ての副将ペドロ・デ・アルバラードが、どちらかと言えば実りのなかった自分の征服に怏々としていた。この御仁は全く自発的に、太平洋を南下してエクアドルに到る遠征に乗り出し、キトー征服を目指して内陸へ進撃した。これを阻止すべくクスコから北方へ派遣されたアルマグロはベラルカサールという荒武者と提携し、一五三四年、キトーの手前でアルバラードの企図を挫くのに成功した。

アルバラードの部下の多くはアルマグロ側に寝返り、そしてこの一団は一五三五年、チリーの探検に特派されたが、これは二年も続くのである。黄金に溢れたもう一つのペルーを発見出来ると考えたこの遠征は、艱難・忍耐そして死に満ちた一つの叙事詩であり、この間のアルマグロの見事な統率力もまた際立っていた。彼等が辿ったのはティティカカ湖の西岸に沿い、ボリビア台地の最も高く寒風凜烈たる地帯を横断し、次いでアンデス山脈を越え、同行したインディアンの内一五〇〇人もが死んで行った程の凄絶な山岳踏破行の後に漸くコピアポで太平洋岸に出るルートであった。コピアポからアルマグロは海岸沿いに今日のサンチアゴに当る地点の向うまで進んだが、眼を喜ばす程のものは何も発見出来ない。ペルーへ向けて北方に折返した行手には恐怖のアタカマ沙漠を端から端まで縦断する難行軍が待っていた。これらありとあらゆる苦難にも拘らず、アルマグロの征旅が何の利益をもたらし得なかったのは明白だが、それは三年後のバルディビアのチリー征服の序幕となったし、ピサロ一族にとっては間もなく不安の種となる一群のアルマグロ心酔派を生み出す結果になった。

フランシスコ・ピサロやディエゴ・アルマグロといった無節操で強欲な連中がいつまでも仲良くやって行ける訳はなく、チリーから帰還した一年後の一五三八年、歴史的なペルー内乱の第一戦が勃発した。クスコ郊外の天然塩田〔塩湖の乾上ったもの〕における雌雄を賭けた決戦場に由来して《ラス・サリナス〔塩田〕の戦い》と呼ばれるこの闘争は、アルマグロの捕虜、処刑という形で終った。打撃は被ったものの潰滅は免れたアルマグロの残党は、数年の臥薪嘗胆を経て一五四一年、フランシスコ・ピサロ殺害を成就した。それから彼等は旧首領が遺した庶出の混血児で父と同名のディエゴ・アルマグロを擁し、生残ったピサロ兄弟達と《チュパスの戦い》で再び相目見えた。クスコの西一五〇マイルの山岳地帯で起きた血みどろのチュパスの戦い（一五四二年）ではピサロ派が再び勝利を握り、アルマグロ党の希望は打ち砕かれた。この戦いではピサロ派はスペイン政府から公式の後楯を獲得し、スペイン国王から任命された新総督バカ・デ・カストロはチュパスの血戦場で大いに武勇を示した。カストロは有能で聡明な人間であったから、一五四四年に彼が召還され、頑固者で想像力に乏しいヌーニェス・デ・ラ・ベラがその後釜に坐ったことは、ペルーにとっての痛恨事と言わねばならなかった。

一年と経たぬ内にヌーニェスとゴンサロ・ピサロは互の首を絞め合い、そして第三次内乱――キトーの戦い――を惹起した。数ヶ月に及ぶ駆引きの後、この仇敵同士は一五四六年の一月、エクアドルのキトーで正面切って取組み合った。ゴンサロは政府軍を敗走させ、総督の首を刎ねてしまった。この所業によってゴンサロは正真正銘の無法者に堕してしまうが、当局の復仇も決して愚図愚図してはいなかった。新総督ペドロ・デ・ラ・ガスカが急派され、相当な兵力を集め終えた彼は一五四八年の三月、クスコの近くでゴンサロを追い詰め、その軍隊と交戦して敗北させたが、これは戦闘というよりむしろ算を乱しての大潰走といってよかった。これに続くピサロ派残党の殆ど全部の粛清によって内戦は終止符を打たれ、ガスカの有能な施政下に、ペルーは発見と征服の段階から植民地化へと移って行くことになる。

内戦の続いた困難な時期の間も探検は進められ、勇敢なスペイン人達はペルーから北、東そして南の荒野に入り込んでいた。事実一五三五年のリマの建設以後、フランシスコ・ピサロの方針は〝発見〟にしっかり向けられており、アルマグロのチリー遠征はその典型であった。これらの長征は、(一)肉桂(シナモン)の国を求めて東のモンターニャ〔山岳〕地方へ向ったもの、(二)北方のコロンビアを目指すもの、(三)南下してチリーへ進出するもの、の三グループに大別出来る。モンターニャ地方に向う旅はアンデス山脈を越え、アマゾン河の上流地方にまで入り込み、土民の言う〝芳しき薬味に溢れたる〟国を捜し出そうとするものであった。この探求は後に《黄金郷（エル・ドラード）》と《失われたインカ王国》の捜索という形をとるに至る。数次の遠征が試みられたが、悉く悲惨な困難に直面して失望に終ってしまった。一五三八年にはペドロ・デ・カンディアという長身頑健なギリシャ系の銃手がクスコから南西に向い、酷寒のアンデス高地を越えてマデイラ河〔アマゾン河上流の一つ〕流域の熱帯の大密林に入り込んだ。同年晩くペランスーレスという男はクスコから東へ旅をしたが餓えと危険に晒されて引返す他はなかった。これよりは成功したのがアロンソ・デ・アルバラードで、彼は一五三九年カハマルカの東でアンデスを越えてアマゾン河の水源地方に到り、チャチャポヤスの町を建設した。人類史上最も酷烈な旅の一つは一五四一年、《肉桂の国（シナモン）》と《黄金郷（エル・ドラード）》を求めてキトーを出発したゴンサロ・ピサロのそれで、彼は信じ難い程の苦労を重ねてコカ河をナポ河との合流点まで下り、帰りはナポ河沿いに逆にエクアドルへ戻って来た（彼の副官オレヤーナの諸探検は南米東部に関するものなので後章で扱うことにする）。

北部ではあの面白い人物ベラルカサールがポパヤンへ向けて山岳地帯を踏破し、コロンビアに入ってそこにカリとカルタゴの町を建設した後、ボゴタ平原でコロンビアの征服者ケサダと邂逅する（一五三九年）。そこからベラルカサールはマグダレナ河をカルタヘナへ下り、かくしてペルーからカリブ海に出る陸路横断を成就した。

南方に向けても同様な勇気溢れる探検譚がある。成果のなかったアルマグロの遠征にもめげず、ペドロ・デ・バルディビアは一五四〇年チリーに進入し、海岸沿いにその路を取った。アタカマ沙漠の横断を含む一一ヶ月に及ぶ行軍の後、バルディビアは青々とした緑に包まれた地方に到着し、バルパライソとサンチアゴの町を建設したが、平和の裡に入植することは大分先のことになってしまう。何故ならその地のインディアンは獰猛な野蛮人であることが判り、白人と見ればどこでも恐れることなく襲撃して来て――そのため一五四〇―一五五〇年の一〇年間は殆ど戦闘に明け暮れてしまったからである。一五五〇年までには南の涯に住む好戦的なアラウカ人を除いて原住民達は鎮圧され、チリーは間もなくペルーやスペインからの入植者を吸引し始めるのである。一五五一年、開拓者の名を記念するバルディビアの町がサンチアゴより更に五〇〇マイル南に造られ、二年後には一隻の船がチリー海岸の全域を航海し、太平洋側から実際にマジェラン海峡に入った。かくして南米大陸の太平洋側斜面は、僅か三〇年も経たぬ内にその全貌を現したのであった。

新グラナダ（ヌエバ）の征服

一五〇一年にバルボアがオヘーダの造った植民地の生残りをウラバ湾を渡ってパナマ地峡に移した後は、現在のコロンビアの地を更に開拓することは長い間行われなかった。これは、最初の企図が余りにも見込み違いに終った地域にこれ以上植民地化の努力を注ぎ込むことに比べれば、パナマ地峡自体、そしてメキシコ、更に最後のペルーの魅力の方が遥かに強かったからである。しかしメキシコ、ペルー、そして中央アメリカが探検されてしまうと、南米大陸の北の咽喉首に斜めに横たわる広大な地域の可能性は、そこにもまたアステカやインカの如く富んだ王国を発見出来るかも知れぬと思った向う見ずなスペイン人達を、誘惑し始めた。その皮切りは一五二四年の北部海岸におけるサンタ・マルタの町の創設であり、一五三二年には更に重要で後には歴史的とさえなったカルタヘナ市が建設された。しかしこれらは単に沿岸居留地に過ぎず、内陸部はまだ人間が応じたことのない一つの挑戦——森林に蔽われた山岳性の、人を寄せ付けぬ聖域——を残していたのである。一五三五年になるまでは征服者達(コンキスタドーレス)は敢えてこの挑戦に応えることなく、漸く前途に横たわる困難を身を以て知る辺までしか行かなかった。この年、総督の息子アロンソ・デ・ルーゴが一隊を率いてサンタ・マルタから内陸へ向った。しかし指揮者たる自身の破廉恥な掠奪行為のお蔭で完全な失敗に終り、公正で私欲のない父総督の逆鱗と国王の怒りを怖れた彼は、土民に強盗を働いた後、スペイン本国に逃げ帰ってしまった。

ルーゴの副官はこれとは気性の異った男で、一五三六年には奥地の富める国々に対する一大遠征の指揮者に選ばれたが、これは土民の話を鵜呑みにしたスペイン人が、それこそもう一つのメキシコだと信じ込んだ結果である。この人物はゴンサロ・ヒメネス・デ・ケサダというスペインから来たばかりの若い弁護士で、コルテスやピサロと同じく不屈の意志と指導者としての比類ない天稟とを兼備していた。ケサダの遠征はコルテスやピサロが遭遇したのとは別種の障碍に直面したが、その手強さは甲乙つけ難いものがあった。メキシコやペルーの征服者達の場合、地勢は踏破にさして困難ではなかったし、比較的ましな気候風土で作戦し且つ彼等の敵は人間——強大な未開帝国の軍隊——であった。ケサダの場合、人間的要素はどこまでも大して厄介な問題ではなかったのである。確かにケサダの行手に毒矢という武器を持った敵対的なインディアン部族が立ち塞がったのは事実であるが、それらは脅威というよりは精々小うるさい程度の存在でしかなかった。彼の遠征にとっての真の脅威は環境そのもの——濛気立ち罩める蒸し暑さ、熱帯のジャングル、凸凹で路もない山腹、毒虫の襲来、そしてありとあらゆる熱帯風土病——であった。

こうした予想に挫けることなく、一五三六年四月、ケサダは部下九〇〇名を率いてサンタ・マルタを出発した。アメリカでは未曾有の大部隊の一つであったこの遠征隊は二手に分けられ——一隊は小型のブリガンティーン［二本マストの小型帆船］に分乗してマグダレナ河を溯航し、もう一隊はその河を右手に見て陸上を進んで行った。溯航隊の行手には完全な失敗が待ち構えていて強風と難破、そしてインディアンによる大虐殺という不運に連続して見舞われた後、僅かな生残りは沮喪し切ってサンタ・マルタへ還って来た。陸上部隊と共に進んだケサダは殆ど同じ様な不運に遭遇したが、彼の雄々しい精神はこれに打ち勝った。雨季の真っ最中に密林や沼沢地を喘ぎながら突破した後、彼は遂にその求めていた土地に到着した。サンタ・マルタを離れて八ヶ月間、ケサダはマグダレナ河畔のインディアンの町トーラまで進んで来た。しかしサンタ・マルタから直線距離にして南へ三〇〇マイル足らずの地で、してみると彼の行軍の速度（レート）は一日僅か一マイル強にしか当らないことになる！　海岸部を後にして一年後にケサダは多分トーラより更に一五〇マイル南方のマグダレナ河の支流の畔にあるベレスに着き、この地で彼は一六六名の麾下将兵を閲兵した。これこそ総員（オリジナル）九〇〇名中から生残った悲惨且つ餓死に瀕した《現在員（レムナント）》なのであった。

今やケサダは熱帯の森林地域を上に抜け、穏かで落着いた人々によって耕された平原や渓谷の多い高地の真っ只中にいた。しかし一戦をも交えずしてその支配を不動のものにすることは出来ず、その地方のインディアン達が形成していた幾つかの小王国はメキシコやペルーの王朝より遥かに弱体であったとはいえ、全く無視する訳にもゆかなかったのである。これらの中の一人ツンハの王は途方もない大兵肥満の男であったが一五三七年八月の小戦闘で捕えられ、それから間もなく彼の同類のボゴタの王もケサダに追い詰められ、討たれてしまった。ケサダは高地地方を完全に支配下に収めることになり、行軍の身の毛もよだつ試練の報酬が今や続々ともたらされ始めた――黄金や翠玉（エメラルド）が特にボゴタの大草原（サヴァンナ）で大量に発見されたのである。この恵まれた地にケサダは彼の首都の縄張りをし、グラナダの攻囲の間にフェルナンド王とイサベラ女王によって建設された都市の名にあやかってサンタ・フェと命名したが、今日ではそこに町がある平原の名［即ちボゴタ］の方でよく知られている。

このコロンビアという高地に支配権を確立出来たのはケサダにとって僥倖であった。と言うのは、この地方の富に目を付けていた一旗組の冒険者が他にもいたからである。歴史の気紛れとでも言うべきか、ベラルカサールが北方のキトーから、ドイツ人フェーデルマンが西方のベネスエラからやって来て一五三九年の二月にボゴタでケサダと遇うのであるが——三人が三人共、それまで互の存在に全く気付いていなかった。幸いにもケサダの権勢は今や磐石であったから、この二人の新参者はケサダ追い落しを策することすらなく、各人は友達として笑って袂を分つことになり、ベラルカサールとフェーデルマンはマグダレナ河を海まで下って行った。その後間もなくケサダはスペインに帰還したが、彼の数々の功労は一顧だに与えられず、かの不徳義漢アロンソ・デ・ルーゴが《新グラナダ（ヌエバ）》の総督に任命されてしまうのは——全く不運な天命を嘆く以外になかった。このことはケサダが、ピサロなどより優れていたバルボアの如き人をも凌ぐ人物であり、人情に厚く廉直・賢明な人間であることを彼自ら身を以て示しただけに、なお一層の同情を誘うものがある。彼の征服は少くともある点ではメキシコやペルーの征服とは截然と異るものがあった。即ちケサダは、殆ど三年の間、外部世界から全く隔離されていたのであって、その間彼は増援部隊・武器・糧食等何一つ補給を受けず、当初の九〇〇名中から生残った強者のみでこの征服を完成したのであった。

この辺でスペイン人による諸征服がもたらした主要な経済上の結果について少しく強調しておく必要があろう。それは、アメリカの植民地におけるスペイン人の他の総ての関心を圧倒し去り、更にヨーロッパ中に深刻且つ広汎な影響を及ぼすに至った〝金と銀の洪水〟であった。コルテスがメキシコに達するや否やアステカ王室の財宝は押収され、ピサロがペルーにやって来るとインカの宝庫は強奪された。その時以来ずっとルネッサンス期を通じ、毎年莫大な量の金・銀塊が名高い《白銀艦隊》に積まれて大西洋を越えたのである。延金（のべがね）の大部分は大きな鋳塊（インゴット）にした銀であった。一五四五年にボリビア高地のポトシで無尽蔵の銀鉱脈が発見されてから産出は飛躍的に増大し、その年から同世紀の末までに大西洋を越えて送られた銀は二〇〇〇万キログラム（二万トン）に達したと見積られている。この《白銀の奔流》はヨーロッパの経済を一変させてしまった。一千年以上も昔のローマ帝国の没落以来、ヨーロッパでは硬貨の不足が続いていたが――しかしその金融市場には今やスペインの富が氾濫していた。その結果物価は高騰を続け、各国の政府はこの新しくて大変厄介な現象に全く為すところなく途方に暮れた。全欧中でもスペインは当然ながら最も甚大な影響を蒙り、新情勢に対応する能力を欠いたフェリーペ二世の政府は、スペイン植民帝国の成立と新世界の無限の財宝という夢の実現を見た正にその世紀の後半だけで三度も債務の履行不能に陥ったのであった。

7　南米東部地方＝一五〇〇―一六〇〇年

征服者達（コンキスタドーレス）の仲間や同時代人による南米大陸の東側の開拓は、密林（ジャングル）と大草原（パンパス）から成る低地地方では概してペルーやメキシコの征服程には成功せず、また華々しくもなかった。この南米東部地方の開拓は少くとも次の三地域に分けられる。第一のアマゾン河とカリブ海に挟まれた森林地帯ではあの空しかった《黄金郷（エル・ドラード）》探求が行われた。第二のブラジルの沿海地方ではポルトガル人とフランス人が植民地化を試みた。そして第三のラ・プラタ河流域は南米では最も将来性に富んだ国の種子が辛苦して播かれた処である。これら三地域のそれぞれがルネッサンス期の発見史で演じた役割には共通点は極めて乏しく、《征服者達（コンキスタドーレス）》が侵略した国々とも実際上比較にならないが、地理的な便宜からすれば、これらを本章に纏めることもあながち不合理ではないと思われる。

コルテスやピサロの征服――そしてケサダのそれさえ――が（今日の我々の眼にもそう映る如く）同世代人にとっては真に想像も及ばぬことであったとはいえ、彼等の征服が始った時には、自らの観察力によるか直接の先人達のそれによるか、あるいは信頼し得る土民からの情報によるかはともかくとして、その征服に乗り出させた〝何か〟を彼等は確かに握っていたのである。しかし、伝説的なパリマ湖畔のマノアの黄金都市に住むといわれた《金ぴか男（ギルデッド・マン）》という捉え処のない狐火を求めてベネスエラのジャングルで行われた色々な旅は、それらとは全く異っていた。これは真に金色燦爛たる素敵な謎であって、かの《プレスター・ジョン伝説》のアメリカ版と言ってよく、ウォルター・ローリイ卿の二度目の、そして命取りとなった遠征に至るまで殆ど一世紀に亙って秘宝探求者達を誘惑して止まなかった。これがその国王の富と力に関する噂のみに終ることなく、プレスター・ジョンの在処（ありか）が中世の間にアジアから次第にエチオピアへ移動してしまったのと同様、《黄金郷（エル・ドラード）》も段々とボゴタの界隈からベネスエラ‐ギアナ境界の謎に包まれた地方へ引越してしまった点でも、《プレスター・ジョン伝説》と酷似していた。プレスター・ジョン実在の主張にも何らかの基礎になった事実があったのと同じく、《黄金郷》にも幾許（いくばく）かの根拠らしきものはあって、誠に恐れ入った臆面のなさで事実を加工し、念入りな虚構にまで仕上げられたのであった。この伝説は長年インディアン達の間に流布していたもので、一五三〇年頃スペイン人の耳に達したものと思われる。これは本質的には歴史的事実であって、ボゴタの近郊の聖なる湖で行われていた土俗宗教の儀式に関るものであった。一四八〇年頃他の部族によってグァタビタ地方が征服されたためにこの儀式は消滅してしまったが、伝説そのものは生き続けて、不思議なことにアンデス山脈東方悠か彼方の僻陬の地へ遷って行ったのである。

この道の権威の一人ホセ・デ・アコスタ（大佐）はこの儀式を次の如く述べている。

「……グァタビタの酋長（チーフ）が独立していた頃、彼は毎年厳粛な犠牲供献の儀礼を行っていたが……これが《黄金郷（エル・ドラード）》信仰の起源であった……定められた当日、酋長はテレビン油を軀に塗りつけ、砂金の中で転がる。こうした鍍金（めっき）され金ぴかになった酋長は貴族連に取巻かれて丸木舟に乗り込み、一方、大変な数の民衆は楽器を鳴らし唄を歌って湖の岸辺一帯に群れ集う。舟が湖心に達すると酋長は黄金、翠玉（エメラルド）その他の貴重な献物を湖中に沈め、それから水に跳び込んで沐浴する。この刹那、周囲の丘は群衆の歓呼に響動（どよ）めく。この宗教儀式が滞りなく終了すると後は飲めや歌え、踊れの大騒ぎとなる……」。ボゴタからオリノコ河流域の密林地帯へ伝説が移住するにつれて、伝説の運搬者達の法螺は輪をかけて行った。《黄金の男（エル・ドラード）》は土民の酋長からプレスター・ジョンに似た強大な君主となり、グアタビタ湖畔のインディアン部落は幻想的なマノアの都市と化し、その街路は《黄金の甃（しきいし）》で敷き詰められることになった。パリマ湖に対する信仰についてもある程度の説明は付けられそうである。と言うのは、ギアナ地方諸河川の上部流域にある平原地帯は雨季にはしばしば氾濫を起すからである。以上が〝伝説〟であり、信じ難いものではあったが、スペイン人だけでなく、なかなかどうして抜目のなかったエリザベス朝の英国人をも魅惑したのである。

ベネスエラ地方の探検もまた、ルネッサンス期においてドイツ人が演じた地理的冒険の唯一の例として注目に値する。南米の富の様々な報告は中部ヨーロッパにも達し、アウグスブルクの豪商としてフッガー家と拮抗したヴェルザー家は、海外の冒険事業の先手を取った。カール五世から特許状を得たこれらの銀行家達は一五三一年にアンブローズ・オルフィンジャー（ドイツ名ではエーインガー）なる代理人を送り出したが、彼はマラカイボ湖の東側のコロから内陸に向う遠征を指揮した。オルフィンジャーは山岳地帯を押し進んでコロンビアに入り、その跡に殺戮と掠奪の惨害を残しながら遂にマグダレナ河に達した。この地方の踏査に一年を費した後、コロに向けて出発したが、その帰還の旅は生易しいものではなかった。到る処でインディアン達はオルフィンジャーの残虐行為に激怒していたから、情容赦はなかった。オルフィンジャーは殺されてしまい、疲労困憊した僅かな敗残兵のみが一五三三年にコロに還り着いたが、彼等のもたらした土産は地獄の様な惨苦の物語だけであった。

二年後には（ゲオルク・ホーヘムートまたはシュパイヤーのゲオルクとしても知られて

いた）ドイツ人の一番手ゲオルク・フォン・シュパイヤーが出発した。この頃には《黄金郷（エル・ドラード）》伝説は遍く流布するに至り、オルフィンジャーの失敗を以てしても制し切れぬほどの刺戟をドイツ人達に与えることになった。その目的から判断すればフォン・シュパイヤーの遠征はオルフィンジャーのそれと同じく虚しいものではあったが、彼の部下達はそれ程酷い目にも遇うことなくオルフィンジャーよりもずっと広大な土地を歩き廻ったのである。コロから南下を開始してアンデス山脈の東側沿いに進み、アプーレとメタの両河を渡り、赤道近くのパパメーネ河（またの名はハプーラ河）畔の最遠点に到達した。ラ・フラグアの大きな村落では《太陽の神殿》を見つけた。《黄金郷》の手懸りを摑んだものと彼等が興奮したのも無理からぬ発見であり、以後の多くの冒険者達の情熱に火を点けることになる。彼等はブラジル奥地の大草原を横断、絶えずインディアン達と小競合いを演じながら未知の土地一五〇〇マイルを踏破した後、漸くコロに帰還した。

一方、フォン・シュパイヤーの部下の一人で兵糧や援兵と共に本隊を追及する任務を帯びていたニコラス・フェーデルマンはそれを守らず、自発的に独自の行動を起していた。三年をメタ河水源地方で送った後、彼は部下を率いてアンデス山系をボゴタへ越え、そこで前章で述べた通り、ケサダやペラルカサールと邂逅し、三竦（さんすく）み的なだんまりを演じた訳である。

ドイツ人の殿（しんがり）はフォン・シュパイヤーの遠征に同行したフィリップ・フォン・フッテン

という名の騎士であった。一五四一年この男は大勢の手下を連れて、コロから南下してラ・フラグアへ、そしてパパメーネ河地区を目指したが、グアビアーレ河の近くで黄金像に満ちているとの噂のあったオマグア・インディアンの町の攻撃を企図して血みどろの闘いを演じた。フォン・フッテンはこの交戦で重傷を負い、同隊の生残りはベネスエラに帰還した。これがドイツ人による南米遠征小史の最後であった。

ドイツ人達が所謂《黄金郷（エル・ドラード）》の西半分を探検していた頃、スペイン人達はそこへ東側から入り込む道を捜していた。一五三一年、コルテスの麾下で鍛え抜かれた古強者ディエゴ・デ・オルダスはアマゾン河を辿って《黄金の国》を発見しようとしていた。しかし難船して計画の変更を余儀なくされ、オリノコ河口に進んだ彼は、代りにこの河を溯って奥地に入る決意を固めた。メタ河合流点までの溯行は遅々として捗（はかど）らず、大変な苦労を舐めた。彼はこの大きな支流「メタ河」を溯れという土民の忠告を無視して遮二無二アトゥレスの瀑布まで進んだが、そこでがっちり行手を阻まれてしまった。彼は止むなく海岸まで戻ったけれども、これによって一〇〇〇マイルに及ぶ処女地が探検され、その後のオリノコ流域踏査の地均しをすることになるのである。オルダスの副官アロンソ・デ・エーレラは一五三三年にオリノコ河沿いに旅をし、メタ河の相当奥の方まで溯った。この河畔でエーレラはベネスエラの密林の野蕃人達より遥かに高い文化を有するインディアンに遭遇したが、彼が毒矢に仆されたため、遠征隊は一五三五年、帰還せざるを得なくなる。

以後少くとも二世代［約六〇年］の間、《黄金郷》探求の冒険はペルーから、コロンビアから、そして東方海岸部から枚挙に遑ない程行われたために、その最も重要なもの以外はとても記録に載せ切れない。ピサロの部下がその先頭を切っている。一五三六年、ゴンサロ・デ・ピネーダはかの《金ぴか男》を索めてキトーを出発し、アンデス山脈を越えて図らずも《肉桂の国》を発見した。一五三九年にはゴンサロ・ピサロが前章で述べた惨苦に満ちた旅に乗り出している。このゴンサロの冒険は次に探検の年代誌の中で真に叙事詩的且つ最も注目すべき旅の一つ――オレヤーナのアマゾン河下り――を喚び起すのである。ゴンサロ・ピサロとその部下達はコカ河に到るアンデス越えの難路を伐り拓いた後、一隻のブリガンティーン型帆船を建造し、〝食物と黄金に満ち溢れた国〟とインディアンが言うコカ河とナポ河の合流点を見つけるためにフランシスコ・デ・オレヤーナと五〇人の部下を乗り込ませた。河の流れは強く、オレヤーナが下流に下れば下る程、苦境に陥っているピサロの本隊の許へ引返すのは困難になって来た。結局遠征隊の主力は見棄てられ、キトーへ向けて苦痛に満ちた路を辿らねばならなかったが、このことをオレヤーナの裏切りというのは当らないと思われる。一方オレヤーナは、流れに任せてこの巨大な河の王を下って行った。彼の船旅は真に驚くべき偉業ではあったが、その割には平穏無事なものであった。約五〇〇リーグも船を遣った後、リオ・ネグロ［ネグロ河］の河口近くのどこかに着くと、彼はブリガンティーン船をもう一隻造るべく、かなり長期間滞在した。トロンベタス河の河口（西経五六度）ではインディアンとの小競合いが起きたが、敵の戦士の中には女が混っていてオレヤーナに古代スキティアの女武者(アマゾーン)を想い出させた。このため彼は、この種族とこの河に以後何世紀にも亙って生き続けることになる誤称を与えてしまう結果になった。遂に一五四一年八月二十六日、ゴンサロ・ピサロと別れてから八ヶ月の後、彼は広大な海へと泛(うか)び出で、海岸伝いの危険に満ちた航海の涯に——草を撚(よ)り合せた索具(リギン)、毛布の帆を揚げたこの二隻のブリガンティーン船は水先案内人、羅針盤その他およそ航海の助けとなる物は何一つ無いままに——クバグア島の港に蹌踉(よろぼ)い入った。かくして南米大陸の大動脈アマゾン河は初めてその全長に亙って縦走されるに至った。しかしオレヤーナは結局《黄金郷(エル・ドラード)》を発見出来なかったのである。

一度コロンビアの開発が軌道に乗ってしまうと、あの逃げ廻る黄金の国の探求がこの方面から行われ始める。一五四一年、征服者(コンキスタドール)ケサダの若い弟エルナン・ペレス・デ・ケサダはボゴタ近くのツンハから一隊を率いて出発し、アンデス山脈を越えて南東のパパメーネまで進軍した。しかしかの《太陽の神殿》を遂にその眼にすることもないままに、彼は部下の半数を中途で喪ってしまった。出発後一年を経てボゴタに帰還したが、語るに忍びぬ惨めな有様であった。

六年の後、スペイン人《黄金郷》探求者中では最もよく知られるに至った男が、ケサダと同じくツンハからアンデスを越えて最初の冒険を行った。このロマンチックな人物はペドロ・デ・ウルスアという若い美男子のナバーラ貴族で、その唯一の欠点といえば、判断力と荒くれ者の部下に対する統率力を欠いていたことであった。一五四八—一五五〇年の時はウルスアは山岳地帯を越えてムソス・インディアンの土地に入ったが、彼等とは闘いに次ぐ闘いで、結局根拠地へ引揚げざるを得なかった。一五六〇年、彼は二度目の《黄金郷(エル・ドラード)》探求に乗り出した。ウルスアは親切な忠告を押し切ってドーニャ・イネス・デ・アティエンサという若く艶冶な寡婦を愛人として伴ったが、これでもその愚行が足りぬかの如く、人類史上稀に見る血に餓えた殺人狂の一人ロペ・デ・アギーレなる男を一行に加えたのである。実にこの遠征には、最もよく出来た脚本(シナリオ)の如く、強烈な悲劇のお膳立て——雄々しい騎士に伴われた一人の魅力的な美女、見るからに兇悪な一人の犯罪者に煽動された命知らずの一団による熱帯の原野の横断等々——はすっかり揃っていたのである。

この時のウルスアの旅はペルーの由緒ある都カハマルカから出発し、アンデス山脈を越えてウアヤーガ河へ、そして同河をアマゾン本流まで下るものであった。プトゥマユ河の河口でこの遠征隊は暫く野営した。軋轢は急速に昂ってゆき、一五六一年の元旦、アギーレはウルスアを殺害してしまった。〝草枕の旅にもその主人を見棄てなかった〟健気なドーニャ・イネスもそれから間もなく殺されてしまったのは、アギーレの言うところによれば、彼女が船中で余りに広い場所を占めたからだそうである。次いでウルスアの名ばかりの後継者フェルナンド・デ・グスマンが暗殺され、そして裏切りの限りを尽したアギーレは遂にスペイン国王フェリーペに対する忠誠を拋棄し、それに倣わぬ遠征隊員を鏖殺（おうさつ）してしまった。以後の旅はスペイン人同士の、そして不幸なインディアン達の、ありとあらゆる非道且つ残忍な殺人の全燔祭（ホロコースト）とでも言うべきものであった。こうした酸鼻を極めた旅にも拘らず、重要且つ広汎な幾多の発見がなされたのである。アギーレとそのマラニョン河一家（マラニョーネス）（アギーレの命名したもの［マラニョン河はペルー北西部のアンデス山中から東流してアマゾン河に合流する全長約一六〇〇粁（キロメートル）の河］）は、オレヤーナのコースを辿ってアマゾン河をリオ・ネグロとの合流点まで下り、そこからネグロ河を溯り、カサキアリ水路を経てオリノコ河の水源に達し、次いでそれを河口まで下った。この旅は、ウルスア殺害の時から起算すると六ヶ月を要し、そして南米大陸北東部の二大河川系の徹底的な探検を含む――真に驚くべき業績であった。しかし血に渇いたアギーレにはこれでもまだ不足だったと見え、オリノコ河の三角洲を廻り切るや否や彼はマルガリータ島を占領し、そしてベネスエラとついでにコロンビアをも我が物にすべく、ベネスエラに一隊を送り込んだが、スペイン国王が任命したその地の総督の手によってアギーレは殺され、この悪鬼の如き生涯に漸く終止符が打たれることになる。

ウルスア＝アギーレ組の探検旅行に続く数年間、各地からの冒険者達はこの捕捉し難い《金ぴか男》の国を捜し続けた。彼等の名前やその排徊ぶりを年代順に挙げるのは退屈で役にも立たないことであるが、その一五六五年から一五七六年にかけての幾つかの遠征が、

《黄金郷（エル・ドラード）》に打ってつけの場所としてギアナ後背地を当てるのに有効だったという意味では、ドン・マラベール・デ・シルバに言及しておくのも無駄ではあるまい。デ・シルバは順に、ある時はペルーから、次いでベネスエラ西部から、そして最後には今日の英領ギアナ［独立して現ガイアナ］から奥地へ入ったが、到頭獰猛なカリブ土人に殺されてしまった。

　デ・シルバ最後の遠征の失敗以後、その気のあった探求者達大部分の間における黄金伝説への情熱は衰えてしまったが、一部では前にも増していよいよ白熱して行った。六十路（むそ）を迎えた老武者アントニオ・デ・ベリオは曾てはイタリアや北アフリカで勇戦し、ヒメネス・デ・ケサダの姪を妻とした男であった。すっかり理想に取り憑かれていたベリオは、普通の男なら真面目に隠退を考える齢になって一か八かの冒険に乗り出すべく、一家を率いて新世界にやって来た。ベリオの探検旅行は数で言えば三回である。最初の旅（一五八四―八五）ではコロンビアからツンハを経由し、途中メタ河の多くの支流を右に左に渡りながらオリノコ河に達した。しかし熱病に満ちた沼沢地帯が健康に良かろう筈はなく、オリノコ本流を下り続けるのを諦めてツンハに帰還を余儀なくされている。二度目の旅ではコロンビアからオリノコ河東方の山岳地帯まで往ったが、これには殆ど三年もかかっている。彼は《黄金郷》に入る峠（パス）を見つけるべくシエラ・パリマ［パリマ山系］とその西側丘陵地帯を二〇〇リーグに亙って踏査したが結局は成功せず、オリノコ河探検用の船を造るために同河まで引返した。ところが叛乱が起きてその計画は中絶し、かくしてベリオの第二次冒険は終りとなった。

一五九〇年の三月、今や《エル・ドラード総督》の称号さえ奉られるに至ったベリオはツンハを出発して彼の最後にして最大の旅に上る。そのコースはカカナーレ、パウト、メタの諸川を下って大オリノコ河に出るものであった。彼の前進は悠長なもので、何ヶ月もの間オリノコ河を下り、その右岸から三〇乃至四〇マイルの幅に亙って沿岸地域を空しく探検して行くものであったが、丘陵地帯には一つの切れ目さえ発見出来なかった。何とも思慮の足りない話であるが、雨季を湿地で過したために、部下は熱病で酷く苦しんだ。丸木舟（カヌー）はオリノコ河上流の凄い渦巻に呑まれたり鋭い岩角に砕けたりして悉く失われ、遠征隊全員は遂に蕃地の露と消えるかとも思われた。しかしこの重大な危機に直面してベリオは真の指導力を発揮した。奥地の高原の彼方から山岳地帯を抜けて流れてくる一支流（カロニ河）があることを土民から聞き知ると、新たな情熱を燃やして計画を推し進めた。四隻の端艇（ボート）が造られ、残存隊員とその雄々しい指揮者はオリノコ河を下ってカロニ河に向ったが——着いてみるとカロニ河の河口〔オリノコ河との合流点〕の近くには大瀑布があって、《約束の地》へ彼等が進入するのを阻んでいた。インディアンとの小競合いによる犠牲も大きく、それ以上の探検は不可能になった。アンデス山脈から大西洋岸に至る真に驚嘆に値する大旅行の後に、一握りのスペイン人達と共にベリオは一五九一年の九月、藻掻く様にしてトリニダード島に辿り着いたのである。

ベリオの旅はこれが最後となったけれども、彼の熱狂はなお熾烈なものがあって、一五九三年四月、彼が目をかけていた子分ドミンゴ・デ・ベラは三五人の部下を連れてカロニ河の探検に出掛けた。ベラは同河をかなり上流まで溯るのに成功したが、結局――例の如く――《黄金郷(エル・ドラード)》はいつでも〝河が曲っているついその先の辺〟にあるのであった。親切なインディアン達は一つの大きな湖があること、富める都市、更には開化した住民について語って止まなかったけれども、部下は皆疲労困憊して厭気がさして来ており、殆どその幻(ミラージュ)を視野に収め得たと思われたにも拘らず、ベラはみすみすトリニダードへ帰還せざるを得なくなった。

ここで《黄金郷》の物語に新しい要素が登場する。ベラの公式報告書は船でスペインへ送られたが、この船がウォルター・ローリイ卿麾下のある英国船長の手に陥ちたのである。いつもながら軽佻で冒険好きなローリイがこれの利用を見逃す筈がなかった。事実ローリイは、英国人の擒(とりこ)となって（一五八三年から一五八八年まで）ロンドンに幽囚の身となっていた高名なスペインの航海者ペドロ・サルミエント・デ・ガンボアから《黄金郷》のことを初めて耳にしたと思われる節がある。そこでローリイは一五九四年にはジェイコブ・ホイッドン船長をギアナへの偵察航海に派遣していたのである。しかしベラの報告の方が遥かに有益だった。正にこれこそローリイの求めていた情報の典型であり、その最新のニュースなのであった。ローリイ卿の遠征が行われるのに長い時間はかからなかった。一五九五年の春、ローリイ卿はトリニダード島沖に姿を現してベリオを捕え、彼の口から直話をたっぷり聴取することが出来た。ベリオの話の多くが意識的な嘘っぱちであったとしても、それは問題ではなかった。何故ならローリイ卿という人は熱中し易いだけあって何でも鵜呑みにしたし、ベリオの詩的誇張はこの英国人をいよいよ夢中にさせるだけであった。無論彼の先輩達が味わったと同様の失望がローリイを待ち構えていた。彼はカロニ河に到達したが、瀑布がその行手を阻んでおり、オリノコ河に引返してみると、そこは物凄い洪水であった。そこで遠征は抛棄され、苦労を重ねてトリニダード島に辿り着いたこの英国人達は、故国へ向けて帆を揚げることになる。

　これに挫けずローリイは一五九六年、配下の船長ローレンス・キーミスを長とする遠征隊を送り出した。この遠征隊はベリオがオリノコ河とカロニ河の合流点に築いた砦を見つけてそこに留り、両河のいずれをもそれ以上は溯行しなかった。しかし彼等は初めてエセキボ河をある程度まで探検し、この河がパリマ湖から流れ出ていることを突き止めた。その他ウィアポコ（オヤポック）、マロウィネ（マロニ）そしてコレンティン（クランティン）といった河川も同様に探検されたが、《黄金郷》は相変らず〝遥(はる)か彼方〟に在ったのである。

　ローリイが《黄金郷》の挑戦に再び応じ得るには長い年月が必要であった。永いロンドン塔幽閉を経て遂に提督に任ぜられたローリイは、一六一七年その宿将キーミスと共にギアナに派遣された。ローリイはトリニダード島に留っていたが、その間キーミスはオリノコ河を溯航して真っしぐらに（その頃にはサン・トメと改称されていた）カロニ河との合流点にあるベリオの旧砦に向い、引続いて起きた戦いではローリイの息子や大勢の仲間が殺された。そのためキーミスは自決してしまい、ローリイはタワー・ヒルの首斬り役人の前に出頭すべく英国に帰還する。これが《黄金郷（エル・ドラード）》探求の悲劇的結末であった。

ブラジルの創成

既に見た通り、ブラジル沿海地方は一四九九年に（恐らく）ヴェスプッチにより、翌年にはピンソンとカブラルのそれぞれの航海によって発見された。一五〇一年ヴェスプッチはその全域に亙って沿岸を航したから、新世紀［十六世紀］が始った当時には同海岸の輪郭はかなりよく確定されていた。しかしその後背地と秘められた可能性については何も判っておらず、鉱物資源については全く予想もされなかったし、貧しく野蛮な人間の住む大密林は、既にギニアや印度から富を収穫しつつあった国のお偉方にとっては甚だ魅力に乏しいものであった。従ってブラジルの創成時代の歴史は曖昧模糊たる渾沌を示しており、征服者（コンキスタドーレス）達もいなければインカ帝国に類するものもないという――事実上全く魅力を欠いたものとなり、このため〝発見〟と〝本気の植民地化計画〟との間には一世代もの空白が流れたのである。

この土地の天産品でヨーロッパ人を吸引し得た唯一のものは《ブラジルの木》と呼ばれた蘇芳材で、商品価値の高い染料が採れるものであった。一五〇三年には、ある改宗したポルトガル系ユダヤ人がこの木の伐採・輸出権を獲得したと言われる。それに続く数年間、一つにはこの貿易事業に参加するため、一つには彼等に改宗かさもなければ移民を迫る検邪聖省［宗教裁判所を改称したもの］の厳しさを逃れるために、幾人かの〝新キリスト教徒〟がブラジルにやって来たという風聞がある。その他の国々の船も時々ブラジル海岸に寄港した。一五〇四年には早くもオンフルール［北仏ル・アーヴルの近く］から来た一隻のフランス船があったと言われており、印度貿易の航路から余り遠くは隔っていないこの長い海岸線には、当然ながら難破して漂着する者もあった訳である。天涯孤独となったこれらの人々の中でも、その後のブラジルの植民地化にそれなりの役割を演じた次の二人は、ここに記しておくだけの意味があろう。一人は一五〇五年に今日のバイア［現サルヴァドール］の近くで難破したディオゴ・アルヴァレスという男であった。彼は土地のインディアンの養子としてその部族の大立者に成り上り、大勢の妻や子供達に囲まれた、聖書に言うところの大家長的な暮しを営むに至った。長い歳月の後、蘇芳材貿易の一フランス船が彼とその一番お気に入りの妻とをフランスへ連れて行ったが、彼はそこから自らの養子先の国の将来性についてポルトガル王と文通した。アルヴァレスは次の蘇芳材貿易船に便乗して帰り、入植者の第一陣が万聖湾（オール・セインツ・ベイ）に上陸した時には出迎えに現れた。驚く程よく似た例が今日のサントスの近くでも起きている。一五一〇年頃ジョアン・ラマーリョという名の船乗りが岸に打ち上げられ、約二〇年後に最初の入植者達によって発見されるまで、原住民の友達や合の子の子供達と一緒に暮していたのである。

図らずもこの二人は、一五三一―一五三二年のマルティン・アフォンソ・デ・ソウサの指導下に行われた初期植民事業の先駆的役割を果すことになった。北部ではバイア、南部ではサントスに居留地が出来、その地方一帯はそれぞれ五〇リーグの海岸に分割されて世襲所有制となったが、これはもっと小規模ながらマデイラやアソーレス群島では成功の実績を持った方法であった。デ・ソウサは同海岸の残りの部分と共にリオ・デ・ジャネイロ湾をすっかり測量したけれども、この素晴しい港に居留地が造られたのは更に四分の一世紀後のことである。ともあれ歩みは遅く地味ではあったけれども一つの巨大な国の種子が播かれ、ラ・プラタ河からアマゾン河に至る海岸にはポルトガル人居留地が適当な距離を置いて次第に点在し始めるが、これらは農業経済を基盤としたもので、南米本土におけるスペインの植民地とは対照的であった。その特色は広く行き渡った黒人奴隷制度及びバイアから北方へかけての大甘蔗畠の発達である。一五四九年、バイアに席を置く植民地総督としてトメ・デ・ソウサが任命されたことは、植民地時代の到来をはっきりと示すものであった。

後世に伝えられた初期ブラジルに関する最も生々しい話といえばヘッセン出身のドイツ人ハンス・シュターデンという銃手の物語に止めを刺すが、彼は一五四七年から一五五五年に至る間にこの国へ二度も海を渡ってやって来た。二度目の訪れでサントス守備隊に勤務中インディアンの捕虜になってしまい、その結果シュターデンはサン・パウロ地方の土民の間で冒険に満ちた捕虜生活の数年を送った。ド・ブライの生彩に溢れた挿絵を添えた彼の物語は、物凄くもまた迫真的に原住民の人喰いの風習と蛮行を描写している。

バイアとサントスの町に加えてサン・パウロとオリンダ（ペルナンブコ［レシフェ］に北接する町）にも居留地が造られたが、ブラジルの土地全体には、他の国が最も然るべき地点に植民地を開くだけの余地が十分に残っていた。リオ・デ・ジャネイロには、コリニイ提督の送り出した有能だが油断のならない船乗りニコラ・デュラン・ド・ヴィルガニョンを長とするフランスのユグノー教徒の相当な一団が一五五五年に初めて入植した。このグループの中にはアンドレ・テヴェ（王立地理学会員）やジャン・ド・ルリが居たが、彼等は二人共この遠征の記録を遺している。ヴィルガニョンは表向きはカルヴィニストであったが本当はカトリックで、自己の権力の確立を看て取るや否や、思いつく限りのあらゆる手段で仲間の入植者達を虐げ、迫害し始めた。このいわれなき暴政は植民地崩壊の因となり、居留民の多くはフランスへ引揚げてしまった。自派の勢力が激減したのを見たヴィルガニョンは新入り募集のために母国へ向けて出帆したが、彼の留守中、ポルトガル人は残っていたフランス人を攻撃して追い出してしまった(一五六〇年)。気骨あるユグノー教徒の生残り達は数年間に亙ってリオ周辺の後背地で叢林を利した遊撃戦を続け、一旦はこれを奪還した程であったが、所詮ポルトガル人の敵ではなく、一五六七年になると最初の入植者達は遂に片付けられてしまうことになる。

ラ・プラタ流域の占領

ラ・プラタ河とその流域の発見は、南米を回航して太平洋に出る海路を発見しようとしたスペイン人の願望に由来するものである。ブラジルの場合と同じく植民地化は後になって思いついたことで、初期の探検から植民地化までには長年の空白があった。それはむしろスペイン圏とポルトガル圏を分ける《法王分界線》の裏をかきたいという願望であり、西方に横たわる大洋の横断航海によって東印度地方に到達せんとする幾多の試みに繋がるものであった。

こうした一連の遠征の最初のものは、〝南海に進入し、次いで太平洋岸沿いに地峡地帯まで北上せよ〟との指令を受けて一五一五年の晩くに行われたフアン・デ・ソリスのそれであった。デ・ソリスはラ・プラタの広大な河口に到着し、それをエル・マール・ドゥルセ即ち《淡水の海》と名付けたが、これは真に待望の水路らしき景観を呈していた。しかしデ・ソリスはウルグアイ側の岸に端艇を漕ぎ寄せて上陸した時にインディアンに殺されるという不運に際会し、この遠征隊は――勇気に欠けていた点では当時のスペイン人によるあらゆる冒険事業中に例を見ない程であったが――尻尾を捲いて直ちにスペインへ逃げ帰ってしまった。とは言うものの、これは貴重な発見をもたらしたのであり、もしもこの冒険事業が成功していれば、それはピサロの太平洋側探検より十年以上も先んずることになったであろう。

四年後のマジェランの世界周航時には、彼自身が似た様な偵察を行っている。マジェランは西へ抜ける水路を見つけるべく、二日を費してこの河口の汽水を溯った。結局その様な水路は存在しないという確信を得、今日のモンテビデオの地を望見してその名を与えた彼は、上陸することなく同河を後にし、今日マジェランの名が付けられた海峡へ向けてパタゴニア海岸を南下して行く。

この大河川系の最初の徹底的な探検は、英国的香気を強く漂わせた遠征隊の登場を俟たねばならなかった。セバスチャン・カボットはスペインに傭われるために一五一二年に英国における勤務を辞し、以前デ・ソリスの保持していた首席水先案内人の地位をカール五世から与えられていた。分界線の位置決定と香料群島に対する権利主張の目的でカボットは一五二六年に派遣されたが、これには〝モルッカ諸島、タルシシ、オフル、シパンゴ［日本］、及びカタイ［中国］を発見すること、物々交換によってその船隊を金、銀、宝石、真珠、薬種、香料、絹、錦織、その他の珍物奇貨で一杯にすること〟といった贅沢極まる任務が付随していた。カボットの同僚には積荷監督のロジャー・バーロウと水先案内人のヘンリイ・ラティマーが居り、カボット自身はと言えば幼時からブリストルで暮して来た人であり、加えてロバート・ソーン［冒険商人の大立者］がその天来の使命感の推進力となっていたから、この一か八かの冒険事業はエリザベス女王時代の幾多の歴史的な南米航海を予告する甚だチューダー的気概に溢れたものであった。しかし、船長というよりは優れた地理学者であったカボットはドレイクとは人物の出来が違っていて、旗艦がブラジル沖で暗礁に乗り上げた時には、この指揮官は真っ先に艦を離れたのである。

カボットがタルシシャやオフルに到達せんとする本来の目的を見失ってしまったのは、多分この事故の所為であったかも知れない。ともあれウルグアイ海岸でデ・ソリス隊の残留者達と偶然出遇ったお蔭でカボットの注意はその使命に含まれた色々な任務から逸れてしまい、彼は代りにラ・プラタ河沿いに〝宝捜し〟をしようと決心したのである。遠征隊がその厳粛な指令を途中で抛り出してしまうのは今に始ったことではない。けれどもデ・ソリスの部下達は奥地の鉱物資源についてカボットに教え、そこには人口稠密な一帝国があってその様々な噂を彼等は耳にしていると言い、それによってカボットの情熱に火を点けたのであった。かくしてカボットはこの大陸へ一〇〇〇マイルも踏み込むという大変貴重な探検に成功するに至る。この噂はどうやら本当と言ってよかった。水辺に住んでいるインディアン達がカボットに幾つかの銀製品を呉れたからだが、そのため彼はこの河にリオ・デ・ラ・プラタ（銀の河）という大袈裟な誤称を与えてしまうことになる。

　ウルグアイ側の河岸に一つの砦を築いた後、カボットはもっと上流へ溯航してパラナ河に入った。現在のロサリオより三〇マイル上流にもう一つ砦を造り、サンクティ・スピリトゥスと命名した。溯航を続けながら彼は土民から更に銀を獲得した。この銀がどこから来るのかと訊ねたところ、インディアン達は西の方を指差し、《白い王》（インカ皇帝）のことを話してくれたのである。この銀は実際ペルーからもたらされたのであって、従ってヨーロッパに達したインカの財宝の最初の一組ということになる。インディアンとの小競合いを物ともせずカボットはパラナ河をアピペの早瀬まで溯り、この方向にはそれ以上進めないことを知ると、彼はパラグアイ河をベルメホ河との合流点まで探検した。この地点でカボット隊はインディアンの猛烈な襲撃を受けたため、彼はこれ以上北進を続けるのは得策ではないと判断した。とはいえ、カボットによるこれら広大な水路群の探検は大陸の切れ込みの最深部にまで及び、その後の発見と植民地化への道標ともなったのである。彼の達した最遠地点は上流へ約一〇〇〇マイル、今日のパラグアイの首都に近い処で、地図を一瞥すればその探査旅行の規模の程も瞭然であろう。

　二つの予見し得なかった出来事によって、この遠征隊はスペインへ不面目な帰還を余儀なくされる。一つは、とりわけカボットとは競合った男ディエゴ・ガルシアの指揮する別の探検隊が到着したことであり、もう一つはサンクティ・スピリトゥスの砦をインディアンに奪取され、守備隊が大虐殺を蒙ったことであった。このため一五二九年の末、この大陸に留ること三年で、廃墟と化した砦の他にはカボットはその努力の割には示すべき成果も殆どないままスペインに向けて出帆するが、《ガボート［カボットの訛音］の塔》として知られるこの砦は、その後長い間この涯もない平原の国を旅する人々にとって恰好の陸標となった。

カボットの帰還以後、ラ・プラタ流域の植民地化の条件は熟し始めた。カボットの遠征はこの地区の将来性に対してスペイン政府を覚醒させるだけの効果は確かに挙げたのである。しかし《新世界》のこの部分の征服と入植は遅々として困苦に満ちた歩みを続けるべき運命にあって、この点では次の世紀における北米沿岸の英国植民地のそれと似ていた。しかし最初の内は開拓者達の意気もまことに軒昂たるものがあり、一五三五年にペドロ・デ・メンドーサが一五〇〇人の入植者と共にラ・プラタ河目指して出帆した時、彼は正にコロンブスの第二次航海以来スペインからアメリカへ送られた最大規模の遠征隊を率いていたことになる。メンドーサの冒険事業は一つの失敗だったとも考えられるが、生き延びた連中の不屈の粘りと適応力のお蔭で、ラ・プラタ流域に永続的なスペイン圏を確立することが出来たのである。河口まで航海し終えたメンドーサはラ・プラタ河南岸に一つの居留地を造り、気候の爽快なところからその町にブエノス・アイレス［快い空気］という名を付けた。初期入植者達は間もなくそれがこの町唯一の取柄であることを悟るに至る。水と食糧は乏しくインディアンは獰猛で、おまけにメンドーサ自身は黴毒――スペイン人征服者達(コンキスタドーレス)が特に罹り易かった病気――の酷い発病で仕事が出来なくなってしまった。一五三七年までには彼の悪疾は不治のものとなり、メンドーサはスペインへ旅立ったけれども、その命は故国まで保たなかった。この間に情勢は極めて重大化したため、臨機の才に富んだ副将のファン・デ・アヨラスは喫水の浅い船を八隻建造し、入植者の大部分を乗せて溯航を開始した。彼の運航指揮によってセバスチャン・カボットが進入した地点より更に奥まで溯り、グアラニ・インディアンを負かした後に彼等と友好の盟約を結び、パラグアイ河の両岸にアスンシオンの町を建設した（一五三七年）が、ここはブエノス・アイレスの殆ど八〇〇マイルも北に当る処である。ドイツ人の兵士ウルリッヒ・シュミット――スペイン風に呼べばシュミーデル――はこの壮挙では終始よく働き、入植民の冒険に関する優れた記述を遺すことで後世を大いに裨益(ひえき)してくれた。

かくしてアスンシオンはラ・プラタ流域における第一のスペイン人町となり、ここを基地としてブエノス・アイレスという二番目の、そして成功した居留地が造られることになる。アスンシオンは一六二〇年までこの地方一帯の首都として続いた。この創設者アヨラスは北方地区の探検・遠征中に殺されるという厄に遭い、臨時の措置として彼の副官マルティネス・イララが非公式ながら総督に選ばれた。ところがこのイララは掛値なしの南米独裁者としてのあらゆる特徴を具えた男であって自己の周囲を絶対的権力で固め、一五五七年に死ぬまで植民地全体に鉄の統制力を維持し続けたのである。

メンドーサの死以外、こうした現地事情の進展について全く知る由もなかった本国のスペイン国王は、正式の総督を任命した。その名はアルバール・ヌーニェス・カベサ・デ・バカ、かのフロリダからメキシコに至る八年間に及ぶ珍奇な冒険に満ちた叙事詩的大旅行の生残りであった。荒野を伐り拓いて進んだ経験からカベサ・デ・バカはパラグアイへの捷径をとろうと決意し、サントス南方のブラジル海岸に上陸するや陸路四ヶ月、未知の国を踏破してアスンシオンまで行軍した。この桁外れの偉業は事故による溺死者一名という僅かな損失で達成された。しかしカベサ・デ・バカの統率力も遂に用をなさず、一年に及ぶイララとの抗争の果に彼はイララの手下に逮捕され、何ヶ月も泥小舎に監禁された後、囚人として船でスペインに送還されてしまった。しかしながら、彼のブラジル‐パラグアイ間の陸上横断ルートは開発され、シュミーデルが一五五五年に故郷のシュトラウビング［西ドイツ。ミュンヘン北東、レーゲンスブルク南東］へ帰還した時もこの路を辿ったのである。

この路は当時開発された唯一のルートではなかった。と言うのは一五四七年、ペルー総督ガスカへの使命を帯びてアスンシオンを出発した一隊がチャコ森林地帯とアンデス山脈を横断してクスコに達した時、大西洋側からする植民地は、ペルー征服地と正に接触したことになるからである。殆ど時を同じくしてディエゴ・デ・ロハスとフェリーペ・デ・グティエレスの率いる一隊はチリーからアンデス山脈を越え、そしてラ・プラタ河畔の《カボットの塔》に着いたが、隊長達はこの地方にスペイン人が居ると聞いて喫驚している。かくして探検と入植は、当然あり得べきスペイン本国の方からではなく、むしろ北と西の方からアルゼンチンに及んで来た。一五四九年にはペルーに入植した連中がアルゼンチン最古の町サンチアゴ・デル・エステロを建設すべくアンデス山脈を越え、チリー居留民は山岳地帯を横断してトゥクマンとメンドーサの町を創始した。そして遂にブエノス・アイレスを成功裡に再建する機が熱した時、アスンシオンからラ・プラタ河を下って来たファン・デ・ガライがこれをやり遂げた(一五八〇年)。今日の南米大陸最大の都市も当時は約六〇人程のスペイン人と数百人の友好的なグアラニ・インディアンによる甚だ地味な創建でしかなく、その繁栄は悠か遠い将来のことであった。ブエノス・アイレスが十六世紀の終りではまだ未熟な小村落に過ぎなかった頃、西半球における最大の都市はポトシであったが、今日でこそボリビア・アンデス高地の忘れられた廃市と化しているこの町も、当時は近郊の信じ難い程豊かな銀山によって繁栄する人口一五万の俄か景気に沸く都市であったのだ。

8　十六世紀のアフリカ

ポルトガルが十六世紀にアフリカで行った色々な冒険事業の位置というものは、同時期における西印度諸島の大きな島々におけるそれに譬えることが出来よう。どの場合もそれらはまず発見され開拓された土地なのであり、そして更に向うのもっと富んだ地域に到達した時には、例外なく素通りされてしまうという現象が起きた。印度に到る前にギニアが、メキシコに達する前にキューバがそれぞれ獲得されたけれども、彼等が更に大きな目的地に達した時、ギニアもキューバも人間の飽くなき欲望の主流からは外れてしまうことになった。しかしアンティル列島とアフリカ沿海地方の場合は、いずれも全くの沈滞に陥ることはなく、コロンブスの発見したアンティルの島々はそれなりに繁栄した一つの農業経済を現出したし、一方ポルトガルはこの世紀を通じて輸入された富の大半を西アフリカやアンゴラから搾り取ることが出来た。換言すれば、コロンブスの島々もエンリケ航海王の主導下に発見された国々も、時代の絵の中では全くそれ相応の第二義的地位に取り残されることになったのである。そしてこのことは、暗黒大陸における探検・発見といった冒険事業に関する限り、ある程度の停滞に不可避的に結び付いたのであった。とは言うものの、そこには少くとも新世界における征服者達（コンキスタドーレス）のそれに匹敵する一つの遠征（バーレトウのモザンビーク遠征）があったし、アンゴラやアビシニアでは数多くの軍事作戦が行われ、同じく（大部分は人に知られぬままに終った）幾多の布教活動もあったのである。

この期間を通じてポルトガルの影響力は、回教徒圏の北アフリカより南では到る処で依然その優位を保っており、その勢力は四つの主な地域に及んでいた。即ち「西アフリカとサン・トメ島を含むギニア海岸」「コンゴ王国と隣接するアンゴラを含むコンゴ河下流地帯以南の地方」「今日のモサンビーク即ちポルトガル領東アフリカで構成される印度洋沿岸地帯」そして最後に「アビシニア」である。

黄金のギニア

ヨーロッパの影響を被った最初の世紀の間における西アフリカの歴史を眺めてみると、その進展には三つの段階が顕著に認められる。即ち「恐らく一四八〇年まで続いた探検の第一期」「一四八〇年から一五三〇年に至る繁栄・入植・独占の半世紀」そして「主として他の国々からの侵入者（インタローパー）の活動による一五三〇年以降の緩慢な衰頽」である。この頽唐は時代が十六世紀の半ばを過ぎるにつれてその速さと勢いを増して行き、活潑且つ賢明な対策にも拘らず、エルミナの創設後一〇〇年を出ずしてポルトガルの独占は修復不能なまでに崩壊してしまったのである。

けれども一五〇〇年の当時では、ポルトガルの権勢はその絶頂にあって衰微の兆など全くなかった。二〇年前には猖獗を極めていたスペイン人侵入者の脅威は終熄しており、また東洋に対するポルトガルの冒険事業とは分離されて、黄金、胡椒、象牙及び奴隷による経済を基盤に活気溢れる生活を満喫していた。貿易は後に《ギニアの季節》として知られるに至ったものによって定期化されていたが、これは九月から五月初旬に至る間においてのみ母国との交通条件が好適であったからに外ならない。夏の四ヶ月は人間あるいは野獣にとっても耐え難い酷暑・不健康の季節であって、この多湿期には瘴気立ち罩める西アフリカ沿海部は文字通り《白人の墓場》と化すことが夙くから知られていた。

ポルトガルの要塞化された通商拠点の中でも、ギニア航海で最も古く且つ最初に到達されたのはアルギムで、広漠たる大西洋と涯知らぬ沙漠の砂に挟まれた同名の湾に浮ぶ島に位置していた。その陰気なたたずまいにも拘らずアルギムは、特にこの時期の初めの頃は、西アフリカ貿易では重要な地位を占めていた。西部サハラの富はここを出口としていたし、ヴェルデ岬に及ぶ程の南方貿易にとっては恰好の集散地・倉庫であって、その上、内陸地方に対して行われた幾多の知られざる旅の出発点でもあった。当時アルギムにはある程度の黄金と沢山の奴隷が到着したものであったが、一五四〇年以後になると、その重要性は減退してしまうのである。

アフリカの巨大な膨満部(バルジ)に対するポルトガルの主根拠地はヴェルデ岬諸島にあるサンチアゴ島で、本土から三〇〇マイル以上離れてはいるが、ポルトガル－ギニア－ブラジル－東印度地方を結ぶ航路帯の交叉点という要衝に位置していた。かくしてサンチアゴは早くから北部ギニアとポルトガル間の貿易基地となり、この島の住人達はアフリカ膨満部の海岸一帯のあらゆる河川の上流まで彼等の船を送り出していた。こんな風にしてサンチアゴ島住民の小さな《飛地(とびち)》とも言うべきものが本土のかなり奥深くまで、ガンビア、カサマンセ、ゲバといった河川沿いに出現した。こうした飛地は御多分に洩れず囚人や逃亡犯人その他似た様な者達で一杯だったので、それぞれ個人としては面白い連中であったとはいえ、西欧文明の良き使節としてはまず落第であった。かかる事情の下では、土民の酋長達をキリスト教徒に改宗させようとしたポルトガルの努力が必ずしも一様な成功を収め得なかったのは驚くに当らない。サンチアゴ島民が造った居留地の中で最も繁栄したのはカシエオで、同じ名で呼ばれる河の畔にあり、南のシエラ・レオーネ地方までその貿易を拡張していた。こうした地区の貿易はその他の西アフリカにおけるのと同様、ポルトガルの勢力を伝播する主たる媒体となり、そしてこの貿易という要因は、植民地経営では宣教師や奴隷商人のいずれよりも遥かに重要な役割を演ずるに至る。

バーバリイ海岸から赤道に至るポルトガル領の連弧の要石は黄金海岸のサン・ジョルジ

エ・ダ・ミーナ要塞で、シエラ・レオーネからベニンに至る沿海部全体に睨みを利かし、内陸の黄金産出地区を支配していた。一箇の城砦と一つの町が二重構造を成していて、ポルトガル王国の要塞である城砦には総督麾下の守備隊が駐屯して軍事教練の課目錬成に余念がなく、ミーナ黒人と呼ばれる優秀な部類に属する土民の住む町は町で一種の自治共和国を造り、彼等の白人の主人達によって恐るべき戦闘力として組み込まれていた。歴代の総督名簿には錚々たる名前が見られる。ドゥアルテ・パシェコ・ペレイラは印度における豪胆な武者ぶりで《ポルトガルのアキレウス》の名を得た男で、一五二〇年から一五二二年まで総督を務め、公金費消の廉(かど)で不名誉な解任を受けたが、後に青天白日の身となった。彼の後任はかの大征服者アルブケルケの庶子でその『回顧録』*Comentarios* の編者でもあったブラス・アルブケルケであった。パシェコ同様彼も気が付いてみると、ミーナ黒人を余りに兇暴にしてしまったという理由で、ごたごたに捲き込まれていた。彼の跡はジョアン・デ・バロスが襲ったと言われる。バロスは「ポルトガルのリウィウス［ローマのアウグストゥス帝時代の歴史家］」とも言うべき歴史家で、この時期にギニアに居たとされている。バロス、ブラス・アルブケルケの両者は共にポルトガルの東洋征服当時の二大歴史家でありながら、このギニア湾岸の辺鄙な町より一歩も印度に近づいたことがなかったのは皮肉と言うべきであろう。

一五〇〇年から少くとも一五三〇年まではミーナ貿易は極めて好調で、原住民との紛争も殆どなかった。他と同じくここでも貿易商人は伝道団よりは重きをなしており、要塞守備隊の間にさえ宗教的無関心とそれに反比例する葡萄酒、白黒混血女(ムラート)及び黄金の産み出す利益に対する強烈な執着の証拠は枚挙に遑がない。ベニンとは活潑な取引が行われ、十六世紀の最初の二〇年には、瘴癘の地であるにも拘らずニジェール河三角洲のグヮトーには一つの基地が栄えていたのである。同海岸一帯に対する貿易の後にはポルトガル人入植者達が続き、侵入者の脅威が増大するにつれてシエラ・レオーネ、アクシム〔黄金海岸西端〕、エルミナの近くのサンマ、そして黄金海岸東端のアクラには支城が築かれた。侵入者(インタローパー)の到来を以てしても、そして野蛮人フェトゥ族の襲来(一五七〇年)の後と言えどもエルミナはこの時期全体を通じて重要拠点たる地位を保持し、黄金と奴隷制度による繁栄を続けた。

ポルトガルはギニア湾のサン・トメ島にも第一級の居留地を持っていた。アフリカ海岸から一五〇マイル離れ、赤道上に斜めに横たわるこの島は、海抜七〇〇〇フィートもあって気候は変化に富んでいるため、赤道地帯にも拘らずヨーロッパ人も比較的健康且つ快適に住めるのである。この島は早くからユダヤ人や流刑囚の居留地となっていて、ベニンのグヮトー商館時代にはサン・トメ島は(主としてアメリカ向け奴隷輸出による)貿易で繁栄を迎えていた。事実この島は同海岸地方のあらゆる奴隷取引の主要交換所の観を呈していた。一五四〇年頃から少くとも一世代の間、この島の隆盛は甘蔗産業の勃興によって一層の高みに達した。この産業は極めて好適な土壌に恵まれて途方もなく栄え、入植者達は豪奢な暮しを満喫したが、これは西印度諸島における英国人入植者の上流階級の生活よりも二世紀先んずるものであった。この全く瞠目すべき繁栄の時期からサン・トメ島は衰微の道を辿るのであるが、これには幾つかの原因があった。一五七四年の奴隷の蜂起によって生産が打撃を受けたこと、大部分の砂糖の仕向地アントワープがオランダにおける一揆によって包囲されていたこと、そしてほぼ同じ頃、大西洋の彼方へ送り込む奴隷貿易が新たに建設されたアンゴラの港ロアンダ［ルアンダ］に移ってしまったこと、等々である。

サン・トメ島が十六世紀の後半までその繁栄を経験したにせよ、アフリカ本土におけるポルトガルの影響力は一五三〇年頃から下り坂に向い始めていた。この後退は、その大部分をたった一つの要因――アフリカ海岸にポルトガル以外の国からの侵入者がやって来たこと――によって説明し得るものである。中でもノルマンディ地方のディエップその他の諸港から来る船乗り達が最も重大であった。こうした冒険好きな船乗り達は半分商人で半分海賊に等しい連中であったから、密貿易の可能性を見抜くのに敏であった。彼等の最初の航海は一五三〇年に行われたらしく、後にはその冒険航海は定期化され、一五四〇年以後は特に頻繁となった。これらのフランス人は主として穀物海岸（今日のリベリア）のマラゲータを目指した。彼等はエルミナ程の遠くまで往くことは極めて稀で、ベニンに至っては一度も行ったことがない。その取引は専ら胡椒に集中し、彼等の活動はポルトガルの胡椒市場を全く混乱に陥れる程のものであった。間もなく彼等は三角貿易の有利性を認識して、まず胡椒を求めてフランスからギニアへ、次いで蘇芳材を積取るためにブラジルへ渡った。これらの向う見ずな冒険者達で名前の判っている者はごく僅かであるが、それでもポルトガルの背教者(リネゲイド)[回教に改宗したキリスト教徒]でジョアン・アフォンソという男がフランス人水先案内ジャン・アルフォンスとして航海に従事し、この仕事では特に働いたことを歴史は記録している。密貿易だけがこうした連中の唯一の仕事では決してなく、彼等は相手に出来るポルトガル船なら悉く戦いを挑んで掠奪したが、これは《ポルトガルの聖域》へのフランス船の侵入による損害に止らず、侮辱をも追加するものと言ってよかった。

西アフリカは西欧の航海者達がその腕前の程を試す実験場であった。エンリケ王子麾下のポルトガル人、次いでコロンブス以前のスペイン人、更にフランソワ一世時代のノルマン系フランス人を経て、最後に最も永続的な成功を獲得した英国人が登場するが、これらの国民は総て西アフリカ水域において《未踏の海》を航海する初の経験を得たのである。英国人に関して言えば、エドワード四世時代の終り頃、つまりチューダー期以前に属するブリストル-ギニア間の一、二の冒険航海については聊か証拠文書が残っているが、これらの企てには不明な点が多過ぎて果して計画段階を超えるに至ったか否か、それを示す証拠は何もないのである。半世紀後の一五三〇年、名高い船乗り一族の先祖である懐しいウイリアム・ホウキンズはプリマスから穀物海岸のセストス河まで航海し、そこで象牙を積込んだ。そこから更にブラジルへ渡航し、最後に英本国へブラジルの〝王様〟の一人と共に帰還し、ホワイトホールでこの〝王様〟をヘンリイ八世に献上した。二年後、ホウキンズはこの航海を繰返して〝王様〟をその生れ故郷へ戻してやった。一五四〇年にはホウキンズあるいは麾下船長のジョン・ランディのいずれかがもう一度《三角航海》に出掛け、〝象の歯〟と蘇芳材をもたらした。しかしこの航海の後には、英国船がアフリカへ航海したという明確な記録のない少くとも一〇年の空白期間がある。

一五五一年になると、英国西部地方（ウエスト・カントリー）〔サウサンプトンとセヴァーン河口を結ぶ線の西〕の諸港とバーバリイ海岸との貿易が新たに始ったが、これは正にかなりの活動期間を約束するものであった。この年、サマセット州と提携関係を結んだトマス・ウィンダム（Wyndham またはWindham）というノーフォークの郷紳はモロッコ海岸へ航海して巨利を博した。一五五二年、再びこれに成功してすっかり大胆になった彼はその冒険航海をギニアまで延伸することにし、そして一五五三年、アントニオ・ピンテアドウという背教者のポルトガル人水先案内と共にギニア湾目指して航海の途に上った。他の多くの試みと同様、この冒険では大損もしたし、意を強くするぼろ儲けもあった。この英国人達は行く先々で取引もすれば掠奪も働きながらマデイラ経由で穀物海岸まで進み、そこからエルミナに行ったが、そこでは例の要塞を避けてこの町の両側で取引を行い、遂にベニンにまで達した。

《ギニアの季節》はもう過ぎ去って夏の炎熱が始っていたにも拘らず、強情我慢の頑固者ウィンダムは断乎としてグヮトーまでニジェール河を溯航することに決めた。これは実行されて英国人達は市中に入り、ベニンの王宮に迎え入れられたが、そこに待ち構えていた結果もまた不可避的と言えた。熱病が流行っていてウィンダムが斃れ、(人身御供のいの一番だけは免れたとは言うものの)ピンテアドウも死に、そして乗組員もばたばたと仆れたために、弱体化した生存者達は、船を動かすに足るだけの人手が残っている内に逃げ出したいという望みだけで一杯であった。惨憺たる帰国航海の果に四〇人の生残り達はプリマスに辿り着いた。それでもなお彼等は沢山の他の商品に加えて一五〇封度(ポンド)もの黄金を持ち帰ったから、この航海の勧進元達はたっぷりと利益を挙げることが出来た。

第二次航海はその年(一五五四年)の秋、海外貿易に関心を抱いていた一族の一人ジョン・ロックの指揮下に行われた。ロックはウィンダムの経験を十分に活用した。彼は順調なスタートを切って穀物海岸へ直航し、そこからエルミナに向ったが、ウィンダムに倣ってエルミナの要塞は避けて通った。ベニンで以ての外の時を空費した先輩ウィンダムの轍を踏むまいとしたロックは、アクラ以東には往かず、マーティン・フロビッシャーという若い士官をポルトガル人への人質として残し、英本国(イングランド)へ一路帰還した。彼の航海は全く文句なしの大成功で、素晴しい貨物を船載して来たし、人員の損失もほんの一握りで済んだのである。この成功が以後の年毎の冒険航海の因を成したのは疑いを容れないが、ロンドンはシティ財界の大立者達から成る上層後援団体を擁していたノルマン海賊達によるフランスへの航海とは次第に性格を異にしてゆく（初期の航海はエドワード六世時代の英国(イングランド)を事実上支配したノーサンバランド公によっても後援されていた）。財界有力者達はウィリアム・タワースンが有能な船長であることを知った。タワースンはギニアへ三度（一五五五、一五五六及び一五五八の各年）遠征を行っている。二度目の航海ではフランス艦隊と協同してエルミナ沖でポルトガル艦隊を相手に追撃戦を演じたが、三度目の航海では「《ギニアの季節》を過ぎて」年闌(た)けるまで留るというウィンダムと同じ失敗を犯し、更に――サン・トメ島寄港を含む――数々の波瀾を経て、精根尽きた乗組員と共にタワースンは英本国に辿り着いたのである。

　ポルトガルはこうした侵入者と闘うべく――アフリカ海岸各拠点の要塞化、武装護衛船の制度化、フランス及び英国の宮廷における外交ルートによる抗議等――全力を傾けたけれども、その努力も空しく、一五五〇年代以後ポルトガルの独占は崩れ去って再び戻らなかった。一五六〇年代に入ると英国人達はしばしば年に数度も航海を行う様になる。一五八九年のハクルート版に収められた生彩溢れる詩によってコールリッジの『老水夫行』*The Rime of the Ancient Mariner* の先駆をなしたロバート・ベイカーは、一五六二年とすぐ翌年の両度に亙って航海しているし、同じ頃かのウィリアム・ホウキンズの息子ジョンがギニア‐西印度諸島間の奴隷船航海を始めている。ホウキンズはこうした巡航を三回行い、その最後の航海（一五六七年）には、当時二十歳代半ばの若き怖いもの知らずフランシス・ドレイクも参加していた。けれどもサン・ファン・デ・ウルア（メキシコのベラ・クルース湾内の一島）でこの第三次航海に降りかかった悲劇、つまりホウキンズの乗船がスペイン人の奸計に陥って被った猛烈な攻撃は、英国の奴隷船の西印度地方からの閉め出しを意味するものであり、一五七〇年以後はこの支航路への航海は激減することになる。しかし英本国からのギニア航海は見るべき成果を遺した。それらはポルトガルの独占に終止符を打ったし、特に熱帯水域における航海技術の面では英国の船乗り達にこの上ない貴重な経験をもたらしたからである。

コンゴ王国

一四九〇―一四九一年のデ・ソウサ使節団の派遣はコンゴ河以南の地方へのキリスト教の導入とその地の支配者達の改宗という結果をもたらし、彼等は当時のポルトガル国王と女王の名に倣ってジョアンとレオノールという名を自分達に付けた。彼等の首都はコンゴ河口から真東へ約一五〇マイル、そして同河から南へ数マイルの聳え立った丘陵上にあるサン・サルヴァドールの町で、コンゴ河はそこから北東へ曲っている。この蕃地の首都で怪し気なキリスト教が栄え、リスボンとは極めて活潑な交流が行われた。布教には大きな努力が払われ、沢山の若いコンゴ人が教育を受けるべくポルトガルに送られたが、必ずしも満足な結果ばかりではなかった。ドン・ジョアンの跡は息子のドン・アフォンソ一世が継ぎ、三〇年以上（一五〇九―一五四〇）に亙って統治したが、ポルトガルの全き影響下にあった彼は臣下の族長（チーフテン）達に公・侯・伯などの爵位を授けたばかりか、《欧化》を目指す勇ましい企てを抱いてポルトガルの法律に関する大部な六巻本を四苦八苦して読破した！かくして彼は図らずもポルトガルの完璧な封建領主（ヴァッサール）となったものの、一方その領国ではキリスト教は遂に表面以下にまで滲透し得なかったという面もあった。ポルトガル人の犯した最大の失敗は、大仕掛な洗礼さえ続けていれば信心深い住民が出来上るものと思い込んでいたことである。何故なら土着の信仰や迷信は相変らず健在であったし、土民の聖職者の中には弥撒（ミサ）の後で王様の暗殺を図ったりする司祭もいるという体たらくであったからだ。

しかしながら、単に魂の救済という目的だけで白人達がやって来たのではないことが王様にも漸く判って来たらしい。と言うのはポルトガル人はこの地方に鉱山を開発しようとしたし、その他、彼等の支配の証拠は枚挙に遑がない程であったから、この王様の忍耐力も酷しい試練に晒されたに相違ない。ドン・アフォンソの死後約二〇年の短い治世が続き、次いで無政府状態に陥ってこの間ポルトガル人が多数殺される一方、奥地からする獰猛で恐怖の的であったジャッガ族の侵入が繰返されたため、この地方は衰微してしまう。しかしながら、名ばかりはキリスト教徒でポルトガル文明の皮相な虚構の多くを遵奉するのみのこの土地の王様達は、依然としてサン・サルヴァドールに頑張っていた。

それ故、この世紀の後半までは、ポルトガル人はコンゴ河流域から大きな富を収穫したとは思われないのである。彼等はコンゴ河口にあるエムピンディに商館を持っていて原住民に重税を課して苦しめていたが、鉱山開発や奥地探検をしたいという彼等の計画はいつも原住民の断乎たる反対に遭遇した。しかし、サン・トメ島の住人による南部地域との交易の成功は彼等に好機への道を教え、野望に燃えた当時のポルトガル王ドン・セバスチャンはコンゴ王達の主権下にある一地区、アンゴラ地方の征服を決意した。この目的のために一五六〇年に有名なバルトロメウ・ディアスの孫パオロ・ディアスがその偵察に派遣された。耶蘇（イエズス）会宣教師と一旗組の一団を率いたディアスはクヮンサ河口まで航海し、それから酋長（チーフ）の住む奥地へ六〇リーグばかり分け入った。酋長を助けて叛乱を鎮定した後、パオロはポルトガルへ帰還するが――住民の精神的福祉のために司祭達を後に残して来た。それからかなりの期間空白が続き、居留地を建設し貿易を開くべくパオロ・ディアスが再び派遣されるのは漸く一五七四年になってからであったが、この時は彼は前回よりも強固な基礎を築いた。彼の手がけた最初の仕事はサン・パオロ・デ・ロアンダの海港の築造で、今日でもここがアンゴラ植民地の首府となっている。彼は次いでブラジルで成功した如く、南方のペングェラまでの海岸地帯を分割して世襲藩領とし、ディアスは原住民酋長達が戦う際の手助けをして彼等を懐柔して行った。しかし数年も経つとコンゴの王様も酋長達も、ディアスが彼等の土地を奪いつつあるという事実に目覚め、そして以後ポルトガル人とアフリカ人の間には何年も戦争が続き、ディアスはこのアンゴラ地方を縦横に転戦した。彼の進撃は専らクヮンサとルカーラの両河に沿う地域で、この勇士はその長く活動に満ちた生涯をクヮンサ河沿いのマサンガヌーの野戦で閉じたのである。彼の後継者ルイス・セルランはルカーラ河上流まで戦争を推し進めたが、海岸から二〇〇マイルも奥地の戦場では敗退する外はなかった。

それでも原住民の力は海沿いのポルトガルの拠点を脅すには至らず、ロアンダは立派な町に成長し、景気の好い重要地区の中心になってしまった。植民地の発足当初から、アンゴラはブラジルと極めて共通したものを持っていた。農業経済でブラジル方式を手本にしただけでなく、アンゴラ-ブラジル間には密接な商業的交流があった。その相互依存性は奴隷貿易において最も顕著であり、ロアンダは夙くからアフリカ奴隷市場としてサン・トメ島の地位を奪っており、黒人奴隷の即売先としてはブラジルの甘蔗栽培地区があったから、ロアンダからバイアへの奴隷輸出の航海は当り前のことであった。

二人の英国人アンドルウ・バッテルとアンソニイ・ナイヴェットがアンゴラにやって来たのもこうした航海の結果である。バッテルは一五八九年頃ブラジル沖で難船し、捕虜としてアンゴラへ連れて来られた。コンゴ河口の北、ロアンゴ辺まで往く沿岸貿易航海に携った後、彼は獰猛なジャッガ族に捕えられ、彼等と共にアンゴラ中を広く旅して歩いた。一八年という時をかけて彼は漸く英本国へ還り着き、その冒険の数々を物語ることが出来たが、これがサミュエル・パーカスの注意を惹くことになるのである。キャヴェンディッシュの第二次航海の生残りであるナイヴェットは、奴隷の身となるのを逃れて一五九七年にブラジルからロアンダへやって来た。彼は逮捕されてブラジルへ送還される前はクヮンサ河を溯航し、マサンガヌー辺で数ヶ月間貿易に従事した。バッテルと同じく彼も命永らえて故国に帰ることが出来、その話はパーカスの叢書に入れられることとなる。しかしバッテルやナイヴェットの旅行談よりももっと名高いのはサン・サルヴァドールに入植したポルトガル人ドゥアルテ・ロペスの物語である。この男は使節一行と共にローマに往き、彼の語るその国の模様を法王の侍者ピガフェッタが書き留めているが、これは同地方を描写した卓越した概論で、ナイル河の水源に関する幾つかの興味深い意見と共に多くの正確な情報を含んでいる。これはハクルートの慫慂によって一五九七年にエイブラハム・ハートウェルが『コンゴ王国記』*A Report of the Kingdom of Congo* の題の下に英訳した。

簡単に言えば、サン・サルヴァドールと同地方北部が衰微するにつれ、アンゴラはそのブラジルとの関係もあって逆に繁栄して行った。一種の神権政治の実現を求めた耶蘇会宣教師達の干渉にも拘らずロアンダは殷賑を極めた。司教管区はサン・サルヴァドールからロアンダに移され、大陸を横断してアビシニアやモザンビークに到る幾つもの遠征が——何の成果も生まなかったものの——企図されたりする。一六〇六年にはザンベジ河に到るルートの開拓すら試みられた。コンゴの王朝は一八八八年までも細々ながら命脈を保ち、そして今日でもなおアンゴラは、ポルトガル本国を含むポルトガル帝国の残り全部を併せたよりも大きなポルトガル最大の植民地となっているのである［本書執筆当時］。

モノモタパ帝国

アンゴラからアフリカ南端を廻りズールーランドを遥かに越えるまで、その間にポルトガルの植民地は一つもない。印度洋周辺から遠くマラッカまで伸びる要塞化したポルトガルの拠点の連鎖は、ポルトガル領東アフリカの現在の国境線に到達して漸く始るのである。ポルトガルがかくまで喜望峰(ザ・ケイプ)を軽んじたのは些か不思議に思われるが、しかし見方を変えれば、彼等はテーブル湾岸におけるアルメイダとその部下達の惨殺を決して忘れることが出来なかった、とも思われるのであり、この悲劇の印象は深刻を極め、以来ポルトガル人は恰も疫病を避ける如くこの地域を敬遠した。アジアやアフリカの到る処で異教徒や不信の輩と闘い征服したこの雄々しい国民が、貧弱な武器しか持たぬホッテントットの一団に胆を潰したのであった！

ポルトガル人の東洋征服の第一盛期において彼等がどの様に東アフリカ海岸沿いにその要塞拠点を確立して行ったかは既に述べた。これらの居留地の中でもモザンビークは、その北方から来る回教国船隊に対する戦略的位置、優れた港湾及び印度航路途上の寄航地として恰好の地点を占めていることから最重要地と考えられ、この地区の総督府所在地となった。北方のキルワは繁栄したアラビア人の港であったが、ポルトガル人はここではうまくゆかず——結局東洋でポルトガル人が抛棄した（一五一二年）最初の拠点という風変りな特徴を持っている。キルワの失敗を埋め合せるべく、ポルトガル人はザンベジ河三角洲の南のソファラに立派な根拠地を造ったが、これは後背地との地方貿易ではモザンビークをも遥かに凌ぐ繁栄を示した。この地域の政治地図を支配するのがモザンビークなら、ソファラはその経済中枢を握っているとも言えるのである。この結果、十六世紀の東アフリカにおける旅の物語は、大部分ソファラとその周辺の及ぼす影響力並びに将来有望と目される内陸富裕地帯へ船を導き得る水路だと白人達が早くも認識したザンベジ河そのものによって左右されるのである。

それは正に《約束の富》であった。何故ならそこにはかのソロモン王の船隊が王の神殿を飾る黄金、ダイヤモンド、稀有の香料や象牙を求めてその地まで往ったというロマンチックな数々の伝承があるのである。伝承によればこの国こそ古代の伝説に名高いオフルなのであり、奥地にありとされる荘厳な廃墟の噂はこの確信に彩りを添えるものであった。モノモタパと呼ばれる一人の強大な君主がこの神秘的な奥地に住んでいると言われ、その富と権力と荒々しい豪奢の故に、彼はプレスター・ジョンや《黄金の男（エル・ドラード）》と同列に置かれたのである。こうした伝説は総て因（もと）になった何らかの事実はあった訳であるが、御多分に洩れず野放図に誇張されたものであった。アジア人の貿易商（多分アラビア南部から来たサバ人）は恐らく内陸深くまで入り込んでいたと思われるが、しかしそれはソロモン王の時代より遥か後――即ち回教徒時代初期であったろう。内陸部にはまたジンバブエ遺蹟の如き驚くべき廃墟が幾つかあったが、それらは考古学者達によって精々十五世紀以後のものに過ぎぬことが明らかになった。そこにはモノモタパと呼ばれる土民の王様が居たけれども、これまた暗黒アフリカにおける他の多くの族長達と兄たり難く弟たり難き代物なのであった。しかしながら、ルネッサンス期の発見というものは、嘘の様な神話伝説に対する空しい探索の連続から成り立っているのであって――そしてその種の神話が例えばライダー・ハガード〔ヴィクトリア朝の冒険小説家。『ソロモン王の洞窟』『洞窟の女王』などで人気を博した〕の小説（フィクション）の中で今日まで生き続けているにしても――これには例外というものがない。皆そうだったのである。

従ってこの強烈な刺戟の結果として、探検は海岸に沿い内陸に向って急速に進展したけれども、瘴癘の風土がもたらす人命の多大な損失、期待外れの収穫に終った財宝という結果は避け難く、とどの詰りの落胆は好戦的な野蛮人の襲来によっていよいよ深められて行った。

東アフリカ後背地の先駆的探検者はアントニオ・フェルナンデスという殆ど知られていない人物で、彼は一五一四年にソファラから二度奥地へ旅をしている。明らかに推測の域を出ないけれども、彼はそのルートをザンベジ河の南及び西沿いにとり、恐らく内陸へ少くとも四〇〇マイルは突き進んだと思われ、マショナランドを通過してモノモタパ王の領土に入り、そして最後に海岸地帯に戻って来たが、その時ソファラから二〇〇マイル奥にあるマニカ国の金鉱地帯の話を土産に持ち帰った。フェルナンデスの報告は、彼が真に地理的直観力を具えた大変鋭敏で且つ極めて聡明な探検家であったことを示している。実際彼はあらゆる点でアフリカ旅行者中最大の一人に挙げられるべき人である。彼に関して知られるところが甚だ少いということは、全く歴史の損失と言わねばならない。

印度洋沿岸方面でも偶然によるものや最初から計画されたものなど、様々な探検が数多く行われた。一五四四年、ロレンソ・マルケスとアントニオ・カルデイラはソファラから南へ進み、リンポポ河下流を調査して銅採掘の可能性を発見した後、デラゴア湾の徹底的な測量をし、更にこの湾に注ぐ三つの河の上流へ分け入った。その帰還に際してマルケスはデラゴア湾地方における象牙貿易の将来性について有望な報せをもたらしたが、このためモザンビークとの間に毎年一度の往来が始まる結果となり、マルケスは同湾地方に数年間駐在してこの貿易に携った。次に行われた探検は全く思いがけぬ偶然の結果である。一五五二年、印度から帰国の途にあった大型ガレオン船〈サン・ジョアン〉がナタール南部のセント・ジョンズ河口沖で坐礁し、乗客と乗組員は最も近くの白人居留地を目指して岸伝いに泳いで行った。それは底知れぬ苦難と悲劇に満ちた物語で、僅か八人になってしまった窶(やつ)れ果てたポルトガル人がデラゴア湾で通りがかりの船に拾い上げられたのは、何と殆ど一年後のことであった。彼等の痛苦に満ちた長旅が終るか終らない頃、ポルトガルへ帰る別の印度貿易船(インディアマン)が同海岸で難破した。この船は〈サン・ベント〉で、一五五四年四月、セント・ジョンズ河の南五〇マイルのウムタタ河口でこの災厄に遭った。その生存者達もまた先輩と殆ど同様の苛酷な目に遇わねばならなかった。ナタールにあるツジェラ河の渡河は殊に惨苦を極めたが、指揮する高級船員の工夫が良く賢明だったために、三ヶ月の艱難辛苦の末、五六人のポルトガル人がデラゴア湾まで辿り着き、そこから年に一度の象牙貿易船に乗ってモザンビークへ帰還出来た。

こうした一連の海難はポルトガル人の自信を揺がし、ポルトガル当局はその再発防止のために対策を講ずる決意を固めた。そして〈サン・ベント〉生残りの高級船員の一人で、ポルトガル発展史上有名な一家の一員でもあったマヌエル・デ・メスキータ・ペレストレロに対し、リンポポ河北方のコレンテス岬から喜望峰に至る海岸の徹底的な測量を命じた。この頃イベリア風の《明日主義(マニャーナ)》〔日本の所謂〝紺屋の明後日〟〝いずれその内〟〕は抜き難いものになっており、このためこの経験豊かな船乗りがモザンビークを後にしたのは何と一五七五年になってからであった。この後れ馳せの出発にも拘らず、ペレストレロの業績は見事なものであった。デラゴア湾までの海岸はかなりよく知られていたが、それより以南について彼は恐らくそれまでの最も徹底的且つ科学的な沿岸測量を実施したのである。海岸沿いに殆ど喜望峰まで進みながら、ペレストレロは水深測量や当時の大雑把な器具による星や月の観測を行い、更に細心の注意を払ってこの海岸全体を海図に仕上げた。彼の得た緯度や距離の多くは勿論不正確であったが、この頃はポルトガル船の海難事故が到る処で相次いだ時期であったにも拘らず、この海岸地方では難船が急減したと言われている事実に徴しても、彼の仕事の価値は明白である。

アントニオ・フェルナンデスの旅の後、モノモタパの国やソロモン王の宝庫を見つけたいという欲望に駆られた奥地探検はザンベジ河の流れを辿るものであった。一五三五年、ポルトガル人は同河のかなり上流、即ち海から一五〇マイル離れたセナ、そこから更に同じ距離だけ奥地へ入ったテテの二ヶ所に商館を建設した。これらによる貿易を支援すべく一五四四年にはキリマーネ駐在所がザンベジ河三角洲の北水路の畔に設けられ、これら各地によってモノモタパ国住民との活潑な取引が行われた。取引の中では象牙が最も重要な品目で、以下黄金、龍涎香、真珠、ゴムそして蠟の順となる。この通商は相当な繁栄を維持するに足るだけのものはあったが、オフルの戸口まで来たつもりになっている財宝探求者達の希望にとっては、期待を裏切るものと見えたに相違ない。

モノモタパ王に関して言えば、彼が過大評価されたのと同程度にその存在も捉え処がなかったが、彼は一五六〇年、テテから南西に進んでその許に達した宣教師の一団によって遂に追い詰められた。彼の未開の首都は今日の南ローデシアのソールズベリイ市の近くに在ったと思われる。それはファロと呼ばれる山の上にあったが、その名の響きがオフルの伝説に若干の色合を添えたとも考えられる。耶蘇会宣教師による初期の成功は驚嘆に値するものがあり、彼等はモノモタパ王とその家来達に洗礼を授けたのである。この洗礼の大安売りの霊験は長くは保たなかった。それどころか若干の回教徒達は、これらのキリスト教徒は妖術使いであるとモノモタパ王に吹き込んだ。そこでこの黒人酋長は見上げた不偏不党ぶりを発揮してまず耶蘇会宣教師の長ゴンサロ・ダ・シルヴェイラを縊り、次いで讒言者達を処刑してしまった！　これによって伝道そのものはあっさり片付けられてしまうけれども、一人の聖職者アンドレ・フェルナンデスは非常な苦難を経て海岸地方への帰還に成功し、一方この野蛮で衝動的なモノモタパ王は先祖代々の宗旨に戻ってしまうのである。

理性的人間ならこの辺で幻滅してしまっても不思議はない程の事業の失敗にもめげず、若さ溢れるポルトガル国王ドン・セバスチャンは、モノモタパの王国の中に富と豪奢の桃源境を夢見ていた。この陰鬱で神秘的、強情でしかも獅子の如く勇猛という、風変りな、しかし英雄的な人物は、その富と重要性においてメキシコやペルーのスペイン領土に匹敵する様な広大な領土をザンベジ河の南に創造する決意を固めていた。彼はその武力に敢えて敵対を試みたモノモタパ王やその他土民の族長に対し、断乎として主権を行使すべく決意し、この目的のために装備優秀な一大遠征隊の準備を急がせた。指揮の大任は曾て印度総督であった高官フランシスコ・バーレトウに降される。一五六九年バーレトウは、半分は良家の子弟から成る一〇〇〇名の部隊の長としてポルトガルを出帆した。しかしこの遠征隊は誠に堂々たるものであったとは言え、最初から遅延や不運に憑き纏われていた。モザンビークに着くのに一年以上もかかった上、以後バーレトウはマリンディ以北に至る沿岸で海上作戦を行うことを命ぜられており、彼の率いる部隊が漸くセナに達した時には、モノモタパ王に帰順を説くべく特使がその地へ旅している間の七ヶ月を待たねばならなかった。作戦が本格的に開始されたのは一五七二年になってからで、今は六五〇名にまで消耗してしまったポルトガル軍は、セナから上流へ懸命に漕ぎ上らねばならなかった。モンガシというその支配者の名で呼ばれる強力な部族がザンベジ河とモノモタパ王国の中間に住んでいて、両者の間には絶えず戦争が続いていることが判明した。バーレトウの部隊は支流のマゾエ河流域を南西へ折れると、彼等はそこで前述の蕃族の真只中へ頭から飛込んでしまう結果となった。続いて起った戦闘は敗者も命乞いせず勝者も情容赦なく敵を斬り殺すという血塗れのもので、結局白人が勝利を得たけれども、彼等は既に熱病で勢力が激減しており、剰え戦闘でかくも損害を被ってはそれ以上前進を続けられなくなった。ザンベジ河から内陸に僅か五〇マイルばかり入っただけで、この疲労困憊したポルトガル兵達は漸く血路を拓いてセナへ帰還する。これはこの遠征が多くの時と労苦の浪費でしかない失敗に終ったことを意味するもので、非運のバーレトウはモザンビークに召喚された後、セナに帰っては来たものの、それはもはや熱病と傷心の余り死ぬために過ぎなかった。

そこで彼の後継者ヴァスコ・フェルナンデス・オーメムは熱病に冒された残存部隊をモザンビークへ撤収させ、再興を期して部隊を再編した。これが成るとオーメムは部下を率いて海岸をソファラまで南下し、鉱物資源に富むとの専らの噂のあった地方、マニカ国へ向けて西進した。しかし失望は相変らずポルトガル人に取り憑いて離れず、その土地の鉱山は貧弱で仕事にならなかった。そこで一旦ソファラへ帰還したが、いつでも楽観的なオーメムは飽くまで黄金の魅力を捨て切れず、再びザンベジ河を溯った。しかしセナを過ぎると土人達がポルトガル軍の大部分を分断し、最後の一人まで屠（ほふ）ってしまう——この戦闘は奥地に対する一連の悲惨な討伐戦に事実上の終止符を打ったのである。

実際、東アフリカにおけるポルトガルの主権が余命幾許（いくばく）もなかったことは、恐るべき戦争と破壊の波がザンベジ河北方地帯を覆ったこの世紀の最後の数十年がそれを証言している。大陸の奥地から押し出して来る野蛮人の大群は印度洋に向って進撃し、到る処に怖るべき惨禍をもたらした。モザンビークは一つの島であったから攻撃は免れたが、本土の荒廃によって起きた飢饉のために島の住人は酷い苦しみを味わった。北方へ向って氾濫しながら、戦争の潮は海岸地帯を洗い抜けて行った。キルワは一掃され、モンバサは掠奪を受けた。そしてこの人喰土人集団の進撃はマリンディの門口に到ってやっと喰い止められるが、それは回教徒同盟軍の援助を受けた僅かなポルトガル人が、メンデス・デ・ヴァスコンセリョスの勇敢な統率の下に、これらの蛮人達に潰滅的な敗北を被らせたからであった。

かくしてマリンディの回教徒達とポルトガル人との伝統的な友好関係は見事な成果を収めたと言ってよい。何故なら、この勝利によってのみアフリカ大陸東側における白人の不安定な足懸りを救い得たからである。

これら難しい時期におけるアフリカの優れた報告が、ソファラに一〇年（一五八六―九五）近く住んだことのある人情豊かで聡明なドミニコ会修道士ジョアン・ドス・サントスの著作によって後世に伝えられている。伝道のため奥地に入った彼はセナとテテを訪れ、物凄い土民戦争を目撃する。しかし一五九二年に兇暴なマジンバ族がセナの守備隊を殺戮し、翌年、報復部隊に対しても大打撃を与えた時、ドス・サントスは幸運にも無事にソファラへ戻っていた、という――こうした一連の出来事によって、ポルトガルは少くとも一時はザンベジ河流域におけるその影響力を事実上失ってしまうことになる。ドス・サントスの著『東洋のエチオピア』*Ethiopia Oriental* は一六〇九年にエーヴォラ［リスボン東方約一〇〇粁（キロメートル）にある町］で発行されたが、それは恰も重要な海岸拠点を死守したお蔭で東アフリカにおけるポルトガルが十六世紀の最後の四半世紀の屈辱的な惨敗から幾分か恢復した時であった。

ともあれ、貴金属を求める空しい探索は、モノモタパ王国との緊密な関係を確立したいという試みと同様に続けられたが、これらの冒険事業で地理学に対する何らかの新しい貢献に結び付いたものは一つもなかった。新天地の開拓は十七世紀へかなり足を踏み入れるまで待たねばならなかった。一六一六年、ザンベジ河から印度へ銀鉱石の見本をもたらすべくテテから北東の方角へ奥地を横断する旅に出発したガスパール・ボカーロは、ニヤサ湖の南端辺を通過し、遂にキルワで印度洋岸に出た。かくしてニヤサ湖はアフリカの大湖の中ではこの昔のポルトガル人によって発見されたことがはっきりしている唯一のものとなった。タンガニーカには宣教師達が訪れていたとする尤もらしい報告があるけれども、私はスピークやグラント〔共に英国のアフリカ探検家。一八五八―六〇年にナイル河水源を確認〕の時代以前に白人がヴィクトリア・ニャンザ〔湖〕を訪れているとか、ヴィクトリア瀑布はリヴィングストン以前に知られていたとする噂を裏付ける証拠には遂に出会っていない。しかしながらモノモタパ王の方は、南アフリカの地図作成に関して正確な知識を排除すべく比較的近代に至るまでその影響力を行使し続けたのである！

プレスター・ジョンの国

ポルトガルと神秘的なアビシニアとの関係は十六世紀を通じ概ね友好を基調として断続的に続いたが、地理的障碍と相互の優柔不断のために、それは殆ど氷河の移動に似た遅々たる歩みであった。アビシニアの港といえば唯一つマッサワで、紅海の奥深くにあった。アルブケルケは遂にアデンを征服し得ず、依然として紅海は――聖地巡礼の往来保護に占める重要性の故にますます積極的となった回教徒の支配下に置かれていた。このことは、ポルトガル人が仮にそう望んだとしても彼等はあらゆるものを一掃することは出来なかった、と言わんとするものではないが、この種の作戦は多くの艦船や兵員を必要とするものであろうし、そして掩護の不足から、マッサワに向う臨時の独航船は両岸から激しく鞭打たれながら馳け抜ける不利を覚悟せねばならなかったのである。ポルトガル人のエネルギーはもっと別の処で求められていたのであるが、驚いたことには、ポルトガルが払った努力はア、ビ、シ、ニ、アのためのものであって、その逆ではなかったのである。

コヴィリャンの派遣（第4章参照）に対する答礼として、このアフリカの支配者はマテウというアルメニア人を大使の資格でリスボンの兄弟王（ポルトガル）の許へ送り出した。一五一〇年、この人物はアビシニアを出発し、多くの波瀾を重ねた後、印度経由で四年後にポルトガルへ到着した。一五一五年、彼はポルトガルの公式大使一行と共に帰国の途に就くが、その大半は紅海で熱病に罹って死んでしまった。マテウと僅かな生残り達は印度へ引返し、漸く一五二〇年になって俄か仕立ながら熱烈な新使節団がゴアを出帆した。実際にはこの一行を使節団にするという決定など何処にもなく、マッサワに着くまでロドリゴ・デ・リマはアビシニア駐箚大使として信任する旨の訓令を受け取ってはいなかったのである。一行の中にはジョルジェ・ダブレウという喧嘩早い書記がいた。また二人の聖職者がいたが、その一人は昔床屋であったジョアン・ベルムーデスで、彼はその後長年に亙ってポルトガル－アビシニア関係に積極的な役割を演じた。もう一人のフランシスコ・アルヴァレスはリマとアブレウの間の調停役を務め、ポルトガルへ帰還してから後、この使節団の公式記録を書き遺している。旅を重ねたマテウはアビシニア奥地を目指す苦しい行脚の途中で仆れたが、残った連中は立ちはだかる山岳地帯を越えて遮二無二前進し、そして地方役人共による様々な遅延を味わわされた後、一五二〇年の後半に至って漸くアドワで皇帝に謁見することが出来た。それから五年の間、リマとその部下達はレブナ・デンジェル・ダーウィット（デイヴィッド）の未開野蛮な宮廷に侍ったが、ダーウィットはこのヨーロッパ人達が気に入って決して放さず、全国巡幸に随行させた。年老いたコヴィリャンは懐しい同胞達を歓迎すべく宮廷に顔を出し、何くれとなく世話を焼いてやったが、レブナ・デンジエルの気紛れな無頓着ぶりとリマとアブレウの間の啀み合いとで、この使命は失望すべき結果となってしまった。アビシニアのキリスト教という様々な異端については疑念もあったけれども、寛容で偏見のないアルヴァレスは一切を苦もなく取入れ、別に良心の呵責を感ずることもなく平気で土地の教会に行って礼拝した。このポルトガル人一行の遍歴の迹を辿るのは容易ではないが、青ナイル河が円を描いて曲っている辺までアビシニアの東部全体を南下横断したものと思われる。こうした数年に及ぶ引留めの後、この使節団は遂に帰国を許され、マッサワとゴアを経由して一五二七年、ポルトガルに還り着くのである。

リマ使節団一行が出発した後間もなく《プレスター・ジョンの王国》は、モハメットまたの名をアフメット・グラニエ（左利きの）という極めて有能な戦士の率いる南方から侵入した回教徒によって蹂躙される。この男はハラール辺の南の地方から北上して来た多分ソマリア人かガラ人と思われ、彼の率いる蛮族達はこの王国を暴れ廻って手酷く荒廃させたため、レブナ・デンジェルは山砦に難を避けざるを得なくなる。ポルトガルに支援が求められ、一五三五年、この国に留っていた聖職者ベルムーデスは、武装兵力の派遣を請うべくヨーロッパに赴いた。ベルムーデスはエジプトから地中海を経由する大変危険な旅をしたが、一五三六年か一五三七年に無事ローマへ到着し、その訴えの結果、遠征軍が送り出されることになった。この遠征軍を指揮したのは印度総督エステヴァン・ダ・ガマの弟クリストヴァン・ダ・ガマで、名高いヴァスコ・ダ・ガマの息子の一人である。アビシニアーヨーロッパ間の連絡の遅さと甚だ迅速を欠く行動により、時は既に一五四一年になっていた。丁度その頃レブナ・デンジェルは世を去ってその息子ガラウデウォス（クラウディウス）が跡を継いだが、グラニエは《プレスター・ジョンの王国》全土を横行していた。ポルトガル軍は四五〇名に過ぎなかったけれども皆よく訓練された精兵であったから、彼等の到着は戦局を忽ち一変させてしまった。一五四二年四月に行われた鎬を削る二度の激戦でポルトガル軍はこの兇暴な回教徒軍を敗北させたが、八月に起きたウォフラの死闘では全くの数的劣勢によってポルトガル軍は負けてしまった。ドン・クリストヴァンは退却中に虜となり、グラニエの手で首を刎ねられる。この重大な転機に際してグラニエは蛮族の頭目達に特有の弱点をさらけ出した。彼は余勢を駆ってその勝利を徹底的に追求することをしなかったのである。グラニエ麾下の部隊は結束が弛み、ポルトガル軍の大部分を真剣に追撃することなく逸してしまった。これがガラウデウォスに潰乱した各部隊を糾合する絶好の機会を与え、彼は躊躇なくそれを捉えた。英気を回復した部隊をひっ提げて、彼は二度の血みどろの遭遇戦でこの回教徒軍と相目見え、翌年の二月一杯をツァナ湖の北方、セミエン山岳地帯で闘った。両度の戦いともキリスト教徒側は勝利を収め、特に二度目のそれは決定的であった。トルコ人の火縄銃大隊が回教徒軍の先鋒を形成していたが、ポルトガル軍はこれを文字通り一掃してしまった。グラニエは殺され、粉砕された回教徒軍の敗残兵達は四散してしまった。かくしてポルトガル人は《プレスター・ジョン》を救ったのである。ポルトガルのこの雄々しい一団の大多数は再び故国の土を踏むことなく、境遇の然らしむる処によってアビシニアに住み着き——遂に現地人の中へ吸収されて行った。しかし現地人化を免れた二人の男がいて、彼等はそれぞれこの戦争の話を書き遺した。一人は指揮官のミグエル・デ・カスタニョーソ、もう一人はかの活動家ベルムーデスである。

グラニエの敗死にも拘らず、この不幸な国には渾沌たる情勢が続き、狂信的回教徒達の侵寇は熄まなかった。こうした侵入の一つを撃退した際にガラウデウォスは戦死し、その弟や後嗣もまた数年後には同様な最期を遂げるが、一方ダ・ガマ軍生残りのポルトガル兵達は曾てと同じく勇猛果敢にその役割を演じたのであった。しかし一五五五年に初めてアビシニアを訪れ、そして二年後にはアンドレ・デ・オヴィエト司教の下で大きな伝道区を確立した耶蘇会修道士達自身が新たな軋轢の種を持ち込んだ。この熱狂者（ゼロット）達はアルヴァレス神父の如き融通無礙の雅量に乏しく、エチオピア教会の分離派的状況に怖気をふるった。教会が誤謬で穴だらけなのを看て取ると、彼等はあらゆる異端の禁圧に乗り出したが、それは甚だ冷やかな反応を招くだけだった。しかしながらこの伝道区はアドワの近くのフレモナで約四〇年間続き、その教区信者達は積極的迫害を被ったのではなく、単に敬遠され無視されたに過ぎなかった。布教伝道は次の世紀の初めにペドロ・パエスという人の形をとって復活するのであるが、彼は一六〇四年から一六二二年のその死に至るまでこの国に住み、その間、皇帝に供奉して田舎の隅々まで旅をした。以後の耶蘇会修道士達もこの国の行脚を続けている。それらの中、二人程は言及の価値があると思われる。一人はアントニオ・フェルナンデスで、一六一三年から一四年にはショアの南のガラ地方まで遥々と入り込んでいるし、ジェロム・ロボの遍歴はジョンソン博士の『ラッセラス』*Rasselas, Prince of Abyssinia*, 1759〔母の葬儀費捻出のため一週間で書き上げた小説。好評を博した〕を通じて英国の読者には親しいものとなった。不幸にして耶蘇会宣教師達は支配者や原住民聖職者の憎しみを買ってしまい、一六三三年にはこの教区は殉教と放逐によって姿を消すに至る。この事件を以てポルトガルとアビシニアの交渉は終りを告げた。実際、概ねポルトガルの冒険事業の衰頽と共に暗黒大陸（アフリカ）では到る処で旅行や探検は凋落して行くのである。十八世紀後半になってアフリカ発見に対する刺戟が復活するまでの情況は、かの監督司祭（ディーン）

スウィフトがその押韻戯歌の中で見事に捩じっている。——

止むなく地理の博士たち
アフリカ地図の隙間をば
蛮人の絵で穴埋めし
人の住めない高原にゃ
町の代りに象を置く

9　初期の北米探検

中央アメリカや南米に比較すると、今日のアメリカ合衆国とカナダから成り立っているこの地域は、ルネッサンス期探検記録ではほんの小さな歴史を占めているに過ぎぬ。これには幾つか然るべき理由があったに相違ない。即ち気候は一層酷烈で大陸の東半分は到底抜けられそうもない原始林に蔽われており、貴金属の類はすぐ手に入る訳ではなく、原住民は蒙昧野蛮であり、インカやアステカの如き富める帝国は一つもなかったのである。これらの要因が集中していたために、《発見》と《植民地化》に関する限り、北米大陸は十六世紀を通じて相対的沈滞の中に置かれていたのである。それでもなお記録に値する若干のもの、即ち我が合衆国の国民的遺産の礎石であるが故にいよいよ貴重となる幾つかの出来事があった。本章ではそうした営々たる努力を、「ルネッサンス初期の航海者による北米沿岸の諸航海」「西印度諸島やメキシコから進入したガルフ地方［メキシコ湾沿岸一帯］や南西部のスペイン人」そして「セント・ローレンス河流域におけるフランス人」の三分野に分けて概観しよう。

初期の北米沿岸航海

ポルトガル人はアメリカ大陸に対し、果してコロンブスより先に何らかの遠征を企てたことがあったろうか？　捉え処のない断片的な証拠ならあちこちにあり、それらはこの種の航海が行われたことの証明として、これまで特にポルトガルの歴史家達によって論ぜられて来たが、そうした質問が論議の段階では繰返し出て来るにしても、それには疑問が多いのである。これら根拠の疑わしい航海の一つに関する証拠を一四四八年のビアンコ地図から引用してみる。この地図ではヴェルデ岬の南西に一つの島が描かれ、"Isola Otinticha xe longa a ponente 1500 mia" という謎めいた銘文が付いているが、これは「西方一五〇〇マイルにある純粋の島」の意味だとされて来た。これを根拠にしてブラジル北東角の発見が仄めかされて来たが、それ自体は如何に可能であっても、論証し得る証拠を全く欠いた一つの空論に過ぎなかった。コロンブスにも知られていたアソーレス群島の住人ディオゴ・デ・テイヴェの記録は、彼が一四五二年に、陸地を視認する前に引返したと言われているものの、北米水域を巡航したことを示している。このことからテイヴェがかの《大浅瀬（グランド・バンクス）》を発見したとする考えが生れた。確たる証拠に乏しいもう一つの事業は、次の世紀の有名なコルテ＝レアル兄弟の父であったアソーレス人のジョアン・ヴァス・コルテ＝レアルのそれである。彼は一四七三年に国王アフォンソの命を承けてデンマーク人の船乗りピニングとポートホルストの二人と共に〝Terra Nova dos Bacalhaus〟即ち〝新しき鱈（コッド・フィッシュ）の土地〟へ航海したが、これはニューファウンドランド、ラブラドール乃至グリーンランドのいずれとも考えられる。一世代後に若きコルテ＝レアル兄弟がこの水域を航海したという事実は、確かに彼等の父が道を拓いたらしいことを示唆してはいるけれども、これとその他十五世紀のポルトガル人による大西洋横断の冒険事業に関しては、〝証明されていない〟とするのが現段階では最も無難な結論であろう。嬉しいことに、英国人による航海も同断とは言えないのであって、詳細を欠く憾みはあるものの、それには証拠があるのである。

英国人の植民事業における見かけ上の黎明は、英国（ブリテン）の輝ける海外発展時代の真の曙よりも六〇年ほど先立って、十五世紀も終ろうとする頃に現れた。けれどもその刺戟は弱いもので、程なくその役目を終え――名女王（グッド・クイーン）ベス［エリザベス女王］の時代における爆発的な覚醒に至るまでは、冬眠に入ってしまう。しかしながらブリストルから北米に至る航海譚には謎に包まれた部分が多いとは言いながら、最も意義深い海洋冒険物語の一つである。

中世を通じてブリストルの船乗り達は北大西洋をアイルランドの西岸からアイスランドまでも航海し、魚と塩を商っていた。伝説のアトランティスの島々の噂はエイヴォン河口の波止場一帯に流布しており、早くも一四八〇年にはジョン・ジェイなる人物が、アイルランドの西にあるという《ブラジルの島》を見つける探検航海の資金を出している。この冒険は失敗に終ったけれども、その後の特に一四九〇年代には殆ど毎年にも及んだ航海へと繋がり、カボット父子による屢次の冒険航海への道が伝統と経験を積むことによって開かれて行った。

カボット父子の航海ほど有名でありながら、しかもよく判っていない航海はない。彼等の航海が北米の発見に結び付いたことに異論はないにしても、彼等の眼にしたのが北米海岸のどの辺なのかは結局臆測の域を出ないであろう。ジェノヴァ生れでヴェネチア国籍を持っていたジョン・カボットは操船術に熟達しており、レヴァント地方で貿易商をしていた経験から、西廻り印度航路の問題を解明していた。彼がコロンブスの発見を知っていたということは極めてあり得ることに思われる。何故なら『コロンブスの手紙』の夥しい版の中の幾つかがこのブリストルの如き海上雄飛の気風漲る港町にも流布していたに違いないし、一方、イングランド西部とスペインの間の貿易は一層新知識を普及する結果となったからである。いずれにもせよ、カボットは自分の力量並びに《発見航海》の特許状下付をヘンリイ七世に請願するというその考えに十分の成算を持っており、一四九六年に特許状は正にカボットに与えられた。翌年の五月、彼はブリストルの水夫一八人及び恐らく当時十二か十三歳の少年であった後年有名となる息子セバスチャンと共に小型のバーク船〈マシュウ〉に乗って船出した。三ヶ月を海上に送った後、彼が確かに陸地を認めたとこ

ろまではは っきりしている。しかし彼の航路となると誰も断定的なことは言えなくなる。多分最も異論の少い説は……ケイプ・ブレトン島で陸地を初見し、そして北東へ回航してニューファウンドランドの南岸沿いに航行した……というものである。彼がノヴァ・スコシアを望見したかも知れぬというある程度の可能性はあるが、ラブラドールを視認した確率となるとかなり小さくなり、三〇〇リーグに亙って同海岸を辿ったという話は明らかに誇張されており、イングランドを留守にしていた時間から推してそんなことは出来る筈もなかった。

カボットは自分がアジアに到達したこと、しかしその大陸の居住可能な部分は彼の探検範囲より南に位置している……との確信を抱いて故国へ帰還した。第一次探検の成功によって第二次航海が異議なく決定され、カボットは一四九八年、再び航海に出発した。この航海には前回よりも更に曖昧な部分が多く、精々のところカボットは陸地を認めてから以後、アジアの文明地帯に達する希望を抱いて南に、次いで南西へ船を進めたものと推定する外はないのである。恐らく彼はデラウェアの岬や海角からハッテラス岬の遠くまでも海岸沿いに南下したものと思われる。何故なら当時の地図、例えばラ・コーサ地図からすると、カボットは西印度諸島に在ったスペイン人達の不安を刺戟しそうな所まで南下した、という印象を伝えているからである。しかし彼の第二次航海はどんなに贔屓目に見ても失敗であり、東アジアの富というものを明らかにすることは出来なかった。カボットが得た唯一の具体的収穫はニューファウンドランドの大浅瀬(グランド・バンクス)の発見で、ここには忽ち各国から漁船が蝟集することになる。これより以後ジョン・カボットはそのお喋りで信用出来ない息子の嘘によって歴史に占める当然の位置を奪われ、画面から姿を消してしまう。しかし彼の地理学に対する貢献は素晴しいものがあった。ジョン・カボットは《北米》を発見したのである。

このカボットの諸航海の後には、ポルトガル人とブリストルの船乗り達の間に緊密な連繋が現れる。アソーレス群島のジョアン・フェルナンデスという農夫はカボット父子よりも早くから北方海域に関心を持っていたが、一四九九年にポルトガル王から特許状を得た彼は一五〇一年にイングランドにひょっこり姿を現し、ブリストルの商人三名と共にヘンリイ七世から地球のこの方面を探検する公式免許を得た。彼が農夫(ハズバンドマン)としての身分に誇りを持っていたのは明らかである。と言うのは彼の社会的地位、即ち農夫を意味するポルトガル語《ラブラドール》が、彼のために引続いてグリーンランドとラブラドール地方に与えられたからである。フェルナンデスと彼のブリストルの仲間は恐らく一五〇一年と一五〇二年に北西海域に航海したが、以後の数年間はアメリカ大陸へ航海した形跡に乏しい。この頃には、殆ど人も住まず地味も痩せた北米という障壁によって、人々の考えはその探検よりもそれを迂回する道の発見へと変っていたのである。

フェルナンデスに限らず、北西大西洋にはそうした可能性がある筈との独創的な考えを抱いたポルトガル人は他にもいた。フェルナンデスと同郷のアソーレス群島の住人コルテ=レアル兄弟は同じ頃同様な計画を進めていたのである。兄のガスパールはグリーンランドを再発見すべく一五〇〇年にその第一次航海を行った。翌年の第二次航海はグリーンランドからニューファウンドランドの東岸沿いに航行するものであったが、レイス岬で彼は二隻の船を本国へ還し、自らは南西へ航し去って以後杳として消息を断った。一五〇二年、弟ミグエルは兄の捜索に出発したが、不運にもニューファウンドランド沖で船諸共に海の藻屑と消えた。ミグエルの他の船の一隻はセント・ローレンス湾に入り、ニューファウンドランドの西岸沿いに難航を重ね、遂にベル・イール海峡を抜けて帰還したものと思われる。コルテ=レアル兄弟の航海の時代からニューファウンドランドは《バッカラオスの島》として知られるに至るが、この言葉は地中海の漁民が使っていた鱈(たら)の俗称に由来している。

セバスチャン・カボットは一四九八年の航海では大した貢献をしたとは思われないけれども、早くも北米大陸の真の姿を悟って一五〇九年には《北方航路》の発見に乗り出した。これはアメリカを迂回してアジアに到達せんとする大胆極まる企てであった。カボットは北緯六七度にまで達し、氷と不穏化した乗組員によって行手を阻まれて引返す前には、ハドソン海峡を抜けてハドソン湾に入ったものと思われる。晩年彼がリチャード・イーデンにその追憶を語っているところでは、セバスチャンは一四九八年と一五〇九年の航海を酷く混同しているため、以来ずっと地理学者達は縺れた糸を解きほぐすのに手古摺って来た。北極圏の海から退却した後、彼が大西洋岸に沿って南下した可能性は大いにある。カボットがアジア到達を完遂し得なかったことは、ブリストルの海運界にとって手痛い失望であったに相違ない。それにも拘らず、なお記録に止むべき英国人の航海が二つ程ある。一五二七年、カボットがスペインに傭われてラ・プラタ流域で働いている間に、ジョン・ラットは二隻の船で北西に航海し、その一隻〈メアリ・ギルフォード〉は明らかにカリブ海のサント・ドミンゴ近くまで往ったが――これは西印度諸島に出現した最初の英国船であった。それより後の一五三六年、〝ロンドンのマスター・ホーア〟の指揮する遠征隊は、偶然通りかかったフランスの一漁船が生残りを救出するまで、ニューファウンドランド海岸で共喰いを演ずるという惨たる結果に終った。この二つの冒険は、仮にラットの船がその傍若無人ぶりを見せつけ、スペイン人をして容易ならぬ不吉の前兆に戦(おのの)かせたとしても、共に極めて模糊たる点が多いので、殆ど伝説的と言ってよかろう。

一五二〇年頃に重要な沿岸航海の一つがジョアン・アルヴァレス・ファグンデスなるポルトガル人によって行われた。彼はニューファウンドランドの南岸を辿ってセント・ローレンス河を溯り、ケイプ・ブレトン島に入植を企てた後、ファンディ湾を探検した。もっと意義深いのはフランスのフランソワ一世が自国のためにアジアに到る北方航路を発見すべく、フィレンツェの人ジョヴァンニ・ダ・ヴェラツァーノを長として派遣した冒険航海であった。ヴェラツァーノが有能な測量家であり聡明な観察者でもあったのは明らかで、彼の報告は今日に伝えられた初期の沿岸航海記中では最も正確且つ貴重なものである。ノース・カロライナ海岸で陸地を初見した後、針路を北方に転じ、チェサピーク湾の入口は見落したけれども、今日のニューヨーク港辺まで進入した。この出来事を記念してバッテリイ公園［マンハッタン島南端］にはいみじくもヴェラツァーノの銅像が建てられている。引続き東航した彼はブロック島を測量し、ナラガンセット湾で一五日を過し、コッド岬を回航してニュー・イングランド海岸沿いに今日のメイン州まで航行を続けた。食糧の不足から帰国を余儀なくされたヴェラツァーノは一五二四年七月にディエップへ帰還した。彼の航海は一つの頑固で誤った説を生み出したが、それはハッテラス砂嘴を見た彼が早合点をして、それを〝太平洋から大西洋を分離している一本の細長い土地〟として報告したことに因るもので、この特徴はその後長年に亙り《ヴェラツァーノの海》として地図に顔を出すことになり、果てしない揣摩臆測の対象となったのである。一五二四―二五年にはスペイン人エステバン・ゴメス（マジェラン海峡で卑劣にもマジェランを見棄てて脱走したのと同一人物）が、ノヴァ・スコシアから始めてカリブ海までを順次南下するという反対方向からの同様な測量を行っている。彼の航海は何ら重要な発見に繋がることはなかったが、ヴェラツァーノの所謂《太平洋》には何の真実性もないことをスペイン人に納得させるだけの効果はあった。

以上が初期の沿岸航海の概要であって、それらは正に沿岸航海以外の何物でもなかった。植民事業という本気の企てと内陸への進入のいずれもが成功せず、まああの沿岸測量がその唯一の——決してそれ以上ではない——成果であったのであるが、少くとも今日のアメリカ合衆国東部とカナダから成る地域が、長年待望の黄金や銀に関しては何ら見るべきものがない、ということだけは人々によく解ったのである。

南部及び南西部におけるスペイン人

北米沿岸航海から帰還したゴメスは、《未来の合衆国》について大変な熱意を込めて書いた。即ちその土地は「快適で有用な地方であり、我がスペインの緯度即ち北緯とは正確に対応している……」と。しかし「だが、ヨーロッパならどこにだってあるそんな所に、何を好んでまた……」とピエトロ・マルティーレは痛烈にこき下ろしたが、これはスペイン人探検家大多数の支配的な態度を反映するものであった。つまり《征服者達（コンキスタドーレス）》をこの国に吸引するには〝将来性豊かで農業に適した土地〟だけでは駄目なので、金・銀の如きもっとはっきりした励みになるものを欠いていることが、幾度かの困苦に満ちた偵察探検を行ったにも拘らず、スペイン人達がこの地域をそのままにしておいた理由でもあったのである。ガルフ地方を探検したこれらの幾組かは、太平洋に出る北方航路発見の希望を抱いてか、さもなければかの《黄金郷（エル・ドラード）》伝説の変種に惹かれてそこへやって来た連中なのであった。

それらの伝説の一つに《青春の泉》なる法螺話があって、これは植民初期の時代からアンティル列島のスペイン人の耳に届いていた。北方の神秘の国に一つの泉があり、その魔法の水は若々しい精神と肉体の力、そして生殖力ある男らしさを老人にも授けてくれるという噂なのである。この挑戦に応じたのがコロンブスの第二次航海時の古強者にしてプエルト・リコの征服者でもあったポンセ・デ・レオンであり、一五一三年、彼はキューバから北へ向けて発見航海の途に就いた。バハマ諸島を縫い、パーム・ビーチ近くでフロリダ海岸に行き当った彼は、それに沿ってセント・ジョンズ河まで北上した。《青春の泉》らしき兆は何もなく、土民は到る処で敵意を示した。そこでポンセはフロリダが本土の一部であることに気付かないまま折返し、往路を逆に辿って行った。ぴったり岸に即いて進みながら彼はフロリダ半島の南端を廻り、その西岸をタンパ湾の北まで航行したが、その頃までにポンセは例の《泉》には幻滅していたので、キューバへ帰還することになる。しかしフロリダ半島の海岸線の大部分を辿ったという点で、彼は注目に値する地理学上の手柄を樹てたのである。かの《泉》の風説はその後も衰えず、結局それはビミニ島［バハマ諸島中の一島］に在るということになったものの、ポンセ以後誰もその探検を試みる者はなかった。

北西航路を発見したいという願望は、一五一九年のアロンソ・デ・ピネーダによる次の探検を喚起することとなった。航路は発見出来なかったけれどもピネーダは終始メキシコ湾の北辺に沿って航行したため、キイ・ウェスト［フロリダ］からタンピコ［メキシコ］に至る間でかなり精度の良い沿岸測量を行うことが出来た。彼はミシシッピー河口にも進入し、三角洲地帯に六週間も留って周辺にある沢山のインディアン大部落を調査し、その住民達から黄金に富む奥地の話を聞いた。これらの話に基いて後にこの地域に対して探検遠征が行われることになるが、一方ピネーダの航海は、メキシコ湾北岸の地理を恒久的に決定するという一層の成果を挙げたのである。

殆ど時を同じくしてもう一組の北西航路遠征隊が出発している。一五二〇―二一年にサント・ドミンゴの成功者ルーカス・バスケス・デ・アイヨンは配下の船長達を大西洋岸沿いにサウス・カロライナ辺まで派遣した。彼の同国人の大部分とは違って、アイヨンは大西洋沿岸地帯を植民地化したいという意欲に燃えていた。幾度かの延引の後、一五二六年、彼は開拓と航路の発見という二重目的を以て自ら多数の入植者を率いて出帆することが出来た。現在の南・北両カロライナ沿岸を航した後、彼はチェサピーク湾に入り、彼の居留地を――恐らくその後ジェイムズタウンとなった所の近くに――建設した。しかしこの冒険事業は長続きしなかった。何故ならアイヨンは間もなく世を去ってしまい、北西航路の謎も解けぬままに残されたからである。意気沮喪した入植者達は西印度諸島へ帰還し、ヴァージニア地方は英国人の到来まで定住者もないままに放置されることになる。

もっと野心的でしかももっと凶運に見舞われたのは、コルテスの宿敵パンフィロ・デ・ナルバエスが一五二八年に行った入植事業であった。この無能で運の悪い指揮者はピネーダが聞いたという《産金地帯》へ達するべく、四〇〇名もの多数の入植者を率いてタンパ湾の岸へ上陸した。不注意から悉く船を失った入植者達は黄金の発見を夢見ながらメキシコ湾岸をセント・マークス湾まで徒歩で北上したが、全く餓死に瀕していた。ここで五隻のボートを建造し（この遠征における唯一の褒むべき協力の見本であった）、そして一五二八年九月、今や――約二五〇人にも減ってしまった――死物狂いの入植者達はメキシコに向って出発した。ミシシッピー河口の沖で四隻のボートが乗員と共に波に呑まれ、アルバール・ヌーニェス・カベサ・デ・バカの指揮する僅か八〇人の生残りが最後のボートに縋ってガルヴェストン近くの岸に打ち上げられた。翌年春に生きていたのはたった一五名に過ぎない。

常に飢餓線上に生きていた極貧の遊牧インディアンの中に投げ込まれたことは、カベサ・デ・バカとその部下にとって重なる不運と言わねばならなかった。次の六年間をカベサ・デ・バカが生き延びたことは並大抵の才覚ではなかったが、彼はこの不運に自らを適応させるだけの機略と叡智の人であることを実証した。まず行商人になり、後には病人の治療師として評判を得た。この間ずっとインディアンの中で暮し、テキサス南部一帯からリオ・グランデ流域沿いに漂泊を重ねたけれども、決してメキシコ到達の望みを抛棄しなかった。彼と共にあったナルバエス隊四〇〇名中の僅かな生残りも一日一日と死んで行き、最後にはカベサ・デ・バカ自身と二人のスペイン人、そしてエステバンという名のムーア人奴隷の計四人にまで減ってしまう。遂に一五三六年、永く苛酷だった艱難の年月を経て、堅忍不抜の決意を以て懸命に生き延びたこの四人の男達は、北部メキシコでスペイン人の討伐隊の手によって救出されることになる。生きんがための意志がかくまでも印象的であった例は真に稀有と言わねばならない。

これ程の辛苦にも拘らず、カベサ・デ・バカが金持になったという噂に包まれてしまったのもまた余儀なき次第であった。所謂《黄金の七つの都市》――シボーラの七つの都市――は、今度はカベサ・デ・バカが歩き廻ったあの貧困に打ち拉がれた土地の北方に漠然と存在することになってしまう。彼の報告はこの新しい《黄金郷》を捜そうとする一旗組や黄金探求者を刺戟する結果となり、それによって今日の米国南西部に対する数々の探検が行われることになる。この間カベサ・デ・バカは故国スペインに帰還し、そこで曾てダリエンではペドラリアスと、ペルーではピサロと共に働いた勇士エルナンド・デ・ソトに邂逅する。この騎士はカベサ・デ・バカからミシシッピー河流域の様々な巨富の物語と共に《七つの都市》に関する目も眩むばかりの――悉く虚飾と熱狂とで誇張された――話をあれこれとなく聞かされた。コルテスに張合う絶好の機会と看て取ったデ・ソトは、フロリダ総督としての勅任状を懐にアメリカに向けて船出した。キューバで大遠征隊を準備した後、一五三九年五月三十日、六〇〇名の将士を率いてシャーロット湾に上陸し――以後未開の北米大陸を三五万平方マイルに亙って踏破する惨酷勇猛にしてしかも実りなき四年間に及ぶ行軍の第一歩を踏み出した。ナルバエスのとったルートに従って海岸沿いに北上し、最初の冬をセント・マークス湾の畔に遺されたナルバエスの昔の幕舎で送った。次いで彼は内陸に分け入ってジョージアを北へ横断し、サヴァンナ河畔に出て同河をブルー・リッジまで溯った。この辺までのデ・ソトの行程は、愛想の好い大変なでぶちゃんの女酋長(クイーン)が支配する友好的なインディアンのお蔭で、まずは快調ということが出来た。山岳地帯を越えると原住民はそれ程歓迎を示さなくなり、アラバマ河を下る時はマビーリャ（恐らくアラバマ州カムデンの近傍）で必死の闘いを演ぜざるを得ず、多くの装備と人員を失った。彼等は北西方向に遮二無二進撃を続け、一五四〇―四一年の冬はミシシッピー州のヤズー河の近くで送っている。翌年の早春、彼等が再び行動を起したのは、西の方に住んでいる人々は大変な金持で、戦いに赴く時は黄金の帽子を被るという話に駆り立てられたからである。デ・ソトの進路は今や麾下将兵をミシシッピー河岸まで導き、彼等は今日のメンフィス市の数マイル南で同河を渡河した。スペイン人達はこの河の大きさがどれ程であろうとも一向に畏敬の念を抱かなかったと見える。彼等にとってミシシッピー河とは単に一つの厄介な軍事的障碍物に過ぎず、渡河用の艀(バージ)を造る難作業に一ヶ月もかければよかったのである。

デ・ソトとその逞しい連中はオザーク山地を強引に突破してアーカンソー北部を横断し、オクラホマ東部にあるアーカンザス河とカナディアン河との合流点の西側に着くが、ここが彼等の到達最遠点であった。三度目の冬は《七つの都市》には相変らず程遠いこの辺陬の地で大変な困苦欠乏の中に過ぎて行った。一五四二年の春には一行は絶体絶命の窮地に陥ったため、裸同然の彼等はメキシコ湾に出るつもりでアーカンザス河沿いに南東へ進んだが、それどころか海からまだ数百マイルも北で意外にもミシシッピー河に行き当ってしまう。熱病に冒され、酷く気落ちしていたデ・ソトはここで遂に不帰の客となり——そして厳粛にこの大河へ水葬された。彼の副将ルイス・モスコソ・デ・アルバラードが一行の指揮を執り、陸路メキシコに達する雄図を以て隊員を率い、テキサス平原をブラゾス河まで横断した。このルートの望みが消えるとモスコソはミシシッピー河まで逆戻りし、そこで四年目の、そして最も陰惨な冬を耐えた。一五四三年の春、生存者達は再びこの非常事態に総力を結集して艀を七隻建造し、それに分乗してミシシッピー河口まで流れ下り、それから海岸沿いにメキシコへの路を辿って行った。これは、一五三九年にフロリダへ上陸した六〇〇人中三〇〇人以上が四年間に及ぶ惨憺たる困苦欠乏とインディアンとの戦いを切り抜けて生き延び、しかも彼等が到頭タンピコへ上陸した時、その町の貧しさを嗤い飛ばすだけの、生得のカスティーリャ豪傑気取りをまだたっぷりと残していた初期のスペイン人達の図太さを物語る記録である。探検という偉大な作品は完成されたけれども、デ・

ソト麾下の将兵はその流離彷徨に酬いるもっと目に見える様な成果を遂に何一つ手にすることは出来なかった。

デ・ソトの長征と時を同じくして《七つの都市》の探求が〔米国〕南西部から進展しており、幾つかの遠征隊がメキシコからやって来てロッキー山脈や大平原地帯へ入って行った。一五三九年にはプロヴァンスから来たフランス人聖職者のマルコ修道士とかいう人がカベサ・デ・バカのムーア人奴隷エステバンを連れてアリゾナ東部を通って小コロラド河畔のハウィクー・プエブロまで往ったが、それこそ《七つの都市》の一つに相違ないとマルコ修道士は確信していた。友好的な踏査が行われたため、今日に至るまでズニ・インディアンの部族伝承の中にエステバンの話が遺っていることを想うのは愉しいことである。一五四〇年、メルシオール・ディアスはカリフォルニア湾の東岸沿いに《シボーラ》を索めてコロラド河下流を溯ったし、同じ年、フランシスコ・バスケス・デ・コロナードが長旅に出るが、それは丁度デ・ソトがジョージアからアリゾナまで大陸を横断した時であった。コロナードはマルコ修道士の路を辿ってアリゾナ東部を北方へ抜け、次いで東に向い、後年居留地となったサンタ・フェの近くで冬を過した。この拠点から《七つの都市》を求めて四方へ探検隊を繰出したが、ロペス・デ・カルナデスの指揮する一隊は《大峡谷（グランド・キャニオン）》を発見した。翌年（一五四一年）コロナードは部下を率いて南東へテキサス平原を横断し、次いで北に進路を転じてオクラホマを越え、カンサス東部に到ったが、これが彼の到達最遠点であった。このカンサス大草原地帯深く突入したのは、キバーラと呼ばれるもう一つの《富める王国》の風説に動かされた結果だが、これは《七つの都市》同様全く捉え処のないものであった。失望以外に何物も得られず、コロナードはサンタ・フェ地区へ往きよりも直路をとって帰還し、そしてリオ・グランデ渓谷に沿ってメキシコへ戻って来た。

デ・ソトの長征と同じく、コロナードのそれも何の得にもならない不毛の旅であったが、それをデ・ソトの旅と組合せてみると、これまで知られていなかった北米大陸の広漠たる内部をヨーロッパ人に窺わせたこと、それによってこの地方の〝地図化〟の基礎を作ったことで測り難い程の重要性を持つに至る。同様に南西部のプエブロ［石や日乾し煉瓦（アドービ）の家］に住む人々、つまりバッファロー狩をして暮すこの大草原のインディアンと大自然の驚異の一つ——コロラド河の大峡谷（グランド・キャニオン）——に光を当てる結果となった。

この頃、太平洋岸沿いの海路による幾つかの意義ある探検も行われている。第6章で詳しく述べたコルテス麾下の船長達によるカリフォルニア湾の探検に続いて一五四〇年、エルナンド・デ・アラルコンはコロナードの旅を補完する一つの遠征に出発してカリフォルニア湾の奥へ向い、かの《七つの都市》に通ずる水路の発見を目指した。アラルコンは一五日もの間、インディアンに曳き船をさせてコロラド河下流を溯ったものの、この河が結局《シボーラ》へ通ずる水路ではないことを見届けると、流れに乗って一瀉千里、二日間で河口まで下った。もっと重要なのは、一五四二年カリフォルニアの岸沿いに行われたファン・ロドリゲス・カブリリョの航海である。サン・フランシスコ湾を発見した後、カブリリョはコンセプシオン岬（ポイント）沖の船中で死に、後を継いだバルトロメ・フェレロは翌年もその船を遥かオレゴン海岸まで進めた。これは太平洋岸で造られた脆弱な二隻の船による非凡な大航海と言ってよい。

デ・ソトの失敗はミシシッピー河以東の探検に対するスペイン人の意欲をすっかり殺（そ）いでしまった。従ってこの世紀の後半では僅かに二つの遠征だけが言及に値するに過ぎぬ。即ち一五五九―六〇年、コロナード麾下の老練船長であったトリストラン・デ・ルーナはアラバマ河を溯り、次いで路を西にとってミシシッピー河に向って進んだことがあり、一五六六―六七年にはファン・パルドとホセ・ボヤーノがアパラチア山系南部を探検している。一方、南西部、特にリオ・グランデ河上流地方（一五八一年ロドリゲスが初めて溯行）では頻りに往来が行われた。これらの遠征の中で最も注目に値するのは一五八二―八三年のベルナルディノ・ベルトランとアントニオ・デ・エスペホの旅で、ペコス河［リオ・グランデ河上流］の流れに沿ってニュー・メキシコ北部に到り、そこで右へ方向を転じてアリゾナを横断、リオ・グランデ河を下ってメキシコに帰還するものであった。この極めて重要な遠征に関するエスペホの記述は、一五八七年にハクルートの指導によって『ニュー・メキシコ、即ちエスペヨのアントニイの旅』*New Mexico, Otherwise the Voiage of Anthony of Espeio* の題の下に英訳されたので、英国人には夙くから知られることになった。《シボーラの七つの都市》は欲呆けの眼に写った実在から単なる穢苦(むさくる)しい石や日乾し煉瓦(アドービ)造りの土人部落(プエブロ)にまで転落してしまったけれども、旧(オールド)メキシコからやって来たスペイン人達は、この若い同名の土地即ちニュー・メキシコが、サンタ・フェにおける恒久的居留地の建設（一六〇五年頃）も当然と思わせるだけの豊かな将来性を具えているのを実感したのであった。

カナダのフランス人

スペインやポルトガルの努力に較べると、海外発展という分野へのフランスの登場は臆病で気乗りのしないものであったが、快楽追求型の人文主義者でもあり研究家でもあったフランソワ一世に刺戟されて、幾つかの航海が成し遂げられた。ヴェラツァーノがその見事な沿岸測量をし、海賊もどきの密輸船が西アフリカやブラジルに航し、更には東印度諸島に対してすら、根拠は疑わしいながらも一、二の冒険航海が行われたらしいのには、こうした背景があったのである。また例の《大浅瀬(グランド・バンクス)》へは漁撈航海をしたし、外洋では海賊働きの巡航をも行っている。この種の冒険航海ではノルマンディやブルターニュの港も相応の役割を演じたが、主役はディエップとサン・マローの港であった。フランスは最初から海外の如何なる土地よりも北米大陸の北東部に関心を示したが、これには三重の理由、つまり漁業、入植、そしてアジアに到る北西航路、があったことは疑いない。カナダの創成はこの執拗不屈な政策の結果なのである。

国王の資金援助を受けたサン・マローの実力ある船長ジャック・カルティエは一五三四年四月、大西洋横断の航海に出発した。航海の目的は太平洋に抜ける航路の発見かあるいは単に黄金の探求であったかも知れない。確かなことは何も判っていないけれども、〝航路〟を発見し得なかった落胆に対する彼の言及ぶりは、前者がその動機であったことを暗示するものであろう。船の修理にニューファウンドランド東岸へ寄航した後、カルティエはベル・イール海峡を抜けてその針路を南西に保持し、セント・ローレンス湾を美しいプリンス・エドワード島まで横断し、そこで遠征隊は数日を過したが、その豊饒と肥沃には誰もが満悦した。この島を後にすると、彼等の行手には渺茫たる海が横たわっている様に見えたため、航路発見の望みは昂ったが、彼等がシャルール湾の一番奥まで行き着いてしまったことに気付くと、その惑いはますます大きくなってゆく。そこで彼等は苦労してギャスペ半島を回航し、アンティコスティ島沿岸を通り、ベル・イール海峡を抜けて故国へ船を走らせた。

カルティエは富を持ち帰ることも航路を発見することもなしにフランスに戻って来たが、彼は幾人かのインディアンを連れて来たし、様々な風説、お話、そしてセント・ローレンス河地方の報告をもたらしたのである。特に彼はホシェラガ（モントリオール周辺）、サゲネイ（サゲネイ河畔）及びカナダ（ケベック周辺）の三つの原住民王国の話を持って帰って来た。この頃カルティエは恐らくセント・ローレンス河が海峡ではなく単に一つの河に過ぎないことに確信を深めていたが、それぞれが《メキシコ》に似ているかも知れぬ三つの王国の存在により、この《新発見の土地（ニュー・ファウンド・ランズ）》は徹底的に開拓するだけの価値があると思われた。

　明くる一五三五年、カルティエは捕えたインディアンをセント・ローレンス河流域の神秘の王国へ導く案内者にして第二次北米航海に乗り出した。彼の特徴である秩序整然たる徹底性を発揮してセント・ローレンス湾を隈なく周航し、ニューファウンドランドからギャスペ半島へかけて海岸を測量して、今日のケベックがあるインディアンの大きな町スタダコナまでセント・ローレンス河を溯った。ここでフランス人達は親切なインディアンに歓迎されるが、彼等はあの手この手でフランス人達がホシェラガまで行く気をなくす様に努めた。しかしカルティエとその部下達はこの土地の肥沃さ、特に葡萄の豊富なことには痛く喜んだものの、もっと遠くの王国の富を期待して溯航を続けて行った。十月の初めには彼等は印象的な、柵に囲まれたホシェラガのイロクォイ族の村（モントリオール）に到着し、再び沸き返るような歓迎を受けた。打ち続くこうした親善の姿勢の理由は、インディアンがヨーロッパ製の様々な大小の道具類を欲しがったこと、異人達が色々な病気を治せたこと、そしてスペイン人達が接触したインディアンの場合とは異り、この地のインデイアンは最も性（たち）の悪い白人というものに未だ出遇ったことがなかったこと、などによるのは疑いを容れないところである。

今日のモントリオールに到着したカルティエは、大西洋から約一〇〇〇マイルも内陸へ旅をしたことになるが、この涯（はて）しない河は、イロクォイ族の暦で言えばまだたっぷり一夏（ひとなつ）はかかる奥地まで続いていることを知る。のみならずマウント・ロイヤル〔＝モン・ロワイヤル。モントリオール市中の山〕からの遮る物もない眺望もまた、そうした願いに水を注すものであった。何故なら、この大陸を思わす陸塊は目路の限り漠々たる拡りを見せていたからである。殊に散々聞かされて来たサゲネイの王国は何処に在るのか見当もつかず、その位置に至っては同じ名の付いたサゲネイ河からオタワに至る間中を、更にそのずっと西方までを、あちこちと徘徊していたのである。こうした事情及びその年も深まって来たことにより、カルティエはスタダコナからセント・チャールズ河を渡って冬を送る決心をした。カナダの気候は初秋のスタダコナの如き牧歌的なものではないことを思い知らせたこの経験によって、カルティエは次の様に考えざるを得なくなった。寒気は終る時を知らぬものの如く、部下は劇しい壊血病に呻吟し、そしてインディアンの目に触れた金物類は悉く掻っ払われてしまう、と。セント・ローレンス河の氷が姿を消すや否やカルティエは故国へ向けて帆を揚げ、レイス岬を廻って大西洋を横断し、一五三六年の初夏にはサン・マローに還り着いた。

カナダの長い嫌な冬にも拘らず依然として熱意に燃えていたカルティエは、今や百花繚乱の植民事業にフランソワ一世の関心を向けるべく、ドンナコナという名のイロクォイ族酋長を連れて、国王の宮廷に赴いた。しかし神聖ローマ帝国との戦争とその後の外交折衝に追われていた国王はこの問題を暫く棚上げにせざるを得ず、カルティエの植民航海の実現を見たのは一五四一年になってからであった。その年の春、カルティエは装備十分な遠征隊と軍事指揮官としてカルティエに随う冒険好きの貴族ジュル・ド・ロベルヴァルを率いて出帆した。

彼が活動を休止していた長い年月の間に一つの変化が彼自身の上に現れて来たと見えて、カルティエは初期の航海における如き周到で整然たる方法を好む、実務に徹した航海者から移り気で無責任な黄金探求者に変貌していた。カルティエの植民地はケベックより更に九マイル入ったカプ・ルージュに紛れもなく建設されたのだが、彼はホシェラガ周辺を偵察するために間もなくそこを後にし、遠くオタワ河の河口［つまりセント・ローレンス河との合流点］まで行った。カプ・ルージュにおける最初の冬は不安なものであった。カルティエは戻って来たがインディアンの態度は威嚇的で、一五三六年にフランスへ連れて行かれた彼等の友人や親類を案じ、怒りを籠めて難詰したのである。これらの不幸な人々は皆ずっと前に死んでしまっていたが、カルティエはドンナコナとその仲間がかの国で贅沢に暮していると称して彼等の懐柔を図った。翌年の春、カルティエは無責任且つ奇妙にもフランスへの帰還の途上にあり、その荷物の中には黄鉄鉱を詰めた樽が一二個もあった。彼はそれを金鉱石だと思い込んでいたのである。このがらくたを積込んだカルティエは六月にニューファウンドランドの南東岸沖で、折から英国海峡で数ヶ月の海賊働きをした後カナダへ赴きつつあったロベルヴァルと出遇った。カルティエはそのまま故国へ向い、ロベルヴァルは植民地の指揮を執るためにカプ・ルージュへ進んだ。ロベルヴァルはカプ・ルージュで冬を送り、入植者もそこで二度目の酷寒の季節を凌いだ。一五四三年の春、サゲネイ王国発見の最後の努力を試みるべく、ロベルヴァルはセント・ローレンス河を溯ってオタワ河まで進入した。カルティエ同様、ロベルヴァルの失望も迅(はや)かったらしい。何故なら彼は程なく戻って来、そしてカプ・ルージュ計画をインディアンの手に委ね、生存者を纏めてフランスへ出帆してしまうからである。

　一五四三年秋のロベルヴァルの帰国と共に、カナダにおける第一次フランス植民地計画は終焉を迎え、六〇年後のシャンプランの到着まで再興されることはなかった。それは時期尚早の試みでもあったろうし、不屈の忍耐を欠いたために苦しんだことも確かである。功績の面を採り上げれば、それまで未知であった北米大陸の一角の後背地を相当広範囲に亙って明らかにしたことであり、フランスの最も誇るべき植民地となる運命を担った地方に母国の関心を集中せしめたことであろう。

10 マジェランとその後続者達

クリストファー・コロンブスは恐らくは死ぬまでアジア本土の一角にその足を掛けたものと信じていたけれども、西航して大西洋を渡り東印度諸島に到ろうとするその壮大な計画は、彼の生きている間には実現されなかった。西廻り航路を採って東洋に達することにより、コロンブスのやり残した仕事に論理的結末を与えるにはその後継者、かの大マジェランの出現を俟たねばならなかった。簡単に言えば、マジェランこそ、単にその目的においてのみか達成の仕方においても、コロンブスの真の遺産相続人なのである。彼はコロンブスが止めたところから出発し、コロンブスが少年時代からその達成に努めて来たことを、稔りこそなけれ成功と言える結末にまで導いたのであった。コロンブスは途の半ばに終り、マジェランはその全航程を成し遂げたが、一つの航海として見るならば、それは一四九二年の冒険「コロンブスの第一次航海」の合理的延長でもあった。ダ・ガマの遠征を加えてこの航海三部作を揃えてみた時、この三大航海が人類年代誌上で最も重要なものであり、就中マジェランの航海は言語に絶する困難を克服した勝利として他の二者を凌駕する、と躊躇なく断言できよう。

フェルディナンド・マジェラン――ポルトガル流に呼ぶならばフェルナン・デ・マガリャンエス――は一四八〇年頃、北部ポルトガルの貴族の家庭に生れたが、後年スペインのために働くことになるよりずっと前は《東方》で冒険に満ちた経歴を重ねるべき運命にあった。彼は一五〇五年にはアルメイダに従って印度に赴いており、マラッカ籠城では殊勲を樹て、次いで香料群島に対するアブレウの探検航海にも多分参加したと思われる。東方で活動的な七年間を送った後マジェランはポルトガルへ還った。彼はそこで功成り名遂げて自適することも出来た筈だが、次には北アフリカにおけるムーア人との戦闘について査問されている。この作戦が終ってみるとマジェランは罷免され除け者になっている自分に気が付き、もはや母国ポルトガルでは彼の鬱勃たる才幹を発揮する望みがなくなったことを悟る。かかる事情の下では、スペインに彼の運命を賭けてみることを慫めた同郷人の宇宙形状誌学者で才気煥発のルイ・ファレイロにマジェランが魅せられて行ったのも無理はなかった。そこで、リスボンの宮廷では不興を蒙っているのだという意識も手伝って、彼は姉妹王国スペインへ赴くのであるが、このためマジェラン、ファレイロの両人の名はポルトガル人からは「極悪人」「裏切者」「野蛮人」として括弧付きの扱いを受ける羽目となった。このマジェランの行動を弁護するのは難しいとも見えようが、それでもなお彼は家郷に在ってはむしろ窮屈を感ずる様な、着想と生気に満ちた人間であり、一方、偉大な発見者としては、ある意味では、吾が才腕を揮い得るならば敢えて国を択ばず、といったことも許される程の人物であった。そしてその様な国がつまりスペインであったのだ。マジェランの天性総てを見れば、彼の所謂〝国籍抛棄〟が卑劣なことであるかの如き仄めかしは全くいわれのないものであることが解る。彼の高潔な性格は疑いもなく初期探検家中の白眉と言ってよかった。

法王アレクサンデル六世の所謂《修正世界分与法》では、西経四六度の子午線が植民事業におけるスペイン圏とポルトガル圏の分界線を形成していた。もしこの線が南北両極を通って続いているとするならば、それは東経一三四度の子午線として地球表面の反対側を通過することになるであろう。とすれば香料群島の幾らかはスペイン圏に入り、分界線の太平洋の部分が決定されていない以上、スペインはモルッカ諸島に対する正当な権利主張をなすべく分界線を確立するための遠征隊を派遣するのが得策だというのがスペイン人の希望であったのだ。この問題を地図上で説明すると次の様になる。即ち、ブラジルの膨満部（バルジ）から東廻りで東印度諸島に到る間に在る新しい土地はポルトガルに与えられ、一方、同じくブラジルの膨満部から西廻りで東印度諸島に到る間に在る地域全部はスペインに割当てられることになる。法王庁の如何なる委員会もまだ東印度諸島の帰属を決定してはいなかったけれども、アメリカに強固な足懸りを獲たスペインは、今こそ東洋の豊かな土地への影響力を伸長すべき好機だと感じていた。後に判明した通り(そして地図を一瞥すれば誰にも解る如く)彼等は間違っていた! 何故なら東経一三四度の子午線は、日本とニュー・ギニアの大部分及びオーストラリアの半分をスペイン圏に取り込みはするものの、かの香料群島の遥か東方を通過してしまうからである。しかし一五一九年には、マジェランとその新しい雇主達はこの事実を知る由もなかったのである。

南米迂回航路によって東洋に達し、それによって東印度諸島に対するスペインの権利主張を確立するという考えがマジェランから出たものであったことは疑いない。それがマジェランの新構想であったのは、恰も一四九二年の大計画がコロンブスの頭脳の産物であったのと同工異曲である。一五一八年の冬、献身的なファレイロをお供にしたマジェランはバリャドリーに在ったスペインの王宮を訪れ、この事業の公許を求めてカール五世とその顧問官達を説いた。この説得作業はコロンブスの時よりも容易であったが、それは当時既にマジェランが、自身の議論を補強するだけの過去四半世紀に亙る諸発見という事実をその背景に擁していたからに外ならない。王命というまたとない強力な後楯を得てセビーリャに赴いたマジェランは、一年余りを麾下艦隊の艤装に費した。

勅許を得たとは言いながら、マジェランに与えられた《道具》はこれ程の大事業を遂行するにはまず失格といってよい代物ばかりであった。彼は船五隻を与えられはしたがいずれも継ぎ接ぎだらけの老朽船で、当時これらを実見した人は、これではカナリア群島への航海すら願い下げにしたい程だと言っている。それぞれの船名と搭載力は〈サン・アントニオ〉一二〇トン、〈トリニダード〉一一〇トン、〈コンセプシオン〉九〇トン、〈ビクトリア〉八五トン、そして〈サンチアゴ〉が七五トンであった。これらの中で小さい方から二番目の〈ビクトリア〉だけがこの大航海を完成すべき運命を担ったのであり、それを永遠に記念して彼女の姿はいみじくも（多少ぞんざいな描き方ながら）ハクルート協会叢書各巻の扉を飾っているのである。

マジェランの部下が水辺の屑みたいな連中の寄せ集めであり、レヴァント人や黒人の他にヨーロッパ各地から来た水夫達をも含んでいたところを見ると、彼は乗組員の募集にはかなり苦労したらしい。乗員名簿中に一人の英国人の名が見えるが、それはブリストルのマスター・アンドルウで〈トリニダード〉の掌砲長（マスター・ガナー）を務めた。副司令の地位には当然ファレイロが就くべきであったが、狂気の発作のために不適格となってしまい、かくて生じた空席は向背常なき船長達によって占められることになる。遠征の規模を考えた場合、その参加者中の驚く程の少数しか《歴史》の好意的認知を得ることが出来なかった。言及に値する名を挙げれば〈ビクトリア〉を故国スペインまで回航し切ったセバスチャン・デル・カーノ、ポルトガル領印度地方を汎（ひろ）く旅したマジェランの義兄弟ドゥアルテ・バルボーザ、ヴィチェンツァから来たイタリア紳士でこの航海の公式記録者となったアントニオ・ピガフェッタ、そして東方海域に関する造詣と司令官への忠誠によってこの事業の重要な一員となった〈サンチアゴ〉船長のポルトガル人ジョアン・セルラン等であろう。しかしこの航海では名声は作られるよりも傷つけられることの方が遥かに多く、マジェラン麾下の三人の船長についてはむしろ言わぬが花……であろう。

一五一九年九月二十日、艦隊中で最もましな船〈トリニダード〉の檣頭高く提督の長旒（ペナント）を飜（ひるがえ）したマジェランの率いる遠征隊は、グァダルキビール河口にあるサン・ルカール港を解纜した。二ヶ月余の航走でブラジルの最東端に達し、そこからは南米大陸の海岸にぴったり沿う針路を保持しつつ、《南海》へ導いてくれる海峡を索めて見張りを怠らなかった。かくして彼等はリオ・デ・ジャネイロ湾とラ・プラタ河口を探検し、常に希望と挫折を繰返して行った。その年も深まって来たのでマジェランは冬季避泊に入る決意を固め、艦隊は南部パタゴニアにあるプエルト・サン・フリアン湾（南緯四九度）に錨を下した。遠征隊はこの荒涼たる地方で一五二〇年の三月末から八月一杯までを過したが、それは決して平穏無事な五ヶ月ではなかった。復活祭の季節にはマジェラン麾下の船長達や高級士官連の多数を捲き込んだ容易ならぬ叛乱が勃発した。マジェランは〈トリニダード〉の忠誠を確保し、セルランは〈サンチアゴ〉を動揺させなかったが、他の三隻は叛乱者に乗っ奪られた。遠征はその時そこで終止符を打たれたかに見えたけれども、マジェランは他の尊敬すべき資質に加えて、鉄の意志の持主であった。〈トリニダード〉と〈サンチアゴ〉は行動を起し、〈ビクトリア〉を奪還すべくマジェランは勇猛無比のバルボーザが指揮する接収隊を派遣した。舷縁を跳び越える突入でこれに成功し、完全に裏をかかれ数でも圧倒されたことを悟った叛乱側は遂に屈服した。彼等は罪状に応じて処分を受け、首謀の一人は刺殺、一人は絞首、幾人かは島に置き去りの刑に処せられた。マジェランは下士官・兵員には敢えて極刑を科すことはしなかった。何故なら操船には部下の全員を必要としたし、また度を越した苛酷さによって自らの信望を危険に晒したくなかったのである。この方針は好結果を生んだ。と言うのは（〈サン・アントニオ〉の脱走を別にすれば）その後の航海の間、不穏な動きの重大な兆候は全く見られなかったからである。

とは言えサン・フリアンではマジェランの前途にまだ問題が横たわっていた。沿岸の偵察航海に出て行ったちっぽけな〈サンチアゴ〉が約七〇マイル南方で暗礁に乗り上げてばらばらになってしまったのである。人命の損失は僅か一名であったが、基地へ帰還する陸上旅行では乗組員は大変な困苦を嘗め、マジェランは彼等を収容するために救援隊を送らねばならなかった。〈サンチアゴ〉の喪失は深刻であったが、サン・フリアン停泊の残余の期間中、事件は幸いにも殆ど起らなかった……もっともこの間スペイン人達は、平均の背丈が六フィートを超し、小柄な地中海の船乗りからは見上げる程の巨大なパタゴニア原住民と幾らかの交渉を経験している。

一五二〇年八月末、マジェランは再び航海の途上にあり、サンタ・クルース河口で暫く時を過した後、十月二十一日、後にマジェランの名で呼ばれることになる海峡を発見し、そこへ進入して行った。二つの大洋を結ぶこの三二〇マイルを乗り切るには三八日を費した。真に遅々たる航程であったが、それは色々な枝道や袋小路の探検、並びにこの海峡通過中にエステバン・ゴメスの指揮下に脱走してスペインへ帰航を図った反抗的な〈サン・アントニオ〉の捜索に多くの時間をとられたからである。遂に一五二〇年十一月二十八日、バルボアが初めて《南海》を目にしてから七年の後に、マジェランは今や三隻に減ってしまったその艦隊を涯知らぬ太平洋に乗り入れ、かくして西廻り航路の謎を解いたのである。この偉業を成就するに当り、この地方の海域では稀有の好天に恵まれたことも事実であるが、マジェランは終始航海者（ナヴィゲーター）としての円熟した伎倆を示したのであった。

さてこれから全航程中で最も退屈な時期、この上なく激烈で長距離にわたる恐るべき耐久競技——太平洋横断——が始る。マジェラン海峡を後にすると彼は一〇〇〇マイル余の間、チリー海岸沿いに北上を続けたが、このやり方は得失両面を具えていた。即ち一方では好都合な貿易風帯に乗ることによって大洋横断の速度を上げることが出来たけれども、他方ではマジェランの航路が、壊血病に苦しむ乗組員に不可欠の新鮮な食物を供給し得た筈の太平洋諸島よりも北方に偏する結果となってしまったのである。この針路をとる限り、太平洋横断（ザ・クロッシング）は単調と苦難と病気に満ちた一大冒険譚になるのは必定であった。九八日間の中、島影を見たのは僅かに二度、即ち一五二一年一月二十四日のツアモツ群島（グループ）中のプカ・プカ島と思われる〝サン・パウロの島〟、そして一〇日後のライン諸島南端にあるフリント島らしき〝鮫の島〟だけであった。来る日も来る日も艦隊は前進を続けた。彼等は赤道を越えたが、モルッカ諸島では食糧補給の機会が多くは得られないのではないかと虞れ、恐らく中国のどこかへ辿り着く希望を抱いてその針路を更に北方へ定めた。三月六日にラドローネス群島中のグアム島に達するまで、彼等は投錨することなく航走を続けた。大いに働いて来たブリストルのマスター・アンドルウは遂にここでその命を終える。マジェランのグアム島滞在は短期間であった。と言うのは、この島の原住民の盗癖(同群島の名〔ラドローネス＝盗人〕にその悪名を遺すことになる因を成した)がマジェランに更に前進を余儀なくさせたからである。一〇日の後、彼はフィリピン群島に達するが、その陸地初見はサマール島の南の岬である。四月七日、セブ島へ着くとマジェランはその地の土侯と不運な同盟を結ぶ。土侯は彼に代理戦争をして貰う心算だったのである。こうしてマジェランはセブ島の東に在る小島マクタン島に対する無益な遠征にいつの間にやら一役買うことになり、その島の一五二一年四月二十七日の戦闘でこの英雄的指導者は戦死してしまった。

マジェランの死という悲劇の後、周航の完成は次第に勢いを失って行くが、マジェランの事業は遂行され、その部下達は西航して《東洋》に到達したのであった。マジェランに関してだけ言えば、彼は一五一一―一二年、アブレウに従ってフィリピン群島の南ではあったがもっと東方まで航海したことがあるから、自ら世界を一周した……と言っても全く差支えないのである。彼の悲劇的な運命はその船をスペインから再びスペインまで一周させる栄誉を拒んだけれども、それにも拘らず彼は香料群島に到る道を示し、それによってコロンブスの未完の事業を継承・成就したのであった。船乗り、地理学者、また探検家としてのマジェランは真に叙事詩的人物と言うべく、恐らくはコロンブスあるいはダ・ガマのいずれをも凌駕する底の、古今に類を見ない最大の航海者であった。

マジェランの死後は忠実なセルランが指揮を執ったが、僅か数日後に彼もまた、勇敢で旅馴れたドゥアルテ・バルボーザと共に土民の騙し討ちに遭って殺されてしまう。遠征隊は今や悲惨な窮地に陥った。乗員が激減したため〈コンセプシオン〉は焼却され、その乗員は〈トリニダード〉と〈ビクトリア〉に分配された。指揮権は〈ビクトリア〉船長で有能なバスク人の航海者セバスチャン・デル・カーノに委ねられたが、その名声はかのサン・フリアンの叛乱に加わったことで些か汚点を残している。幾多の苦難を耐え忍んで来た部下の称賛に値する元気回復力を以て、彼等生存者達は帰国の旅に上る前に船荷を一杯積み込み、そしてこの悪だくみに満ちたセブ島を離れてボルネオに向い、ブルネイの町で交易を行った。それから再びフィリピン群島に戻り、ミンダナオ島でモルッカ諸島へ行く路を教えて貰った。そこで彼等はその針路をティドーレ島に定め、この島に六週間（一五二一年十一―十二月）滞在したが、これは世界周航中唯一の楽しみに溢れた間奏曲と言えた。原住民は親切であり、贈物が交換され、十分な丁子（クローヴ）の船荷を積み込むことが出来た。

ところで二隻の船はここで東西に別れることになる。何故なら〈トリニダード〉は傷みが酷く、船長はスペインまでの航海の危険を冒す自信が持てなかった——精々出来そうなのは太平洋を横断してパナマに何とか辿り着くことだけだったからである。

世界周航完成の使命は今や小さな〈ビクトリア〉が果す以外になかった。彼女〈ビクトリア〉は香料群島中をティモール島へ南下し、次いで印度洋を南アフリカに向けて横断すべく針路を定めた。一五二二年五月の初めに乗組員は喜望峰の東の高地を望見したが、同岬の回航で嵐に揉まれ続けたために、アフリカ西岸を北上した辺りで修理碇泊を余儀なくされた。六月八日に彼等は赤道を越えたけれども、この航海の最終航程は物凄いものであったに相違ない。何故なら壊血病と飢餓によって乗組員は悲惨と苦痛のどん底まで衰弱してしまったからである。七月九日、遂にヴェルデ岬諸島中のサンチアゴ島に辿り着く。それでもなお彼等の苦難は終らなかった。ポルトガルの官憲がデル・カーノの率いる惨めな残存乗組員の殆ど半数を捕えて投獄してしまったのである。残りの一八名のヨーロッパ人と四名のマレー人——辛うじて船を操り得るだけの人員——で彼等はスペインに向けて帆を揚げ、出発以来丸三年にあと一二日足りないだけという一五二二年の九月八日、彼等はセビーリャ築港の近くに錨を投げた。それから間もなくサンチアゴに残された一三人が釈放され、ここに再会した乗組員は皇帝カール五世の宮廷で歓迎されることになる。〈ビクトリア〉をティドーレ島からスペインまで連れ戻ったデル・カーノの手柄を弁護する一つの傾向がこれまであったけれども、それは基幹要員（スケルトン・クルー）だけでぼろ船を操り、世界を半周したこと自体が素晴しい業績とも見えたからであろう。ともあれ、初の世界周航はかくして達成され、そして人々は、この航海の偉大な指導者マジェランがその生残りの勇士達と共に最後の仕上げに与る幸運に恵まれなかったことを痛惜するのである。

さてこの辺で、一五二二年四月にパナマへ向けてティドーレ島を出発した〈トリニダード〉の運命に一瞥を与えることにする。太平洋横断という死物狂いの冒険で、逆風に抗して風上へ間切りながら洋心へ乗り出した〈トリニダード〉は、恐らくハワイ群島の北西辺まで到達したらしい。しかし情況は彼女（トリニダード）にとって余りにも酷であった。それはお定まりの壊血病と飢餓に加え、絶え間なく東から吹きつける逆風、という言い古された話である。遂に絶望した船長エスピノサはその企図を断念してモルッカ諸島に帰還し、そこで部下と共にポルトガル人の捕虜になる。東印度地方における更に三年の波瀾の後、〈トリニダード〉乗組員から生残った僅か四人がスペインに帰還するが、これは当初の二八〇名の乗組員中から頑張り抜いた〝完走者〟数を合計三五人にまで引上げただけに過ぎなかったのである。〈トリニダード〉の航海は不毛の結果に終ったとも見えるが、それにも拘らず、何物をも発見しなかったことにより、逆説的にも彼等は事実上《何か》を発見した。即ちこの航海は、マジェランが通過した海域よりも遥かに高緯度地方まで一つの広大な海洋が展開していることを実証したのであった。

モルッカ諸島とフィリピン群島

マジェランの航海は、太平洋の横断によって東印度地方に到達し得ることを実際に示したものであったが、それは同時に、途中に横たわる絶大な困難をも明らかにしたのであった。何よりもまず、餓えと壊血病の恐怖がつき纏うその航程の長さは、こうした冒険を総て一種の苛酷極まる《耐久試験》化するものであった。第二に南北両回帰線間の広大な海洋帯には絶え間なく東から貿易風が吹くという現象がある。これが太平洋を《一方通行の路》にしてしまっていた。人々はアメリカからアジアへ向けて航海することは出来たが、二度と戻っては来られなかった。換言すれば、東洋に向う西廻り航路は悉く《世界一周航路》になってしまうのである。にも拘らず、スペインには太平洋横断の実現を信じて疑わぬ人々がいた。その主張を証明する歩みは遅く犠牲も多大であったが、彼等の不撓不屈の努力はマジェランの航海から半世紀以内に酬われることになるのである。

こうした情況の下にマジェランの航海の続篇として一五二五年、ガルシア・デ・ロアイサとセバスチャン・デル・カーノが共同指揮する七隻から成る大艦隊が、カール五世のためにモルッカ諸島の領有を主張すべくスペインを後にした。ロアイサはモルッカ総督として東印度地方に留ることになっており、一方、デル・カーノの任務は――その能力に適わしく――この事業の海軍司令官であった。彼等の部下の中にアンドレス・デ・ウルダネタがいたが、彼は四〇年の後、太平洋の航海に大変革をもたらす発見をなすべき運命を担っていたのである。この航海は悲劇的なものであった。艦隊は最初から悪天候に悩まされ続け、マジェラン海峡の通過は困難を極めた上、ロアイサとデル・カーノは共に苦しい太平洋横断中に死んでしまった。病気による恐ろしい程の人死を出しながらも艦隊の乗組員達は何とかティドーレ島に辿り着き、隣のテルナテ島からする敵対的なポルトガル守備隊の包囲攻撃を持ち堪えるだけの地歩を固めた。衆望を担ったこの勇敢な遠征隊の生残りは、頻繁に増強を受けるポルトガル軍を、孤立無援のまま数年間に亙って支え抜いたのである。遂に彼等の苦戦のニュースは世界中に洩れ聞えて来、メキシコに在ったコルテスは救援の遠征隊を整えた。アルバロ・デ・サーベドラの指揮する三隻から成る援軍は一五二七年にメキシコを出発した。太平洋岸で建造された脆弱な三隻中の二隻は太平洋の真只中で逸(はぐ)れてしまい二度と姿を現さなかったが、その一隻はハワイで難破したものらしく、土地の口碑にそれらしき出来事が遺っている。サーベドラは残った一隻で全く役に立たぬ程の小人数を率いてモルッカ諸島に辿り着いた。ロアイサ艦隊生残りのスペイン人は結局ポルトガル軍に降服し、後に本国へ送還されるに至る。一方サーベドラは何とかしてメキシコへ帰還しようと努力したけれども、その路は人が考える程には容易でないことが判っただけだった。彼は再三再四、無情な貿易風に逆って船を遣る試みを繰返したがそれも空しく、ニュー・ギニア（二年前――一五二六年――ポルトガル人ジョルジェ・デ・メネセスが発見した）沿岸まで航海したものの遂に船中に歿し、残された乗組員はモルッカ諸島でポルトガル人に降参してしまった。

これらの言わば相互に絡み合った冒険事業が失敗すると、常に過度の財政膨脹に悩まされ、金に窮していたスペイン王カール五世は、東印度地方におけるスペインの権利をポルトガルに売り渡してしまった。この影響で太平洋におけるスペイン人の活動は減退するが、完全に終熄した訳ではなかった。何故なら今や正式にポルトガルの独占に帰したにも拘らず、航海だけは依然として続けられたからである。例えば一五三七年にはコルテスはメキシコから二隻の船を派遣し、黄金に富むと信ぜられた島々を赤道直下の海域に索めさせている。フェルナンド・グリハルバとアルバラードの指揮したこの航海は災厄に遭い、太平洋探検の恐るべき危険性を再び思い知らせる結果となった。ギルバート諸島は発見されたものの、乗組員は叛乱を起してグリハルバを殺し、最後はニュー・ギニア沖で難破してしまう。結局生存者七人だけがモルッカ諸島に辿り着いたのであった。メキシコからのもう一つの冒険はルイ・ロペス・ビリャロボスが行ったもので、彼はフィリピン群島に居留地を造るべく一五四二年に船出したのであるが、当てが違ってモルッカ諸島に着いてしまった。彼はティドーレから部下の船長の一人レテスをメキシコへ派遣した。レテスはニュー・ギニア（これはレテスが命名した）の北岸全体に亙って航海したが、太平洋を横断して船を東へ進めることは叶わず、香料群島へ帰還して来た。そこで仕方なくロペス・

デ・ビリャロボスはポルトガル人に降服し、アンボイナ島で一五四五年に亡くなった。もっと根拠の定かでないメキシコからの冒険は一五五五年のファン・ガエターノによるもので、その航海の真偽の程は疑問視されているけれども、ハワイ群島の発見に結びついたとも思われる。

しかしスペインの不運がどこまでも続いていた訳ではなく、一五六五年にはその転回点に差しかかる。この年、吉兆とも言うべき二つの出来事が起きた。フィリピン群島の植民地化に成功したことと東印度諸島からアメリカへ初めて航海したことである。これらの業績の誉れはミゲル・ロペス・デ・レガスピとアンドレス・デ・ウルダネタに帰すべきものである。ロペス・デ・レガスピは一艦隊を率いて一気に太平洋を西へ横断し、セブ島に今日のセブ市の基礎を造り、東洋における最初のスペイン人居留地を確立した。勿論このことはスペインが東印度地方の権利をポルトガルに売り渡した条約の紛う方なき違反行為であったが、東洋にあるポルトガル人はかかる侵犯者達の追い出しを図るには、数において余りにも少な過ぎた。スペインは、フィリピン群島がその権利譲渡の範囲には入っていないのだという理窟でその行為の合理化を試みたけれども、この場合、〝現実の占有は九分の勝ち目〟であったのである。

しかしながら、もしもアメリカへの帰還航路が発見されなかったならば、フィリピン群島の植民地化というスペインの企図はその出発点で既に蹉跌していたことであろう。帰還航路の発見無くして植民地化は有り得なかった。この注目に値する業績を達成したのはデル・カーノ遠征隊の古強者アンドレス・デ・ウルダネタであるが、彼は修道士（モンク）としてメキシコで長年を過し、そこで地理学者としての名声を博していた。ロペス・デ・レガスピが彼の植民地を開拓すると、ウルダネタはメキシコ帰還航路の発見を申し出て、大胆にも高緯度海域まで航海し、大きな北寄りの弧（アーク）を描きつつ太平洋を横断してこの放れ業に成功を収めた。この時ウルダネタは少くとも北緯四二度まで行っている。かくして彼は《貿易風》という禁止帯を回避し、そして西航に比べれば東航は帆走に二倍の時間を要したとはいえ、この航海が可能であることを実証したのである。この航路（ルート）は彼の航海以後、定期的に使われ、《ウルダネタの路》として知られるに至る。《アカプルコのガレオン船》——一年一度マニラからメキシコへ向う［三層または四層甲板の］大帆船（ガレオン）——が使用したのはこの《ウルダネタの路》であった。

南海の島々

太平洋の航海が始った最初の四〇年間というもの、ポリネシア群島の大部分を人々は見落していた。マジェランの艦隊がマルケサス諸島とロウ諸島［ツアモツ諸島の別称］の間を抜けた時にそうだった如く、島影を視認し得る距離よりほんの少しばかり外側を航行した例は幾つかあるけれども、太平洋横断航路は概して北方に偏していたのである。ラドローネス群島やギルバート諸島（そして多分ハワイ群島）を除けば、注目に値する発見は何一つなされなかったが、かなりな程度までペルー人の伝説に基いた《広大な南方大陸》の実在という信仰は、太平洋の航海に対する新たな刺戟となり、南米からするスペイン人の幾つかの航海を促すことになった。マジェランからロペス・デ・レガスピに至るまで、遠征はモルッカ諸島あるいはフィリピン群島のいずれかを目指すものであった。今やここでも、かの《失われたアトランティス》のそれに似た謎が解かれるのを待っており、《プレスター・ジョンの王国》や《黄金郷（エル・ドラード）》の伝説同様に夥しい信奉者・熱狂者を吸い寄せることになる。《南方大陸》の可能性に最初に取り憑かれたのはペドロ・サルミエント・デ・ガンボアである。彼は大変有能な精力家であり、インカの伝説や歴史の研究をしたり、マジェラン海峡経由でドレイクを追跡し、逆に捕虜になってロンドンに連行され、そこでローリイ卿にギアナの富を説いて興奮させたり、といった多彩な経歴の持主であった。サルミエントは真に個性豊かで魅力的なルネッサンス型人物であったに相違なく、その自由思想は幾度か宗教裁判の窮地に自らを陥れもしたし、神秘の南方大陸に賭ける彼の信念はその後の幾多の航海に対する初動推進力の役を果したのである。にも拘らず、彼はその最初の遠征を指揮する巡り合せとはならなかった。この役割は新任のペルー副王の若い甥で〝あらゆる異教徒共をキリスト教に改宗させる〟——つまり征服する——任務を帯びたアルバロ・デ・メンダーニャ・デ・ネイラに与えられてしまったのである。

一五六七年も暮れようとする頃、メンダーニャは太平洋岸で建造した二隻の船に僅か六〇〇リーグの旅程を賄うに足るだけの食糧を積み込み、サルミエントを麾下船長の一人としてペルーのカヤオを出帆した。マジェランの航跡をぴったり辿った艦隊は、マルケサス、ロウ両諸島の間を島影一つ見ることなく通過し、次いで真西へ変針してエリス諸島で初めて陸地を望見した。上陸は極めて困難な状況であったため、腐った水や乏しくなって行く食糧と共になおも航海を続け、遂に一五六八年二月、カヤオを離れて八〇日後に彼等はソロモン群島中のイサベル［＝サンタ・イサベル］島の高地を視認した。この大きな陸塊が伝説に言う《南方大陸》だとする希望は、イサベル島やその他の島々が一つまた一つと「島（インスラ）」であることが判明するにつれて幻滅に変って行った。つまりそれぞれの島が発見された時、そうでないことが明らかになるまでは「大陸」だと思われたのだが、その証明は間もなく誰の目にも歴然として来たのである。にも拘らずその探求成就に希望を棄てなかったメンダーニャとサルミエントはこの海域で六ケ月を過し、島々の自然の豊かさを期待する余り、この群島に《ソロモン群島》という全く見当外れの名前をつけてしまった。彼等はイサベル島に初めて上陸し、そこで探検に便利な一隻の二檣帆船（ブリガンティーン）を造った。この小さな船でイサベル島を周航した後、二隻の本船とブリガンティーンを連ねて彼等はグァダルカナル島へ進み、そこで二度目の碇泊をしている間、このブリガンティーンはグァダルカナル島の沿岸を航し、マライタ島からサン・クリストバル島まで往った。艦隊の最終寄航地はサン・クリストバル島で、そこでもこのブリガンティーンは三度目の巡航を行っている。しかしこれらの島々は大きくはあったが矢張り「島」には違いなく、乗組員の一部はここには常駐に値するだけの黄金の徴候が十分にあると信じたが、その鉱物資源は仮にあったとしても入手は容易ではなかった。原住民との関係は到底満足なものとは言えなかった。食糧に対するスペイン人の法外な要求は善良な性質の原住民にとって厳しい負担を課すことになり、グァダルカナル島では上陸隊が虐殺されたために、土民達は部落をすっかり焼払われるという報復をサルミエントから受けてしまった。サン・クリストバル島で船を徹底的に解体修理した後、スペイン人達は遂に一五六八年八月、ペルーへ向けて帰還の途に就いた。一年以上も嵐と飢餓に苦しむ航海を重ね、《ウルダネタの路》を通ってカヤオへ辿り着き、そこでこの大冒険は終りを告げた。けれども当時としてはこれ程の壮挙も、成果という点では遥か後世に俟たねばならなかった。何故ならこの《ソロモン群島》は発見されるや否や文字通り失われてしまったからである。スペイン人は二度とその所在を突き止めることが出来ず、二世紀後に再発見する仕事がキャプテン・クックに残されることになる。

中世騎士気質(ドン・キホーテ)を多分に具えていたメンダーニャは決してその夢を抛棄しなかった。この群島は本当は一つの大陸ではなかったにしても、その前哨地点であることには相違なかったのである。そしてメンダーニャは地球のこの地方に一大植民地を創建することに没頭した。この堅忍不抜のメンダーニャに生涯の大事業を実現する機会が与えられるには更に一〇年の歳月を待たねばならず、その間太平洋におけるスペインの冒険事業は、以前は最も敬虔なキリスト教徒の国王の臣下だけが航海していたこの海域への英国の異教徒共の侵入によって、酷く悩まされることになる。即ち一五七九年にはドレイクが、一五八六年にはキャヴェンディッシュが、そして一五九三年にはリチャード・ホウキンズが太平洋探検という事業からスペイン人の気持を外らしてしまったし、一方スペイン人にとっては、植民地を造ることは単に敵の優勢に備えて今後の避難港を準備することでしかなかったのである。

　それでもなおメンダーニャは、遂に一五九五年その不屈の忍耐が酬われるまで、せっせとそのお気に入りの計画に打ち込んでいた。この年の四月、彼は十分に準備されたソロモン群島行き艦隊を率いてカヤオを出帆した。メンダーニャが初めて航海したのは如何にも若々しい騎士の頃であったが、今や彼はむしろ優柔不断で鈍感な中年男と化し、宛らマクベス夫人を想わせる性悪女と結婚していた。この破廉恥な女は自身が遠征に随いて来たばかりか、その兄弟達をも同伴し——身内を形成して、艦隊の中に残っていたかも知れぬ僅かな協調をも見事に打ち壊してしまった。なお悪いことに、ペルーのスペイン当局は《黄金郷》に対するウルスアのあの凶運に取り憑かれた遠征の場合と同じことをやった。およそ考えられる限り最も望ましからざる連中ばかりを送り出してしまったのである。無頼漢ばかりの乗組員に同調しなかったのはポルトガル人の水先案内ペドロ・フェルナンデス・キロスで、その勇気と才能のみがよくこの事業を難破から救ったのであった。

それでも航海そのものは、殆ど毎日、船上で乗組員の誰かと遠征に同行した女達の誰かとの結婚式が行われるという、申し分なく幸先よいスタートを切った。三ヶ月の航海の後、崛然たる島影が一つ眸に入って来た。マルケサス諸島中のマグダレナ島である。同諸島の南部で一週間を過したメンダーニャは、友人のペルー副王マルケス・デ・カニェーテ〔カニェーテ侯爵〕に敬意を表してこの諸島に《マルケサス》の名を与えた。メンダーニャの部下達は友好的な原住民を巣籠り中の鴨の如く射殺するという蛮行で悪名を高めたが、当時そんな必要など全くなかっただけに、いよいよ怖るべきことであった。この残虐行為の後、艦隊はハンフリイ諸島を通過し、九月の初めになってその行手に高い島影が朦朧と現れるまで、ソロモン群島へ向けて針路を保持し続けて行った。航海が順調だったために、メンダーニャはこれこそ目的地だと確信した。事実はこれはサン・クリストバル島より二五〇マイル手前のサンタ・クルース島で、同じ緯度（南緯一一度）に位置していた。これから後、遠征隊は急速に統制を失って行く。サンタ・クルース島で恐怖の二ヶ月半が過ぎたが、その間に原住民は何百となく殺され、スペイン人達の損失も病気や殺人で殆ど同じ程度にまで達した。土民の殺戮や遠征隊の全面的崩壊を招来したという点では、このメンダーニャ夫人イサベルは正に悪の天才であった。メンダーニャが熱帯性熱病に仆れたことは彼にとってはむしろ幸いだったかも知れない。十一月半ばには事態は全く絶望的となり、残された可能な道はフィリピン群島へ航海を試みるしかなく、この危機に際してキロスが大きく前面へ浮び出て来る。キロスの指導下に生存者達は海図もない未知の海へぼろ船を進め、殆ど三ヶ月に及ぶ航海の果にマニラの港へ蹣跚(よろめ)き入った。キロスの任務の困難さはイサベル夫人の非協力的態度と身勝手によって倍加されたのだが、この女はそんなことは全く意に介さなかった。マニラに着くや否や彼女はその地のスペイン総督の歓待に唯々(いい)と身を委ね、忽ちその夫人に納ってしまったのである。

この遠征の主人公キロスは《ウルダネタの路》を通ってメキシコへ帰還し、更にそこからスペインへ、そして到頭ローマまで往った。彼が切り抜けて来た数々の恐るべき試練は、この謎めいた人物の熱情をますます燃え熾(さか)らせただけであった。航海者としての比類ない天稟だけでなくキロスは激しい宗教的神秘主義の持主で、それ自体は甚だ結構ではあったが、どうも高級船員(クオーター・デック)よりは修道院生活(クロイスター)の方が相応しいといった処があった。時と共に彼はいよいよ一つの幻想――改宗した原住民達が至高の理想境の名に値するやり方でスペイン人と一緒にキリスト教徒の兄弟として暮す様な、広大な南方大陸における〝新しきイェルサレム〟の幻想――を抱く夢見る人となって行った。十字軍的熱誠を以て彼はこの人助け計画に没頭したが、それというのも、未発見の土地に住んでいる、教会へ導いてやらねばならぬ無数の異教徒の大衆の上にキロスはその憶いを馳せていたからである！ 多くのスペイン人、ポルトガル人の探検家達がそうした使命感を大いに抱いていたことは本当だが、キロスの場合その情熱の烈しさは極端で——殆ど初期キリスト教の殉教者（マルチリ）のそれに等しかった。

ローマ法王とスペイン政府の後援を受けて自らの計画を実現すべくペルーに戻ったキロスは、一六〇五年も深まった頃、三隻の船を連ねてカヤオを出帆したが、これこそ英雄時代の凋落を前にして行われたスペイン人による最後の大航海であった。全体としては太平洋横断は無事平穏であったが、キロスはその間殆ど病んでおり（どこか気が変になっていたかとも思われる）、次から次へと夥しい指令を発している。その中では敬虔と徳行に関する省察が航海術の示唆や食養生への助言と奇妙に混在しているのである。彼のとった航路は南米から殆どピトケアン島近くまで西南西に向い、次いで北へ転じてロウ諸島［＝ツアモツ諸島］を縫い、最後は昔メンダーニャと共に通った路をサンタ・クルースへ辿るものであった。そこから真南に針路をとり、彼は遂にニュー・ヘブリディーズ諸島に達し——これを発見するが、これこそその希望の大陸であるとキロスは確信した。キロスはエスピリッツ・サント島の北岸にある大きな湾に入り、《新しきイェルサレム》計画の実現に着手し始める。

この段階になると、夢想家キロスは彼の把握していた《理想境》の力によって自分の内なる《航海者（ナヴィゲーター）》を完全に圧倒してしまったと見え、その後の彼の行動は殆ど説明出来ないまでに訳の解らぬものになってしまった。彼は厳格を極めた取締りによって乗組員を敵に廻し、叛乱寸前にまで至らしめたらしいし、ヨルダン河（キロスはこの島の大河をそう呼んでいるのだが）の岸辺に一つの町を創建しようという企図は、原住民の敵対行為によって阻まれてしまった。いずれにせよ、たった三週間の滞在の後、キロスは自分の船に乗って海に浮び、エスピリッツ・サントの港で唖然としている副将のルイス・バエス・デ・トレスを残したまま、アメリカに還ってしまった。後にキロスは、船が俄かに陣風雨（スコール）［驟雨性突風］に見舞われて錨地から吹き流され、二度と港へ戻れなかったのだと言っている。しかしこのスコールがトレスの船には何の影響も与えなかったこと、また士官トレスが、少くとも若干の正当化の意図がなかった訳ではないが、常にキロスの行動を単純で公然たる脱走と見做していることからして、キロスの話はどうも裏に意味があるらしい。もっと寛大な説明は多分こういう風になるであろう。つまり、彼等の隊長の常軌を逸した数々の行動によって不穏化した部下が、太平洋を越えて帰国せよとキロスに強制したのだ、と。

いずれにせよ、トレスはもはや上司の如き高邁な計画には何の興味もなくしてしまっていたから、暫くの間キロスの帰還を空しく待ったが結局ニュー・ヘブリディーズ諸島を立ち去り、その針路をフィリピン群島に向けた。地理学上の観点からすると、トレスの航海はキロスの全事業の中で最も肝要な部分となるべきものであった。ニュー・カレドニア島の端を越えて南西に航した後、トレスはルイジアード諸島［珊瑚海北部］に向けて北西へ変針し、思いもかけずニュー・ギニアの東端にぶつかることになった。そこからはこの巨大な島の南岸全体に沿って船を進め、《トレス海峡》を抜けたが、その時恐らくオーストラリア本土のヨーク半島の岬を望見したものと思われる。かくして彼の航海はニュー・ギニアが「島」であることを証明し、そしてメンダーニャやキロスが索めてやまなかった《南方大陸》を発見したドゥイフケン［小鳩］号の巡航と（やや根拠は心許ないが）その功を競うものとなった。トレスはモルッカ諸島からマニラまで航海を続けたが、不幸にも彼の航海の成果は失われてしまった。彼の功績に対して全く正当な評価が下され、彼が発見した海峡にその名が冠せられるのは、一七六二年のマニラ占領でトレスの記述が英国人の手に入ってからのことである。かの空想家キロスはどうなったかと言えば、彼は南方地域の発見に一層の努力を傾注することの望ましさを政府に説くためにスペインに帰還した。しかしその努力は成功せず、一六一四年、彼は政府の支援を離れて最後の試みをなすべく出発したが、遂にパナマより先に進むことなく仆れてしまった。キロスの死はスペイン航海活動の《白鳥の歌》であり、彼の死と共にかの《征服者達（コンキスタドーレス）》の栄光の日々もまた永遠に過ぎ去って往くのである。

11 北方航路の探求

十六世紀の中葉に至るまで発見と探検は殆ど総てといってよい程、ポルトガル-スペインの独占に委ねられて来た。次いでルネッサンスの波が遅れて届いた僻遠の島王国イングランドが――イベリア半島の王国が成し遂げた業績を凌駕し、終にはその光輝を失わしめるに至った海外発展の道に乗り出すべく――突如として前面に立ち現れた時、その弔鐘は遂に鳴らされたのである。エドワード六世の時代より前から、ブリストルやその他イングランド西部諸港の人々が、この海洋民族に対してかりそめの曙を用意し、未知の海へ航海する些かの経験を与えるのに辛うじて足りる程度の航海を行っていたことは事実である。しかしこれらの冒険航海はどう見ても小粒であってフランス人のそれにすら及ばず、従って一五五〇年以後における英国の海上発展の真の上げ潮こそ、世界史における最も意義深い事象の一つに位すると言ってよかろう。その時代より前にはカボット父子の一連の航海譚、ヘンリイ八世時代の気乗り薄な二つのアメリカ航海、そして定かではないがギニアとブラジルに対するウィリアム・ホウキンズの航海があったが――それらは丁度スペイン人やポルトガル人がパナマからマラッカへかけて彼等の旗を推し進めていた頃と時を同じくするものであった。十六世紀の後半になると、英国では航海というものがエンリケ王子時代のポルトガル乃至フェルナンド王とイサベラ女王時代のスペインにおけるが如き激しさと熱情を伴って持て囃された。この新気風の最初の発現としては一五五〇年代の西アフリカに対する諸航海を挙げることが出来る。これらの航海は成功もし回数も多く、そしてその後の歩調を定める役割を果した。この見地からすれば、一五五一年のウィンダムによるバーバリイ海岸への航海は、大英帝国の確立という結果をもたらすことになったエリザベス一世とジェイムズ一世の治世における強力な活動への導火線となったとも言えるのである。

この国を挙げての澎湃（ほうはい）たる気運を説明するものとしては、時代精神という観念的影響の他に、少くとも二つの要因があった。その要素の一つとしてドレイクやホウキンズの時代の赫々たる成果の幾つかを生むに至った一つの行為、即ちヘンリイ八世による《英国海軍（ロイヤル・ネイヴィ）》の創設を挙げることは決して過大評価ではない。国家的戦闘装置の後楯を抜きにしては英国人の航海活動は不可能であったと言ってよく、この時代を通じてその戦闘任務と商船としての働きは緊密に連結されていたから、実質的には全く同じ物だったと言ってよい。

もう一つの極めて重要な要素は、《航海》を鼓吹する宣伝（プロパガンダ）が一段と有力な人々の間に特に行き渡ったことであった。皮肉にも、いや適切にもと言うべきか、英国の爆発的な海外雄飛の裏にはスペインという手本に刺戟された面が大いにあって、殊にそれは十六世紀の初め頃セビーリャに住んでいた在留英国人の小集団にまで溯ることが出来る。それらの中でも主だった人々と言えばロバート・ソーン、セバスチャン・カボット（彼を英国人と呼んでも多分支障はあるまい。何故ならカボット自らそう任じていたからである）、ロジャー・バーロウ、ヘンリイ・ラティマー、そしてエマニュエル・ルカールなどで、グループの大半は、カボット父子の指揮下に行われた英国人による探検航海の最初の摸索とも言うべきものを親しく目撃したブリストルの商人達であった。既に見て来た如く、カボット、バーロウ、ラティマーは一五二六年にはラ・プラタ河の溯航探検を行ったし、セビーリャは対アメリカ貿易の中心地であったから、このグループの面々は総て所謂《印度地方》へ赴く航海活動には常に接触する立場にあった。一五二七年、ソーンは『ロバート・ソーンの本』*The Book of Robert Thorne* という地誌に関する一種の宣伝的著作に纏められた一連の手紙を書いているが、これは長年に亙って写本の形で流布したため、印刷体としてはハクルートがその『［アメリカ発見］航海雑録』*Divers Voyages*（*Touching the Discovery of America...*）に収めたのが最初であったとは言え、宮廷方面や実業界に一つの影響を与えたことは間違いない。この小論は一人の英国人が書いた海外政策に関する最も初期の論説から成り立っており、次の言葉を含むが故にいよいよ記憶さるべきものとなる。即ち「航海し能わぬ海は莫く、人の住み得ぬ土地もまた無し……」と。ロジャー・バーロウもまたこうした信条の普及に力を致し、エンシソの『地理学大全』*Suma de Geographia* を翻訳したが、これはソーンの著作と同じく写本の形で読まれた。ブリッジウォーターの人ルカールはソーンの弟子を務め、師匠の論文・覚書類を相続したが、これは後にジョン・ディーやリチャード・ハクルートによって活用されることになる。カボットについて言えば、前記の人々の中では最も経験に富んだ旅行者、最も学識ある地理学者であり、一五四七年にイングランドへ帰還した後は、彼が宣伝の一翼を担ったことはほぼ確実であろう。これらの人達は初期の英国旅行文献――海外の冒険事業へ向けて英国人を鼓吹する意図を持った文書――の系譜とも呼び得るものを創始したのであった。ソーン、カボット、そしてバーロウの後にはリチャード・イーデン、ジョン・ディー、更にハクルート家の二人と続き、最後にサミュエル・パーカスが登場するが、彼等こそ大英国の初期発展段階で遺憾なくその役割を果すことになった地理学的著述の世紀を演出した人々であった。

この夥しい数の弁護団(と称してよいと思われるが)は東方貿易の追求をその第一目標に置いた。つまりポルトガルやスペインをしてそれぞれの道を歩ましめるに至ったのと同じ吸引力である。エリザベス一世の代が経過するにつれ、英国の政策にはアメリカ水域におけるスペイン人との交戦状態や北米に対する英国人の入植を是とする思想が次第に力を増して行くなど、他の要素が割り込んでくる。しかし、これらの事象は言わば先のことで、一五五〇年以後長い年月の間、東方貿易の追求こそ英国の鼓吹者や理論家の唯一の目標であった。イングランドから船によって東洋に到達し得るルートが(少くとも理論的には)四つ開いていた。これらのルートはそれぞれ順次試みられたが、最初の三つは不可能または非実用的のいずれかであることが判明し、四番目のルートはエリザベス女王時代の後期に至るまで試みられることなく、従って次の世紀まで未開拓のままに残されたのである。主唱され試みられた一番目の経路はロシアを迂回する北東航路であり、二番目は北米を廻る北西航路、三番目がマジェラン海峡を抜ける南西航路、そして四番目の(且つ成功した)ルートが喜望峰の回航であった。

北東の路

英国の航海事業はノーサンバランド公ジョン・ダドリイという人を得て、国家最高の地位を占める熱心な後援者を初めて持つことになった。大抵の史家にとっては彼の評判は芳しからざるものが多いが、それでもなお、英国の初期植民事業に対するノーサンバランド公の支援はその失点を補って余りあるものとなっている。彼の友情や後楯と共に、アジアの北方を廻って中国に到る航海に対する刺戟はセバスチャン・カボットやジョン・ディーによって更に深まったが、ディーは絢爛たる学識を誇る若きウェールズ人で、その神秘学(オカルト)

との関り合いは、彼が魔界と通交しているとの嫌疑を招いた程であった。カボットはその来歴と経験から《北方派（ノーザナー）》に属する。少年の頃にニューファウンドランドへ航し、青年時代にはハドソン海峡に到達したが、ラ・プラタ流域における様々な経験は、南方航路の実現性について彼に手痛い幻滅を与えたのである。ディーはどうかと言えば、彼は、ユーラシア大陸はノース・ケイプ［＝ノルドカップ。ノールウェイ北端の岬で従って欧州最北端］から中国へかけて南東方向に連続的に傾斜しているから、航海の大半は温帯水域を辿ることになる筈だ、とする中世のアラビア人地理学者達の所説にすっかり呪縛されていた。北東航路推奨の一層もっともらしい理由の一つには、経済的なものがあった。つまり当時英国の輸出品の大宗は毛織物であり、この商品が南アジアの如き熱帯地方では殆ど売れないことは判っていたが、一方、途中のもっと涼しい国々には〝反物・服地のよい捌け口〟を用意してくれるだけの高い文化水準の住民がいるだろうと期待されていたのである。北西航路沿いの原住民の場合、こうした条件は望むべくもないことを夙（つと）に看取していた人は多かったが、しかし彼等は北東航路の場合には、ノース・ケイプから中国（カタイ）に至る間に住む中国系の、そして中国文化を持った人々が居るだろうし、その人々と取引を行うことが出来るだろう、という説を唱えていたのである。

　カボットとディーの唱道の下に全能のノーサンバランド公の協賛を得、ロンドン指折りの市民達による極めて強力な後援を受けて、冒険商人から成る一つの共同出資株式会社が設立された。カボットはこの会社の頭取として三隻から成る遠征隊を組織し、同隊は一五五三年五月、ヒュー・ウィロビイ卿の指揮下に船出した。この冒険事業の前途には失敗と成功が共に待ち構えていた。中国到達の試みが全く不成功に終ったことは失敗であり、その代り全く予期しなかったにも拘らず、ロシアに達したことが成功であった。ノールウェイ沖の荒天で船隊は散り散りになり、ノース・ケイプを通過した後、ウィロビイは航海を続けてノヴァヤ・ゼムリヤ島を発見した。時は恰も八月であり、短い北極の夏も次第に深まって来たので、冬籠りをするために指揮官ウィロビイはラップランド〔スカンジナヴィア半島北東部一帯の総称〕へ引返すが――恐るべき北極圏の気候の中で、部下全員と共に凍死してしまうのである。この間、次席指揮官リチャード・チャンセラーはこの事業の頽勢を懸命に立て直していた。指定会合地点のヴァルドェ〔ノース・ケイプの東方、ヴァランゲル半島東端〕（初期の物語に言うウォードハウス＝見張小屋）でウィロビイとの邂逅に失敗した後、彼は進んで白海に入り、アルハンゲル〔アルハンゲリスク〕というロシアの漁村に錨を下した。そこから南へ旅をしてモスクワに到着し、イワン雷帝に歓待された。実際彼がイワンの未開野蛮な宮廷に着いたことは一つの僥倖であった。何故なら当時のロシアはバルト海や黒海には海岸線を持っておらず、ヨーロッパと接触するにはモスクワ‐ノヴゴロド‐リガ経由が唯一の路で、しかもそれはハンザ同盟にがっちりと独占されていたからである。従ってチャンセラーは、英・露両国の相互の利益を図り、更にはハンザ同盟の裏をもかく様な広汎な貿易特権を英国民のために獲得することが出来たのである。

チャンセラーは実際には中国(カタイ)に達することはなかったが、それでもなお極めて重要な成果を収めて一五五四年の夏に英国へ帰って来た。一五五五年彼は再びロシアに向い、そこでウィロビイの運命を知り、その遺書を回収した。チャンセラーはロシア皇帝(ツァー)と交渉して英露貿易の組織化を行い、一五五六年の秋にはイワン雷帝から大使が一人、チャンセラーと共に英国へ派遣された。チャンセラーの船はスコットランド沿岸の嵐で難破し、大変有能な外交官であることを証明したこの屈強なブリストルの船乗りは水死してしまった。かのロシア人の同僚は救われて遂にロンドンに辿り着き——ロシアという国の初の正式代表として姿を見せることになる。

チャンセラーが不運な帰国の途に就くべくロシアを離れる準備をしていた丁度その頃、北東航路の謎を解くべくもう一つの遠征隊が英国を出発していた。隊長はチャンセラーの第一次航海に参加した古強者のスティーヴン・バラで、彼は弟ウィリアムと八人の乗組員のみで一隻の小さなピネス［小型二檣帆船］〈サーチスリフト〉を駆り、この不可能に等しい冒険を企てたが——真に大胆不敵な壮挙と言わねばならなかった！　グレイヴズエンド［テムズ河口の町］まで同行した老セバスチャン・カボットの魅力的な絵が今日残っているが、この〝古き良き時代の紳士〟は〈サーチスリフト〉を点検し、旗亭クリストファー・インで乗組員と宴を張り、ダンスを共にしてその行を壮んにした。バラは雄々しい冒険に乗り出して行き、その航海で真のチューダー時代操船術の至芸を示したのであった。彼はノヴァヤ・ゼムリヤとロシア本土の間のヴァイガツ島に達し、そして氷と天候に阻まれて引返す前にはカラ海峡を抜けて実際にカラ海にまで進入していたのである。ドヴィナ河口に近いコルモグロで冬営した後、彼は英国へ帰還した（一五五七年）が、彼の不成功により、ロシア廻りの中国行きの試みは、その後長く衰えてしまった。熱意の喪失はこの航海だけが原因ではなく、もっと大きな理由は対露貿易の予想外の成功であった。カボットの創った冒険商人の会社は今や《モスコヴィ・カンパニイ》という一層適切な名で知られる様になり、ロンドン－アルハンゲリスク間の航海は日常茶飯事となっていた。地理学史の頁を飾る更に重要なことは、英・露通商の直接的成果であり、東洋に関する英国人の知識のその後の成長にとって至大の意義を持つ一要素ともなった《ロシアを横断してペルシャから中央アジアに到る英国人による旅行》である。これらの旅は第13章にその詳細を譲るが、北東航路の熱心な推進者を偲んで公正に評するならば、英国人はノース・ケイプを経由してアジアの遥か奥深くまで確かに到達していたことを指摘しておくのがよいと思われる。この間、英国人による初期の航海活動を飾った懐しい大立者が世を去った。即ちその六〇年にわたる活動がコロンブスの時代と結びついていたセバスチャン・カボットは一五五七年、エリザベス朝の幕開きと共に生涯を終えたのであった。

アジアの北方を廻ろうとする試みが再び現れるのは一五八〇年になってからである。この年、カボット亡き後、北東・北西両航路の熱心な主唱者であったジョン・ディーの慫慂に応じてアーサー・ペットとチャールズ・ジャックマンが航海に乗り出した。バラの企図が成功しなかったにも拘らず、ペットとジャックマンはヴァイガツ島の傍を抜けてカラ海に進入する希望を捨てなかったが、その物語はバラのそれと余りにも似た結果となっただけである。彼等はヴァイガツ島を通過してカラ海への進入に苦闘したが、氷と霧に悩み抜いた揚句、残念ながら故国へ向けて変針を余儀なくされる。その後もなおカラ海峡の氷やコルグエフ島沖の浅瀬といった幾多の危険に遭遇した。ジャックマンの船はノールウェイ沖で跡形もなく姿を消してしまい、ペットだけが大変な困難を切り抜けてテムズ河口まで辿り着くことが出来た。

彼等の航海は言わば孤立した試みであったが、モスコヴィ・カンパニイの英国人社員が一五八四年頃アルハンゲリスクを出帆してカラ海を横断し、北部シベリアのオビ河の河口まで達したことを示す証拠がある。それでもまだ回航を待っている神秘の岬タビンが残っており、この岬を越えれば、ディーによると、海岸線が中国に向って南東に伸びているから、航海は容易になる筈であった。しかしディーの御託宣に耳を藉す者はなかったらしい。何故ならこの世紀の残りの期間中、英国からはこれ以上遠征隊の派遣はなかったからである。

英国人の熱は冷めてしまったけれども、一五七七年の夙くから白海地方と定期的な貿易を営んでいたオランダはそうではなかった。オランダにはオリヴァー・ブルーネルという極めて熱心な鼓吹者がいて、彼はロシアから陸路サモイエド族の住む地域を通ってシベリアへ行き、オビ河口まで沿岸航海をしたことがあり、一方、一五八四年には、不成功に終ったけれどもヴァイガツ島を通過する遠征を試みてもいる。こうしたブルーネルの幾つかの旅は、史上最も偉大な北極圏航海者の一人として位置することになったウィレム・バレンツを長とする一五九四年の探検船隊の編成に結実した。バレンツと行を共にしたのは東方旅行者として名高いヤン・ホイヘン・ヴァン・リンスホーテンであった。この最初の冒険で彼等オランダ人はノヴァヤ・ゼムリヤ島北端まで航海して全体の大きさを知った後、バレンツは往路を折返してヴァイガツ島に行き、オビ湾口の緯度辺までカラ海を北上した。

この比較的成功した航海の結果、引続き翌年（一五九五年）には第二次航海が行われている。この時も第一次同様バレンツが指揮を執り、リンスホーテンは積荷監督（スーパーカーゴ）として同行した。しかしこの冒険にかけられた大きな期待は実現しなかった。何故なら彼等の船は、夏の間もずっと氷で海峡が閉されるという異常に酷しい気候に阻まれてヴァイガツ島とロシア本土との間の海峡を切り拓いて進むことが出来ず、オランダへ帰還を余儀なくされたからである。

バレンツによる三度目の、そして最後となった航海は、彼自身としては最大の、そしてあらゆる北極探検中最も耐久力を要した偉業の一つに数えられるべきものであった。一五九六年に出発した彼は、北東航路、北西航路のいずれをも採らず、何と放胆にも北極そのものを突き切る針路を選んだのである。この方法でバレンツはスピッツベルゲン［スヴァールバル］諸島に到達（してこれを発見）したが、叢氷（バックアイス）を突破出来なかったため、当初の構想を抛棄して再びノヴァヤ・ゼムリヤに船を向けた。彼の一五九四年の航海時の最遠地点を過ぎた後、バレンツはこの島の北端を回航したが、そこで彼の船は氷に圧し潰されてしまい、彼とその部下はその冬を惨澹たる困苦の中に送らねばならなくなる。翌年の春、生存者達は二隻の甲板もないボートに分乗して出発し、信じ難い程の苦難を経てロシア本土に辿り着いた。バレンツはこの航海の途中に死亡し、この方面に対するオランダ人の探検の推進力もまた失われてしまうのであるが、彼の負けじ魂によって、こうした初めての経験には付き物のあらゆる艱難に耐えて、北極圏の奥深い処で一群の人間が初めて越冬することが出来たのである。

北東航路の探求に関してバレンツ以後言及に値する唯一の人物はヘンリイ・ハドソンで、彼は一六〇七年にグリーンランドとスピッツベルゲンの間に航路を捜し索めている。翌年彼はスピッツベルゲンの東方に出ようとしたが成功せず、ノヴァヤ・ゼムリヤに達し、そして彼の先輩達と同じくヴァイガツ島経由で航海を続けんものと努力したが、同様に不可避の運命に逢着してしまったのである。ハドソンと共に《北東航路》冒険譚は終りを告げる――少くともノルデンショルド男爵がその仕上げに成功する一八七九年までは……。

北西の路

英国の膨張はまず二方向に爆発した。その一つは中国航路の解決を企図した《北東》であるが、これは間もなくロシアとの貿易というもっと現実的な仕事(ビジネス)に変貌してしまった。もう一つはギニア、そして最終的にはスペイン領アメリカを目指す《南西》であった。指導的人物の幾人かが世を去ってしまうと、初期の熱狂は一五六〇年代の〝過渡期〟に道を譲る。保護者として甚だ貴重な存在であったノーサンバランド公はメアリ一世［在位一五五三―五八］の即位によって刑死を遂げ、セバスチャン・カボットはそれから四年後の一五五七年に歿する。ハクルートは未だ現れず、初期の熱烈な鼓吹者中、残っているのは――百科全書的知力の持主で黒魔術を売物にしていた占者(ネクロマンサー)ディーのみであった。それでもディーは依然として《中国(カタイ)への路》という空想に執着していたものの、《ノース・ケイプの路》は期待外れであったし《南廻りの路》もまた気に入らなかったために、《北西航路》に宗旨替えした。ディーの愬(うった)えは人を動かす力があったし、この頃彼が《大英帝国(ブリティッシュ・エンパイア)》なる言葉を造り出したことはなかなか面白い。無論《イギリス帝国》の方がもっと論理的であったろうが、カンブリアン［ウェールズ人］の流れを掬(く)む一人として、恐らくそれは御免蒙りたかったのであろう。北西航路を鼓吹することによってディーは、デヴォンシャーの郷紳(スカイア)でウォルター・ローリイ卿の異父兄(ハーフブラザー)に当るハンフリイ・ギルバート卿という思いがけない盟友を得たが、ギルバートは北西航路に関する熱狂的な論文を物した人である。一五六六年頃に書かれた『中国（カタイア）に到る新航路の発見を論ず』*A Discourse of a Discoverie for a New Passage to Cataia* と題するこの小冊子（トラクト）は一〇年間程は写本の形で流布され、一五七六年に至って遂に印刷体となった。ギルバートの小著が与えた影響は大きく、就中フロビッシャーの第一次航海を促したのは本書であると言われている。簡単に言えば《北西航路の理論》なるものはこうであった。即ち、一度ラブラドール地方を廻れば、アニアン海峡を通って南西に伸びる広大な水域がある、と。セバスチャン・カボットは若い頃、アニアン海峡の北方にある土地は北東方向へ伸びたアジアである、という、長い間一部では信奉されて来た理論の持主であったが、ディーは、その海峡は広いものでもっと低緯度地方にあると信じていた。《アニアン》それ自身が当時の宇宙形状誌（コスモグラフィ）に通有の〝彷徨（さまよ）える地方〟の一つであって、最初は中国の上方即ち北にあるアジアの部分と考えられていたが、それが動き出して海峡の北方に分離したアメリカの陸塊と化し、遂に（オルテリウスの地図では）カリフォルニア北方の北米本土に落着いてしまった。ともあれ我々はこの水路のルネッサンス的概念を、実際よりもっと長く且つ広い、そして悠かに南東へ寄ったベーリング海峡、として想い描けばよいのである。

ディーとギルバートの間ではこの航路に対する説得力ある論拠が確立され、事実それは甚だもっともな処があったから、この計画に対する大きな資金援助を主としてロック家から抽出すことが出来た。ロック家は曾て西アフリカ貿易に活躍して来た家柄である。この冒険事業に相応しい経験豊かな船長としてマーティン・フロビッシャーが選ばれたが、彼は若い頃ギニアへの航海に何度も従事し、後年は英本土水域における海賊働きという厚かましい所業に忙しかった男である。エリザベス一世から壮行の謁を賜ったフロビッシャーは一五七六年の六月、三隻の小さな船を率いて首途し、一路グリーンランド南端を目指した。麾下の船は一隻は浸水沈没し、もう一隻は脱走してしまったが、二五トンの〈ガブリエル〉に乗ったフロビッシャーは遠くバッフィン・ランドまで航行を続けた。ここで彼は自分の捜し求めていたもの、つまりアジアを右舷（スターボード）に、そしてアメリカを左舷（ボート）に見る海峡を発見した――いや発見したと思ったのである。実際には《フロビッシャーの海峡》（即ちラムリイの入江（インレット））は単なる袋小路（クール・ド・サック）に過ぎなかった。しかしフロビッシャーはそれ以上探検を継続出来なくなった。エスキモー人が彼の部下五人と〈ガブリエル〉に積んで来た大型（ロング）ボートを攫って行き、乗組員が僅か一三人に減ってしまったからである。そこで彼は驚くべき怪力を発揮して、漕ぎ去ろうとする一人の運の悪いエスキモー人をその皮張小舟（カヤック）ごと〈ガブリエル〉の甲板に摑み揚げ、この《アジア人》を土産にして英国へ帰って来た。その他の土産も無論持ち帰って来たが、黄金を含有していると言われる鉱石の様々な標本は、この冒険事業全体の目的をすっかり歪（いびつ）なものにしてしまった。

フロビッシャーが太平洋航路打通に失敗したにも拘らず、冒険事業の後援者達は真に意気熾(さか)んで、マイケル・ロックは外ならぬエリザベス女王その人を株式応募者の一人とする《中国会社(カンパニィ・オブ・カタイ)》を設立したのである。恐らく海峡地帯の金鉱(ゴールド・マイン)云々の報告が大いに与って力があったものであろう。今や《中国会社》の商船隊長(アドミラル)の称号を帯びるに至ったフロビッシャーは、一五七七年、一隻には同海峡の金を含む鉱石を積み取り、他の二隻を以て太平洋へ突き進むという二重の目的を持った二度目の冒険航海に出発した。後の方の任務については、フロビッシャーは殆どそれに従う素振りすら見せなかった。それどころか、彼はかの海峡で三隻全部に鉱石を満載すると、さっさと英国へ戻って来た。何ともはや畏れ入った話で、〝北西航路の探求〟は瞬く間に〝もぐりの山師稼業〟に堕落してしまったが、これは、商業的な事柄においてはエリザベス朝の人間が天真爛漫、愚かしいまでに未熟であったことを如実に物語る一挿話でもあった。フロビッシャーが還ってくるや問題の鉱石は直ちに分析試験にかけられたが——ロックとフロビッシャーの二人は無論この発見に自信満々だったけれども——その評価に至っては実に様々で、恐らく公正なものは皆無であったと言ってよい。

随ってフロビッシャーが〝鉱石の積み取り〟を唯一の目的として——この航海で探検における一つの進歩がもたらされた事実を付記した方が公正というものだが——その第三次遠征に出発したことは、少くとも〝率直さ〟という取柄だけはあったのである。どんより曇った天候に妨げられて緯度を正確に観測出来なかった彼は、気が付いてみるとハドソン海峡に入っており、そこを例の鉱床へ向けて引返す前に既に二〇〇マイルも辿っていた。フロビッシャーは、この路は以前に発見した通路、即ち単に〝ちぎれた陸地〟の間の一水路に過ぎず、アメリカ大陸の北側に沿った所謂〝大通り〟ではなかったものよりも優れた航路たり得るだろうと正しくも結論したのであった。またこの偵察から、所謂〝突出したアジアの角（ホーン）〟という古い観念は抛棄され、〝ラブラドール地方と北極の間にある島々と開水面〟という考えが取って代ることになる。しかしその他の点では、フロビッシャーの最後の航海は失敗であった。季節は酷烈となり、厄介極まる氷は遠征隊の装備の大部分を積んでいた船を沈めてしまった。誰もが荒んだ気分に陥り望郷の念はいよいよ募って、フロビッシャーは出来るだけ早く英国へ向けて船を走らせたが――さて帰還してみると、泡（バブル）、つまりこの夢のような計画は壊れていた。《中国会社》は潰れてしまっており、破産したロックは債務者として収監されていたのである。かくして《北西航路探求》の第一ラウンドは不面目な結末を迎えることになった。

フロビッシャーの失敗が《北西航路派（ノースウエスタナーズ）》の熱狂に水を注してしまったのは全く当然であって、北米を回航してアジアに到る路を発見しようという試みに対して再び関心が昂って来るのには、更に数年を要したのである。その年月の間に、フロビッシャーの後援者達は新しい人々と交替すべく舞台から姿を消して行った。ロックは窮乏してしまい、ギルバート卿も《新世界》における英国最初の植民事業の一翼を担っている途中で溺死［アソーレス沖の嵐による海難」（一五八三年）していたし、ウェールズ人の魔法使ディーはと言えば、吾が巫覡の術（ネクロマンシィ）にとってはヨーロッパ大陸の方が適わしい舞台だとばかり、仲間の山師・法螺吹き数人と共にボヘミアへ旅立ってしまっていた（一五八二年）。彼等の後を埋めて登場したのはロンドンの富豪ウィリアム・サンダーソン、ギルバート卿の異父弟ウォルター・ローリイ卿、そしてフロビッシャーの航海事業で手痛い損失を被りながら怯むことのなかったフランシス・ウォルシンガム卿の面々であった。この後援により、デヴォンシャーはダートマスの男ジョン・デイヴィスなる実技・理論共に長けた船乗りの三次に及ぶ航海が実現することになるが、デイヴィスの七つの海における赫々たる経歴は彼をしてチューダー時代航海者の第一人者たらしめている。

デイヴィスの狙いはグリーンランドを北アメリカの群島から分離している海を通過する航路の探求に在ったが、それはフロビッシャーの航海よりももっと北寄りのコースを意味するものであった。彼の諸航海は、ダートマスという小さな港と切っても切れない関係があり、数年に亙ってその地の住民の主たる関心事となっていた。その最初の航海（一五八五年）でデイヴィスが陸地を初見したのは南部グリーンランドで、その西岸を次第に北上してギルバート瀬戸（サウンド）（今日ゴートホープのある所）に到り、ハンフリイ卿を偲んでその名を付けた。そこから彼はデイヴィス海峡を横断してバッフィン島（ランド）に行き、フロビッシャー海峡（ストレイツ）（本当は湾（ベイ））の北にある水路カンバーランド湾（サウンド）を発見したが、これはデイヴィスに太平洋に抜けられる通路として大きな希望を与えた。しかしながら、この発見を更に拡張することは悪天候によって阻まれてしまい、デイヴィスはダートマスに帰還せざるを得なくなる。一五八六年春、デイヴィスは第二次航海の途に就いたが、そのルートはどちらかと言えば前回と似ていた。彼はギルバート瀬戸までグリーンランド沿岸を進み、カンバーランド湾へ横断してそこを探検した後、南へ舵を転じてハドソン海峡入口を通過し、ラブラドール沿岸を航海した。そしてその年の秋までに英国へ帰還している。

デイヴィスが何ら驚くに足る発見をしなかったことは明らかで、彼のデヴォンシャーの後援者達は元気を失い始めた。しかしデイヴィスはフロビッシャーとは出来が違っていた。後者は勇敢ではあったが、夢みたいな金鉱という即座に儲かる仕事のためならいつでも航路の探索を拋棄してしまうような所詮は日和見主義者であった。片やデイヴィスは打ち続く失敗にもめげずいよいよ希望に燃え、賛嘆に値する断乎たる決意を以て航路開拓に打ち込んで行った。デイヴィスにとっての《北西航路》は常に〝ついそこの角を曲った処まで〟来ていたのであって、彼の喰いついたら放さぬブルドッグ魂は二義的な目標によって道草を食うことは決してなかったし、もしもスペインとの戦争という危機のために探検が一時休止されなかったならば、彼は恐らく生涯の残り全部を賭けてでもその探索を続けただろうと思われる。当時彼が第三次航海を行うことが出来たのは、相変らずローリイ卿、サンダーソン、ウォルシンガム卿等の支持を得ていたからでもあった。一五八七年の春ダートマスを出帆したデイヴィスはグリーンランドへ進み、その西岸沿いに北緯七二度という高緯度地方に達した。これまでの最北到達点の海域に姿を見せている山の様な一つの海角（ヘッドランド）に彼は《サンダーソンの希望（ホープ）》という名を与えたが、これは適切な命名であった。何故なら、デイヴィスは実際にはそれを発見出来なかったとは言え、真の《北西航路》への道を指し示したからである。この陸標を超えて前進しようとするあらゆる試みは氷のために挫折し、デイヴィスは已むなくこれまでの航海と同じく、この海峡をバッフィン島へ向けて横断した。そこから以後の彼の航路はラブラドール海岸沿いに南下し、そして帰国という順序をとるもので、一五八七年の九月、その希望と熱狂に些かの衰えも見せることなく、彼は母国へ還って来た。しかしながら今や《スペイン無敵艦隊（インヴィンシブル・アルマダ）》は着々と形成途上にあり、翌年の一段と仮借なき任務の数々はデイヴィスの才腕を正に必要としていたのである。彼はその後、マジェラン海峡を通過したり、三度喜望峰を回航して印度地方へ赴いたり、最後にはマレー水域で「日本海賊と闘って」船乗りらしい死を遂げることになるのだが、彼の夢を実現すべき機会はもはや再び訪れることはなかった。

当然の論理的帰結として、デイヴィスの不成功は《北西航路》なるものの探求に終止符を打つべきであった。何故なら《無敵艦隊（アルマダ）》以後、長年に亙って陸路による英国人の南アジア進出が見られるからである。即ち、喜望峰廻り（ケイプ・ルート）によるランカスターの東印度地方到着があり、そして官許東印度会社の設立を見、同社は直ちに喜望峰経由の年次航海を組織するに至る。首尾よく懸案が解決されてみると、北極地方を通ってアジアに達する試みにこれ以上時間と精力を浪費することが愚であるのは明らかであったが、それでもなお十七世紀の最初の三分の一の間、この捉え難い《狐火》を索めて続々と遠征隊が英国から繰り出された。東印度会社までもがこうした妄想の片棒を担いだ。一六〇二年、ランカスターが東印度会社の第一回航海時にスマトラで交易している間に、会社の理事達はジョージ・ウェイマスを指揮者とする遠征隊を《北西》へ送り出しており、この遠征隊は叛乱が起きて引返す前、ハドソン海峡に進入していた。この航海は東印度会社に《喜望峰廻り》こそ唯一の実用的な航路だと得心させる結果となったらしい。何故ならそれ以後、会社は北極横断による中国到達をもはや試みなくなったからであるが、ウェイマス以後も他の連中による《アニアン海峡》の探索は続けられており、実際的な成果は殆どなかったにせよ、そこには北極探検に関る英雄譚の一群があったことも事実である。

これら古い昔の極地航海の中で最も名高いのは〈ディスカヴァリイ〉による一六一〇年のヘンリイ・ハドソンのそれである。《アニアン海峡》を南方に探るべく不退転の決意を以てハドソン海峡を通過した彼は、気が付いてみるとフロビッシャーが到達した最西点を遥かに超えてしまい、ある大きな湾の入口にいたのである。ここでハドソンは左舷に向きを変え、後に彼の名が付けられたこの湾の東岸沿いに、ジェイムズ湾の最奥部に行き当って前進を阻まれるまで船を進めた。太平洋へ出る水路を捜してジェイムズ湾の主要部を空しく風上、風下へ間切り続けたが、船は遂に氷に閉じ込められてしまい、遠征隊は大変な艱難の中に越冬することになり、不可避的に叛乱が起きた。春の到来と共に、ハドソンを甲板もない小さなボートに乗せて文字通り流し者にしてしまった叛乱者達は、やっと英国まで帰って来た。

ハドソンの昔からの後援者達は依然として《北西航路（ザ・パッセージ）》に希望を棄てず、勅許状を手に入れると一六一二年、ハドソンの消息調査と航路発見という二重の任務をトマス・バットン卿に与えて送り出した。バットンは船も同じ〈ディスカヴァリイ〉を駆って先輩と同じ航路を辿り、ハドソン海峡を抜けてハドソン湾に入り、その西岸へ向けて横断した。岸伝いにネルソン河の河口まで航海したバットンは、ハドソンとその部下達が耐えたと同じ荒寥たる環境の中で冬営を余儀なくされる。猛威を逞しくする壊血病の惨害を物ともせず、部下を十分に掌握していたバットンは、翌春にはサウサンプトン島西側に水路を求めるべく北方へ航行を再開することが出来た。彼の到達した最高緯度は北緯六五度でその地点をトマス・ロウ卿の名を採って《ロウの歓迎湾（ロウズ・ウェルカム）》と命名し、そしてハドソンと《北西航路》のいずれをも発見し得ないまま、英国目指して航し去ったのである。

二年後（一六一五年）、冒険家達はハドソンの不吉な遠征に参加したことのあるロバート・バイロットを指揮者に、ウィリアム・バッフィンを水先案内にして再び〈ディスカヴァリイ〉を派遣した。この航海ではハドソン海峡がまたしても進入コースとなった。バイロットとバッフィンはハドソン湾の北方に彼等の運を試してみることに決め、同湾の入口を扼して横たわるサウサンプトン島の北方へ針路を定めた。海図もない水域で彼等は向う側の本土を目指して彼方此方と船を進めたものの、結局これは出口のない湾で、しかも浅瀬の危険に満ちているとの結論に達し、そして故国帰還の決定は皆を欣ばせた。一六一六年、この同じ航海者達はまたも頑丈な古強者〈ディスカヴァリイ〉を駆って出発したが、今度はグリーンランドとバッフィン島の間の、曾てデイヴィスの通った路(ルート)を試みることに決めていた。彼等のグリーンランド-カナダ群島間の水域の探検は実に徹底的な〝仕事〟であって、地理学上の一大業績となった。グリーンランドの西岸沿いに船を進めた彼等はサンダーソンズ・ホープ［北緯七二度］を遥かに超えて北緯七八度という高緯度地方にまで達し、そこで浮氷群に行手を遮られた。バッフィン湾を横断してバッフィン島北方にある島嶼の沿岸を航し、次いで英国へ帰還する前にはバッフィン島そのものを測量したりしている。かくしてグリーンランドとカナダ側北極圏の間の海域の完全な周航が成就されたのである。スミス瀬戸(サウンド)（東印度会社初代総裁トマス・スミス［もしくはスマイス］卿の名を採る）とランカスター瀬戸(サウンド)（ジェイムズ・ランカスター卿の名に由来）の発見により、バイロットとバッフィンは、十九世紀になって北極海へ突入した発見者達に〝この路を進め〟と二つのルートを示したことになるけれども、バイロットとバッフィンが果して彼等の発見の意義に本当に気付いていたかどうかは疑わしい。何故なら彼等はデイヴィス海峡の如き広い水路の発見を期待していたからである。

一六三一年に行われた二つの遠征は、《北西航路》問題解決の最後の努力として異彩を放っている。ルーク・フォックスとトマス・ジェイムズがそれぞれ指揮したこれらの冒険航海は、ハドソン湾の探検としてはそれまでで最も徹底したものとなった。二人とも同湾の西側沿いに航行してジェイムズはジェイムズ湾を探検し、フォックスはハドソン湾北方のフォックス半島（ランド）とサウサンプトン島との間の海峡（フォックス海峡（チャンネル））を発見すべく奮闘した。これら二つの航海は、ハドソン湾乃至ジェイムズ湾から太平洋に通じる出口があるか否かの疑問に対して遂に最終的な解答を与え、北極地方の航海とはどんなものかを眼前に髣髴させる様な素晴しい記録となって結実した。フォックスとジェイムズの帰還によって《北西航路》の探求は終りを告げ、探検の全局面は余す処なく演じ尽されたのである。それに費された金と精力に比べると、初期の北極海の航海者達は見るべき成果を挙げ得なかった。人によってはその現実的な成果を唯の二つに限定してしまうかも知れない。即ちこれらの諸航海が、十七世紀一杯繁栄を誇ったスピッツベルゲン周辺における捕鯨事業の発展の因を成したこと、そしてチャールズ二世時代に《ハドソン湾会社》が設立された時になってそれが漸く実を結んだことだけである、と。

12 ドレイクの時代

アジアに到る《南西》ルートの開拓を目指す英国人の試みは、二つの《北方航路》に対する冒険事業に比較すれば事前によく計画されたものではなく、悠かにのんびりしたもので、ウィロビイやフロビッシャーの航海の前触れとなった様な慌しい宣伝活動も伴わず——むしろそれまでの諸航海の自然の帰結といった方が当っている。まずノーサンバランド公とメアリ女王時代のギニア地方に対する冒険航海があり、二番目に南米北岸（スパニッシュ・メイン）に対する奴隷船の航海、次いで辛うじて秘匿し得たパナマ周辺のスペイン人に対する戦闘行為、そして最後に登場するのがドレイクによる世界周航であった。極めて自然に且つ有機的に、一つの局面が次の局面へと展開して行ったのである。

一五五〇年代における英国の海外雄飛の基軸は——北東航路とロシアに向う——《北東》と、ギニア及び西印度地方を目指す《南西》を結んでいた。ウィンダム、ロック、タワースンその他の人々の西アフリカ冒険航海が、アフリカへ行き、スペイン領アメリカに渡り、そしてイングランドへ戻って来るという——プリマスのジョン・ホウキンズが主役を演じた奴隷の三角貿易にどの様に受け継がれて行ったかは既に述べた。おまけにこの貿易は初期の頃はスペイン人の完全な黙認の下に行われていたのである。と言うのは、スペインと英国（イングランド）は宗教問題では対立していたけれども、エリザベス朝の最初の一〇年間程は、両国は経済的にも政治的にも人が考えるよりはずっと仲が良かった。この両国の関係の転機は（少くとも英国人にとっては）意外な早さで一五六八年、メキシコ海岸のサン・ファン・デ・ウルアに訪れた。この出来事はチューダー王朝英国に対する〝真珠湾攻撃〟に等しく、フランシス・ドレイクなる人物を前面に引っ張り出してしまうことになる。

ドレイクは一五四一年頃、大変進歩した新教徒（プロテスタント）的考えの持主である農民の息子として、デヴォンシャー州のタヴィストックに生れた。彼の父親の新教徒ぶりは実際余りにも極端過ぎたためドレイク一家はケント州に逃げ出さざるを得ず、チャタム海軍工廠の礼拝堂付き牧師として糊口を凌いでいた。この海と新教徒の気風に溢れた環境で成人して行った若きフランシス・ドレイクが激烈な反旧教（カトリック）主義者、喧嘩っ早く忠義一途の英国人、そして海を陸の上の我が家同然に心得た一人の男に育て上げたのはその血であり土地柄である。彼の受けた教育はどう見ても通り一遍のもので、読み書きは学んだけれどもほんの掻い撫で程度に過ぎない。しかしながら彼は熟慮型の勉強家ではなかった。むしろ行動の人であり、その統率力に加えて、彼には極致とも言うべき一つの天賦の才があった——つまりドレイクは恐らく古今稀に見る操船の名手であったのである。人を指揮統御し、天啓に応じて随時臨機の処置を閃かせ、逆境にも快活さを失わず成功時には思い遣りが深いといった彼の特性にこれが加わった時、ドレイクが史上最高の海の男の一人として嶄然一頭地を抜く理由もまた容易に納得出来るというものである。

ドレイクが海上生活のスタートを切ったのは遠い親戚に当るジョン・ホウキンズを通じてであり、一五六六年にはホウキンズ麾下の船長の一人ジョン・ラヴェルが指揮した奴隷船航海に主計方(パーサー)として参加している。この航海は特に大した意味はなく、主としてドレイクの最初の海上経験として注目すべきものである。西アフリカへ航海したラヴェルはヴェルデ岬とシエラ・レオーネの間でその船貨を積み込み、次いで大西洋を横断して奴隷達をマルガリータ島、キュラサオ島、リオ・デ・ラ・アチャで捌(さば)いた。マラカイボの西のスパニッシュ・メイン地方にあるリオ・デ・ラ・アチャではラヴェルがスペイン人にまんまとしてやられ、酷い目に遭ったが、この経験は若い主計方ドレイクに大変深刻な印象を与えた。その後この貿易船隊は英国に針路を定め、丁度ホウキンズが三回目のそして最も野心的な奴隷貿易航海の準備を整えているところへ帰り着いた。

故国に留ること僅か数日、再びドレイクはホウキンズに随って遠征航海に出発する。今度もまた一属官の資格であったが、航海の後期になると〈ジュディス〉を預る一廉の船長になった。馴れ切った航路をとって船隊はカナリア群島に集合し、ガンビアから南へかけてあちこちの河口や入江で奴隷という〝船荷〟を積み込んで行った。貨物が満載されるとホウキンズは大西洋をカリブ海へと横断し、スパニッシュ・メイン沿いにその捌け口を物色した。しかし英国人との貿易に対するスペイン人の態度はそれと判る程に硬化しており、ホウキンズは連れて来た奴隷の大半をサンタ・マルタで売ったものの、リオ・デ・ラ・アチャでは険悪な小競合いを演じ、カルタヘナでは武力衝突にまで発展した。情勢は今や緊迫的様相を呈し始めたのである。

ホウキンズの記述によれば、この頃には彼の率いる船は酷く傷んで来て、至急修理を要する状態にあった。そこでホウキンズはベラ・クルース近くのメキシコ海岸の小港サン・ファン・デ・ウルアに寄港した。そこはかのメキシコ銀がスペインへ積み出される港である。たった二日後にスペインの〝白銀艦隊〟がそこへ入港して来たことは、ホウキンズにとって不運と言わねばならなかった。彼は進退谷まったが、正当な支払いをすれば船の修理と食糧の補給を許すという同意をスペイン艦隊司令官から取りつけるのに成功した。にも拘らずスペイン人達は不実にも約を違えてこの英国船隊を拿捕しようと図った。幸いにもホウキンズとドレイクは油断なく警戒していたから血路を拓いて二隻の船を港外に脱出させることが出来たが、一番大きな船〈ジーザス〉は他の数隻と共に捕獲され、陸上に在った英国人は総て殺されるか捕虜になるかのいずれかだった。ホウキンズの指揮する〈ミニョン〉とドレイクが率いる〈ジュディス〉は大西洋を横断して帰国の途に就くが、両船とも救出された僚船の生存者達で物凄い混雑を呈した。ドレイクの名声には今日まで常に一つの翳がつき纏っている。それはスペイン艦隊の攻撃を受けるや、自分の面倒は自分で見ろとばかり、〈ミニョン〉を置き去りにしてさっさと帆を揚げて逃げてしまった、というのである。これについては今日まで納得のゆく説明は一つもないが、後人の窺知を許さぬ様々な要因が絡んでいたのであろう。しかしいずれにしても、両船の帰国航海は零(こぼ)れんばかりの定員超過と食糧不足に酷く悩まされた惨澹たるものであった。一五六九年の一月、両船は別々にプリマス瀬戸(サウンド)へ還り着き、スペイン人の破廉恥な所業を吹聴した。

その政治的結果より見れば、ホウキンズのこの〝波瀾万丈の第三次航海〟は甚だ遠大な影響を及ぼした。それはカリブ海域でいわば公認されていた英国人の貿易活動のあらゆる望みを断ち、ヘンリイ七世の時代以来続いて来た長期に亘る英国‐スペインの間の友好通商関係に終止符を打ってしまった。これは実に一つの転回点と言えた。サン・フアン・デ・ウルアの裏切りは、エリザベス女王治下の英国民にとっては決して許し得ぬものとなり、以後〝一線を越えればもはや平和はない〟状態となった。スペイン無敵艦隊に対抗する方針に沿って第一歩が今や踏み出されたのである。

ドレイクにとって、この出来事は一つの「聖戦(ジハード)」への合図となった。十字軍精神に燃えた彼は、祖国とスペインとの戦争が公式のものであろうとなかろうと、この異教徒にも等しいスペイン人共に対して火と剣の洗礼をもたらすべく決意したのである。ドレイクと慷概を共にした連中も続々と彼の例に倣ったが、ドレイクは常にこうした非公式の戦闘行動の先頭に立っていた。一五七一年、彼は一隻の小型船を駆ってカリブ海を游弋し、パナマ地峡を襲った。ここは南米からもたらされる総ての財宝が必ず通過せねばならぬ戦略地域であった。この冒険は本来偵察を目的としたもので、ドレイクはこの地区の兵要地誌と防備の程度、地峡を越えて金銀塊を運搬する騾馬の隊列、そして根絶を狙うスペインの企みに敢然と抗して地峡の山寨に立て籠る脱走黒人奴隷とインディアンの女達から成る種族シマルーンなどについて知識を得た。彼の活動は決して情報の蒐集に限定されることはなく、地峡沿岸では多数のスペイン船を捕獲し、自ら「雉の港（ポート・フェザント）」と名付けたノンブレ・デ・ディオスの南方二〇〇マイルにある秘密の入江にそれらの拿捕船を連行した。英国へ帰還の途に就いた時、ドレイクは既にこの陸に囲まれた入江を基地に仕立ててしまい、ペルーの財宝の奔流が地峡を通過する際に襲撃する計画を練り上げていた。この仕事における同盟者としてのシマルーンの価値にドレイクは十分気が付いていたのである。

　船二隻と総勢七三名の乗組員を率いて一五七二年五月プリマスを出帆したドレイクは、その小部隊でノンブレ・デ・ディオスを掠奪し、スペイン人の報復の前に脱出する心算であった。彼は一路ポート・フェザントに向い、そこで小型二檣帆船（ピナス）を組立てた。これは分解して英国から積んで来たものである。準備全く成るとドレイクは出来るだけ隠密裡に海岸伝いに進み、ノンブレ・デ・ディオスに対して目の覚めるような奇襲攻撃を加え、守備隊を駆逐して町を奪取した。しかしその財宝は巨大な銀の延棒であったから重過ぎて運べず、熱帯特有の豪雨は英国人の火薬を湿らせ、スペイン人の反撃に遭って町から追い出されてしまった。ドレイクは傷を負い、その素晴しい構想と鮮かな手並で実施された計画は水泡に帰し、英国人達はポート・フェザントへ向けて惨めな脱出行を演じた。この失敗の後、ドレイクはペルー財宝輸送隊の地峡通過を狙って襲撃するという代りの作戦を決意し、このためにシマルーン達と交通し始めた。この計画には彼等の協力が不可欠だったからである。ドレイクは彼等を通じて、数ヶ月先の雨季の終りまでは財宝の移動は全く行われないことを知らされた。その間彼は出来るだけこっそり暮しながらこの瘴癘の地に留らざるを得なかった。部下の幾人かは熱帯の熱病に斃れたが、ドレイクはシマルーン達から財宝輸送隊の通過が今にも始りそうだとの情報がもたらされるまで、小さなスペイン船何隻かを捕獲する仕事で部下を退屈させなかった。

雨季の終りになると吉報がもたらされ、ドレイクは選抜隊を率いてパナマ地峡へ進発した。山路の傍の喬木に攀(よ)じた彼は、その記念すべき太平洋の眺望を試み、大海原を双眸に収めた最初の英国人となった。地峡横断道路でドレイクは運悪くも財宝の大護送隊を逸してしまったが、その不屈の粘りは間もなく次の護送隊を襲って莫大な獲物を挙げることで酬われた。この襲撃はノンブレ・デ・ディオスの直ぐ近くで行われたので、かの白銀艦隊(プレート・フリート)の船上で働いている船大工達の槌音が聞える程であった。この上首尾の冒険ではフランスのユグノー教徒の私掠船から貴重な援助を受け、ドレイクはそれに感謝して分捕品を山分けした。こうした訳でドレイクの英国凱旋は意気揚々たるものであったが、国際紛争化を憂慮したエリザベス一世の顧問官達は、二年乃至三年間、ドレイクに身を潜めることを命じたのであった。

ドレイクはこの期間を無為に過しはしなかった。と言うのは彼の鬱勃たる精神は、彼のそれまでのどんな仕事よりも野心的な一つの計画を目論んでいたからである。これこそかの〝世界周航計画〟に外ならなかった。この快挙の推進に当って彼はレスター伯フランシス・ウォルシンガム卿とクリストファー・ハットン卿から協力を受けた。計画は少くともその初期段階では、スペイン人が南太平洋に捜し続けて来た伝説的なかの《南方大陸》の探求を構想するものであったらしい。ソロモン群島へのメンダーニャの航海の話は英国にも届いていて（その頃まだロンドンに居た）じっとしていられない男ジョン・ディーの《南方大陸（テラ・アウストラリス）》に対する熱狂に火を点けたのである。ディーの親友ハットンがこの計画を上流社会の間に推進して廻った（但しバーリイ卿［セシル］には慎重を期して何も知らせなかった）結果、ドレイクの任務は少々曖昧ながら、南海に新しい土地を捜すということに殆ど疑いを残さぬまでになった。しかしながらドレイクは別の構想を持っており、ウォルシンガム卿と女王だけの黙認の下に、南米海岸沿いに巡航する計画を立てた。つまり遠征計画は幾度となく偽装されたのである。バーリイ卿は聾桟敷に置かれ、水夫達は地中海方面への航海ということで乗り組んで来たし、宮廷内の後援者達は南方大陸の探求を期待していた。本当の計画を知っていたのは女王、ウォルシンガム卿そしてドレイク自身の三人だけであった。

スペインに対する宣戦なき戦いを太平洋に持ち込もうとするドレイクの決意は、パナマ近くの喬木から目撃した大海原の光景に淵源していると言われる。それがパナマ襲撃でドレイクに随って勇戦した仲間ジョン・オクセンハムの行動を決定したのは確かだった。何故なら英国へ還ったオクセンハムは独自の遠征を準備したが、その中にはパナマ地峡で組立てて南海に浮ばせる分解した小型二檣帆船（ピナス）数隻が含まれていたからである。最初の内はこの冒険はうまく行った。一五七六年、地峡に航海したオクセンハムは太平洋岸でピナスを組立て、パナマの南の真珠諸島で数隻の高価な獲物を手に入れた。情深いオクセンハムは捕虜を逃してやったが、これは彼の場合、自殺行為に等しかった。彼等は直ちに、ルーテル教徒の掠奪者の太平洋出現をスペイン当局に報じたのである。全域に警報が発せられ、オクセンハムは同盟者のシマルーン達と共に地峡の砦の中へ追い詰められた。彼の最期は悲劇的だが避け難いものであった。リマにおける彼の処刑は「死人に口なし」という海賊の掟を無視したことに対して彼が払わされた代償である。ドレイクはオクセンハムの遠征の発端は知っていたが、その悲劇的結末は知らなかったから、その計画の中で彼が太平洋の何処かでオクセンハムと合流することを望んでいたことは殆ど疑いを容れない。

ドレイクの世界周航は、こうしたスペイン植民地における理窟の上では平和だが実際は戦争という状態、南海におけるオクセンハムの冒険、南方大陸の発見を目指す諸計画といったものを背景として行われた。それは幾多の手柄(ハイ・ポイント)に飾られた彼の生涯の最高場面を成すもので、世界周航としては二番目、英国人としては最初であり、実際の発見を伴ったドレイク唯一の発見航海であった。一五七七年の秋、ドレイクは旗艦〈ペリカン〉(後に〈ゴールデン・ハインド〉と改名)、〈エリザベス〉、〈マリゴールド〉、二檣帆船(ピナス)そして補給船の計五隻でプリマスを抜錨し、大航海の途に上った。乗組員の総数は約一六〇名にもなり、その中にはドレイクの弟や甥、及びジョン・ホウキンズの甥のウィリアムも含まれていた。〈エリザベス〉の艦長にはジョン・ウィンターが、その他の船にはそれぞれ〝紳士〟階級に属する様々な名門出身の〝陸の人間(ランズメン)〟が任命された。中でも目立ったのは悪い星を背負った男トマス・ダウティであった。間もなくドレイクはこうした役立たずの厄介者達と顔を合せなければ良かったと思う様になった。それでも彼は航海に同行を希望していたジョン・ディーの退屈なお喋りに付合ってやったが、ディーは土壇場になって気が変ってしまった。

ドレイクはアフリカ海岸をヴェルデ岬諸島まで下り、次いでラ・プラタ河口目指して大西洋を横断するコースをとって船を進めた。航海は遅々としており、パタゴニア海岸のサン・フリアン港に到着したのに気付くのは一五七八年六月のことで、六〇年前マジェランが叛乱と艱苦を耐え抜いた因縁の地である。このサン・フリアンでは、廷臣トマス・ダウティの奇怪で不安を掻き立てる様な行動によって、再び悲劇が演ぜられることになる。その訴因たるや今なお全く明らかでないが、ダウティは乗組員の間に不安を撒き散らしていたらしい。特に彼は〈ペリカン〉乗員に叛乱と脱走を煽動したと言われる。また自身魔力(オカルト・パワーズ)に取り憑かれていたのみならず、航海を妨げるべく妖術を使った、と信ぜられた。この最後の罪科は、今日の我々には馬鹿馬鹿しく思われるけれども、船乗りという者は伝統的に迷信深い連中であり、おまけにエリザベス女王時代では知識階級といえども魔法というものを大真面目に信じていたのである。要するにこの問題の争点は、船乗りと紳士連中のいずれが航海の主導権を握るか、ということであった。これに関する限り、ドレイク自身には一点の迷いもなかったのは誰の目にも明らかで、彼は断乎たる態度を崩さなかった。ダウティは逮捕され、叛乱の使嗾(しそう)並びに呪法を弄したという理由で査問の上、有罪の宣告を受け、首を刎ねられた。

数日の後(日曜日に当っていた)、ドレイクは麾下全員を召集して訓示を垂れ、その中で古典的となった有名な章句を吐いている。即ち、〝余は、水夫と共に索牽(つなひ)き絞り、帆に風孕ませる貴族諸公のみを、貴族に伍して船を操る水夫諸君のみを必要とする!〟と。そして士官全員をその場で解任し、彼等を全く悄気返らせたまま演説を続けた。遂に全員の心を摑み切ると、ドレイクは彼一人の指揮の下にスペイン人に対する戦闘航海に乗り出すべく、士官達を改めて〝フランシス・ドレイク将軍麾下の女王陛下の従僕〟として再任した。この行動によって、ドレイクは後にも前にもこの時唯一度でその権威を不動のものとし、同時に英国海軍軍紀の新しい伝統を確立したのであった。

こうして再び統帥権を確立したドレイクはマジェラン海峡を目指し、そこを一気に乗り切った。太平洋の涯もない水域に入った時、猛烈な強風（ゲイル）が艦隊を捉えた。〈マリゴールド〉は艦隊から分離して再びその姿を見せず、〈エリザベス〉は海峡の中まで吹き戻され、一ヶ月の間旗艦の姿を求めて待ったが遂に空しく、英国へ向けて帰航して行った。旧名の〈ペリカン〉を棄てて今やその名を〈ゴールデン・ハインド〉と改めた旗艦に坐乗するドレイク自身は海峡の南に流され、ティエラ・デル・フエゴをぐるりと廻って多分ホーン岬の緯度辺まで吹き飛ばされたが――このコースは、一六〇〇年製のライト＝モリヌー地図にその証拠を見る通り、その後の英国の地図製作に影響を与えた。それまでマジェラン海峡の南にある《南方大陸》として示されていた南米大陸に近い陸塊は、前記の地図では、その南方に広大な水域の展けたやや小さな群島にまで退歩してしまったのである。

天候の一段落に恵まれてドレイクは元のコースを取り戻すことが出来、今や独りぼっちとなった〈ゴールデン・ハインド〉はバルパライソやカヤオ近海でスペイン商船の襲撃を重ね、南海で色々な獲物を稼ぎつつチリーからペルーの海岸沿いに北上して行った。この水域ではこれまで敵の艦影は見かけたこともなければドレイク来寇に関する何の警報もなかったし、一方スペイン船は無警戒に等しい軽武装であった。それは鶏小舎に飛び込んだ狐さながらであった。大型ガレオン船〈カカフエゴ〉とその途方もないペルー銀の積荷の拿捕によって、この航海は何倍も〝引合う〟ことになった。ドレイクはこれより以前にオクセンハムの逮捕を耳にしていたから、彼をその運命から救出すべく、スペイン人捕虜を釈放してペルー副王に対する特使にせんものと空しい努力を払ったが、結局この企ても望みがないことが判ったため、彼は北方に船を進めた。ニカラグアとメキシコの沖で更に数隻の獲物を捕えたが、その中にスペインの高官ドン・フランシスコ・デ・サラーテが居て、彼のそれ以後の報告はドレイクとその乗艦〈ゴールデン・ハインド〉に関する夥しい消息を記録している。

この頃既に掠奪品を一杯詰め込んだドレイクは北方にその針路を定め、彼以前の誰よりも遠くまで北米海岸の北上を続け、多分ヴァンクーヴァー島の緯度辺まで往ったと思われる。この機動の目的は《アニアン海峡》の太平洋側出口を見つけることにあった。これは《北西航路探求》に対するドレイクの貢献であり、それが反対側、つまり太平洋側からなされたという点で興味深いものがある。これらの緯度附近には少くともその様な水路が存在しないことを納得すると、ドレイクは南方に反転してサン・フランシスコ湾に入り、そこで〈ゴールデン・ハインド〉を傾船・解体修理した。十分な休養と修理の後、ドレイクは太平洋横断に出発した。彼の航路は北寄りであったから、発見という点では収穫は乏しかった。パラオ諸島の一島と南部フィリピン群島が望見されたが〈ゴールデン・ハインド〉はそのままモルッカ諸島のテルナテ島目指して航海を続けた。ドレイクのテルナテ到着は偶然にも好機に投じたものとなった。というのは着いてみると、テルナテ島と隣のポルトガル人が支配するティドーレ島の間は戦争状態だったのである。そこでこの英国人達とテルナテの土侯の間に友好同盟が成立することになるのだが――無論これは真心からのものというより便宜的な協定に過ぎなかった。土侯はポルトガル人を懲しめる痛棒として英国人達を利用したかったのであり、ドレイクの方では自分の植民事業の後援者達に然るべきものを示す必要があったこと、さもないと、南方大陸探求の任務を抛擲したという訳で連中はドレイクに愛想を尽かす惧れが多分にあったし、それはまた、東印度地方において他日役に立つであろう足懸りを英国人に与えることになるからでもあった。

丁子香という船貨を十分に積み込むと、ドレイクは再び航海を続けた。モルッカ諸島とジャワ島の間の油断のならない水域に在った時、〈ゴールデン・ハインド〉は風下側に浅海、風上側には錨も届かぬ深淵を控えた暗礁に乗り上げ、危く破滅しそうになった。一日一晩、事態は全く絶望とも見えたが、英国産オーク材の堅牢さと天佑とも言うべき風の納りが局面を一変させてくれた。〈ゴールデン・ハインド〉は暗礁を滑り降り、英国船(イングリッシュ・キール)が未だ一隻たりとも航跡を印したことのない海原の波を切って快走を続けて行った。ドレイクの操船術の冴えが遺憾なく発揮されるのは、正に世界周航の前途に横たわるこの危険水域を措いて外になかったのである。土民と仲良くなったジャワ島南岸で再び傾船修理を済ませたドレイクは、喜望峰(ケイプ)を目指して印度洋横断の航進を開始した。一五八〇年六月にはケイプ回航を遂げ、そしてその最終寄港地はといえば、もう紛れもなくあの若き日の奴隷貿易航海の舞台、懐しい己が縄張りのシエラ・レオーネであった。幾多の試練と危険は今や雲烟万里の波濤の彼方に去り、ギニアから英国に至る路は、ドレイクなら目隠しのままで船を遣(や)ることが出来るのだ。もはやとり立てる程のこともなく、艦隊出港以来二年と一〇ヶ月の一五八〇年九月二十六日、プリマスに還って来た〈ゴールデン・ハインド〉が港に入る時、行き交う漁船にドレイクが投げた最初の問いはこうであった。〝女王陛下は清栄にわたらせられるかぁ?〟

ドレイクの世界周航は、これまでこれに比肩し得る海軍の鴻業がなかっただけに英国人の想像力を燃え上らせ、何物にも増して彼の仲間達の熱狂を煽ることになった。この辺でマジェランの航海との比較を試みるのも一興であろう。二つの遠征航海は、共に五隻で出発し、それぞれ一隻だけがこれをやり遂げたこと、両者は共にパタゴニア海岸の処も同じ荒寥の地で叛乱と悲劇に遭遇したこと、双方共マジェラン海峡でその艦隊の重要な一隻が分離して故国へ引返していること、更に、これら二つの周航完成の所要日数(タイム)は殆ど同じであったこと、等々である。一方、デル・カーノとその惨めを極めた第一次(マジェランの)世界周航の生残り達が彼等の鴻業を示すに足るものを殆ど持ち帰り得なかったのに反し、ドレイクの航海は算盤の上でも赫々たる成功であった。何故なら彼は貪欲家の痴夢すら色褪せる程の財宝をもたらしたからである。

こうした真に驚くべき大成功によって鼓舞されれば、もう一つの遠征に対する諸計画が早速動き出したのも敢て異とするに当らない。しかしドレイクのそれに比すれば、フロビッシャーと共に北極圏航海を行ったエドワード・フェントンの指揮による航海は全くの失敗であったけれども、アフリカ廻りで印度地方に到達することを英国人が企てた最初の航海であったが故に、純粋に航海史の観点からすれば重要な意義を持つことになる。計画と実行の間には残念ながら幾多の蹉跌が跟いて廻るもので、一五八二年に四隻の船を率いてフェントンが航海に乗り出した時、彼には喜望峰経由でモルッカ諸島に行くだけの十分な成算があったけれども、ギニア海岸沖に達した頃には、事の成行きは彼の手に余り始めた。ドレイクがやった様なスペイン商船狩りをしたくてうずうずしていた乗組員達は、アフリカ回航の見込みに不安を抱き、不穏な気配を見せたのである。何故なら彼等にとっての猟場は太平洋の南米沿岸でなければならず、然らずんば無であったからである。そこでフェントンは不本意ながらその針路をマジェラン海峡へ変更した。ブラジルのサン・ヴィセンテにおける襲撃はうまく行ったが、フェントンはこの頃には使命を達成する望みを失くしてしまっており、次席指揮官のウィリアム・ホウキンズと大っぴらに啀み合う様になった。それ故ブラジル襲撃の後には遠征隊は急速に分解してしまい、フェントンは手枷足枷を嵌められたホウキンズを連れ、憾みを呑んで故国へ帰還を余儀なくされるし、一方、配下の船でフランシス卿の甥ジョン・ドレイクの指揮する一隻は脱走してマジェラン海峡に向ったが、ラ・プラタ河口沖で敢えなくスペイン人に捕獲される羽目となってしまった。

失敗が意気沮喪を招くのは昔も今も変らないが、フェントンの不運譚は、印度地方に到る南方航路の探求をその後長年に亙って後退させてしまった。エリザベス朝の船乗り達は、昔から馴れ親しんだ英国－西アフリカ－西印度諸島という三角航路の方が、その比較的短い航程と大きな利益から言って、遥かに魅力的なのを知ったのである。この方面への巡航は、十六世紀の最後の二〇年間にはドレイクやホウキンズ一家が常に主役を演ずる年中行事とさえなってしまう。一五八二年には大ウィリアム・ホウキンズとその弟ジョン、そしてジョンの息子リチャードの三人はヴェルデ岬諸島、プエルト・リコ、そしてマルガリータ島の真珠採取場を荒し廻る巡航に大成功を収めた。三年後には再びドレイクが登場して寇掠を恣(ほしいまま)にする。即ち一五八五―八六年の大遠征ではドレイクはサント・ドミンゴ、カルタヘナ、そしてサン・アウグスチン［フロリダ半島］を強襲し、次いでローリイ卿のロアノーク植民地の生残りを故国へ連れ帰るためにヴァージニア海岸に寄航している。一五八七年には、彼は名高い《スペイン王の鬚(ひげ)焼き》作戦を敢行したが、この時ドレイクは厳密に教科書通りの闘いをしたウィリアム・バラの必死の諫言を無視し、大胆不敵にもカディス港に侵入し、射程内に在ったスペイン船を残らず破壊してしまった。恐らくもっと象徴的な出来事は、一世紀半の昔、かの航海王エンリケが天文台を置いていたサグレス岬の占領であったろう。この頃ポルトガルは逆境の時代を迎えており、英国は王位請求者ドン・アントニオの率いる叛乱の後押しに力を入れたが成功するに至らず、ポルトガルはスペインに統合されて名目的独立すら保ち得ない状態にあったのである。

今や英国とスペインの間に存在する公然たる戦争状態によって情勢は急速に破局へ近づきつつあり、英国征服を狙うスペイン王フェリーペ二世最大の冒険は《スペイン無敵艦隊（インヴィンシブル・アルマダ）》の発航という形で現れたが、それはここに再述するには余りにも人口に膾炙した話であり、且つそれがエリザベス一世の治世における中心的な大事件であること、そして英国側の参加者——即ちドレイク、ジョン並びにリチャード・ホウキンズ、フロビッシャー、フェントン、デイヴィス、ウィンター、レイモンドそしてランカスターといった面々は総て大航海者であったという点を除けば、探検史とは直接には関係がない。しかしながら、それは正にスペインから英国への〝海洋支配権〟の移動を明確にし、そうした変化が招来する無数の結果を指し示すものであった。

敗残のスペイン無敵艦隊が死物狂いで本国へ這い戻りつつあった丁度その頃、世界周航を果した英国人達がプリマス港へ凱旋して来た。トマス・キャヴェンディッシュ（キャンディッシュとも）が指揮したこの冒険航海は一五八六年七月に出発したもので、これまでで最も迅速且つ平穏裡に成し遂げられた世界周航であった。キャヴェンディッシュはドレイクの航跡(トラック)に極めて近い航路をとり、シエラ・レオーネからブラジル目指して大西洋を横断した。マジェラン海峡では、ドレイクの帰途を要する目的で何年も前にサルミエントが配置した守備隊の一握りの生残りに出遇っている。一五八七年二月に太平洋に入ると、彼はチリーからペルーの海岸沿いに巡航したが、この水域でドレイクに次いで二度目の私掠船活動を演ずるという失敗を犯したため、スペイン人の警戒態勢はすっかり厳重になってしまった。当然ながらキャヴェンディッシュの沿岸荒しは人員の損失という点で高いものについたし、海上の獲物と来ては大部分が微々たるものでしかなかった。けれどもメキシコ西岸沖では運が向いて来て、貴金属・絹・その他の高価な中国の産品を満載したマニラ帰りのガレオン船を捕獲した。この一働きで航海の儲けはかなりのものとなったから、キャヴェンディッシュは本国へ向けて船を進めることにした。麾下の一隻を太平洋で喪ったが、彼は〈ディザイア〉号で航海を続け、ラドローネス諸島とフィリピン群島に立ち寄った後、バリ島とジャワ島の間の狭い海峡［バリ海峡］を抜けた。ジャワ島西端附近で船の修理を済ませると、印度洋を横断して喜望峰を回航する航海に乗り出すけれども、これは収穫の多いものだった。セント・ヘレナ島に寄港したキャヴェンディッシュはそこに立ち寄った最初の英国人となり、ここが休養地としての将来性を具えているのを直ちに見抜いている。遂に英国へ還って来たのは一五八八年九月の初めで、航海開始以来漸く二年が過ぎたばかりだった。

この冒険航海の成功で勇気を得たキャヴェンディッシュは、もう一度柳の下を狙ったが——残念ながら自然の力（エレメンツ）はそうは問屋が卸さぬことを思い知らせてくれるのである。一五九一年、彼はジョン・デイヴィスを副将とし、五隻の船を率いてプリマスを解纜し、再び世界周航の途に上った。最初からキャヴェンディッシュと部下達は悪運に祟られていた。船はどれも具合が悪く、補給品の準備が甚だ不十分だったので、大西洋横断中に早くも食糧の不足を来した。従ってその徴発のためにブラジルのサントスを襲わねばならなくなり、これによる航程の遅延は折悪しく荒天期のマジェラン海峡に艦隊を送り込む結果となった。これ以後艦隊はバドミントンの羽子さながらに弄ばれることになる。彼等は海峡に乗り入れてもただ吹き戻されるだけだった。キャヴェンディッシュの旗艦〈レスター〉は嵐に手荒く揉まれ、修理のためにブラジルへ引返さざるを得なくなり、一方〈ディザイア〉に乗ったデイヴィスは再び海峡突破に挑戦した。この時確かに彼は太平洋に出るには出たが——やはり元の処まで吹き戻された。三度試みたデイヴィスは事実海峡を《南海》へ抜けたけれども疾風は熄むことを知らず、船体は篩の如く帆はリボンと見紛う程ずたずたに引き裂かれた有様で大西洋に退却せざるを得なかった。デイヴィスの故国帰還は悲惨なものであった。本来の乗員六七名中、元気なのはデイヴィスと部屋付きの給仕（ボーイ）だけという生残りの一六人を乗せて、〈ディザイア〉は蹌踉とアイルランドのベーレヘヴンへ辿り着く。キャヴェンディッシュはもっと運が悪かった。彼はブラジルに戻ったものの、ポルトガル人との戦いで部下の大半を失ってしまった。そこでセント・ヘレナ島へ行こうと試みたが、島を目前にして吹き流されてしまい、已むなく北方へ航行を続ける内に遂に船中に歿した。彼の船〈レスター〉とその生存者の運命は謎に包まれているが、彼の絶筆（フェアウエル・レター）が英国に届いたという事実は、〈レスター〉が何とかして故国に還って来たことを暗示するものである。

この時代で記録に値する英国人の太平洋航海がもう一つ、ジョン卿の独り息子リチャード・ホウキンズによる遠征がある。この冒険の目的はドレイクの世界周航のそれにも増して〝大帝国の建設〟という意図を持った《発見》にあった。航海はマジェラン海峡及び南海を経て日本列島を、フィリピン群島を、更にモルッカ諸島、中国の王国並びに東印度地方をも目指していたのである。換言すれば、この航海は南西廻りで印度地方に到る航路を発見すべくこれまでに英国人が試みた中では、最も目的の明確な企てであった。ホウキンズはドレイクやキャヴェンディッシュがやった様に、南米沿岸における商船襲撃でその費用を賄うつもりでいた。彼の航海は先輩達のそれと似たものであったが、それはまた、《南海》を荒し廻る三番目の英国人として受くべき応報も伴っていたのである。

一五九三年六月、ホウキンズとその遠征隊は新鋭のガレオン船〈デインティ〉でプリマスを離れ、通常の航路をとってマジェラン海峡へ急いだ。（キャヴェンディッシュの運命的な航海の時にデイヴィスが発見した）フォークランド諸島を視認した後、彼等は太平洋に乗り入れ、チリー海岸に沿って北上したが、例によって乗組員達は掠奪の誘惑に抗し切れなくなっていた。遂にバルパライソで彼等は一か八かの運を試せと騒ぎ出し、その結果行われた襲撃は成功を収めたものの、彼等の出現をスペイン当局に暴露してしまった。〈デインティ〉の行手を遮るべく六隻から成る艦隊がカヤオから出動し、〈デインティ〉はエクアドルのアタカメス近くへ追い詰められた。九三日間、叙事詩的とも謂うべき壮烈な力闘が続き、〈デインティ〉は沈没寸前まで軍艦旗を翻していた。乗員七五名中六〇名が死傷し、雄々しきホウキンズは六ヶ所に傷を受け、身動きもならず横たわる。エリザベス朝の勇士とは正にかくの如きものであった。ホウキンズは結局命をとり留め、捕虜として数年をスペインで送った後、故郷デヴォンシャーに帰還し、後にはアルジェリア海賊の討伐に従事した。しかしながら、印度に到る南西航路の開拓という彼の夢は捕われの身となったことで霧消し、英国の航海者達が再びマジェラン海峡を使うことはその後長年に亙ってなくなるのである。

一五九〇年代における活動舞台はむしろカリブ海であって、その世紀の最後の一〇年間、英国の私掠船（プライヴァティーア）は毎年の如くこの海域を游弋した。この年月、西印度諸島及び南大西洋水域は、文字通り英国海賊の横行に委ねられてしまったのである。一五九四—九五年には（レスターの庶子でノーサンバランド公を自称していた）ロバート・ダドリイ卿がトリニダード島からプエルト・リコに至る西印度諸島海域を荒し廻っている。また一五九五年には東印度地方への初航海から還って来たばかりのジェイムズ・ランカスター卿がブラジルのペルナンブコを寇掠した。ドレイクとジョン・ホウキンズ卿は一五九五年にその最後の西印度航海を行っている。ホウキンズはその小艦隊と共にプエルト・リコ沖に在った十一月半ばに逝き、ドレイクは翌年一月、ポルトベーヨ［パナマ地峡カリブ海側］沖に在った乗艦〈デファイアンス〉上で歿し、その艦隊はトマス・バスカーヴィル卿が率いて帰国することになる。これと同じ年、《黄金郷（エル・ドラード）》探求を目指すローリイ卿の最初の南米探検が行われており、一五九六年には彼の麾下船長の一人ローレンス・キーミスがギアナ沿海部沿いに諸河川を調査して探求を続けている。その頃までに英国の手に陥ちた最大の島ジャマイカは、一五九七年にかの個性豊かな冒険家アントニイ・シャーリイ卿が占領したものであるが、その地固めを怠ったから、彼が故国に向けて出帆すると、その征服は忽ち元の木阿弥となってしまった。この時期の英国人の活動で最も目覚しかったのはカンバーランド伯のそれで、ある時は自ら、ある時は部下を送って、少くとも一〇回を下らぬ海賊活動を行った。その巡航範囲は西アフリカやアソーレス群島から（プエルト・リコの掠奪を含む）カリブ海の全域に及んでいる。実にギニアに対する英国人のおっかなびっくりの最初の航海からの四〇年間というものは、凄じい程の航海活動が国家的規模で花開いた時代であったが、それらがその最も積極果敢な主唱者であり、常にその体現者たるを失わなかった一個の人物フランシス・ドレイク卿と密接に結びついているのも、蓋し当然であった。

13　英・蘭人の東洋進出

ジェンキンスンとペルシャ貿易

《東洋に到る北東航路》というセバスチャン・カボットの主張は地味ながら正当化されたと言ってよい。何故なら英人が初めてアジアに入り込んだのは、このノース・ケイプ経由であったからだ。チャンセラーは同胞に対してロシアの門戸を開いたが、その彼方に横たわる音に聞く豪富の国へ向けてロシア皇帝（ツァーリ）の領土を横断する仕事は、一人の頑健且つ野心的な旅行者の手に残されたのである。この魅力的な人物はモスコヴィ会社の社員アンソニイ・ジェンキンスンで、若い頃にはレヴァント地方を旅行したことがあり、シュレイマン大帝のアレッポ入城に関する話を書いている。それのみかジェンキンスンはこのトルコ皇帝と会見し、彼から貿易特権を引出すのに成功した。疑いもなくこの経験は、中央アジアや更にその東に展開する諸王国の持つ将来性に対して彼の目を開かせたのである。

前途にこうした可能性を見透したジェンキンスンは一五五七年ロシアへ向けて出帆し、モスクワでイワン雷帝に歓迎され、その旅行に対する推薦状を貰った。翌年春には、彼はリチャード及びロバートのジョンソン兄弟並びに韃靼(タタール)人通訳と共に、ヴォルガ河を下る旅に在った。アストラハンに着いた一行は小船を一隻調達し、大胆にもカスピ海へ乗り出したが——彼等こそこの広大な内海を航海し、そこに聖(セント)ジョージの赤十字旗を飜した最初の英人達であった。彼等はコースを内海東岸のマンギシュラク半島にとり、そこで船を棄てると、トルキスタンに向う一千頭もの駱駝から成る大きな隊商(キャラヴァン)と一緒になった。オクソス［アム・ダリア］河畔のウルゲンジで長らく逗留し、トルコ族と険悪な小競合いをした後、この隊商は十二月にブハラへ到着した。ジェンキンスンはその地の汗(カーン)［統治者］の鄭重な歓迎を受け、かくして英国人三人組はこの遥かな中央アジアの首都に腰を据えてその年の冬を送った。汗(カーン)はジェンキンスンの銃器に大いなる興味を示し、ロシアと英国に関する質問を次々と浴せたが、その目的は殆ど果せなかったらしい。ジェンキンスンの意図はマルコ・ポーロの足跡を辿って中国(カタイ)に赴くことにあったが、東方に横たわる土地は丁度この頃動乱状態にあって、中国との貿易は事実上停止していた。どんなに好条件に恵まれてもブハラから北京(ペキン)に行くには九ヶ月かかると聞かされたジェンキンスンは、モスクワからここまで来るのにほぼ同じ月日を費していたから、中国と英国との陸路による交易の困難さにほとほと魂消たのであるが、これは無理もない。印度との貿易の見込みもまた多くを望めそうになかった。何故なら、その酷熱の風土では英国の毛織物類は使い途がなかったし、ブハラ自体は重要な産業とてなく、その住民は英国商品を購うには余りにも貧し過ぎたのである。

こうした貧弱な交易見透しに落胆してジェンキンスンとその仲間は一五五九年三月にブハラを離れるが——これは幸運だった。と言うのは丁度その一週間後にこの町は敵軍に包囲されてしまい、彼等は間髪の差で難を免れたからである。帰還の旅は往路と同じ様なものであった。ジェンキンスンはその年の秋、出発当時より貧乏になってモスクワへ還って来たけれども、知識という莫大な財産をもたらすことが出来たし、また彼は、それから後三世紀もの間、再びその同国人が見ることのなかった土地を横断旅行したのである。

中国と印度がその構想から外れてしまうと、ジェンキンスンは関心をペルシャに向け、ペルシャ貿易に対する雇主の認可を求めて英国に帰還した。一五六一年、彼は二度目の任務に向けて船出をし、モスクワで冬を送った後、ヴォルガ河を下ってカスピ海に出、それをデルベンドへ渡った。この地方は当時ペルシャの手中にあって、アブドゥラ・ハーンという名の、驚くばかりに友好的な総督に支配されており、英国人に対する彼の友情は、数年後に彼が死ぬまで全く変ることがなかった。アブドゥラ配下の兵士の一隊に護衛されたジェンキンスンは陸路をカズヴィンへ進んだが、ここには時の国王シャー・ターマスプが都を置いていた。ジェンキンスンの受けたペルシャ国王（ソフィー）のあしらいは決して好意的ではなかった。何故ならジェンキンスンが持参したエリザベス女王の親書はラテン語、イタリア語そしてヘブライ語で書かれてあって、ペルシャ国王の臣下には誰一人これらの言葉を解する者がいなかったからである。おまけにジェンキンスンはキリスト教徒だったから、タ－マスプはとても苦い顔をした。侮辱を受けて宮廷から放逐されたジェンキンスンの面目はアブドゥラ・ハーンの親切な取りなしで漸く救われ、国王は次第に愛想が好くなり、この英国人に贈物をするまでになった。ジェンキンスンは幾人かの印度人商人と会見したが、彼等はペルシャ経由の香料貿易確立の有望な見透しを与えてくれたものの、ジェンキンスンはカズヴィンではその特権を得るのに失敗してしまった。しかし帰路にはもっと具体的な成果が彼を待っていた。アブドゥラ・ハーンをコーカサスのジャヴァトに訪れたジェンキンスンは、この殆ど自治権を持った独裁者から、英国の毛織物とペルシャの絹との交換を含む、実に貴重な貿易特権の供与を受けることが出来たのである。彼は一五六四年に英国へ帰還し、その後少くともロシアへ二度航海しているが、再びアジアまで行くことはなかった。とはいえ、彼こそ真の先駆者、草分けであり、英国人旅行家中の巨人の一人であると同時に中央アジアを訪れた最初の英国人なのであった。彼の地理学者としての才能は有名な《ロシア地図》（一五六二年製。一五七〇年のオルテリウス地図帳に含まれている）の中に示されており、モスコヴィ［ロシアの古称］のみならず、彼が旅行した近隣の回教徒の国々を描写している。

ジェンキンスンによるアブドゥラ・ハーンとの時宜に適った取引は迅速な成果を生み、一五六四年には第二次英国使節がロシアからペルシャに出発した。この一組はケンブリッジのジーザス学寮(カレッジ)創立者の一族であるトマス・オールコックとリチャード・チェニイで、共にモスコヴィ会社の社員であった。彼等はヴォルガ河とカスピ海を経由してシェマーハに赴いた。そこはコーカサス地方におけるアブドゥラの首都で、デルベンドの南にあった。チェニイはここに留り、一方オールコックは更にカズヴィンのシャー・ターマスプの宮廷に出掛けて行った。オールコックはこの国王の十分な待遇を受けたけれども、帰国の旅の途中で殺されるという災厄に遭う。チェニイの方の任務は上々の首尾を収め、大量の高価な商品とペルシャ貿易の極めて明るい展望という土産を持ってロシアへ帰って来た。

この通商の後援者(プロモーター)達は大いに力を得て、ブハラ旅行当時のジェンキンスンの古い仲間リチャード・ジョンソンとアーサー・エドワーズの二人組を一五六五年に送り出している。彼等はシェマーハにアブドゥラ・ハーンを訪れたが、この友好的な回教徒総督の急逝に際会してその希望を微塵に打ち砕かれてしまい、彼の死は芽吹こうとする英国人の貿易にとって大打撃となった。この悲劇にもめげず、カズヴィンまで旅を続けたエドワーズは、そこに気紛れなターマスプの上機嫌な顔を見出し、希望に溢れた気分で還って来たのである。

エドワーズは少くとも二年間は外国に出ていた訳だから、彼がペルシャ王に対する二度目の使節として赴くのは一五六八年になってからであった。ローレンス・チャップマンと連れ立って出掛けたエドワーズはシェマーハとタブリーズを訪れた。タブリーズはその頃極めて重要な市場であり隊商センターであった。そこからエドワーズはカズヴィンに往ったが、回教国王(シャー)は彼のことをけろりと忘れていて、エドワーズはすっかり男を下げてしまった。しかしターマスプは結局なにがしかの貿易特権を与えてくれ、その結果チャップマンはカスピ海南岸のギラン地方を通る探検の旅に出た。

それでもなお、このとても一筋縄ではゆかぬ貿易の真の困難というものの姿が明らかになるには、一五六九年のトマス・バニスターとジェフリイ・ダケットによる第五次ペルシャ派遣使節の出発を俟つ他はなかったのである。ヴォルガ河下りの間にも、掠奪を事とする韃靼人(タタール)と苦闘を演じてバニスターが負傷したし、アストラハンに着いてみると、町はトルコ人に包囲されていた。こうした難儀を経て彼等はシェマーハにやって来たが、そこでは殆ど商売にならなかった。そのためバニスターはカズヴィンに赴き、六ヶ月を国王(シャー)の宮廷で過した。絹の買付けにコーカサスへ戻ってみると疫病(ペスト)が猖獗を極めており、バニスターと同僚数人はあの世へ往ってしまう。ダケットは今や生残った一行を宰領し、国王(シャー)から英国人の商品の引渡し命令を出して貰うためにカズヴィンへ引返すという、うんざりするような旅を余儀なくされる。こうした手当てを済ませた後、ダケットは遥か南東の中部ペルシャへ旅をし、カシャンに着いて絹・香料・宝石類を買付けた。この儲けの大きい取引は、カスピ海における必死の闘いの果にコサック海賊に船を奪われて、丸損になってしまった。皆負傷してしまった生残りの英国人達は、一隻の小舟（オープン・ボート）を頼りにやっとの思いでアストラハンまで辿り着き、ヴォルガ河を埋め尽す浮氷に苦労を重ねた末、一五七四年、遂に彼等の故国へ帰って来た。

　この悲惨な経験の後、英国－ペルシャ貿易が全く衰え、それを再興する試みが唯一度しか行われなかったのも不思議ではない。一五七九年、アーサー・エドワーズはチャンセラーの旧友スティーヴン・バラの息子クリストファーを含む大人数の一行を率いて出発した。エドワーズ自身はアストラハン以遠には行かなかったが、バラ他数人がカスピ海を渡ってバクーに着いてみると、東部コーカサス全域はトルコ人に征服されてしまっており、一方シェマーハは廃墟と化し、土地の大部分は人影も疎らなのを知った。トルコ人と僅かばかりの取引をしたが、その将来性は有望などとはとても言いかねた。浮氷群と食糧の欠乏に悩まされたカスピ海横断の帰還航海は英国人達の熱意をすっかり挫いてしまったのである。かくして、ロシアを横断してペルシャと貿易する英国人の最後の冒険事業も終りを告げた。距離はあまりに遠く、その艱難は限度を越えており、ペルシャ国王は移り気で当てにならず、トルコから受ける危険は脅威的であり過ぎ、これ以上の冒険には値しなくなった。ペルシャへの使節行の後、ローレンス・チャップマンは現実を直視して次の様に書いている。「……この国に豪商として七年間留るよりも、生涯英国で乞食を続けた方が気が利いていると私は思う……」と。もしアブドゥラ・ハーンが存命しており、トルコ人がその征服をカスピ海まで押し進めなかったならば、恐らく話は違った筋を辿ったものと思われる。確かに、途方もなく増大したアジアに関する知識以外に、英国人がその努力に見合うものを殆ど手に入れられなかったのは事実である。しかし同時に、艱難に堪える強健な進取の気に満ちた人々、即ち、トルコ圏にそれが入る以前に香料貿易に脇道を付けてしまうことが出来たらと常に眼を放さなかった人々、そして東方へ向けて探検を続けるためなら如何なる機会をも逃さず捉えることに執心した人々への賛嘆を、我々は抑えることが出来ないのである。

レヴァント地方を超えて

エリザベス朝の人々が実験した印度及び中国に到る四大ルート（二つの《北方航路》と二つの《南方航路》）の他にもう一つ、五番目のルートがあった。即ち東部地中海からペルシャ湾に到るルートである。それは他に較べて段違いの捷径であり、人類の記憶にもない悠かな昔から隊商によって使われて来たものなのである。しかしそれはまた極めて危険に満ちたルートであって、三つの輸送手段を必要としていた。まず地中海を通る商船だが、これはスペイン艦隊と回教徒海賊船（コルセア）双方からの攻撃に曝されねばならず、次に、シリア沙漠を横断してユーフラテス河流域を下る隊商というものは、うまく行っても甚だ冒険的な仕事なのであり、そして最後に待っているのは、バスラから印度に行く土民の船で、これは最も頑健な男達すら後込み(しりご)させる程の原始的な難行苦行を強いるものであった。結局のところ、これも一つの適当なルートではあったにせよ、個人の旅行にとってのみ有用であったに過ぎず、英国人の管理下に行われた如き大規模な冒険事業にとっては、あの甚だ期待を裏切ったペルシャに対するカスピ海横断の貿易ルートよりも更に役に立たなかった。

この陸上横断ルートはエリザベス朝中期に非常な熱狂を以て英国が乗り出したレヴァント貿易の発展したものであった。英国-トルコ間の貿易は何も目新しいものではなく、一五一一年以来ずっと、少くとも四半世紀の間、ロンドン、ブリストルそしてサウサンプトンの船は東部地中海のギリシャの島々としきりに往来し、時にはシリアの港市にも立ち寄っていた、とハクルートは述べている。ジェンキンスンのアレッポ訪問は既に触れた通りであり、また一五五〇年には、後年、それぞれロシアやメキシコに赴くことになるリチャード・チャンセラーやロジャー・ボーデンハムがエーゲ海の島嶼巡航を行っている。この相互貿易の前途は洋々たるものがあった。レヴァント地方は英国で需要のある商品を産出したし、遥かな東洋から来る産物が隊商から積み替えられるのもここであり、就中重要なことは英国の織物にとって絶好の輸出先であったからである。当時のトルコ皇帝ムラート三世は強欲好色な君主で、金と女がその最大関心事であった。英国人は後の方の供給は出来なかったけれども、組織的な貿易でトルコ皇帝(スルターン)の金庫を富ます助力は出来た。ムラートがかかる嗜好を持っていたことは、キリスト教世界にとって一つの祝福であったことは間違いない。と言うのは、このムラート三世陛下は、祖父シュレイマン大帝の如きヨーロッパ諸国に対する活潑な軍事作戦の指導よりも、むしろ後宮(ハーレム)を漫歩逍遥して時を消す方を嘉し給うたのである！ 同じ伝で彼は異邦人を、よし、それが異教徒であっても彼の領土に交易品を持ち込む連中であれば、歓迎したのであった。

　レヴァント貿易の興隆がロシア経由のペルシャ貿易の凋落と符節を合せたということは、恐らく偶然以上のものがあったと思われる。何故ならロンドンの有力な市参事会員(オルダーマン)エドワード・オズボーンとリチャード・ステイパーが（ジョン・ライトとジョゼフ・クレメンツによる一五七五年の）視察団に便乗して代表者達を陸路コンスタンチノープルへ派遣したのは、例のバニスター＝ダケット隊の生残りが英国へ帰還するかしない頃であったからだ。三年後にはウィリアム・ハーボーンがこれらの人々に続いたが、彼はムラート三世から極めて有利な特権の供与を受けることが出来た。トルコ王宮(サブライム・ポート)におけるハーボーンの滞在は幸運尽めだった。彼は目を見張る東洋的豪奢を以て迎えられ、返礼として新設会社の為を図って夥しい贈物をスルターンに呈上した。その中には様々な装置の付いた自鳴鐘があって、これはヒース・ロビンソンの独創が遺憾なく発揮されたものであった。

　絶好のスタート（一五八三年に大使に陞任）を切ったハーボーンは間もなくトルコ宮廷に強固な地位を獲得し、ムラート三世の勢力圏における英国貿易の伸長に絶大の貢献をなすに至り、スペイン無敵艦隊の英国侵寇の年にはスペイン攻撃をトルコに説いて大いにスペイン人を悩ますことさえやってのけた。レヴァント会社の商館がコンスタンチノープル、アレクサンドリア、アレッポその他オスマン帝国の通商中心地に簇生するのに長い時間はかからなかった。活気ある取引が続いて起って来た。英国人達は毛織物、兎皮（毛皮の飾りとしての需要があった）、錫、水銀、そして琥珀を送り込み、引換えにトルコ人から香辛料、胡椒、染料、絹、そして綿製品を受取った。この貿易は長年に亙って殷賑を極め、ジェイムス一世の時代には、レヴァント会社は自身の子孫とも言うべき東印度会社の後塵を拝する羽目になるけれども、最後まで株式組織の企業間で高い地位を保持したのである。ここで皮肉な註を一つ付けておく。一六一四年には、東印度会社の貿易船でスマトラやジャワから持って来た胡椒や香料を、レヴァント会社は英国からトルコへ送り込んでいた！これこそ東洋の奢侈品がスエズやヴェネチアを経由してヨーロッパにもたらされていた時代から見れば桑滄の変というべきか、真に今昔の感に堪えない変り様であった。

しかしながら、南アジアへの門戸であるレヴァント地方における英国の前哨地点の創設ということに比べれば、レヴァント会社の貿易の進展がルネッサンス期の旅行に重要な関係を持つことはそれ程多くない。これら前進基地の中でアレッポにあったそれは、地理的には格別重要な意味を持っていた。何故なら、その客あしらいのよい正面玄関から、次の半世紀の間、多くの英国人達が——英国の生んだ最も傑出した放浪者の幾人かから成る然るべき一団が——中東の僻陬へ、更にその向うの国々へと出掛けて行ったからである。実にアレッポこそ東方旅行者にとって最も戦略的な——つまり、地中海にある半ダース程の良港から容易に到達し得る——地点にあり、且つ居ながらにしてユーフラテス流域へ通ずる関門を扼する位置を占めていた。だからアレッポはバグダード-ペルシャ湾-印度に到る自然の道筋の上に在ると言ってよかった。冒険心に富む商人達は英国商館の進出以前にあってすら、遥かなアジアへの、またアジアからの出発点・帰着点としてアレッポを利用していた。かくして一五六三年、チェザーレ・フェデリチなるヴェネチア商人（と彼は自称していたのだが）は、この都市を通って一八年間に亙る南アジア放浪の旅に出た。その遍歴はゴア、ネガパダム、ベンガルそしてペグーに及び、珍重すべき一冊の旅行記となって結実したが、一五八八年に英語で刊行されたこの本は東印度会社の創立にある程度の影響を与えたのである。もう一人のヴェネチア人ガスパーロ・バルビも一五七九—一五八三年にかけてほぼ同じルートを辿って冒険旅行を行い、フェデリチ同様、当時は瞠目すべき富と壮麗の町であったビルマの都市ペグーまで足を伸ばした。フェデリチもバルビも彼等が通過した国々の経済的将来性や産物に対する鋭い観察を怠らなかったから、彼等の書物は単なる冒険記録としての価値よりも遥かに偉大な効果を時の商業界に与えたのである。

エリザベス時代の冒険家の一人ジョン・ニューベリイは一五八一年三月、アレッポからユーフラテス流域を下る旅に出発したが、この街道を辿ったのは英国人としては初めてであった。回教徒商人に扮したニューベリイはバグダード、バスラを経由してホルムーズまで進んだが、着いてみるとそこはヴェネチア人貿易商でごった返しており、散々な厭がらせを受けた。暫くホルムーズに逗留した後、北方に向けて出発し、ペルシャをイスファハンからタブリーズへ横切り、そのままかなりのスピードで小アジアを横断、アレッポ出発以来一年でコンスタンチノープルに到着した。ニューベリイはヨーロッパ人としては格別新しい土地まで行った訳ではないが、英国人としては確かに嚆矢であった。彼の旅がかくも慌しかったことは惜しまれる。バグダードに九日、王都イスファハンで三日、そして極めて重要な商業中心地タブリーズにはたった一週間しかいなかった。しかしニューベリイの旅は、中東における後年の旅行の指針となったし、彼がホルムーズまで進んだことによって、官許東印度会社の創立は漸く我々の視界内に入って来たのである。

個人的な商取引の観点からはニューベリイの旅行は儲けの多いものだったに相違ない。何故ならロンドンに帰還するや直ちに、次の冒険事業に相当量の資金を提供して同行を申し出る冒険商人を苦もなく五人も見つけているからである。今度の彼の計画は更に野心的であった。彼の目標は印度とその向うの国以外にはなく、このためにニューベリイは、名さえ畏(かしこ)きかの泰斗ジョン・ディー博士その人と、印度へ行った最初の英国人である耶蘇会(イエズス)士トマス・スティーヴンスから来た手紙を見せてくれた若きリチャード・ハクルートの二人に助言を求めた。更に彼はオズボーン、ステイパーを含むレヴァント会社の誠意ある後援をも取り付けた。一五八三年二月、ニューベリイはジョン・エルドレッド、ウィリアム・シェイルズ、ウィリアム・リーズ、ジェイムズ・ストーリイそしてラルフ・フィッチの五人の仲間と共に帆船〈タイガー〉に乗り、アレッポ（正確にはトリポリか）目指して出発した（『マクベス』［一六〇五年初演］の第一の魔女はハクルートを読んでいたのだろうか?）。四月下旬彼等はシリアに着き、一ヶ月後にはユーフラテス河を下る道程にあり、六月にバグダードに到着した。バスラに達したのは八月で、一行中の二人エルドレッドとシェイルズはそこで取引を行うべく後に残った。ホルムーズへ渡航したニューベリイと残りの三人の仲間は、そこでヴェネチア商人の激しい敵意に遭遇し、英国人の競争を恐れた彼等は、一行全員を逮捕させてしまった。審問のためにゴアへ送られた英国人達は一五八三年十一月にそこへ着いた。仮にも印度へ赴こうとする英国人の第一陣が、囚人としてそこへ来なければならなかったということは、偶然の不思議以上のものがある。しかし幸運は彼等を見放さなかった。既にゴアで四年間暮していた英国人耶蘇会士スティーヴンスが、保釈金を積むことで彼等を請け出す周旋をしてくれたのである。ストーリイはある教会のペンキ塗りの仕事を引受け、欧亜混血娘と結婚することによって完全な自由権を獲得したが、他の放浪三人組はゴアの暑熱では体が保たないとばかり保釈金を見棄てて逃亡し、内陸地方を目指したが——これは間一髪でうまく行った。彼等は東へ向って旅を続けてビジャプールに着いた。ここは同じ名の土侯国の都で、彼等は漸くポルトガル人の手の届かぬ処まで来たのである。そこから彼等はダイヤモンド鉱山で名高いゴルコンダの色鮮かな都市に行くが、職業が宝石商であったリーズは、そこでその専門知識を存分に発揮した。北方に路を転じた彼等は、ブルハンプールでムガール帝国の版図に足を踏み入れ、遂にアグラ近くのファテプール・シクリに在った権勢双びなきアクバル皇帝の宮廷に到着する。この主権者に謁してエリザベス女王の親書を奉呈した後、この英国人三人組は分裂してしまった。即ちリーズはアクバル帝の宮廷御用の宝石細工師の地位を貰い、ニューベリイは陸路英本国へ帰還の旅に上り、そしてフィッチは更に東方を目指してヤムナ河とガンジス河を下るべく出発した。ニューベリイは遠征隊の指揮者としてアレッポ出発以来、印度貿易について熟考を続けていた。彼はペルシャ湾と印度へ西側から近づく水域一帯をポルトガル人がどの様に支配しているかをその目で見て来たし、英国とスペインの間の戦争状態が存在している限り、地中海というものが如何に脆弱なものかも目撃して来たのである。彼の結論はこうであった。唯一の実行可能な英印貿易は、ベンガル地方やビルマ地方に直結する喜望峰廻り（ケイプ・ルート）のものでなければならない、と。それ故彼はアグラを後にした時、海路再び印度に戻って来、ガンジス三角洲（デルタ）地方の何処かでフィッチと邂逅する心算であった。しかしニューベリイは所詮その計画を実現出来る運命にはなかった。アジアを横断して帰国する途中で孤独な死を遂げるのだが、その死因も場所も定かでないのである。

一方フィッチはアラハバードのガンジス河合流点までヤムナ河を下り、ベナレス「現ヴァラナシ」で有名な河岸階段（ゴーツ）を視察し、パトナでは砂金の洗出しの技法を調査した後、ヒマラヤ山麓のクチュ・ビハールに向けて陸上旅行に出発した。恐らく彼は西藏（チベット）からヒマラヤ山地を越えて行われる交易の話に魅せられてそこへ往ったのであろう。クチュ・ビハールから彼はニューベリイとの再会の約束を果そうという空しい希望を抱いてガンジス三角洲地方へ赴いた。彼はそこで待っていなければならなかったが、この機敏な英国人は、その期間を土地の人々やポルトガルの居留民社会を相手に商売することで大いに活用した。こんな風にしてフィッチは気楽に生きてゆくことが出来たが、その流暢に外国語をこなす能力と環境適応力が彼の商売を助けたことは言うまでもない。

ニューベリイとフィッチが訣れてから二年も経った今、フィッチは当然ながら相棒が不運に見舞われたものと結論を下し、待つことを諦めてペグーへ渡航した。フィッチは一年以上もビルマに滞在したが、中国貿易の研究を志してシャム系山岳民族の住むシャン州[ビルマ東部サルウィン河沿いの山岳地帯」の中へ二〇〇マイルも入り込む冒険旅行を行った。絢爛たるペグーの町とその宮廷についてフィッチは長い記録を遺し、その中で王様の後宮や白象、町中に亭々と聳える棕櫚の樹、黄金の仏塔（パゴダ）、そして野生の象の捕獲法などを詳述している。彼はその間ビルマの産物や印度との通商に関する鋭い観察者として終始した。一五八八年一月、彼はポルトガルの貿易船に乗ってマラッカへ渡航し、香料群島や中国南部との交易について手に入るあらゆる知識を拾い蒐めながら、そこに何週間も滞在した。マラッカは彼の行った最遠地点で、そこからペグーへ引返して更に数ヶ月を送った後、フィッチはベンガル地方を経てセイロン島へ戻って来た。彼はコチンからポルトガルへ船で還るつもりであったが、印度に着いてみると一足違いでその季節の最後の便船が出た後だった。そこで止むなくゴアへ往ったが、そこでは変装を続けて看破されるのを免れた。それから彼はホルムーズからバスラへの道を辿り、結局こんな具合にして往路と同じ様なコースをとり、アレッポから英国へ還って来ることが出来た。この一五九一年四月の英国帰還は歓迎すべきものではあったが、一面、真に狼狽せざるを得ぬ出来事であったに相違ない。と言うのは彼の親類縁者達は、フィッチは死んだものと諦めて彼の財産を分配してしまっていたのだ！　こうした様々なことにも拘らず、彼の帰還は英国の東方経綸に重要な影響を及ぼした。フィッチの遍歴談は大立者達から鄭重な歓迎を受けたが、その中にはかのバーリイ卿やリチャード・ハクルートも居たのである。

東方海域の女王の地位をポルトガルから奪おうとする企図は英国だけのものではなかった。と言うのは、フィッチ――や死ぬ前のニューベリイ――が東洋貿易の将来性を英国人に強調したのと丁度同じ様に、オランダ人リンスホーテンもまた母国の人々に対して大いに東洋貿易を称揚していたが、そのオランダは近年、スペインの桎梏を脱して将に海外に雄飛せんとしていたのである。ヤン・ホイヘン・ヴァン・リンスホーテン（一五六三―一六一一）の生涯はラルフ・フィッチのそれ程には華々しくないけれども、彼の書き遺したものはフィッチのそれより遥かに有用且つ有名であった。青年時代の彼は一五八三年、リスボンからゴアに赴いたが――これはオランダ人としては最初の一人であり、六年の間（紛れもない新教徒でありながら）ゴア大司教の従者（デペンデント）になりすましていた。この期間彼は、このポルトガル人の首府ゴアから遠くへ往くことは決してなかったが、飽くなき知識への渇望は彼をして遥か香料群島から中国に至るまでの陸や海に関する詳細な情報を得させたし、また一方その鋭い洞察力でポルトガル勢力頽唐の進行を見透していた。従ってリンスホーテンがオランダに還った時、東方遠征隊の派遣を同胞間に鼓吹することに専念したのは当然であったし、彼の名高い著述『東方案内記（ヴァーデ・メクム／イティネラリオ）』*Itinerario* は英・独・羅・仏語に訳され、東方海域に関する航海者の必携参考書となったのである。

ランカスターとそれに続く者

スペイン無敵艦隊の敗北と《北方航路》の挫折により、英国の貿易界は喜望峰（ケイプ）廻りの印度航路を好意的に眺め始める。そして早くも一五八九年、施主達はアフリカを回航して《東方》に赴く航海の諸計画と積極的に取組んでいた。これらの計画は一五九一年になって実を結ぶことになる。その年の四月、三隻から成る遠征隊が無敵艦隊（アルマダ）撃滅戦の殊勲者ジョージ・レイモンドの指揮の下にプリマスを解纜した。麾下艦長の一人は同じくアルマダ戦の古強者ジェイムズ・ランカスターで、彼は船乗りとしての手腕に加えて、ポルトガルに何年も暮したことがあり、その人間にも言葉にも通暁していた。この航海には積荷（カーゴ）は殆ど持って行かなかったらしい。航海の目的は貿易よりはまず偵察にあったからである。

艦隊は喜望峰へ向けて快走を続けた――三ヶ月とちょっとであった――が、乗組員が壊血病に苦しんだためテーブル湾で一ヶ月を過し、艦隊の一隻を基幹要員のみで本国へ帰還させねばならぬ羽目となった。部下に英気恢復の機会を与えた後、レイモンドは残りの二隻を率いて喜望峰を回航し、南アフリカ海岸沿いに北上して行ったが、モザンビーク海峡で猛烈な時化に襲われ、レイモンドの乗艦〈ピネラピー〉は乗員と共に海の藻屑と化した。ランカスターは満身創痍となった孤艦〈エドワード・ボナヴェンチュア〉をやっとコモーロ諸島まで持って来たが、そこで部下の数人を土民に殺されてしまう。ザンジバールはそれよりもまし(ヽ)な避難港を提供してくれた。ランカスターはここで修理をしたり、ポルトガル船の攻撃を打払ったりして三ヶ月を送った。逆風のために印度本土南方の海を通らざるを得なかったランカスターは、印度洋横断の航路をセイロン島からニコバル諸島へとった。スマトラ島北端にある賑かな港アチン［現クタラジャまたはバンダ・アチェ］に行く水先案内が得られなかった彼はスマトラ島の北を通過し、遂に一五九二年の六月、マレー半島西岸沖のペナン島に錨を投じた。ここで三ヶ月を過したが、ペナンは瘴癘の地であったから九月にランカスターが再び錨を揚げた時には、部下はたった三四人しか残っていなかった。この惨めな残存部隊を率いたランカスターはマラッカ海峡を巡航し、ポルトガル人たると土民たるを問わず行き遇う船を片っ端から掠奪した。結局ランカスターは報復を恐れてマレー半島の遥か上部のジャンクセイロンに退却し、十一月になると故国へ帰還の途に就いた。〈エドワード・ボナヴェンチュア〉はセイロンに立ち寄り、疲れを知らぬ指揮官ランカスターはここを根拠地としてポルトガル船の襲撃を企てたけれども、この頃までに嫌（いや）という程苦労を舐めて来た乗組員の気分が極めて険悪化したため、彼は英国へ向けて船を進める以外になくなった。辛うじて船を動かすに足るだけ残った人員により〈エドワード・ボナヴェンチュア〉は難航を重ねながら喜望峰を廻り、セント・ヘレナ島に寄ったが、以後無風帯（ドルドラム）に入って苦しみ抜いた揚句、プエルト・リコ附近の西印度諸島の一島モナ島に漸く辿り着いた。この地で聊か英気を養った後、帰国航海の最終航程（ラップ）が始められた。しかしバーミユーダ沖の暴風で〈エドワード・ボナヴェンチュア〉はモナ島に吹き戻され、乗組員の困苦はその極に達した。叛乱を起した一部の水夫達はこの大事な時に〈エドワード・ボナヴェンチュア〉の錨索を切断し、自分で何とかしろとばかりランカスター他一九名を置いたまま、何処ともなく漂い去ってしまった。残されたこれらの餓迫（うえ）る船乗り達がどうやって更にもう一ヶ月の艱難に耐え得たか不思議という外はないが、彼等は事実それを克服し、ランカスターと一二名の仲間達はディエップから来た船に救出されて遂に母国に帰還することを得た。

かくして一隻の英国船が初めて喜望峰を回航して東印度地方に到達したのであった。この重要な事実には異論の余地はない。その他の点ではこの冒険航海は悉く失敗であった。

即ち船は沈没し、積荷は失われ、乗員の大部分は死んでしまった。正に勇敢無比の冒険家達の荒肝を拉ぐに足りたのである。それでもなおエリザベス朝の人間は敗北を認めようとはせず、数年を経ずして東印度会社を設立し、その後、短期間で極めて巨利を生む貿易を築き上げてしまった。人はあるいは次の如き疑問を抱くかも知れない。即ち、ポルトガル人はどうやって一世紀もの間、時計仕掛の様に規則正しく印度へ向けて航海を続けて来られたのか、そして対照的に、何故英国人は彼等の最初の試みでは一切を失ってしまったのか、と。幾つかある説明の中、次のものは引用に値するかも知れない。英国人は往復共にそれぞれ約一五〇〇マイルも余計に航海せねばならず、このことは、《船》に関しては一層の疲労と消耗を、そしてまた糧食の問題を意味するものであった。ポルトガル人は東アフリカ海岸一帯に休養や修理のための避難港となる要塞化された駐屯地の連鎖を持っていた。これに反し、英国人は相当な危険を冒すことなく寄港出来る場所は一つも持っていなかった。おまけに、ランカスターの航海が必要以上に時間を要したのは、彼の船が二重外皮構造でなかったので、熱帯水域では急速に劣化してしまったためであった。同船にはまた船具備品や糧食が不足しており、最初は人員過剰でもあった。こうした欠点総てがこの航海を悲劇に終らせる働きをした。言うまでもなく印度航海における最大の脅威は壊血病で大西洋横断の場合より一層甚だしいものがあり、この時代には乗組員が九割方死んでしまい、船を動かせない程に衰弱した生存者を乗せたまま、どうすることも出来ず海上を彷徨する漂流船の例は、枚挙に遑がなかったのである。

こうした欠点の大部分は無論矯正し得るものであるが、御多分に洩れずチューダー時代の人々も経験によって学ぶ以外になく、そして経験するには時を要する。こんな訳だから、第二次東印度地方遠征は（そうなる可能性はあったとしても）第一次よりも更に悲惨を極めた。船長ベンジャミン・ウッドの指揮したこの冒険航海は、大部分ポルトガルの文献から知られるのみであって、航海の詳細については曖昧模糊としているため、その全貌乃至それらしきものは遂に知り得ないと思われる。ウッドの遠征は（既述の通り）海事に関心が深く、西印度諸島海域で私掠船活動を行ったことのあるロバート・ダドリイ卿が派遣したものであった。ウッド自身は経験豊富な船乗りで、ローリイ卿やカンバーランドの下で働いていたから、幾らか海賊的なところがあった。一五九六年の末も近い頃、彼は三隻の船で英国を出発した。一隻は喜望峰沖で失われてしまったが、二隻は翌年モザンビークを通過するところをポルトガル人に目撃されている。ウッドの船隊はゴアより南の印度海岸に着き、かくして印度半島本土に達した最初の英国船となった。そこから彼等はセイロン島を回航し、途中掠奪を重ねながらマラッカ海峡に向い、そこでポルトガル船と一週間も続く追撃戦を演じた。ウッド麾下の乗組員はこの頃までに壊血病にやられて酷く消耗していたに違いない。と言うのは、英気を恢復すべく船隊はペナン島近くのマレー半島にあるオールド・ケダーに退却せねばならなかったからである。もはや船一隻を操るだけの人員しか残っていなかったのでウッドはもう一隻を焼却し、同海岸をペグー近くのマルタバン湾まで北上したが、そこで最後の一隻〈ベア〉は難破してしまった。七人の生存者は結局丸木舟(カヌー)でモーリシャス島に辿り着いた、と言われている。そして一六〇一年にオランダ船に救出されるまで生きていたのは唯一人に過ぎなかった。

ウッドの遠征の完全な失敗は定めし意気沮喪させるものがあった筈だから、もう一人の競争者が印度地方の貿易に顔を出し、かなりましな成果を挙げたということは、恐らく幸運に恵まれたものと言ってよいであろう。それまで在来のヨーロッパ、地中海水域の海路を離れて航海することのなかったオランダ人達は、リンスホーテンの主張に鼓舞されて四隻から成る遠征隊を整え、船長コルネリウス・ハウトマンを指揮者にして一五九五年の春、テクセル島［北海に面したウェストフリーズ諸島西端の島］から送り出した。英国人同様ハウトマンの部下達もまた激しい壊血病に悩んだため喜望峰で一時避泊し、マダガスカル島のアントニル湾［印度洋側］で英気を養わねばならなかった。しかし彼等はそれから印度洋をスンダ海峡［スマトラ島とジャワ島の間の海峡］まで一隻の船をも失うことなく一気に横断し、ジャワ島のバンタム湾［ジャワ島西北端］に錨を投じた。ジャワ胡椒の取引の中心地であったこの港に滞在した期間は長かった。土民もポルトガル人もかなりの敵意を示し、ハウトマン以下部下数人は拘禁の憂目に遭う。しかしオランダ人達は通商協定を結ぶのに成功し、大量の胡椒を入手して出発した。彼等は東方のバリ島に到り、次いでジャワこれについての横幅にこの島つまりジャワ島の南岸沿いに引返したが、この一周により、この島つまりジャワ島の横幅についてこれまで一般に唱えられていたよりも正確な感じを摑むことが出来、〝ジャワは即ち《南方大陸》の北方部分なり〟という怪説に引導を渡したのである。ハウトマンの帰国航海は比較的平穏なものであったが、それでも彼がオランダまで連れ還ったのは麾下の船三隻と部下三分の一だけであった。こうした高い死亡率にも拘らず、このオランダ人船長(スキッパー)は、貿易開拓の断乎たる決意によってアムステルダムの商人達を鼓舞するという事業に、実に見るべき成果を挙げたのである。

このため一五九八年には二つの艦隊が喜望峰廻りで、更に二つの艦隊（マフーとノールトがそれぞれ指揮、後述）がマジェラン海峡廻りでオランダから《東方》へ出帆した。喜望峰廻りの第一陣は二隻から成る艦隊で指揮官はハウトマン、そして北極圏における偉大な航海者であり当時オランダのために働いていたジョン・デイヴィスが航海長(パイロット)を務めた。この航海は結果的には悲惨なものであった。印度本土のコチンに寄港した後、艦隊はスマトラのアチンへ航したが、そこでデイヴィスはエリザベス女王の令名が東印度地方にまで浸透していることを知って驚くと共に、その地の酋長がしきりに英国民のことを知りたがっているのを見て満足を覚えた。しかし、オランダ人達は英国人程には歓迎されず、滞在中に不実な襲撃を受けて船一隻を失い、ハウトマンは殺害されてしまった。デイヴィスの沈着と勇気はよく残った一隻を救い出し、彼等はマレー海岸へ脱出した。テナセリム［マレー半島根元のビルマ領〕の港に行こうとして果さず、デイヴィスはオランダに向けて帰途に就く。一六〇〇年七月にミッデルブルグ〔オランダ西端ワルヘレン半島の港〕に帰還した彼は、英国東印度会社でその才腕を存分に発揮すべく直ちに英国へ戻ってゆく。

ヤーコブ・ヴァン・ネックとウィレム・ヴァン・ワルウェイクが指揮した八隻から成る大艦隊(アルマダ)の喜望峰廻り第二陣の前途には、もっとましな運が待っていた。艦隊の一部はモーリシャス島に寄港したが、この島の名はオレンジ公ナッソウのモーリスの名をとって付けられたものである。次いでバンタムに到着し、そこで盛大に取引を行い、商館を設立した。四隻をオランダへ送り返すと(一五九九年)、ネックは残りの船を率いて東方のマドゥラ、セレベスそしてアンボイナの島々に航海した。アンボイナで艦隊は再び二手に別れた。二隻はバンダ諸島へ、残りの二隻はモルッカ諸島中のテルナテ島へ向った。この二つのグループはこの多島海(アーキペラゴウ)におけるオランダの覇権確立に奮闘した後、一六〇〇年、それぞれ別々にオランダへ還って来た。この航海はオランダ東印度会社の設立(一六〇二年)を呼び、ジャワとその東方の香料群島の植民地化にオランダの努力を集中させる結果となった。恐らくこの集中の完璧さそのものが、その後の――真に典型的に行われた――オランダ人による諸航海の重要性を減殺する傾きを持っている。従ってハウトマンとネックの遠征以後、オランダ人の冒険事業が占める主要な地理学的意義というものは、彼等が〝オーストラリアの発見〟に結び付く路を切り拓いた点に存することになる。

英国人による最初の二つの航海の失敗にも拘らず、ロンドンでは《東方》貿易を担当する機関の設立を望む熱意は衰えを見せず、この気持は、胡椒価格を二倍、いや三倍にさえも吊り上げてしまった新しいオランダの独占によって、いやがうえにも駆り立てられることになった。そこで一五九九年、トマス・スマイス卿の音頭取りで有力商人の一団が一つの株式会社を設立し、あの非凡な世紀の最後を飾る一六〇〇年十二月三十一日、《官許東印度会社》の勅許を受けたのである。遠征が行われるのに長い時間はかからず、一六〇一年の四月、四隻の大型船はトア・ベイ〔現トーキィ。英国デヴォンシャー州の港〕から東印度会社としての処女航海に乗り出した。ランカスターは印度貿易でその名も高い〈レッド・ドラゴン〉に将旗を飜し、ジョン・デイヴィスはその才能に適わしく航海長としてその傍に在った。彼等は九月に喜望峰に達したが、艦隊中三隻までは乗組員達が酷い壊血病に悩んでいた。ランカスターは〈レッド・ドラゴン〉乗員にレモン汁を飲ませていたが、これは大変効き目があった。テーブル湾に一時碇泊し、その間に旗艦から強健な連中を応援に送り込み、消耗した乗組員達に元気を回復させた。次いでマダガスカル島のアントニル湾に長らく寄港したため、スマトラのアチンに艦隊が錨を下すのは一六〇二年六月になってからであった。ランカスターと航海に疲労困憊した船乗り達は土侯から熱烈な歓迎を受けたが、それから間もなく、オランダの船長スピルベルヘンの助力を得たこの英国人達がマラッカ海峡で大きなポルトガル船を拿捕した時、この土侯は遠来の客人の活躍を大いに欣んだのであった。貨物を満載した一隻を英国へ直航させると、ランカスターは他の三隻を率いてスマトラ西岸を半分ほど下ったプリアマン［現パリアマン］に到り、そこからジャワのバンタムへ進んだ。バンタムでは二ヶ月を過したが、極東における最初の通商居留地を造るために多数の英国人を後に残し、一六〇三年二月、ランカスターは故国へ向けて錨を揚げる。アフリカ海岸沖には物凄い嵐が待っていた。〈レッド・ドラゴン〉は舵を失い、雹雪吹き荒ぶ南大西洋［南極圏］まで押し流されてしまう。しかし幸運と勇気と巧みな操船術とでセント・ヘレナ島までやっと戻って来た〈レッド・ドラゴン〉は、以後無事に航海を続け、出発以来二年半の一六〇三年九月、乗組員は半減したものの船は一隻も失うことなく、ランカスターはダウンズ［イングランド南東端とグッドウィン・サンズの間にある泊地］に錨を投じた。ランカスターがこの遠征において発揮した指導力に対してナイト爵位を授けられたのは当然であったが、彼はそれ以後この成功に安住してしまい、再び東方に航することはなかった。

ランカスターの航海は巨利を挙げたし励みになるものであったけれども、些か晩きに失した憾みがあった。何故ならオランダ人は先に東印度地方へ進出し了えており、精力的且つ独占的なやり方で決して明け渡すことのない強力な先導的地位を獲得していたからである。従って英国東印度会社の第二次航海は、オランダの断乎たる競争と真正面から衝突する結果となった。ランカスターと航海を共にした同じ四隻から成るこの遠征隊はキャプテン・ヘンリイ・ミドルトンが指揮官となり、〈レッド・ドラゴン〉が再び旗艦を務めた。艦隊は一六〇四年三月に出帆し、壊血病の猛威を癒すため喜望峰で予定外の碇泊をした後、その年の暮近くなってバンタムに着いた。ランカスターがそこに残して置いた英国商館員達はオランダ人、ポルトガル人、それにジャワ人達から酷い妨碍と暴行を被って苦しんでいたが、ミドルトンの到着によって状況は一変した。彼は大量の胡椒の積荷を獲得し、船二隻に満載して帰国させた。残りの二隻を率いた指揮官ミドルトンは丁子と肉豆蔻(にくずく)を求めてモルッカ諸島へ向ったが、航海中ずっとオランダ船の妨碍につき纏われた。アンボイナでポルトガル総督と友好関係を樹立し終えた途端にヴァン・デア・ハーヘン麾下のオランダの大艦隊が来寇してポルトガルの要塞は降服し、貿易の見込は消し飛んでしまった。殆ど同じことがモルッカ海域でも起きた。この同じオランダ艦隊の到着とそれに続くティドーレ島のポルトガル要塞の破壊は、〈レッド・ドラゴン〉の後甲板(クオーターデック)からこれらの出来事を不本意ながら傍観せざるを得なかったミドルトンの前途に幾多の困難を投げかけたのである。それでもなお、独りよく東印度地方の最奥部まで入り込んだこの英国船は、かのドレイクが四半世紀前に土侯と条約を結んだテルナテ島に到って歓迎を受けた。この後〈レッド・ドラゴン〉は、バンダ諸島に往っていた僚船と合同すべく、バンタムへ戻って来た。バンタムの商館を維持するための分遣隊を残し、両船は英国に向けて出発する。喜望峰の沖で、先に本国へ帰した二隻の内の一隻〈ヘクター〉がすっかり壊血病にやられた乗組員を乗せてなす術もなく漂流しているのを見つけたが、もう一隻いる筈の仲間の船は影も形もなかった。他の船から水夫達を〈ヘクター〉に移して艦隊は故国へ向けて航行を再開し、一六〇六年の五月に還って来た。船一隻と乗員多数を失ったもののミドルトンの航海は成功と見做され、ランカスター同様彼もナイト爵に列せられた。しかしながらオランダの独占の影は、英国東印度会社の重役連の眼には必ずや不吉なものとして映じたことであろう。

単にオランダ人の活動のみならず英国の主権者の二枚舌もまた、これら施主達の頭痛の種であった。東方貿易の独占権をこの団体に授けた筈の〝東印度会社勅許状〟の目に余る無視と共に、ジェイムズ一世は、傭われ軍人（ソルジャー・オヴ・フォーチユン）として些か如何わしい経歴の持主である冒険好きの廷臣エドワード・マイケルボーン卿に航海の認可状を与えてしまったのである。一六〇四年もかなり深まった頃、かの疲れを知らぬジョン・デイヴィスを水先案内とした小艦隊を率いてマイケルボーンはスマトラへ航海した。そこでは不成功に終ったため、彼はバンタムへ移動したが、途中ずっと密貿易や掠奪を働いてこの水域一帯に英国の悪名を高めてしまった。ジャワから先はシャムを目指してマレー半島東岸を北上する針路をとったが、パタニ沖でこの英国人達は日本海賊と猛烈な死闘を演じ、デイヴィスを喪ってしまうのである。気落ちした艦隊は故国へその舳を廻らし、一六〇六年夏にポーツマスに帰って来た。この航海は結局《東方》における英国人の評判を良くするどころか貶めるだけに終った。ジャワや各諸島におけるオランダの優越をして再び名を成さしめたのである。

明らかに東方多島海における形勢のこの様な悪化に伴い、東印度会社の重役連は他の方面の開拓を決意し、このために彼等は印度本土に向けて第三次航海を送り出した。ミドルトンの艦隊の時に不運な目に遭った〈ヘクター〉の艦長であったウィリアム・キーリングの指揮するこの冒険事業は極めて重要な意義を持つものであった。キーリングは例の〈レッド・ドラゴン〉と〈ヘクター〉を率いて一六〇七年四月にプリマスを出港したが、三番艦は数日前に単独で先発していた。第二次航海の際に苦しんだ壊血病の不幸な経験から、キーリングはランカスターの故智に学んで部下にレモン汁を服用させたが、お蔭で麾下乗組員の健康状態は優に平均以上という好結果を得ることが出来た。キーリングはまた部下の慰安にも気を配り、非番の時にはシェイクスピアの芝居の稽古をさせておいた。艦隊がシエラ・レオーネ沖に投錨すると、乗組員達は熱狂的な土民の観衆を〈レッド・ドラゴン〉の甲板に集め、『ハムレット』と『リチャード二世』を演じて見せた。E・I・フリップはその『シェイクスピア——人と芸術』の中でこれを次の様に活写している。「〈ドラゴン〉の航海日誌の）その日の記事は何とその時の情景を想い浮ばせることか！　渺たる英艦ドラゴン号は、赤道を北へ一〇度とは隔らぬシエラ・レオーネの入江に僚艦と舳艫を並べて錨を投げ、艦長の激励に応えた乗組員達はエリザベス朝の衣裳を凝らして『デンマークの王子』を演じ、酋長付きの達者な通詞殿とその仲間の黒ん坊諸君をば、痛く欣喜させたという。近代宣伝術の打算とはおよそ無縁な、この貿易・友好の促進手段は、ロマ……と。

ロマンチックな女王の時代の心意気を示したものである」……と。

それからの寄港地は喜望峰とマダガスカルで、ソコトラ島に到って艦隊は二手に別れた。キーリングは〈ドラゴン〉を駆ってバンタムに赴き、(恐らくあの偉大な航海者一族の子弟と思われる)ウィリアム・ホウキンズは〈ヘクター〉でカンベイ湾のスラトへ向った。ウッドの不運な航海を別にすれば、〈ヘクター〉は印度半島に到達した最初の英国船であった。ホウキンズは陸路アグラに到り、そこでムガール帝国の皇帝ジャハンギルの歓迎を受けたから、彼はその時、はっきりした貿易上の特権は獲得出来なかったとは言うものの、その派遣は実に印度における後年の英国勢力扶植の基礎を置いたものと言ってよかった。この間に〈ヘクター〉はジャワへの航海を了え、キーリングに率いられて東のバンダ諸島に向ったが——そこで丁度この極めて重要な群島をオランダ人が奪取するのを目撃する運(めぐ)り合せとなった。

従ってキーリングの航海以後、東印度会社の政策はますますアジア本土の将来性の開拓に向けられることになった。このことは彼等が島々を抛棄してしまった、と言おうとするものではない。事実は全く反対であった。一六二三年のアンボイナ大虐殺で最終的に一掃されるまで、英国人達は東印度諸島に頑強に取付いていたのである。この高飛車なオランダの暴虐はジャワと香料群島から遂に英人を追い出してしまい、この地域一帯における争う余地なきオランダの覇権(ヘゲモニイ)を確立することになる。

これ以後の航海については簡単に述べるに止めよう。東印度会社の第四次航海（一六〇九年）はアラビア海岸のアデンとモカに寄港したが、印度のスラト沖で難破し、悲惨な結末を告げてしまうけれども、その後船長ロバート・コーヴァート以下若干の乗組員はアジアを横断してアレッポまで戻って来た。デイヴィッド・ミドルトンの指揮した第五次航海はオランダ人の妨碍を排してバンダ諸島で交易した。ヘンリイ・ミドルトン卿の第六次航海はアラビアに行ったが、指揮官ミドルトンはモカで投獄されてしまった。釈放されるとミドルトンはスラトへ、次いでバンタムへ航海したが、そこで当時最大の商船であった彼の旗艦〈トレイズ・インクリース〉［〈貿易の増進〉号］は皮肉にも壊れてしまい、気の毒なミドルトンは傷心の余り死んでしまった（一六一三年）。ヒッポン船長とフロリス船長による第七次航海はシャムまで往き（一六一一―一六一三年）、第八次航海（一六一一―一六一三年）では船長ジョン・サリスが日本まで到達したが、これは英人船長（スキッパー）としては初めてであった。サリスの経験はここに記録する価値がある。彼は平戸（長崎の北）に上陸し、そこで何年も昔にオランダ船に乗って太平洋を横断し、日本に来ていたウィリアム・アダムズ［三浦按針］の出迎えを受けた。アダムズは日本で大いに尊敬さるべき人物となっており、彼は皇帝［将軍］を訪問すべく遥々とサリスを東京［江戸］へ伴った。サリスはミカド［将軍］に東印度会社からの進物を奉呈し、返礼として平戸に商館を開設することを許された。彼の任命した商館長リチャード・コックスは一〇年間その地に留ったが、これら東印度会社職員の努力も殆ど功を奏することなく、この通商居留地は一六二三年に抛棄されてしまったのである。

この時期における東印度会社の航海では、次の一つだけが特別な言及に値する。それは一六一二年に英国を出帆し、スラト沖における遥かに優勢なポルトガル艦隊に対して赫々たる勝利を収めたトマス・ベスト船長の遠征で、これこそ英国の海外発展事業に対して西部印度の門戸を開かしめたものであり、一六一五―一六一八年の大ムガール帝国宮廷に対するトマス・ロウ卿の派遣の地均しをするものであった。

《南方大陸》

神秘的な《南方大陸》の実在という確信は中世にその淵源を発していた。即ちマルコ・ポーロは《ロカック》〔羅斛〕の南部地方について書いているし、他の地理学者達も《ゴールデン・プロヴィンス・オヴ・ビーチ》〔黄金の渚の国〕について言及しており、この概念はディエップ派ポルトラーノ海図製作者やメンダーニャ、キロスの時代までずっと続いていた。それまで未知であった世界の岸辺がルネッサンス期の探検家達によって一つまた一つと明らかになるにつれ、《南方大陸》はいよいよ狭い範囲に押し込まれてしまったため、一六〇〇年以後になると、航海者達は納得のゆく科学的態度でこの問題に取組むことが出来たのである。従って過去三百年乃至それ以上に亙って地理学者達を悩ませ続けて来た〝謎〟の解決を見るのは当然十七世紀の前半ということになる。オーストラリアの発見とその初期の探検の功績は挙げてオランダ人に帰せられるべきであり、彼等はこの新大陸を発見しただけでなく、その明確な区域をも決定したのである。これは実に《発見》というものに対するオランダの顕著な貢献であって、この大陸の初名――新オランダ――が、いみじくもそれを想起させる。オランダ人の諸航海以前にあってすら低地国家地方(ネーデルラント)［今日のオランダ、ベルギー、ルクセンブルグ地方］には《南方大陸》説を支持する堅固な伝統があり、オルテリウスやメルカトールの平面球形図には〝マジェラン海峡によって南米大陸から分離され、東印度諸島のジャワに迫りながら地球を巡ってぐるりと伸びる巨大な南極陸塊〟が示されている。オランダ人がジャワにその地歩を確立した時、彼等は確かに、かの《南方大陸(テラ・アウストラリス)》なるものがもはや〝遥(はる)かなる存在(もの)〟ではなくなったと感じたに違いない。

十六世紀の最後の一〇年に至るまで、オランダ人は広汎な遠洋航海というものは一つも行っていなかった。それが最後の一〇年間に彼等は喜望峰廻りで東印度地方に達し、連続的な三回の《北東航路》の開拓航海を行っただけでなく、世界周航を目指して二度も艦隊を派遣している。これらの冒険事業は太平洋の航海に関してオランダ人が持った初めての経験であり、オーストラリアの発見について直接関係を持つものではなかったけれども、少くともその背景を準備したことになった。この二つの壮挙の第一陣はヤーコブ・マフーの指揮する五隻からなる艦隊で、一五九八年の六月、ロッテルダムを――英人水先案内ウィリアム・アダムズを乗せて――解纜した。この遠征隊は最初から不運続きであった。まず指揮官マフーが病死し、乗組員は壊血病で激減した。そしてマジェラン海峡を抜けて太平洋に出た処で艦隊は四散する。即ち、一隻はマジェラン海峡を通って故国へ帰ってしまい、一隻は何とかしてモルッカ諸島へ辿り着き、そしてもう一隻はペルーで前進を抛棄してしまったのである。アダムズの乗った船はチリー海岸沿いに進んだ後、北寄りの横断航路をとって大変な苦労の揚句、日本に到着したが――乗員はその頃には死に瀕していた。アダムズ他の生存者は豊後（今日の大分県、九州）に上陸した。彼等は一時牢屋に入れられたし、日本を離れることは決して許されなかった。しかしこの英国人は皇帝［＝将軍］の寵を得て出世し、このためオランダ人にとっては通商特権を獲得する際の大きな便宜となったのである。前述の如く、このアダムズは一六一三年、サリス船長を将軍（エンペラー）に会わせるために連れて行ったし、また、同じく東印度会社の代理人としてサリスが残して行ったリチャード・コックスにとっても絶大な助けとなった。アダムズは、言わばその養子先の国で高い尊敬を受けながら、一六二〇年頃まで生き続けた。

マフーの遠征と対照的に、オリヴィエ・ヴァン・ノールトのそれは上首尾且つ平穏無事な遠征であった。一五九八年九月に四隻を率いてヘレー［ロッテルダム西南の海港］を出帆した彼は、マジェラン海峡を通過し、太平洋を実質的にはマジェランと同じ航路をとって横断した。寄航したのはフィリピン群島とボルネオで、ジャワのオランダ人居留地に立ち寄った後、ヴァン・ノールトは喜望峰を廻って故国に還って来た（一六〇一年八月）。これは史上四番目の、そしてオランダ人としては最初の世界周航であった。新発見は何もなかったけれども、ノールトは《東方》諸国に関する大量の知識・情報を船載して来たのである。

さて、オランダ人がジャワから香料群島一帯に押し出して行くにつれて、彼等は地図の上に残る一つの謎、即ち東印度地方の南と東南に展開する《空白》にますます気持を惹かれて行く。ニュー・ギニアは確かに大きな可能性を秘めた、曖昧で殆ど解っていない土地、として映り、この島の南岸を調査する価値があると思われた。この目的のため一六〇五年十一月、〈ドゥイフケン〉、［小鳩］という名の小型二檣帆船をウィレム・ヤンスゾーンの指揮の下にジャワから送り出した。この小さな船は南部ニュー・ギニア沿岸をフォーゲルコップ地方［現ジャジラー・ドベライ。ニュー・ギニア本島西北端部］からトレス海峡まで一〇〇〇マイル近くに亙って航海し、後者が実は《海峡》であることに気付かないで南方に転じ、ヨーク岬半島の低く荒涼たる海岸を視認した。《オーストラリア》はかくして発見されたのであるが、その時〈ドゥイフケン〉船上では誰一人その事実を悟る者はなかった。船の連中には、水平線上に横たわるこの不毛の土地は単にニュー・ギニアが南へ伸びているだけだと映ったし、彼等の航程が南緯一四度のケール・ウェール岬（引返し岬）まで来ているという確信は些かも動揺しなかった。従って一六〇六年六月の彼等のバンタム帰還は殆ど歓呼の対象とはならず、また二ヶ月後のトレスによる同海峡の通過は一世紀半もの間地理学者に知られないままに過ぎ、ヨーク岬が(そして最終的にはオーストラリア全体が)ニュー・ギニアに繋がっているという信仰は、遥か十八世紀に至るまで廃れることなく生き延びていた。

従ってヤンスゾーンの航海が《南方大陸》のヴェールを剝ぐものとは誰も思わなかったから、人々は相変らずこの土地を太平洋の何処かに見つけるつもりでいた。一六一四年に始ったヨリス・ヴァン・スピルベルヘンによるオランダ人の世界周航は、地理学知識の面では何の進展ももたらさなかった。この周航はマジェラン海峡を通過し、南米海岸をメキシコまで北上した後、太平洋をフィリピン群島へ横断するものであった。しかし、一六一五年に出発した二隻の船による遠征はかなり重要な――消極的ではあっても――発見をもたらした。ヤーコブ・ル・メールとウィレム・コルネリスゾーン・スホーテンが指揮する艦隊は大胆にも南米大陸南端を回航したが、スホーテンは北部オランダにある自分の故郷を記念してそこを《ホーン岬》と名付けた。南方に全く陸地を見なかったから、オルテリウスやメルカトールの地図に反し、《南方大陸》なるものがマジェラン海峡まで伸びていないことは明白であった。太平洋を航海した後、この艦隊の日誌は段々皮肉なものになって行く。一隻は船火事で焼けてしまい、ジャワに着いたもう一隻はオランダ当局に押収されてしまった。貿易の独占を侵犯したというのがその理由である。生存者達はスピルベルヘンの艦隊で本国送還となり、その航海中ヤーコブ・ル・メールは文字通り憤死してしまうが——これは無理もなかった。スホーテンはその後も生き永らえ、ホーン岬を回航したこと、その海域には《南方大陸》なるものは存在しないことを吹聴して廻った。

オランダ人は南米大陸の下、つまり南の海域を馳駆する一方、印度洋の南方水域をも探検しつつあった。オランダ船長達は、海の状態が熱帯地方のずっと南まで航海に適することを発見していたのである。間もなくオランダの商船は喜望峰から東へ向う航路、次いでジャワへの大圏航路をとる様になった。こうした方向を追求する余り、ディルク・ハルトークスゾーンの指揮する船〈エーンドラフト〉はその針路から南東へ大きく外れてしまい、一六一六年の十月、南緯二六度で見知らぬ海岸に行き当った。これは《西オーストラリア》であることが判った。ハルトークスゾーンは北方に向い、ノースウェスト岬までの約三〇〇マイルをその海岸沿いに航行し、そこで西に舵を転じてジャワへ去った。この海岸は直ちに長い間捜し求められて来た《大陸(コンチネント)》の一部であると見做され、間もなく《エーンドラフツランド》の名が付けられた。かくして遂に《オーストラリア》は実在のものとなり、《ディルク・ハルトークス島》は以来この航海者の陸地初見に対する記念碑として永遠に残ることになるのである。

これに続く二年間の（一六一七年のヘヴィク・クレスゾーンと一六一八年のレーネルト・ヤコブスゾーンの）航海はノースウェスト岬近くの海岸に達し、一六一九年にはフレデリック・ハウトマンが今日のパースの地でこの大陸の西岸に着き、約四〇〇マイル、殆どディルク・ハルトークス島まで北航した。この航海中、その後〝ハウトマンのアブローリョス〟（ポルトガル語で「邪魔物」の意）として知られるに至った岩礁群［英語名ハウトマン・ロックス］が発見され、一方、船上のハウトマン達は、この海岸がハルトークスゾーンの望見した大陸の一部分を形成しているとの結論を下している。この陸塊の形状に関する更に明確な観念は、この《島大陸》の南西端レーウィン岬に到達した船〈レーウィン〉の航海（一六二二年）によって得られることになる。しかしなお、この西海岸とヨーク岬半島の間には明確な関係がなく、これら二つの探検は互いに脈絡もないままにそれぞれ独立して続けられた。一六二三年、ヤン・カルステンスゾーンはニュー・ギニアの沿岸を航し、カーペンタリア湾をスターテン河［ギルバート河北方。南緯一六度二四分、東経一四一度一七分］の辺りまで進入したが、〈ドゥイフケン〉のヤンスゾーンと同じく彼もまたトレス海峡の通過に失敗し、このためオーストラリアとニュー・ギニアの連続に関する謎を解く機会を逸してしまった。けれども、〈グルデン・ゼーパルト〉によるフランソワ・テイスゾーンの航海（一六二七年）は目覚しい知識の伸展を生み出した。彼はレーウィン岬から東経一三三度のヌイツ島嶼群（アーキペラゴウ）までの八〇〇マイルに及ぶ南岸を調査測量したが、これによってオランダ人は、オーストラリアという大陸の南側を半分以上も東へ越えることになった。

かくして、その発見から二一年の間に南岸の半分、西岸の全部、そしてヨーク岬半島西側がオランダの航海者達の不撓不屈の努力で明らかになったのである。オーストラリアが《島》であることを証明する仕事は、その途中で《タスマニア》と《ニュー・ジーランド》を発見したものの、《オーストラリア本土》は視認することなく北ニューギニアまで周航した（一六四二年）アーベル・タスマンの手に残されることになった。二年後、タスマンはカーペンタリア湾に進入して大陸の北岸沿いに遠くノースウェスト岬まで航行したが、これによってヤンスゾーンの発見とハルトークスゾーンの発見とを結び付け、ヨーク岬半島と西オーストラリアの間の連続を確立したのである。それにも拘らず、この大陸自身には〝どことなく人を寄せ付けず、がっかりさせる様なところ〟があった。タスマン以後一世紀以上に亙って探検を衰退させた原因は、紛れもなくこれであったろう。かくして一七七〇年、キャプテン・クックがその第一次航海でこの大陸の東海岸全体を発見・測量し、トレス海峡を通過して、遂に《南方大陸（テラ・アウストラリス）》の真の姿を永遠に確立するに至るのである。

14 東方旅行者群像

十六世紀の印度亜大陸における顕著な出来事はムガール帝国の成立であった。印度の大部分はこの期において、絶間なく喧嘩と戦争を繰返していた小国の寄合い所帯から、強力な一人の君主によって支配される開化した専制政治国家へと変貌を遂げた。この君主のヨーロッパ人に対する政策は概ね寛容であり、その文化の香り高い宮廷はキリスト教徒の旅行者にとって欠くことの出来ぬ憩い(オアシス)の場所となった。類なく名高いこの東洋の王朝は、トルキスタン出身の回教徒の族長バベルによって創始されたもので、タメルラン〔チムール〕から五代目に当る直系の子孫がバベルであった。長年その故郷のトルキスタンやまたアフガニスタンでも征服者として驍名を謳われていた彼が、その生涯の命運を印度で試す機会を摑んだのは、天の時とも言うべき偶然からであった。十六世紀の二〇年代はイブラヒムという不愉快極まる暴君がデリー王国を支配したが、その苛政はアフガニスタン人民の怨嗟の的になっていたため、彼等はその悲嘆の因を除くべく、バベルを呼び入れる。そこで彼は少数ながらよく装備された軍勢を率いて印度へ侵入し、一五二六年四月のパーニパットの戦いでイブラヒムの大軍を潰走させ、この暴君の屍を戦野に晒さしめた。バベルはかくてデリーとアグラを手に入れたが、その獲物を確保するにはなお闘い続けねばならず、そしてカンワハの大会戦（一五二七年三月）でメワールの王に率いられた強力な連合軍を撃破した。この勝利によってパンジャブ、ラージプターナ両地方を平定し、アグラに奠都することが出来たが、三年後には世を去る。バベルの後はその子フマユーンが継いだが、その治世は控え目に言っても苦難の連続であった。何故なら彼は、それを回復する前には、父王の遺した征服地を一度すっかり失っているからである。デリー王国の王位継承を主張するフマユーンはベンガル地方の支配者シェル・シャーの横槍を受け、一〇年間の抗争の果に印度から完全に追い出されてペルシャに亡命を余儀なくされる。何年かの後、シェル・シャーは中部印度における戦闘で偶然にも殺されてしまう。このためフマユーンの帰国が実現し、彼は反対勢力の残党を一掃することが出来た（一五五五年）。父王バベルのそれと同じく、フマユーンの勝利も長くは続かなかった。たった一年の支配の後、彼は王宮の欄干から転落して死んでしまい、奪回したその王国は若い王子に譲られるが、これこそ後年〝アクバル〟の名であらゆる東洋の王者の中で最大とは言わずとも、自らの家系では最高を窮めることになったその人である。

十四歳で極めて不安定な王位を継いだアクバルは忽ち支配者として天稟を発揮し始めた

が、それは彼をして史上最も華麗な成功を収めた治世を保たしめることになる。一五六〇年彼が十八歳の時、アクバルは摂政バイラム・ハーンを解任し、三十歳になった時には、それまでの印度にあった如何なる独裁的支配をも凌ぐ程の広い地域に君臨する無双の帝王としての地位を不動にした。これを成就させたのは大成功を収めた一連の遠征であるが、この時の征服はアフガニスタンからベンガル湾にまで及んでいる。一五七二年、アクバルはグジャラットを征服したが、これによって彼の版図は遂にディウの両側のカンベイ湾とアラビア海に沿う数百マイルの海岸線を持つ海に達することが出来た。エリザベス女王がジョン・ニューベリイに持たせた親書でアクバルを〝カンベヤの王なるゼラブディム・エクバル（ジェララディン・アクバル）〟と呼んでいるが、それはこの地方の名に由来する彼の称号に依ったからである。しかし、彼が簡明に〝ムガール大帝〟乃至その奇妙な訛称である〝マゴール大王〟と呼ばれる様になるのに大して時間はかからなかったのである。

臣属地域に対するアクバルの施政は、丁度戦争における彼の指導ぶりがそうであったのと同じく、思慮深く賢明なものであった。牧民者としての、また立法者としての彼の手腕は最高のものであったし、一方その王国は繁栄を謳歌したから、彼の収入たるや、三世紀後に英国人が同じ地域から得たものよりも大きかったのである。強大な権力にはむしろ豪壮華麗といったものが似合うことを鋭くも洞察していたアクバルは、アグラの近くに新首都ファテプール・シクリを建設（一五六九年）し、回教寺院（モスク）や宮殿で埋め尽した。この都市は給水に苦しんだため後年拋棄されたが、その廃墟は今なおアクバル宮廷の目も眩む壮麗さを遺憾なく偲ばせている。

アクバルは《東方》における最も偉大な征服者の一人であったけれども、彼の領土的関心はポルトガル人のそれと衝突するものではなかった。中央アジアの族長の末裔である彼は、本質的には陸上生活者（ランズマン）であって、グジャラットの征服までは彼の勢力圏がアラビア海に達したことはなく、その時ですらアクバルの心はパンジャブ地方やラージプターナ地方に在ったのである。アルメイダやアルブケルケが打倒し去った印度洋の伝統的な回教徒通商組織に対しても全く無関心であって、よしんばそうしたことを聞いたところで、彼は結局のところ、その復興のためには指一本すら挙げようとはしなかったに違いない。むしろ彼は、ポルトガル人の貿易をあらゆる点で経済的に有利なものとして、好意的に眺めてさえいたのである。

ポルトガル人に対するアクバルの寛容さは、部分的にはまた、その宗教観に帰すべきものであったかも知れない。アクバルは回教徒として生れ、育てられたけれども、夙くから一種の自由思想家となっており、それが彼をして、ある折衷的な体系の中に真の宗教を求めさせることになった。だから彼はポルトガル人伝道団がその宮廷を訪れるのを奨励したし、あらゆる手段で他の諸々の宗教に関する情報を求めようとした。こうした開けた探求の結果、彼は自身の宗教即ちゾロアスター教の体系に基く祭式を伴った純粋な理神論（ディズム）の信条（クリード）を形成するに至った。この宗教は現実には活力を持ち得なかったから、その影響はアクバルの王宮外に及ぶこともなく彼の死と共に消滅してしまうけれども、戦闘的な回教の厳格さとはおよそかけ離れたものであったこの〝寛容の精神〟という遺産は、アクバルの子ジャハンギルと孫のシャー・ジハーンの時代まで引き継がれて行ったのである。

　こうした訳で、これらの主権者達が一五八〇年から（敢えて言えば）一六五〇年の間に多くの国から名高い旅行者達を迎え、同時代の他の国の似た様な支配者達——即ち、トルコ皇帝（グランド・シニョール）、ペルシャ国王（ソフィ）、そして中国の帝王——よりも歴代のムガール帝国の王達の方がヨーロッパ人に対して遥かに親切であったことからしても、ムガール帝国とその宮廷の性格に触れておくことは無駄ではあるまい。南アジアにおける初期の旅行に与えた大きな影響というものは、彼等ムガール帝達とその宮廷を抜きにしては語れないからである。

　十六世紀の終り近くまで、我々は北部中央印度の奥地に対するポルトガル人の旅行については何も聞くところがなく、討伐戦は海岸近くに止っており、商人達は滅多に港市より外に出ることはなかった。アクバルの絢爛たる宮廷の興隆と共に情況は急速に変って行き、一五八〇年の耶蘇会（イエズス）宣教師団の到着から後は、ファテプール・シクリ、アグラ、デリーそしてラホールで洗煉された西欧人の姿を見かけることは珍しいというよりはむしろ普通のこととなる。この年アクバルはゴアに人を遣ってキリスト教に関する情報を求めさせ、それに応えてルドルフォ・アクァヴィヴァ他二名の耶蘇会士がファテプール・シクリへ派遣された。アクバルは彼等を歓迎し、聡明な関心と共に彼等の説くところに耳を傾けた。しかしながら、相争う二つの宗教の真理を（回教徒はコーランを、キリスト教徒は聖書を捧げて共に火の中に歩み入るという）火による審判（オーディール）で試そうというアクバルの提案は、両者から慇懃に辞退されてしまった。ともあれ西欧文明の影響はこのムガール帝国の首都に及んで行き、後に耶蘇会士ジェロム・シャヴィエルはアクバルのために福音書〔四書〕をペルシャ語に翻訳したし、彩色写本『時禱書』の紹介は光彩陸離たるムガール派絵画に著しい影響を与えた。新教徒については一五八五年の三人の英国人ニューベリイ、フィッチ及びリーズによるアグラとファテプール・シクリ訪問が説明しているけれども、宝石商リーズはその才能を活かしてアクバルの宮廷に留り、そこで亡くなったことがはっきりしている。それより後にアクバル帝を訪れた英国人は、かの謎の人物ジョン・ミルデンホールであるが、彼は一六〇三年からアクバル帝の死の一六〇五年まで宮廷に仕えた。

中国に派遣された耶蘇会伝道団の辿った道は、概して言えば、ムガール帝国に対するそれとは到底比較にならぬ程困難なものであった。しかし中国人に気に入られるべく非常な努力をした一人の司祭は、以後数世紀に亙り、帝政中国におけるあらゆるヨーロッパ人の中で最も記憶に残る人となった。この都会風で優れた教養人であった聖職者マテオ・リッチは生得の数学者・天文学者・著述家そして一種の世界市民であり、彼の洗煉された優美芳醇な素養は中国人に忘れ難い印象を与えたのである。けれども彼の中国への、特にその首都北京への路は容易なものではなく、リッチの布教は数年はおろか数十年も続く遅延と挫折の連続であった。リッチは一五八二年頃中国に赴いた。彼はその首都に行きたかったのであるが、様々な失望を味わった後に漸く、広東（カントン）に近い西江の畔［肇慶（チャオチン）］に彼の伝道区を確立し得たに過ぎない。彼のもたらした自鳴鐘、地球儀、数理器具等は忽ち聡明な中国人の好奇心を刺戟した。しかし彼は、別に深い意味などなかったが、《中国》が文字通り指環の宝石の如く世界の中心にでなく、端に寄って描かれた世界地図を中国人に見せたため、彼等の反感を買ってしまった。リッチは中国が世界の中央部を占める半球式世界図を描いてこの失敗を改める努力を払い、その地図［坤輿万国全図］は木版刷になって大いに行われた。

　七年後、広東ではごたごたが起きてリッチと従者達は新しい安住の地を求めざるを得なくなり、伝道区は北へ一五〇マイル程離れた名高い梅嶺関（メイリン・パス）に近い山麓地帯へ移された。リッチはこの頃にはすっかり中国の風土に馴染んでしまい、中国服を纏って流暢にその言葉を操っていたため、布教活動に必要な書物を現地語で沢山物することが出来た。あらゆる機会を捉えてその伝道区を北方へ移動させようと努力していたけれども、速かに北京に達せんとする彼の希望は常に裏切られていた。一五九五年、彼は梅嶺地区から広東と南京の中程にある江西省（チャンシー）の都南昌（ナンチャン）へ移った。三年後には南京へ、そして更にその初めからの目的地であった北京にまで入り込むことが出来たけれども、彼の伝道団はその地に滞在を許されず、再び南京へ立ち戻らざるを得なくなる。しかしリッチの持参した贈物の噂が宮廷に届き、遂に一六〇〇年、皇帝は自らこの耶蘇会士達を北京に招き寄せた。リッチは皇帝から歓迎を受け、贈物は絶賛を博して伝道団の首都居住が許されることになる。一六一〇年の死に至るまで、中国人の間におけるリッチの名声はますます高く、その精励の度もいよいよ多きを加えて行った。北京時代の彼の業績は中国におけるカトリック教会のその後の成功の礎石となるものであった。彼の偉大な人格的魅力並びに彼が数多の重要な論述を中国語で著した結果、（*Ri-cci Mat-teo* より中国名で利瑪竇（リマトウ） *Li-ma-teu* と称した）彼の名は、恐らく中国では最も人口に膾炙したヨーロッパ人の名となるのである。

　耶蘇会士達がこうして帝政中国（セレスティアル・エンパイア）に定着したという事実にも拘らず、中央アジアや東アジアの地理に関する当時の観念は依然として甚だ曖昧であったから、《カタイ》と《中国》は結局同じ国の異称に過ぎぬということが一般に認められるには程遠いものがあった。そこで耶蘇会士達は神秘のカタイ帝国を索めて印度から中国へ陸路横断旅行を試みる決意をした。中世の使節達の旅は三世紀も前に行われたものであり、中央アジアに入った最後のヨーロッパ人アンソニイ・ジェンキンスンは一五五八年に漸くブハラまで到達したに過ぎなかった。それ故、トルキスタンと蒙古（モンゴル）という砦は《未知の国（テラ・インコグニタ）》であって、そこには西欧世界に知られぬ豊かな王国が栄えている可能性があると思われていたのであった。

この危険に満ちた旅に選ばれたのはアソーレス群島出身のベネディクト・ゴエスで、彼は曾て印度で軍人として働いたことのある耶蘇会の平信徒であった。一六〇二年、ムガール皇帝アクバルの祝福を受けてアグラを出発したゴエスと二人の仲間は、ヒマラヤ山系の西端を廻り東部トルキスタンの町や邑を通るという、商人達が利用していた遠廻りの路(ルート)を選んだ。この路は彼をまずラホールへ、次いでペシャワールからカイバル峠を越えてカブールへ導いた。このアフガニスタンの首都からヒンドゥー・クシ山脈をオクソス［アム・ダリア］河へ越え、その水源まで遡った。この様な道をとったことは、ゴエスが世界で最も嶮峻な地方を越えること、つまり二万五〇〇〇フィートの高峰が周りに連亙するパミール高原の真中を抜け、そしてかのワフジール峠（一万六一五〇フィート）を横断せねばならなかったことを意味するが、この峠で隊商の多くが凍死した。六日間に及ぶ雪原突破の苦闘の果にゴエスとその仲間は漸くアジアの屋根を越え、支那トルキスタンのヤルカンドに下って行った。ゴエス達が選りに選ってかくも困難な路をとらねばならなかったとは少々奇妙に思われる。古代や中世から音に聞えた《絹の道(シルク・ロード)》は、バルフ［アフガニスタンの北辺］から、両側は峨々たる連山だが広くて殆ど起伏のない渓谷でその分水嶺はほんの一万フィート程度のアライ峡谷を経て、カシュガルへ通じていた。このシルク・ロードはゴエス達の路よりたった二〇〇マイルばかり北に当っていただけだから、この路をとっていたならば、彼の困難も危険の度合もずっと小さかった筈であったが、恐らく彼の合流した隊商が、もっと骨の折れる路の方を好んだのであろう。

ゴエスは丸一年ヤルカンドに滞在したが、この間二〇〇マイル南東の西蔵（チベット）境界にあるホータンまで出かけている。一六〇四年十一月になって到頭彼は中国行きの隊商と一緒になり、天山（テンシャン）山脈の南斜面に沿ってトルファンからハミ［ル］を過ぎて旅を続け、遂に直線距離でヤルカンドから一二〇〇マイル、北京から九〇〇マイルの粛州（スウチヨウ）に達した。ゴエスは漸く中国に足を踏み入れたのである。彼はこれより以前に《カタイ》と《中国》が同じものであるとの結論に達していたが、これは北京に在ったリッチがその頃までに、ゴエスとは別箇に到達していた結論でもあった。ゴエスは再びこの粛州に長い逗留を余儀なくされたが、首都に居たリッチと連絡を取ることが出来た。リッチはゴエスを助けるべくキリスト教に帰依した中国人を送り出した。この使いが一六〇七年の三月に粛州に着いてみると、伝道師ゴエスは病牀に打ち臥していた。数日の後、〝カタイを求めて天国を得た〟この大旅行者は世を去ることになる。彼は西方から入って中国の土を踏み、それによってこの国を世界地図上の本当の位置に置いた近代最初のヨーロッパ人であったと言われている。

印度側からヒマラヤ山系を越えた最初のヨーロッパ人として記憶さるべきもう一人の登山家の耶蘇会士はアントニオ・デ・アンドラーデである。一六二四年アグラを後にした彼はガンジス河をその水源まで溯り、ガルワル山地の高みにあるバドリナトの聖所を訪れた。そこからアンドラーデはカメット山とナンダ・デヴィ山の間のマナ峠（一万八〇〇〇フィート）を越え、《小西蔵（チベット）》として知られる僻陬の高原台地を流れるサトレジ河に達した。彼は同じ路をとって返したが――布教の熱意に燃える彼は、翌年もこの旅を繰返し、そして数年間をこの辺鄙な地区の伝道に捧げた。一六三一年、アンドラーデの同僚フランシスコ・デ・アセヴェドはサトレジ河畔のツァパランにあった伝道区を離れ、北西へ三〇〇マイル程進んでインダス河上流にあるレへの町に行ったが、ここはラダク山脈として知られるカシミール地方の中にある。そこから印度へ帰還した彼の道順は、山岳重畳する東部カシミールを通り、ロータン峠をラホールへ越えるものであった。この旅によってアセヴェドは、ゴエスが横断したパミール高原とアンドラーデが越えたマナ峠の間に漠々と展開する地方を明るみに出したのである。

東部ヒマラヤ地方はこれより五年前（一六二六年）、ヨーロッパ人によって初めて探検されたが、この時エステヴァン・カセーラとジョアン・カブラルの二人の伝道師はクチュ・ビハールから北に入り、シッキム地方とブータンの間のドンキア峠を越え、西蔵（チベット）のシガツェ［日喀則］に布教の本拠を置いた。ラサ［拉薩］の西約一四〇マイルのブラマプートラ河畔に在って、今なお数千の修行僧のいる巨大なテシルンポ僧院を擁するこの町は、古来より仏教信仰の大中心地の一つであった。カブラルはアルン河［下流はサプト・コシ河、次いでガンジス河に注ぐ］渓谷を経由してネパールへ帰還したが、これで彼は、世界最高の二大山塊エヴェレストとカンチェンジュンガの間を通ったことになる。この証拠から明らかな如く、現代のエヴェレスト遠征には三世紀以上も昔にここを偵察した鑽仰すべき先達がいたのであった。

印度を訪れた初期のヨーロッパ人

アグラの大ムガール帝国宮廷、(混血文化的であったにせよ)燦然たるポルトガル人の大市ゴア、そして豪奢なビルマの都ペグーは皆ルネッサンス期においてその盛名を轟かせ、ニ奇を好む旅行者達をますます東へ東へと誘い寄せていた。リンスホーテンのゴア滞在、ニューベリイとフィッチのアクバル宮廷訪問、そしてフェデリチとバルビの印度・ビルマ淹留については既に述べた。しかし他にも注目に値する同時代人乃至それに続く人々があり、その多くはフランス人、一人はポルトガル系ユダヤ人、そしてもう一人はイタリア人であった。

フランス人で最初に南アジアに来たのは、一五六八年にクレタ島沖で難破し、この不運をきっかけにそれから一〇年に及ぶ流離を重ねたマルセイユの船乗りヴァンサン・ルブランである。彼はクレタからシリア、パレスチナ、アラビアを訪れ、それからペルシャを横断して印度へ、そして遂にビルマまでやって来た。フェデリチ、バルビそしてフィッチと同じく彼もペグーに長く滞在し、彼等同様このビルマの首都の荒削りな豪華さについて大いに見聞を弘めた。彼がジャワやスマトラを訪れたことは確かで、恐らく喜望峰廻りでヨーロッパへ帰還したものと思われる。彼はマダガスカルとアビシニアの訪問に言及してはいるが、しかしその話には彼がその時遭遇したであろう地理的な諸々の困難が一向に表れていない。実際このことは、このマルセイユから来た大旅行者が語り手としては余り上手でなかったことを告白し且つその旅の幾つかは本当に行われたのではないことを暗示するものであった。彼自身の語るところによれば、彼は一五七八年にフランスへ還ったが、直ちにモロッコへ派遣され、ポルトガル王セバスチャンが戦死したアルカサール・ケビールの戦いに際会している。後の一五九二年の旅行では西アフリカ海岸をギニアまで行った。これが最後の冒険であったらしいが、彼は一六四〇年まで生きていた。彼の有名な本『マルセイユの人ヴァンサン・ルブラン氏の名高き旅』*Voyages fameux du Sieur Vincent Leblanc Marseillois* は一六四九年パリで上梓され、一六六〇年に英訳されている。

ルブランよりももっと有名な旅行家で〝世界を西から東へ一周した最初の男〟として特に興味深いのは、ユダヤ系ポルトガル人で鋭い観察眼の持主ペドロ・テイセイラである。テイセイラの職業は軍人であったかも知れぬし、医者でもあったろうし、また麻薬と宝石の相場師であった可能性もあるといった——一時にこの三者を兼ねていたか、別々だったのか、とにかく判然としない。いずれにせよ彼は、旅をする理由の殆どが純粋な好奇心から発しているという遊歴者仲間の草分けの一人であって、印度は次の僅か数十年の間に彼の如き人物を大勢迎えることになるのである。一五八六年にゴアに着いたテイセイラは、翌年にはラムーとモンバサを服従させた東アフリカ海岸の報復遠征航海に参加し、帰途にはホルムーズに寄港した。次の年テイセイラは再び遠征に出かけているが、その時の目的地はセイロン島で、以後彼はコチンに腰を落着けたらしい。コチンでの長い居留生活が続き、そこでは貿易商をしていたとみえて、ある時は商人としてペルシャを横断し、カスピ海まで行ったことがある。一五九七年、彼はマラッカへ渡航し、帰国の途に就く前の二年半をそこで暮した。一六〇〇年五月に始った帰国の旅では、テイセイラはまずボルネオへ、次いでマニラに行った。そこで年に一度のアカプルコ通いのガレオン船に乗り、《ウルダネタの路》をとって太平洋をメキシコへ渡った。新スペイン（ヌエバ・エスパーニャ）〔メキシコ〕を横断すると彼は例の《白銀艦隊》に乗せて貰い、ハバナに寄港した後、一六〇一年十月に到頭スペインへ還って来たのである。

このように錯綜した道順をとることによってその日程が縮ったかどうかは甚だ疑問であるが、しかし彼が紛れもなく一つの新しい旅、つまり同じ一つの航海でマラッカとメキシコの両方を目にするという珍しい仕事をやってのけたことは確かで、当時東と西の両印度地方を共に訪れた旅行者は多くはなかった。けれども、帰還にあれ程の努力を払ったにも拘らず、テイセイラは二年と経たぬ内に再び印度へ旅立った。その目的が印度に遺して来た若干の債権の回収にあったのは明らかである。彼は間もなくゴアでの商売を清算し、ポルトガル人としては異例の、別の道——一五二八年にテンレイロが初めて使って以来、同国人が通ることは極めて稀な、バスラからアレッポに至る陸路——をとって故国に向った。この旅に関するテイセイラの記述は彼の旅行譚の大部分を占めており、その物語は一人の中東横断旅行者が今日我々に遺してくれた最も充実した興味深いものの一つである。

テイセイラが西から東へ世界を一周しつつあった時、その軌跡は、世界周航をした初のフランス人として持て囃されている曖昧で捉え処のない人物ピエール・オリヴィエ・マレルブのそれと交叉したかも知れなかった。しかしマレルブの話はルブランの場合よりもなお一層眉唾ものである。メキシコ、ポトシの銀山、パタゴニア、フィリピン群島、中国そして南アジアの総てという風に、彼はあらゆるものを引合いに出しており、その語るところによれば、彼は印度ではアクバルの、ペルシャではシャー・アッバスの賓客となり、西蔵(チベット)の大喇嘛(ダライ・ラマ)を訪問してからサマルカンドに往った、という。実際、彼がどこへでも行き、思うままに誰とでも会えば会うほど、我々の疑惑——つまり同時代の旅行者は誰一人マレルブのことに言及していないという事実から当然起って来る一つの感じ——は否応なしに頭を擡げて来るのである！　多分彼は、精々のところジョン・マンデヴィル卿とルイ・ド・ルウジュモンの間を繋ぐ一つの鐶(リンク)に過ぎまいと思われる。

東印度地方に対する不運で孤立したフランス人の航海——ラヴァルの人フランソワ・ピラールのそれ——は、一つの極めて貴重な東方旅行譚によって後世の史嚢を豊かにしてくれた。一六〇一年、ノルマンディの海運業者によって計画されたこの冒険航海は二隻の船を送り出したが、規律の欠如と壊血病の猛威によって最初から失敗すべき運命にあった。ピラールの船は印度の南西にある珊瑚環礁モルディヴ諸島の一島で難破し、僚船はスマトラで交易した後、アソーレス群島沖で沈没状態となって拋棄された。ピラールとその同船者達は虜になって島の都マレに送られた。天晴れな機智を発揮してモルディヴ語を習い始めたピラールは間もなく島の王様の寵を得たが、この群島を離れることは許されなかった。しかしながら彼の五年に及ぶ滞在は、極めて少数の旅行者にしか得られなかった様な、《世界の片田舎》に関する詳細な知識を与えてくれることになった。最後にベンガル地方からこの島に敵意を持った連中がやって来て、ピラールをチッタゴンに奪い去った。印度人（ラスカル）海賊の間で暮している中に彼はマラバール海岸を辿ってカリカットに行ったが、ポルトガル人に捕えられてゴアに送られる羽目となった。フランス人耶蘇会士の肝煎りで釈放された彼はポルトガル軍に入り、二つの戦闘に参加した。最初の作戦では北方のディウからカンベイまで行き、二度目のもっと長い冒険ではセイロン、マラッカから東方の多島海地域まで遠征したが、これによってピラールは東南アジアの貿易の全貌を記述することが出来た。しかし彼の旅行記を忘れ難いものにしているのは、ゴアに関する件（くだり）が極めて生彩に富んでいることであろう。その頽廃を秘めた華麗、政府の堕落、弛緩した歓楽生活の描写は眼前に彷彿たらしめるものがあり、この書物を生きた記録にまで高めた人間味が随処に躍動している。

一六〇九年から一六一〇年へかけての冬、彼等の存在が厄介になって来たポルトガル当局は、遂にピラールや他の様々な外国人を一纏めにしてヨーロッパへ送還してしまう。ピラールの船は喜望峰を回航してセント・ヘレナ島に寄港したが、バイア〔現サルヴァドール〕近くのブラジル海岸で難破してしまった。この思いがけぬ南米淹留の後、彼がヨーロッパの岸辺を再びその瞳に収め、遂に故郷のラヴァルに還り着いたのは一六一一年で、実に一〇年間も母国を留守にしたことになる。

同様に興味深くそしてもっと学のあった旅行者はジャン・モケで、彼はフランス王アンリ四世御抱えの薬局長をしていた人物である。旅情抑え難かった彼は、チュイルリー宮の王の陳列棚を飾る珍品奇貨を蒐めて来るからという条件で王の同意を得たが、後に彼はそれらの保管人に任命されている。モケは少くとも二回モロッコへ航海し、一六〇四年には南米に興味深い旅行をしてアマゾン河からオリノコ河に至る海岸の探検をした。この旅では後に仏領ギアナとなったこの地方の広汎な知識を得、地区特有の植物相(フローラ)と人類学に関する多大の情報を携えて帰還した。彼が最も驥足を伸ばした冒険旅行は一六〇八年のそれで、この時はポルトガル船に乗って印度へ渡った。往路は恵まれないものであった。モケは壊血病で酷く苦しんだし、乗船は喜望峰沖で遭遇した時化の際の操船が甚だ拙かったために、モザンビークで六ヶ月も修理を余儀なくされた。この遅延のお蔭でモケは健康を回復する機会を得たし、東南アフリカの沿海部を探検することが出来たけれども、ポルトガル人の扱いが悪かったため、彼はポルトガル人一般に対して消し難い偏見を抱くに至った。遂にゴアに到着すると彼は総督フルタード・デ・メンドーサ付きの薬局長になり、その能力を活かして病院にも勤めたが、そこで彼は前記のピラールに邂逅している。彼の職務は煩雑という程ではなかったから、近郊へ出かけて薬種や宝石その他の珍品の蒐集にたっぷり時間を費すことが出来た。しかしながら印度で舐めた経験は彼にその反ポルトガルと同程度の激烈な反ヒンドゥー感情を与えてしまったため、ゴア生活に関する彼の記述は浅ましく且つ悲劇的なものとなっている。モケはピラールと同じ船隊でヨーロッパへ帰還したが、彼の乗船は難破を免れたから、帰国航海はまず無事平穏なものであったと思われる。

その旅路がピラールやモケのそれと行き違ったもう一人のフランス人は、どことなく謎めいたところのあるモンファール伯シュル・ド・フェネで、数年もかかった陸路による印度旅行をした人である。彼はアレッポからイスファハン、そしてホルムーズに出、ピラールやモケが居た頃のゴアに着いた。その漂泊の涯に広東まで足を伸ばしたらしい。旅行談の中では彼は交趾支那（コーチ・シナ）［現ヴェトナム南端地方］、暹羅（シャム）そしてペグーにも往ったと述べている。彼の放浪の範囲はざっとこんな風であったから、批評家達は彼の話は眉唾だとしてしまったが、しかしその語り口の抜かりなさに加えて、ピラールとモケが彼に言及しているという事実は、モンファールの陳述が本質的には真実であることを示すものである。だが、実に不思議なことは、彼の物語がフランスで世に出る前の一六一五年にロンドン在住の一フランス人によって、英語で出版されたことであった。

十五世紀と十六世紀に印度へやって来たイタリア人の数を考えてみた場合、ルネッサンス時代後期には、イタリアからは唯一人の俗人旅行者しか印度に往っていないのは奇異に思われる。失恋して諸国流浪の憶いに駆られたピエトロ・デラ・ヴァッレは一六一四年、ヴェネチアを後に聖地巡礼の旅に上った。シナイ山を訪れた後、彼はダマスカスからアレッポに行き、昔から隊商達が踏み固めて来た路（ルート）を辿ってメソポタミアからバグダードへ越えた。この頃には彼はサーカシア［コーカサス北西の黒海沿岸地方］生れの美女と結婚して失恋の傷手から十分に立ち直っており、彼女は死ぬまで彼の旅に随き従うことになる。デラ・ヴァッレは数年間ペルシャを放浪したが、その間、一時シャー・アッバスの宮廷に仕えたことがあった。しかし旅の苦難は彼の妻にとって酷（きび）し過ぎ、彼女は一六二二年頃、ペルセポリスの近くで死んでしまった。悲嘆にくれた彼はその亡骸に防腐処置を施して木乃伊（ミイラ）にし、恰も荷物が一つ増えたかの如く持ち歩き、亡妻が使っていた女中を連れて旅を続けた。一六二三年には彼はスラトに着いていた。そこから印度の西海岸をゆっくりと注意深くカリカットまで下って行っている。ゴアから彼はマスカットへ渡航し、そこからバスラを経由してアレッポに出、遂に一六二六年、ローマへ戻って来た。妻の遺体は最後になかなか立派な葬式を以て埋められ、ローマ法王の侍者になったデラ・ヴァッレはこのグルジア生れの女中と結婚し、息子を一四人も儲けた！　書簡の形で公にされた彼の本（一六五七—

一六六三年）は、ペルシャと印度西部の詳細を極めた記述で特に価値の高いものである。

遊歴の英国人

フィッチの帰国から十六世紀末に至るまで、陸路で南アジアに入り込んで行った英国人は一人もいないらしいが、〝東洋の魅惑〟をいつまでも延期するには、旅行の気運は余りにも英国人の間に澎湃としていたのである。フィッチの頃以後に行われた最初の広範囲な東方旅行は恐らくかの無節操な冒険家アントニイ・シャーリイのそれで、彼はエセックス伯によって、ヨーロッパ諸国との対トルコ同盟にシャー・アッバスを引き込むべく、ペルシャへ派遣された。一五九八年の春、シャーリイは弟のロバートと大勢の英国人の一団を率いてヴェネチアを後に中東へ出掛けたが、その航海は冒険に満ちたものであった。彼とその一行は揉めごとを起す連中だとして船から降されてしまい、一隻の小船で散々苦労しながらシリア海岸に辿り着く。アレッポからバグダードへ進んだ彼等を待っていたのは殺人の陰謀だが、これは際どいところで露顕した。彼等はペルシャの奥深くへ遁れ、それからカズヴィンに到着してペルシャ国王（シャー）に迎えられた。

その年の冬の間にシャーリイはアッバス王に同盟参加を説きつけるのに成功し、この英国人はキリスト教諸国の主権者達の支持を得るべく、ヨーロッパへ派遣されることになった。シャーリイの帰還の旅は多事を極めた。カスピ海の冒険的横断の後、一行はモスクワに進んだものの、時の皇帝ボリス・ゴドノフによって投獄されてしまう。翌年（一六〇〇年）の春、漸く釈放された彼等はアルハンゲリスクから出帆し、ノース・ケイプを廻ってドイツに到り、そこからプラハの宮廷に行って皇帝ルドルフ二世から歓迎を受けた。次の目的地はローマであったが法王に謁したものの要領を得ず、道中ずっと誰とでも喧嘩ばかりして来たシャーリイはその使命を抛棄してしまい、ヴェネチアに隠退して縦横家としての腕を磨き始めた。四半世紀も経つと、アントニイ卿はヴェネチアやプラハ、モロッコそしてマドリードでは油断も隙もならぬ嘘吐きの策士として悪名を轟かせていたが、到頭スペインで窮死してしまった（のは当然の酬いであった）。

一方、彼の弟ロバートは、他の英人数名と共に人質としてペルシャ国王の許に留め置かれていた。ロバートの業績は兄アントニイのそれよりは遥かにましなものであった。彼はトルコ人との戦いでは殊勲を樹てて一時はペルシャの一州を任される総督となり、国王の遠い親戚に当る貴婦人と結婚した。アントニイの使命失敗にすっかり立腹したアッバス王は一六〇八年、ロバートを大使としてヨーロッパへ派遣した。ペルシャ服に身を包み、ペルシャ人の妻を連れたロバートはカスピ海を渡ってモスクワを訪れ、陸路をポーランドへ向った。彼は到る処で歓迎されたものの、対トルコ戦争には皆殆ど熱意を示さなかった。ロバートはイタリアからスペインを通って遂に何の成果も得ることなく還って来た。ジェイムズ王はロバートの話に好意的に耳を傾け、彼とその妻のために東印度会社の貿易船による帰国の方途を講じてやったが、ロバートのペルシャ帰還の船旅はうんざりするほど退屈なものになる運命にあった。謀殺の危険のためにペルシャ海岸への上陸は果されず、止むなく印度へ航海を続けた。インダス河口からアジメールへ行った彼はそこでジャハンギル皇帝の歓待を受け、次いでペルシャへの長く苦しい陸路の旅を続けて行った。アフガニスタン沙漠の真中では、彼は、印度を目指して膝栗毛に鞭を入れていたトム・コライアットと出遇うという奇妙な巡り合せを経験した。

イスファハンに着いてみると、国王（シャー）の好意は冷え切っていた。このため間もなく、この英国人は再び故国への旅に上ることになる。彼はゴアへ行ったが、ポルトガル人によって丸一年も牢に入れられてしまった。漸くポルトガル船の一つに便乗してリスボンに渡航し、それから──対トルコ同盟のためではなく、ペルシャの絹の輸出に関する通商協定を結ぶために──二度目のヨーロッパ各国の首都歴訪に出発した。この協商のために彼は数年間英国に滞在したが、自ら漁父の利を占めるべくロバートに対抗してペルシャ人の大使を立てた東印度会社との競争に、心ならずも捲き込まれてしまった。この論争が大変厄介なものになってしまったから、チャールズ一世は彼等の主張の当否を決定すべく第三の大使ダッドモア・コットン卿を任命し、一六二七年、喜望峰廻り（ケイプ・ルート）で三者を一緒にペルシャへ旅立たせた。ペルシャに着くとかのペルシャ人の使者は自殺してしまい、ロバートはロバートで、あの四半世紀に亙るヨーロッパ人との交渉が悉く失敗に終ったことにすっかり憤激していたアッバス国王から完全に見放されてしまったのを悟る。宮廷から遠ざけられたロバートは病人になってカズヴィンまで来たが、そこで傷心の余り死んでしまった。コットン卿も同時に歿した。派遣団の生残り達には、トマス・ハーバート卿の人間味溢れる報告に逐一記録されている様な、苦難に満ちた帰国の旅が待っているだけだった。〝当代無双の旅行者〟の名に値する人物ロバート・シャーリイの遊歴にはこうして終止符が打たれることになる。

殆ど一年に及ぶロバートの最初のペルシャ滞在の間に幾人かのヨーロッパ人がここを通過したが、彼等の記述の中にはロバートへの言及が見られる。こうした旅行者中の主なものは、奇妙な取り合せの一組、即ち諸国漫遊の聖職者ジョン・カートライトと、勝手に大使を自任してアクバル皇帝の王宮に赴く途中であったレヴァント会社所属の商人ジョン・ミルデンホールである。カートライトはペルシャ以遠には往かなかったが、考古学の先達の一人として古代東洋の四大遺跡スサ、ニネヴェ、バビロン、そしてペルセポリスの全部を訪れた最初の英国人であったらしい。

ミルデンホールはイスファハンの近くでカートライトと別れ、カンダハルとラホールを経由してこの地方を横断し、アクバル帝が当時宮殿を置いていたアグラへ赴いた。丸二年間（一六〇三―一六〇五年）、ミルデンホールはムガール大帝の側近に奉仕し、その間ずっと印度における英国の貿易特権を獲得する機会を求めていた。このことではポルトガル人耶蘇会士達の猛烈な妨害に遭遇したが、結局アクバルと協定を結ぶのに成功し、この貴重な文書を携えて陸路英国へ出発した。しかし、彼は自ら演じた様な資格で行動し得る如何なる権限も持っていなかったから、一六〇七年にロンドンへ帰還した時、国王も東印度会社も、彼の辛苦の結晶に対して殆ど関心を示さぬことを知って口惜しがった。東印度会社との数年に及ぶ折衝も実を結ばず、ミルデンホールは個人で貿易事業を営むべく、一六一一年《東方》へ出発した。この旅で彼は再びペルシャへ赴いたが、その地で彼は東印度会社の権益を侵したため、彼の商品は会社の代理人に没収されてしまう。彼は次いで当の代理人の一人リチャード・スティールと共に印度へ行く。ラホールで病気になってしまった彼は漸くアジメールまで辿り着いたが、結局一六一四年、そこで世を去ることになる。アグラのキリスト教徒共同墓地にある彼の墓石は印度における最古の英国人記念碑である。ミルデンホールは今なお謎を秘めた人物と言い得るだろう。彼は一体《愛国者》だったのか、それとも《山師》だったのだろうか?

不成功という点では甲乙つけ難いが、もう少し公式な形の使節派遣は一六〇七年の第三次航海、つまり東印度会社としては初の印度本土到達を目指した冒険航海で会社の代理人として印度へ赴いたウィリアム・ホウキンズのそれであった。ホウキンズはスラトに上陸し、土地の権勢家ムカラブ・ハーンとの一年以上に及ぶ交渉の後、アグラに行き、殆ど三年間ジャハンギル皇帝に侍した。このムガール宮廷滞在中のホウキンズの待遇は甚だ結構なもので、騎兵隊の大隊長に任ぜられ、皇帝の選んだ土地の娘と結婚し、生活と服装を回教徒風にして宮廷の貴顕高官の間に重きをなした。しかし彼はスラトに英国商館を設立する許可を得ることが出来ず、東印度会社の交易はその日暮しの非公認のものにならざるを得なかった。貧弱な貿易特権すら一六一二年に至るまで公式には与えられなかったのである。

アグラにおけるホウキンズの地歩は、スラト砂洲の沖で難破した第四次航海船〈アセンション〉の生存者達の思いがけない到着によって、却って難しくなった。素面(しらふ)の時より酔っぱらっている時の方が多いこれらの船乗り連は好印象を与えない虞れがあったからであるが、しかし彼等の一人ロバート・コーヴァート船長はアジメール、カンダハルそしてイスファハンへと、アフガニスタンからペルシャを横断して見事な帰国の旅をやってのけた。難破組のもう一人ウィリアム・ニコルズは東方に向い、印度半島を斜めに横断してマスリパタム［マチリパトナム。現バンダル］へ行った。しかし、これらの航海者の中で最も重要なのはジョン・ジャーデンである。印度へ到着する前に〈アセンション〉はアデンに寄港したが、その折ジャーデンは（一世紀の昔ヴァルテマが往った）サナへ内陸の旅を試みたが、これは彼に〝イエーメンを訪れた初の英人〟という称号を与えることになった。印度では彼はアグラ、ジョドプール、そしてグジャラット地方のアーメダバードを訪れた。彼はまたスラト近くの入江(ハーバー)スウォリイ・ホールを発見したが、ここは以後、東印度会社船の錨地として定期的に使われる様になった。一六一二年には胡椒貿易に参加するためにスマトラに行き、次いで丁子の買付けに香料群島のアンボイナとセラムに赴いた。彼の東印度地方在住は（英国へ一度還っているから空白はあるが）大変長いもので、一六一九年のパタニ沖のオランダ人との海戦で仆れるまで、これらの島嶼地域における英国東印度会社の権益を頑強に護り抜いたのである。

ホウキンズがアグラでジャハンギル皇帝と交渉を重ねている間、スラト在留英国人の管理責任はウィリアム・フィンチに委ねられた。彼は優れた旅行家ではあったが、極めて人との折合いが悪い人であった。一六一〇年、ホウキンズはフィンチをアグラへ召喚し、そこから印度藍（あい）の売買に派遣した。翌年フィンチはデリーを経てラホールへ旅をしたが、ラホールは華かな町で、ムガール帝国の主要都市の一つであり、重要度ではアグラに次いでいた。この頃にはフィンチはホウキンズと大っぴらに口論する様になっており、且つ印度における英国の貿易の将来に絶望を感じていたため、任務を抛棄してペルシャ行きの隊商に加わってしまった。フィンチがバグダードで死んだということ以外、その旅行についてはこれ以上何も判らないが、彼の日録は従僕のトマス・スタイルズが故国に持ち帰り、パーカスによって活用された。この貴重な記録から我々は、ジャハンギル皇帝時代の印度の優れた描写やラホールからカシミールのスリナガルに、ラホールからカブールに、そしてカブールから中国に到る路（ルート）に関する重要な記述を手にすることが出来るのである。

フィンチ同様ホウキンズもその帰国の旅の途中に果てるが、彼もまたフィンチと同じく甚だ興味深い報告を遺しており、パーカスがその『遍歴談叢』*Pilgrimes*の中に収録した。一六一二年、その〝東洋の花嫁〟を連れてホウキンズは帰国航海の途に就くが、気が付いてみると船はアデンやジャワへ寄る迂回ルートをとって帰国しつつあったのである。この長い航程で船はすっかり航海に耐えなくなり、乗組員も病気で弱ってしまったので、止むなく船はアイルランド海岸の港に入ったが、そこでこの面白い旅行家は死んでしまった。しかしながら、ジャハンギルの宮廷における彼の様々な経験は、歴代の開明的な専制君主下のアグラはかくもありしかと思わせる、色彩豊かな絵巻物の如き、目覚しく迫真的な描写を後世に遺すことになった。

この時期の印度放浪の故に注目に値する東印度会社使用人が他に二人程いる。即ちニコラス・ウィシントンとウィリアム・メスウォルドである。一六一三年、ウィシントンは商用でアーメダバードへ派遣されたが、その間にグジャラット地方で語るに足る多くの興味ある事物を見ている。そこに居た時、彼はロバート・シャーリイの乗った船〈エクスペディション〉がインダス河口に着いたとの報せを受け、インダス河畔の港タッタへ陸路出て来ることを命ぜられた。これにはヨーロッパ人が滅多に横断したことのない印度の一地方を通る冒険旅行が必要であった。土地の商人の一団と共に旅をして彼はシンド地方「インダス河下流の旧州」に入ったが、タッタに着く寸前、土地の酋長は彼等を一網打尽にし、商人達を縛り首にしてしまった。ウィシントンは英国人だったから命は助かったが、彼がこの犯罪行為の話を触れ廻るといけないので、何週間も高原避暑地で捕虜にされていた。彼は大変な苦労の後にやっとアーメダバードからスラトに還ることが出来た。

西部印度に関するウィシントンの話の津々たる面白さは、この半島の反対側（東部）について述べたウィリアム・メスウォルドのそれと双璧である。初期東印度会社の代理人では恐らく最も有能であったメスウォルドは、その長い且つ役に立つ経歴を《東方》で積み重ね、コロマンデル海岸のマスリパタムで商館員として一六一八年から一六二二年を暮した。彼はその余暇をこの地域の人々や天産品の観察に充てて将来に備え、ゴルコンダの無尽蔵とも言うべきダイヤモンド鉱地帯への旅では極めて興味深い地理学的活動をして、後世の注目を集めることになった。

一六一二年に発布された〝ファルマン法〟は英国東印度会社に若干の特権を与えたけれども、貿易の基盤は依然として不満足極まるものであり、ジャハンギルの宮廷ではポルトガルの代理人達が印度における英国人の不安定な足懸りを奪い取るべく、懸命の努力を傾けていた。一六一五年に英国王ジェイムズ一世がトマス・ロウ卿なる全権大使をこの兄弟国へ送り込んだのは、こうした情勢を改善するためであった。ジャハンギルはこの時、アグラの西二五〇マイルの緑豊かな高原避暑地にある美しい町アジメールに宮廷を構えていた。スラトに上陸した後、ロウは直ちにそこへ向った。殆ど三年近くの間彼は宮廷に留った。

て、東印度会社を安全な基礎の上に確立する通商協定を抽き出そうと雄々しく奮闘を続けた。このためロウは、ポルトガル人や印度人の反対、宮廷役人達による気も狂う程の引き延しや定めなき豹変ぶりに出会いながら、無益な戦闘が続いていたマンドゥへ、次いでグジャラットのアーメダバードへと、皇帝に随いて行かねばならなかった。間もなくロウは、この大地も震撼する征服者が実は恐妻家で愛妃ヌル・マハルの頤使に甘んじているのを見抜いたが、（後にシャー・ジハーンとなった）その若い皇子の好意を得ることによって、英国人はスラトにおける有利な貿易条件を決める〝ファルマン〟を遂に獲得したのである。ムガール宮廷と共に印度中を移動した遍歴では牧師エドワード・テリイが大使に随行した。テリイの報告はロウ使節団に関する重要史料の一つとなっている。

しかしながら、印度における旅行が悉く東印度会社の関係者によって行われた訳ではなかった。と言うのは、トマス・コライアットなる人物が現れて、我々はここに初めてヒンドスタンを訪れた真の意味の英国人漫遊家を得ることになるからである。彼は大使でも牧師でも商館員でもなく、諸国の風物を愛(め)でる以外に何の目的も持たず、遥(はる)か南アジアまで足を伸ばした一人の旅行者なのである。彼はこれまでに遊子(ワンダラー)としてその名を轟かせていた。何故ならその有名な本『ありのまま』*Crudities*（一六一一年）に結実した通り、ヨーロッパを横断してヴェネチアに到る、広く喧伝された徒歩旅行を成し遂げていたからである。二度目の冒険では彼はコンスタンチノープルへ渡航し、聖地を訪れた後、一六一四年の九月、アジアを横断する長い徒歩漫遊の旅にアレッポから出立した。コライアットはまずペルシャに行き、イスファハンでは国王（ソフィ）シャー・アッバスに謁見を求めて二ヶ月待ってみたが空しかった。国王（ソフィ）には会えなかったけれども、（前に触れた通り）アフガニスタン沙漠の真中でロバート・シャーリイとその妻に偶然行き遇っている。印度で最初に脚を留めた処はムルタンで、ここで彼は回教徒の一人と宗教に関する議論を闘わせた。それからラホールとアグラを経てアジメールにあったジャハンギルの宮廷へ旅を重ねた。アレッポから一〇ヶ月間歩き続けた今、彼は宮廷の奢侈快楽の中に在る自身を見出し、そして丸一年をアジメールで送ることになる。トマス・ロウ卿がこの都にやって来た時、彼はロウ卿歓迎の席へ顔を出し、滞在の残りの期間中、大使の側近にいた。このことはコライアットと皇帝ジャハンギルとの極めて私的な会見の妨げとはならなかった。何故ならそれは皇帝にとって一つの愉しみであったからだ。アジメールから彼はガンジス河上流の名高いヒンドゥー教の聖地ハルドワルへ興味深い旅をし、シムラ地方とカシミール地方の間にあるヒマラヤ山地のカングラへそれを続けて行き、それによってこの山地の奥深く足を踏み入れた恐らく最初の英国人となった。彼は遂にマンドゥでロウ卿と再会し、後に英本国への便船を得たいものとスラトへ赴いた。しかし労苦の累積と英国商人達による御馳走攻めは、元来耐乏生活向きに出来ていた彼の体質にとっては却って過大な負担となり、コライアットは一六一七年の末近く、赤痢と酒の飲み過ぎで死んでしまった。

コライアット程遠くまで足を伸ばした男も他に例を見ないが、その彼もまた、生れながらの漫遊者として際立った一群をなしている英人旅行家中の一人に過ぎない。このクラスの中で落せない一人にファインズ・モリソンがいるが、彼はエリザベス女王時代の後期にヨーロッパ中と近東を旅行した人物で——その百科全書的な記述は全く〝シェイクスピア時代のヨーロッパ〟を知るための強力な知識の源泉である。次いで慓悍なスコットランド人ウィリアム・リスガウがいる。優に三万マイルを踏破した一九年間の放浪で終始ごたごたに捲き込まれ、その度に間一髪の脱出を繰返した男だが、その彼もモリソン同様、シリアより東には行っていない。もう一人の注目に値する旅行者は博学なジョージ・サンディスであるが、彼はコンスタンチノープル、聖地、エジプトを訪れた後、ヴァージニアにやって来てジェイムズタウンに数年間住んだ。これらの遊歴者達は皆、エリザベス女王やジェイムズ一世の時代における旅行記の古典とも称すべきものを書き遺したが、この良き伝統はロバート・シャーリイの最後のペルシャ旅行に同行してそれを記録したトマス・ハーバート卿や一六三〇年代のオスマン帝国へ面白い旅をしたヘンリイ・ブローント卿によって次の時代に受け継がれることになる。その遊歴であらゆる大陸に足跡を印したあの驚くべきコーンウォール人ピーター・マンディは、この新しい世代に属する人であった。

15 北米植民地の草創時代

不首尾な始り

十六世紀における植民地化の実験では、フランスは不運続きであった。セント・ローレンス河畔に居留地を創建しようとしたカルティエの企図は完全な失敗に終ったし、ヴィルガニョンによるブラジルの植民地は一層悲劇的な終焉を告げた。しかしフランス人は元気を喪わなかったし、フランスにおける新教徒（プロテスタント）運動は宗教的信条を異にするかなりな数の少数派を生み、その中から海外植民にお誂え向きの志願者達を確保することが出来たのである。この要因は、ル・アーヴル、ディエップ、ラ・ロシェルといった港市にはユグノー教徒が特に多かったから、ますます重要な意味を持って来る。しかしユグノー教徒の移民は、あの反宗教改革運動の苛烈な迫害から遁れたいという希（ねが）いのみによって促進された訳ではなかった。これらノルマンディやブルターニュの諸港の船乗り達は御先祖様がやったのと同じく、長年に亙ってスペイン船に対する大規模な私掠船活動に従事していた。カルティエの《カナダ計画》とコリニイの《ブラジル計画》に対する支援が甚だ貧弱で遂に全く水泡に帰してしまったのは、恐らくこの理由を措いて他にない。つまりカナダもブラジルも共にスペイン船の貿易ルートから遠く外れていたからである。しかし、どの《スペイン白銀艦隊（プレート・フリート）》も通らざるを得ないフロリダ海峡の横腹を衝くフロリダ海岸にあった一つの入植地だけは、測り知れぬ戦略的重要性を持っていた。スペイン人達がこうした状況をおめおめと受け容れるのを期待する程フランス人は盲ではなかったにしても、もしこのフロリダに植民地がうまく根付いていた場合、莫大な収益を期待するのは確かに理に適うものであった。

北米の南東海岸にフランス人居留地を造るという宗教的、戦略的基盤の双方に根差したこの考えは、こちこちの新教徒でありながら女王カトリーヌ・ド・メディチの助言者であり、またその強烈な反スペイン感情の故に、フェリーペ二世の残忍で頑固な御意見番アルバ公と好対照をなしたガスパール・ド・コリニイ提督の構想であった。この意味からすれば、入植者達は高等政治という将棋の単なる歩（ふ）に過ぎなかったし、彼等の究極の運命というものは、当時激烈に演じられていた国際的大芝居の照明の下で捉えなければならない。

予備的なつもりであった偵察の指揮者として、コリニイは経験豊かな船乗りで熱狂的なユグノー教徒、そして忠誠なフランス人ジャン・リボウを選んだ。彼は船二隻を率いて一五六二年の冬にル・アーヴルを出帆し、二ヶ月の後、今日のセント・オーガスチンに近いフロリダ海岸沖に錨を下した。そこから北方へ航したリボウは五月祭の日にセント・ジョンズ河に入り、それに因んでこれに《五月の河》の名を与えた。この幕間劇の後、船隊はジョージア海岸沿いに航行を続け、サウス・カロライナに達した頃には彼の熱情はもはや抑え難く、偵察を打ち切って砦を築き、植民地を発足させることに決めた。地点は今日のボウフォートの南のブロード河口の近くに選ばれた。リボウはここをポール・ロワイヤルと命名したが、これは今日英語風にポート・ロイヤルと呼ばれる処である。ここに防柵が建てられ、少年王シャルル九世を記念してシャルルフォール［シャルルの砦］と名付けられた。二隻の船の乗員から志願者が入植民として残留することを申し出た。これはコロンブスの初期の居留地ナビダーを想い出させるもので、この二つの植民地が直面した問題は極めて似ていたに相違ない。確かにこの間に合せで計画性のなかった〝シャルルフォール〟には痛ましいまでに植民地建設の基本条件が欠けていたため、リボウは六月になると、年末までに補給艦隊を率いて戻って来るからと約束して、フランスへ帰って行った。しかしこれは実現しなかった。リボウが帰国してみるとフランスは宗教戦争の渦中にあったのである。彼はディエップの防衛に一働きしたものの、結局は敗れて英国へ逃れた。リボウは誠実な男だったから、その植民地のことを忘れはしなかった。彼の『フロリダ発見全記』*The Whole and True Discovery of Terra Florida* は一五六三年にロンドンで出版され、リボウはポール・ロワイヤルにおける英国人植民地の建設ということにエリザベス女王の関心を惹くべく努力したが、この計画で彼は悪名高い冒険家トマス・ストゥクリイ（ローリイ卿を裏切った男の父）と係り合いになるという災難に見舞われ、その結果、この不運なフランス人は牢にぶち込まれる。彼の植民地シャルルフォールは全く当然ながら衰微してしまった。入植者達は親切なインディアンの助けを頼りに暮していたが、リボウの帰還を待てば待つ程、彼等の情況は絶望的になって行った。一五六三年の春になると、入植者達に残された唯一の望みは、この土地を拋棄して何とかしてフランスへ還ることだけになってしまった。彼等は当面の苦境を切り抜ける手段として小型二檣帆船を建造したが、充塡材には苔が使われ、帆は敷布で代用し、索具類はインディアンから貰う始末であった。そしてこの手製の小船で大胆にも大西洋へ泛(うか)び出たのである。その航海は身の毛もよだつものであったに相違ない。食糧が尽きた時、彼等は結局共喰い地獄に堕ちざるを得なかった。それでも幾人かはこの大洋を乗り切り、陸地の見える処まで来て英国船に拾い上げられた。彼等は全くうまい時に航海を敢行したと言ってよい。何故なら彼等が出発した後へスペイン軍の一隊がシャルルフォールへやって来て、砦をすっかり焼き払ってしまったからである。

ポール・ロワイヤルの完全な失敗にも拘らず、フランス本国における雲行きはこの企図の再興にとって決して悲観すべきものではなかった。旧教徒(カトリック)と新教徒(プロテスタント)の間の宗教闘争は一五六三年の〝アンボワーズの平和〟によって——少くとも一時的には——止んでいたし、コリニイを頭とするユグノー教徒は強力な立場を占めていたのである。リボウは、これは本当なのだが、まだ英国で牢に入れられていたけれども、一五六二年の航海時にリボウの副将を務めたルネ・ド・ロードニエルは、シャルルフォールでその真価を示したから、第二次遠征隊の指揮官に選ばれたのは当然であった。三〇〇人の水夫と入植者を乗せた三隻から成る船隊は一五六四年の四月、ロードニエルの指揮下にル・アーヴルを出港した。二ヶ月後、船隊は《五月の河》に入り、それから間もなく、今日のジャクソンヴィルの近くにフォール・カロリーヌ居留地の地取りをした。間に合せのシャルルフォールとは対照的に、永久的な植民地を造るべく慎重に開始されたのだが、この居留地は最初からごたごたに悩まされ続けた。叛乱も起きたし飢餓にも襲われた。インディアンに対するロードニエルの交渉も彼の二枚舌のお蔭で毒されてしまい、おまけにこの指導者は終始患っていて、暫くの間、叛乱者達の手で投獄されてしまったのである。一五六五年の夏、ジョン・ホウキンズ卿が指揮する数隻の英国船の思いがけない到着によって少しばかりほっとした数日後、この長い忍耐を強いられて来た入植者達は、強力な増援隊を率いたリボウ自身の到着を迎えて、すっかり喜びに包まれてしまった。植民地の危機は峠を越したかの如くに見えたのである。

しかし事態は急速に動き始めており、この不運なフランス人達は、言わば愚者の楽園で彼等に許された僅か数日の平和を愉しんだに過ぎなかった。スペイン王フェリーペはフランスの宮廷に詰めているスペイン大使を通じて、英国でリボウが釈放されたこと、彼が船隊を整えて出発したことを知らされており、スペインの生命線を横合いから脅かすフランスの要塞の持つ戦略的重大性は寸時も放置を許さぬものがあった。この脅威を排除すべく、勇猛練達の船乗りペドロ・メネンデス・デ・アビレスが強力な艦隊と共に派遣された。リボウは八月二十八日にフロリダに到着しており、一週間後にメネンデスの艦影が現れた。この危機に際して、叡智よりも勇気の方が上廻っていたリボウは致命的な失策を犯した。彼はその兵力を二分してしまったのである。メネンデスはフロリダに到着するや直ちに、彼がサン・アウグスチン［現セント・オーガスチン］と呼んだ根拠地の建設に着手した。九月十日、リボウはこのスペイン軍を粉砕すべくフォール・カロリーヌから出撃した。スペイン軍の視界内まで近づいた時、一陣の強風はリボウの船隊を海上遠く吹き送ってしまい、カロリーヌ砦はかくて無防備のままに残された。メネンデスは素早くこの好機に乗じ、五〇〇名の部下と共に陸上を進撃してカロリーヌ砦を強襲し、守備隊の半分以上を屠ってしまった。ロードニエルや画家ル・モワーヌを含む約一〇〇人の脱出者は残ったフランス船一隻に乗って遁れ、何とかヨーロッパまで辿り着いた。リボウの運命はもっと惨酷だった。彼の船隊は嵐で難破し、そのサン・アウグスチンの南の浜辺を彷徨していた丸裸の生存者達にスペイン軍が襲い掛ったのである。捕虜になって永らえたものは皆無であった。

以上がフロリダにおけるフランス植民地の運命であったが、これは『大航海』*Grands Voyages* 第二巻所収の（ル・モワーヌの絵を元にして彫られた）ド・ブライの版画によって永遠に伝えられることとなる。スペイン人の冷血極まる蛮行に対する応報は迅速で効果的且つ容赦のないものであった。フランスのカトリック信者だがリボウの友人でもあったドミニク・ド・グールゲが私的復讐戦を決意したのである。一五六七年の夏、彼は三隻の船を率いてフロリダに渡り、カロリーヌ砦のスペイン軍駐屯地を攻撃した。奇襲は完璧だった。またしても、リボウやその部下の大虐殺と同じく、捕虜というものはなかった。スペイン守備隊を殲滅した後、ド・グールゲはフランスに帰還した。こうした行為総てには、何か〝けりをつける〟といったものが感じられる。復仇は申し分なく行われたけれども、フランスは以後、スペインの勢力圏にあるこの植民地を決して再興しようとはしなかったのである。

フランスのフロリダ植民地は成功しなかったけれども、それでもなお、英仏海峡の向う側では、北米東部に対する英国人の入植を希望を以て計画した人々があった。ディーとハンフリイ・ギルバート卿がこのグループでは急先鋒であった。フランス人が、スペインの海上交通線に与える戦略的脅威の故にフロリダを選んだのに対し、英国人は、大洋横断の距離が短いことと緯度が英国諸島に似ていることから、ニューファウンドランドからノヴァ・スコシア方面へ関心を向けていた。当時の気象学の理念からすれば、同緯度にある土地の気候は同じの筈だと信じられていたが、この概念はカナダの冬によって忽ち手荒く粉砕されてしまった。それでもなお、幾分尤もらしいところもあったので、アメリカではニューファウンドランドが丁度ブリテン島に相当する、とギルバートは楽観していた。この問題では、ニューファウンドランドを言わば趣味とし、毎年の漁船隊に乗組んで何度もそこへ航海していた素人の熱心家アンソニイ・パークハーストなる男からギルバートは支持されていたのである。ハンフリイ卿〔ギルバート〕はまた、ホウキンズの第三次航海（一五六七年）の乗組員の一人でフロリダに上陸したり、ノヴァ・スコシアまで海岸沿いに航海したこともあるデイヴィッド・イングラムからの情報も利用した。北西航路鼓吹のために書いた論文（『中国(カタイア)に到る新航路の発見を論ず』*A Discourse of a Discoverie for a New Passage to Cataia*）の中ですらギルバートは富の源泉として、また犯罪者や好ましからざる人物を流刑にする手段として、英国人のアメリカ移住を提唱したことがあった。フロビッシャーの数次に及ぶ航海が失敗に帰した後は、ギルバートはその北西航路に対する関心を北東アメリカの植民地化の可能性へと移したに相違ない。それ故、フロビッシャーの星が第三次航海で傾きつつあった一五七八年六月、ギルバートは〝如何なるキリスト教徒君主も現実に領有せざる遠隔地並びに異教徒の国の総てに対し、自由に植民し且つ所有する〟ための有効期間六年の特許状をエリザベス女王から得たが、これこそ大英帝国の真の礎石を据えた文書であった。

この特許状という武器を得たギルバートは一五八〇年、ポルトガルの水先案内人シモン・フェルナンデスを長とする偵察航海隊を派遣した。この時フェルナンデスは明らかにノヴァ・スコシアとメインの一部沿岸を巡航したらしい。有望だとするフェルナンデスの報告にも拘らず、その植民地計画を発足させるに当っては、ギルバートは様々な困難を経験したものと察せられる。新世界に対する英国人入植民の第一陣が本国を離れたのは、一五八三年六月になってからであった。そもそもその出発点から、この冒険事業は無規律で不熱心なものであったらしい。一番大きな船は脱走してプリマスへ戻り、もう一隻は海賊稼業に早変りしてしまったのである。残った船でニューファウンドランドを目指したギルバートはセント・ジョンの入江に着き、そこに——スペイン人、ポルトガル人、フランス人、英国人から成る——多国籍漁船隊の連中が、その獲物を浜辺に並べて乾物にしているのを発見した。この全く申し分のない国際部落の面前でギルバートは、女王の名において、この港とそこから二〇〇リーグ以内の土地の領有を宣言した。しかし部下は病気に苦しみ不穏になって来たため、彼の植民地にたった二週間留っただけでギルバートは英国帰還を余儀なくされる。一隻はケイプ・ブレトン島またはセイブル島のどちらかで難破したが、ギルバートは上等の積荷を満載したスペイン船を待伏せして植民失敗の帳尻を合せるべく、残りの二隻を率いて南下した。悪運は最後まで彼に憑き纏って離れず、アソーレス群島沖で彼の船は暴風雨（スコール）に捉えられ、ギルバートは船と共に海神の餌食となってしまう。植民事業の挫折を報告すべく英本国に辿り着き得たのは僅かに一隻に過ぎなかった。

新世界を植民地化しようとする様々な計画は、この敗退にも拘らず、衰えることがなかった。ジョージ・ペクハム卿による旧教徒植民地の目論見は少くとも計画段階まで行ったし、ギルバートの六年間特許が一五八四年に切れると、それは彼の異父弟ウォルター・ローリイ卿によって延長された。同じ年、リチャード・ハクルートはその著『西方植民論』*Discourse of Western Planting* の中で、アメリカの植民地化を擁護して強力な論陣を張った。また同じ年、我々は東部アメリカのフロリダとノールンベガの間の部分に付けられた《ヴァージニア》という名を初めて耳にするのである。ローリイは何か強力な衝動と熱狂を感じていたに相違なく、その春（一五八四年）、麾下船長アーサー・バーロウとフィリップ・アマダスを、エリザベス女王その人を記念して（また事実に基いて）名付けられた地方《ヴァージニア》の沿岸偵察に送り出した。ルックアウト岬の近くでノース・カロライナ海岸に達すると、彼等はこの入江の一つを通過して内海に入り、パムリコ湾（サウンド）とアルベマール湾の探検を開始した。こんな風にして彼等はロアノーク島を発見したが、ここは植民地として真に絶好の地と思われた。

麾下船長達が持ち帰った様な朗報を一層確かなものにすべく、ローリイは速かに行動を起した。そして翌年（一五八五年）、彼はリチャード・グレンヴィル卿を指揮官とする初の植民艦隊を派遣した。後年《リヴェンジ号の闘い》で不滅の名を遺したエリザベス朝の有名なこの海の男と共に航した中に、入植者で最も政治的手腕に長けたラルフ・レインがいて、この植民地の副総督の地位を占めた。また一行の中にはアマダス船長、トマス・キャヴェンディッシュ（世界周航者としての名声を得たのは後年に属する）、その筆でこの植民地の歴史を今日に遺してくれた優れた数学者で自由思想家のトマス・ヘイリオット、更にジョン・ホワイトなどがいたが、ホワイトの描いたヴァージニアの素敵な水彩画（現在大英博物館所蔵）はアメリカの遺産を物語る最も貴重な記録の一つである。この時は婦人は一人も連れて行かなかった。

ロアノーク島にその植民地を造り上げるとレインは関心を探検に向け、一五八四年のアマダスやバーロウよりも遥かに徹底したやり方でノース・カロライナの内陸水路を調査した。彼はこれらの旅行でロアノーク河とニューズ河を溯ったのみか、ある時は北方へ向って現在のノーフォーク近くのチェサピーク湾の岸まで達した。こうした探検旅行は地理的調査と同程度に黄金の発見をも目指したものであったらしい。その点では確かにこの入植者達も他の面におけると同様、非の打ち処がなかった訳ではない。彼等のインディアンに対する関係は友好的ではなかったし、その環境における農業の可能性も無視してしまった。その結果、一年と経たぬ間にレインとその部下は、殆ど食べる物とてない苛酷な土地に身を置いていることに気付くのである。この危機に際して差し伸べられた救いの手は、西印度諸島方面における輝かしい私掠船活動を終えて帰国の途にあったフランシス・ドレイク卿という形をとってやって来た。入植者全員を故国へ連れ帰ろうというドレイクの申し出は正に地獄で仏であって否やのあろう筈はなく、一五八六年、レインとその部下はヴァージニアを後に出帆する。グレンヴィルの率いる入植者の第二陣はそれに数日遅れて、入れ違いに到着した。ロアノーク島の植民地が抛棄されているのを発見したグレンヴィルは、一五人の志願者を申訳ばかりの入植者として島に残し、英国へ向けて帆を揚げたのである。

この冒険事業ではローリイは一財産をすってしまったから、利権をある商人達の会社に譲渡する羽目となったが、熱心な推進者・助言者として相変らず舞台にその姿を止めていた。ローリイの鼓吹に応じた第二次入植事業団がヴァージニアへ送り出されることになる。一五八七年四月、婦人を含む入植者の船団はジョン・ホワイトの統率の下に航海の途に上り、七月にロアノーク島に到着したが、グレンヴィルの残しておいた一五人は影も形もなかった。しかし、秋の初めに補給品と増援隊を需めてホワイトが英国へ戻って来たお蔭で、ロアノーク島における最初の夏を窺うに足る若干の記録というものが今日に遺ることになった。それ以後は音信不通の状態が続く。スペインとの戦争、特に《無敵艦隊(アルマダ)撃滅戦》はヴァージニアとの連絡を遮断してしまい、ホワイトが次の植民艦隊を準備出来る程に事態が平穏になるのは一五九〇年になってからである。それは悲劇の最後の一幕であった。ホワイトがロアノークに着いたのはハッテラス名物の大暴風雨(テンペスト)の危険の最中であり、このため徹底した捜索は不可能となり、一本の樹に刻まれた〝クロアトーン〟Croatoan という言葉以外に一人の入植者も発見出来なかったばかりか、それらしき痕跡すらも見出せなかった。ローリイ卿の《失われた植民地》の辿った運命とその謎はかくの如きものであった。

カナダの創建

仏領カナダの第一世代というものは、悉くサミュエル・ド・シャンプランの名の周りに集中している。彼はヴァージニアやあるいはニュー・イングランドの創始者であった英国人のどの一人とも比較にならぬ程の、《仏領アメリカ帝国》の唯一無二の創造者であった。彼をして植民史上最大の人物の一人たらしめたもの、そしてフランスの最も誇るに足る植民地を確立させるに至ったものは彼の推進力、彼の洞察力、彼の忍耐力、そして一つの主張に対する終生変らぬ献身であった。シャンプランは一意専心の長い生涯を通じ、カルティエやヴィルガニョンそしてリボウが失敗したところから新フランスにおける植民地を発足させ、そして植民事業の競争では英国、いやスペインすらも顔色無からしめたのである。

シャンプランは一五六七年頃、ラ・ロシェルの南のブルアージュという小さな海港で生れたが、彼の先祖には漁夫や船乗りがいた。彼の一家はユグノー教徒と関係があったらしい。確かにラ・ロシェル周辺の地区はユグノー教徒の拠点であったし、一方、サミュエルという旧約聖書由縁の名は、新教徒的印象を強く与える。しかし彼は名目的には常に旧教徒(カトリック)であったし、後には献身的信者となった。だが恐らくその家庭環境の故であろうが、彼は寛い包容力の持主であったから、ド・モンの如きユグノー教徒の団長に対しても実に親切を尽した。

このカナダの創建者は、まずアンリ四世の下でブルターニュ地方の旧教徒同盟（スペインに後援された反動的連合）に対する軍務に服した若き陸軍将校の形をとって登場する。この作戦（一五九八年）が終ると彼は軍務を解かれ、そして新世界を見たいという欲望にとり憑かれ始める。そこで彼は、西印度諸島に達する最も手っとり早い道としてスペインへ赴く。幸運にもシャンプランは、一五九九年二月にサン・ルカールを出帆する船団に便乗して渡航出来た。かくして彼はプエルト・リコに一ヶ月、メキシコ・シティに一ヶ月、そして後に《両洋を結ぶ運河》の提唱を思い付かせたポルトベーヨとパナマへの小旅行、カルタヘナの訪問、そして最後にはハバナにおける七ヶ月の滞在、といった具合に、スペイン領印度地方を隈なく旅することが出来た。彼はカリブ海域で見るべきものの殆ど全部をその眼に収めてから還った。またスペイン植民地組織の悪弊と非能率ぶりに確信を深め、新スペイン（ヌエバ・エスパーニャ）［メキシコ］やパナマにつき纏うあらゆる腐敗から免れられる様な《フランス帝国》を海の彼方に建設出来るとの構想を抱いて帰って来たのである。

フランスへ還ったシャンプランは、彼のブルターニュ地方における軍務が大いに役立つことを発見した。と言うのは、彼の軍隊時代の旧友がディエップの知事になっているのを知り、その旧友の推輓で彼はアンリ四世に謁することが出来たし、またこの知事を通じて、フランソワ・デュ・ポングラヴェという陽気なラブレー的豪傑に率いられたカナダ遠征航海に勤め口を得たのである。これはセント・ローレンス河に対するポングラヴェの最初の航海ではなかった。ポングラヴェやその仲間達は前の世紀の最後の一〇年間に毛皮の取引を盛んに行っており、このためサゲネイ河口に彼等の会合地点をちゃんと持っていた。こうした冒険航海については殆ど知られていないが、シャンプランのカナダ到着以前に、カルティエやロベルヴァルの跡を辿って幾多の航海が行われたことは明白である。事実、一六〇〇年には、毛皮貿易を独占していたピエール・ショウヴァンはポングラヴェやド・モン一家と共にタドゥサックで植民を始めるべく出発したが、カナダの冬は酷烈を極め、生存者達は翌春フランスへ還ってしまったのである。

　ポングラヴェと共に行ったシャンプランの航海は一種の偵察であったが、これは将来にとって甚だ多くのものを予兆するものであった。シャンプランは一六〇三年夏の約三ヶ月間、カナダに滞在した。彼はまずタドゥサックの交易地点（ポスト）に上陸し、そこでポングラヴェと共にアルゴンキン・インディアンと同盟を結んだ。この同盟は以後一世紀半も続き、仏領カナダの将来にとって決定的な重要性を持つことになるものであった。サゲネイ河口からはシャンプランとその仲間は小型二檣帆船（ピネス）に乗ってセント・ローレンス河を溯航し、今日のケベックやモントリオールの場所を過ぎてラシーヌ早瀬（ラピッズ）［現モントリオール市内］でその溯航の終点に来た。そこから先の航行は丸木舟（カヌー）以外のどんな船でも不可能であったから、彼等は已むなく引返したが、それでもシャンプランはここの土民から、更に西方へ伸びる国のこと、五大湖のこと、そしてナイアガラ瀑布のことを教えられた。彼はこの土地が植民地として特に適していること、そしてこの《カナダの水路》は太平洋へ容易に導いてくれるとの確信を抱いてフランスへ帰って来た。彼の魅力的な小冊子『蕃地について＝またはブルアージュの人サミュエル・シャンプランの新フランスにおける旅』*Des sauvages, ou voyage de Samuel Champlain de Brouage, fait en la France nouvelle*（一六〇三年、パリ）はこの冒険の文献的成果であった。

セント・ローレンス河流域に対するシャンプランの打ち込みぶりにも拘らず、彼の最初の植民経験は全く別の方向に向けられた。本の出版によって、シャンプランはいつの間にか北米に関しては自他共に許す専門家になっていた。だから彼は、ド・モンの率いる一六〇四年のユグノー教徒移民事業に然るべき地位を占めるのに何の苦もなかった。ド・モンはシャンプランと同じ地方の出身の富裕で公益に心を用いた郷紳で、宗教的寛容と刻苦精励を旨とする植民地を計画したが、シャンプランの忠告に反して、彼はセント・ローレンス河沿いの土地でなく、ファンディ湾周辺をその場所として選んだのである。ド・モンやシャンプランと共に、ポングラヴェや未開の曠野の強大な領主を夢見た古手の軍人ド・プーランクールも同行する。遠征隊は一六〇四年三月に船出し、二ヶ月後にノヴァ・スコシアに到着した。次いで適当な入植地を決めるためにファンディ湾の徹底的な調査が行われ、パッサマクォディ湾の奥にあるサント・クロワ島が選ばれた。シャンプランはこの植民地で忙しく働いたが、九月が来るとメイン海岸沿いに南下する巡航に出発した。この航海で彼はマウント・デザート島を廻り、ペノブスコット河を今日のバンガーまで溯り、次いでブースベイ地方に沿ってケネベック河口まで行った。彼の後輩達の多くが賛嘆したのと同じく、シャンプランもまた、この絵の様に美しい海岸の巡航をさぞや愉しんだことであろう。

シャンプランは厳しい冬に立ち向うべくサント・クロワに戻ったが、その一冬で入植者の半数が寒気と壊血病で仆れた。意気は全く沮喪してしまったが、一六〇五年の夏、折よくプーランクールがフランスから増援隊を率いて到着したため、植民地の拋棄は免れることが出来た。プーランクールはファンディ湾の対岸のノヴァ・スコシアへ居留地を移動させ、ポール・ロワイヤル（現アナポリス）で彼の新しい拠点を発足させた。そこでは事態は好転したが、施設などは恒久的なものではなかった。と言うのは英国人が侵入する危険が昂って来たからで、一六一三年になると、ヴァージニア総督アーゴールはジェイムズタウンから一艦隊を北上させ、この植民地を破壊してしまった。アーゴールはカロリーヌ砦を襲ったメネンデスよりはずっと人間味があってフランス人に故国へ引揚げることを許したが、アカーディアとして知られる様になっていたフランス人居留地は、約一世代の間、昔の状態に引き戻されてしまった。アーゴールが襲撃した時、シャンプランはずっと遠くへ行っており、その頃はセント・ローレンス河流域で仕事をしていたのである。しかし、このポール・ロワイヤル植民地の最初の二年間（一六〇五—一六〇七年）、彼は積極的に活動し、夏が来るとその間、最初に往ったニュー・イングランド海岸の巡航を繰返した。一六〇五年にはケネベック河口からマサチューセッツ湾とコッド岬に至る海岸線を探検し、一六〇六年にはコッド岬を回航して恐らくバザーズ・ベイに達したものと思われる。

一六〇七年に故国へ戻ったシャンプランは、ド・モンがフランス王と話をつけ、フランス王に永代植民地を約束するのと交換に毛皮貿易の独占権を得たのを知る。ド・モンはシャンプランをこの植民地の指揮者に選ぶ一方、自身はフランスに残って国内で事を処することにした。一六〇八年の春、シャンプランは懐しい同志ポングラヴェと共にセント・ローレンス河へ向けて出帆し、その年の七月三日、彼はケベックの町を創建した。ケベックの歴史の第一年では、幾多のフランス植民地が経験した惨烈な冬、壊血病による高い死亡率、そして翌年春の救出遠征といったお定りの話が繰返された。その年の夏の頃には、探検の情熱を満足させ得る程度にまでシャンプランは事態を十分に掌握するに至り、七月になると、彼は憎悪されていたイロクォイ族に対する作戦に向けてアルゴンキン・インディアンの戦闘隊と共に出発した。この冒険で彼はリシュリュウ河を溯り、シャンプレイン［シャンプランの英語読み］湖を渡って現在のタイコンデロガへ出、そこで敵と遭遇した。ヨーロッパ人の火器はこれにはお誂え向きであって、イロクォイ族は大敗を喫してしまった。五つの民族間の永く消えない怨恨は、こうしてたった数分間で造られてしまったのだが——カナダにおけるフランス人の宿命を予告する様な事件であった。

以後数年の間、シャンプランは揺籃期の植民地で懸命に働き、毎年の冬は大西洋を渡ってフランスに還り、夏にはケベックやセント・ローレンス河沿いで労働を続けた。しかし一六一三年になると、彼はその探検を再開出来る様になり、その年の夏、オタワを越えて今日のペンブロークまでオタワ河を溯ったが、これはセント・ローレンス河からはたっぷり二〇〇マイルはある旅であった。更に二年後には彼の最も偉大且つ有名な遠征を行った。セント・ローレンス河とオタワ河を溯った後、シャンプランは一六一三年の彼自身の到達最遠点を越え、ニピシング湖を渡ってフレンチ河を下り、ジョージアン湾の北部で五大湖に出た。次いで彼はヒューロン湖のこの腕の部分に沿って南方へ向い、シムコー湖とオンタリオ湖東端との間の錯綜した水路系を横断した。サウザンド諸島［オンタリオ湖がセント・ローレンス河となる出口にある島々］の北でこの湖を渡ったシャンプランはニューヨーク州に入り、今日のシラキューズ辺まで行ったらしい。この地方では、同行して来たヒューロン族の仲間がイロクォイ族との戦いで手酷くやられてしまったので、彼はこの意気銷沈した同盟軍と一緒にカナダへ引返さざるを得なくなった。インディアン達と共に一冬を過したシャンプランは、ジョージアン湾からオタワ河という往路と同じ迂回路をとって——ケベックへ帰還した。これはシャンプランにとって最後の大発見旅行となり、彼はそれから更に二〇年もカナダで働いたけれども、今や〝住めば都〟となったセント・ローレンス河流域の棲息地をその後彼が果して離れたことがあったか否かは疑問である。それにも拘らず彼がスタートさせたこの弾みは次第に大きく盛んとなり、特に《森の使者（クルール・ド・ボワ）》〔入植フランス人とインディアンとの混血による船頭・毛皮商人・狩人〕の活躍は二世紀の間、ミシシッピー河を下ってメキシコ湾地方へ、またハドソン湾からロッキー山脈まで、フランスの影響を運び続けたのである。

　これら名もなき辺境開拓者達の恐らく最初であり、紛れもない巨人の一人であったのはエチエンヌ・ブリューレというシャンプランの若い友達で、ヒューロン・インディアンの中で事実上彼等の一人と変らなくなるまで暮した男だが――その彼も結局は彼等に料理され喰われてしまう運命から逃れられなかった。ブリューレは早くも一六一一年、インディアンの一隊と共にヒューロン湖を訪れ、四年後には、彼を探検家の前列に押し出すことになった驚くべき旅行を行ったとされている。シャンプランに従ってシムコー湖まで行ったブリューレはそこで隊長シャンプランと別れ、一ダース程のヒューロン・インディアン達と南方へ向った。彼は今日のトロント辺でオンタリオ湖に達し、その西端まで舟で渡った。次いでナイアガラの西の地峡を越えて大胆にもエリー湖に乗り出したが、これによって彼は、五大湖中の三大湖の発見者となった（と言うのは、彼はシムコー湖から遥かに曲りくねった路を辿っていたシャンプランよりも先にオンタリオ湖に着いたに違いないからである)。さてこれからブリューレの旅の最も目覚しい部分が始る。エリー湖をバッファローの北の上陸地点へ向けて横断すると、ニューヨーク州の西部を抜けてサスケハンナ河の上流へ進み、この流れに乗ってチェサピーク湾まで下った。かくして遂に仏領カナダと英領ヴァージニアの陸路による連絡が成ると共に、現在のペンシルヴェニア州を初めてヨーロッパ人が通ったことになるのである。

これに比肩し得る程の重要性を持つ旅は、二〇年後のジャン・ニコレによるミシガン湖への旅までは一つもなく、事実この間の年月はカナダ植民地の成功と強化に費され、カナダは真にシャンプランの大傑作となったのである。かのピルグリム・ファーザーズがプリマスに上陸した頃には、フランス人達は既にセント・ローレンス河やオタワ河の河川系探検を行っており、ヒューロン、オンタリオ、エリーの三大湖を発見し、そしてサスケハンナ河をチェサピーク湾まで下っていた。これと対照的に、英国の植民地開拓者達は名誉革命[一六八八―八九年]の前夜まで、大陸内部のこれ程広大な地域を横断したことは終に(つい)なかった。

ヴァージニアとニュー・イングランド

ロアノーク植民地の失敗と長年に亙る対スペイン戦争は殆ど半世代[約一五年]の間、英国の植民事業を後退させてしまったけれども、植民地建設の強い衝動は残っており、入植の成功に後れをとっていたに過ぎない。この間、探検航海は不規則な間隔を置いて続いており、その大部分は、究極の植民地化を目論んでいるものであった。ギルバートの時代（一五八〇年）においてすらも、ジョン・ウォーカーという船長はメイン地方の海岸を訪れて《ノールンベガの河》――明らかにペノブスコット湾のことだが――を探検したし、一五九三年にはリチャード・ストロングなる男がケイプ・ブレトン島から南へかけての、余り人に知られていない冒険航海を行っている。一六〇二年になると、バーソロミュウ・ゴスノールドがもっと有名な航海をする。シェイクスピアの後援者サウサンプトン伯の命令を受けた彼は、アソーレス群島からマサチューセッツ湾へ大西洋を横断した。この地域一帯を調査した後、コッド岬に上陸したが、コッド岬［鱈の岬］とマーサズ・ヴィニヤード島［マーサの葡萄園］にそういう名を付けたのは彼である。カティハンク島（彼はエリザベス島と呼んだ）に住居を建てたゴスノールドは土民との儲けの多い交易に従事し、後に毛皮やササフラスの樹皮［強壮・芳香剤］、その他の品々といった素敵な船貨を積んで英国に還った。それ以前の如何なる冒険航海にも増してゴスノールドの航海は未来のニュー・イングランドを有名にしたという点で功績があったし、かくして生れた刺戟は一連の年次航海の興隆を促すのである。翌年（一六〇三年）、ブリストルの商人達から後援を受け、リチャード・ハクルートに嗾（けしか）けられたマーティン・プリングはメイン海岸に着き、そこから南のマーサズ・ヴィニヤード島へ行った。一六〇五年にはジョージ・ウェイマスがナンタケット島で陸地を初見し、次いで北へ舵を転じてケネベック河口やペノブスコット湾附近を探検した。翌年プリングは再びメイン海岸に現れ、一六〇七年にはジョージ・ポーファムとフェルディナンド・ゴルヘス卿がケネベック河口に植民地を造ったが、これは翌年の春には拋棄されてしまった。カナダの冬がフランス人を虐待したのと同じく、メインの冬もまた英国人に決して愛想よくはなかったのである。

こうした時たまの航海や互に連絡のない企て総てよりも遥かに重要なのは一六〇七年のヴァージニア入植の成功――つまり新世界における最初の恒久的英国植民地であり、それ故にアメリカ合衆国の直系の祖先となった土地への植民の成功――で、船長クリストファー・ニューポートの指揮する〈サラ・コンスタント〉他二隻による最初の遠征は実に一つの新時代の始りを告げるものであり、恐らくはコロンブスの第一次航海に勝るとも劣らぬ重要な意義を未来に対して持つものであった。ジェイムズタウンとその周辺の初期の歴史は大体において探検というよりは植民のそれであるが、それでも一六〇八年の夏に一隻のボートでチェサピーク湾一帯を偵察調査したジョン・スミス船長の驚く程に詳細を極めた測量は、我々の感嘆を誘うものである。彼の『ヴァージニアの地図』*Map of Virginia*（一六一二年、オックスフォード）は、彼がサスケハンナ、ポトマック、ラパハノック、ヨーク、ジェイムズといった主要河川を、よしんば越えられなかったにせよ、その瀑布線（フォール・ライン）「台地の始りを示す線で滝・急流が多い」まで如何にして溯航したかを如実に示している。これはヴァージニアで半世紀以上の間になされた最も重要な地理学上の業績であり、ペンシルヴェニア南部からノース・カロライナ北部へ、更に内陸のピードモント平原［米国アパラチア山脈と海岸平野との間の平原］までのチェサピーク湾周辺一帯がかなりよく探検されたことを示すものである。スミスの地図は、一六七三年の『ハーマン地図』の出現までは、一つの標準としての価値を持っていた。

スミスはこの探検の翌年（一六〇九年）、多くの貢献をなしたこの植民地を後にし、再び戻ることはなかった。しかし、彼がヴァージニアのためにこれ程のことをしたのならば、〝ヴァージニアの北部〟とかノールンベガなどといい加減に呼ばれていた地方に対しても、同様にその腕の冴えを見せるべき運命を担っていた。彼は二度の航海（一六一四年と一六一五年）において、曾てゴスノールドやプリングが調べ、入植地域としてのその土地の将来性を確信しつつ英国へ帰って行ったその海岸一帯を測量したのである。実に彼の測量は、コッド岬からメインに至る海岸地方の沿岸測量としてはそれまでの最高のものであった。スミスの地形特徴の観察は詳細を尽したもので、彼が名付けた地名の中の少くとも三つ――プリマス、チャールズ河、アン岬――は今日まで生きている。その著『ニュー・イングランド詳説』*Description of New England*（一六一六年、ロンドン）は従ってその素晴しい地図と共に以後の植民事業に大きな影響を与えたのであり、一方『ニュー・イングランド……』という書名は、以後それで知られるに至った名称をこの地方に定着させたというの点でもまた、甚だ意義深いものがある。従って彼の鼓吹が間もなくその効果を発揮したのは決して驚くに当らない。一六二〇年十二月、〈メイフラワー〉はピルグリム・ファーザーズをプリマス・ロックに上陸させ、かくしてマサチューセッツの長く輝かしい歴史が始まった。エンリケ航海王がサグレスの巌頭に館を構えてから丁度二世紀の時が流れ去り、そしてこの間に《近代世界》が誕生したのである。

16 ルネッサンス期の地図学と航海術

手描き地図の伝統

大発見時代の手描きによる地図製作術を正しく理解するには、中世の《ポルトラーノ海図》まで溯って一瞥する必要がある。何故なら、プトレマイオスや中世の《世界全図(マッパ・ムンディ)》が描くところの世界の形とはおよそかけ離れた相違を示すこれら実際の航海者達の地図こそ、実は大航海時代の地図製作術が育った基盤を形成していたからである。これらの精緻を極めた作品は、船乗りのために船乗りによって作られたものであり且つその影響力と製作手法の故に、ポルトガル人やスペイン人の叙事詩的な諸発見が、プトレマイオス的旧套は言わずもがな、あの非現実的な《世界全図》の因襲にすら依然として縛られていた初期の印刷地図に現れるよりずっと早く且つ一層正確に、これらの手描き地図に記録されたのであった。

ポルトラーノ海図はその起源を遥(はる)かな古代に発している。現存する最古の例はほぼ西暦一三〇〇年から始っているが、極めて高い完成度と様式化を示しているから、それらが成熟した形で一気に出現したとは到底考えられず、あの名高い『ピサ図(カルタ・ピサーナ)』(フランス国立図書館(ビブリオテーク・ナショナール)所蔵、パリ)は、恐らくは幾世代もの地中海の航海者達を通じてテイルスのマリヌス以来の伝統に切れ目なく直結するものであろう。カルタ・ピサーナの時代から三世紀乃至それ以上に亙り、これら新奇を逐(お)わず形式を守って極めて伝統を尊重した海図の間断ない流れが、地中海のイタリアやマヨルカその他の中心地の地図工房から発しており、その特徴が甚だ規格化されているため、一般に《標準(ノーマル)ポルトラーノ》と総称されている。犢皮紙(ヴエラム)に色インクで描かれ、方位線(コンパス・ライン)と方位盤(ウインド・ローズ)ですぐそれと判るこれらの極めて正確且つ美麗な地図は、地中海、黒海、西ヨーロッパと北アフリカの大西洋岸――つまり古代ギリシャ人の言う〝オイコウメーネー〟――の海岸線を描き出しているが、この特徴は恐らくはその起源を仄めかすものかも知れない。標準ポルトラーノの大陸内部には、装飾を除けば細部は殆ど乃至全く示されていないが、大抵の場合、海岸線は調査の程が偲ばれる精緻さで描かれ、海港と海角(ヘッドランド)の名は粗密のない連続性を示していて真に愕(おど)くべきものがある。勿論、一つの海図と別の海図との間には、丁度ある海図屋と別の海図製作者の作品間に認められる程度の相違はあるけれども、概して言えば地図製作上の細部は極めて標準化されているため、典型的《標準ポルトラーノ》の説明としては、爾余はさて措き、これで十分であろう。この故にこそ《標準ポルトラーノ》は船長（ふなおさ）にとって珍重に値する申し分のない海図であった。全く当然ながらルネッサンス初期の地図製作者達は、大発見者達によって明らかにされた各地の海岸線に抜かりなくポルトラーノ海図の諸原理を適用して行ったから、十五世紀中葉以後、例えば一〇〇年乃至一五〇年の間に、ポルトラーノの伝統に拠ってはいるがボジャドール岬から中国へ、ラブラドールからマジェラン海峡へといった発見の進展段階をも示している一連の海図を我々は目にすることが出来るのである。従って本章では標準ポルトラーノよりもむしろこうした海図に重点を置いて述べるが、しかし地図製作史を飾る劃期的な作品の技術と妙想もまた、十四世紀や十五世紀の標準ポルトラーノに淵源しているという事実を見失ってはならないのである。

ギリシャ人の所謂オイコウメーネーからの解放、並びに新たに発見された国々の地域へのポルトラーノの原理の拡張は、十五世紀の中葉から始っており、一四四八年の日付があって現在ミラノのアンブロシウス図書館所蔵のアンドレア・ビアンコの海図は、エンリケ航海王の諸航海を記録したものとしては現存最古の地図である。イングランドから南の大西洋海岸線を表した標準ポルトラーノであるこの地図は、アフリカ海岸をボジャドール岬（通常ここまでが標準ポルトラーノでは限界となっている）からガンビア河の南のギニア海岸のロショ岬までを収め、それによってセネガル河とヴェルデ岬を描き且つ一四四六年のヌーノ・トリスタンの航海による調査結果を採り入れている。この海図は恐らく英国で作られた最も古いポルトラーノ型地図であるという点で、なお一層興味を唆られる。地図の銘文は、これがロンドンで作図されたと述べているのである。更にまた、この地図にはヴェルデ岬の南西に当って一つの大きな島が描かれているが、一部の専門家はこれをブラジルであると考えた。果して然らば、このビアンコ地図は、知られざるポルトガル人遠征隊によってコロンブスより半世紀も前にアメリカが発見されていたことを意味することになるけれども、この説は決して大方の認めるところとはならなかった。

以後何年もの間に、ポルトガル人の諸発見を載せた沢山のポルトラーノ海図が製作されたに相違ないが、それらが姿を消してから久しく、次の二〇年間には、知識の一層の伸展を示す様な海図を、我々は一枚も目にすることは出来ないのである。あの多作なヴェネチアの地図製作者グラシオソス・ベニンカーサの工房から生れた、一四六八年の日付のある大英博物館所蔵（所蔵番号 Add. MS. 6390）の一冊の地図帳（アトラス）の中には、カダモストとデ・シントラの航海によって得られた知識を示す重要な一葉がある。海岸線はシエラ・レオーネのシェルブロ島を過ぎてリベリアのメスラード岬まで伸びているが——これは一四七〇年のゴメス一家の冒険航海以前に到達された最遠点である。この地図及びそれ以後のベニンカーサの色々な地図に比べれば、フラ・マウロの有名な平面球形図（プラニスフィア）（一四五九年製。マルコ図書館所蔵、ヴェネチア）は何の進歩も示していない。海岸線はロショ岬まで示されているが、そこから先のアフリカ海岸は例の中世的空想で描かれているのである。しかしながらこのフラ・マウロ地図は、アビシニアの内部についていえば（一四四一年にフィレンツェを訪れたエチオピア使節団から得た情報の結果だが）驚くばかりに優れていることを認めるべきであろう。この地図のアジアの部分はマルコ・ポーロに拠っている。一四七〇年代初めの、余り知られていないポルトガル人の海図（エステンツェ図書館所蔵、モデナ［イタリア］）になると、一四七一年のサンタレムとエスコラールの諸発見を反映して、ギニア海岸はナイジェリアのラゴスまで伸びている。

他には、地図製作上の進歩を示すもので今日まで生残っている様な記録は、一四八九年になるまでは見当らない。この年、ギニア湾におけるポルトガル人の諸発見と南部アンゴラまで往ったディオゴ・カーンの諸航海の成果を愕くべき精度で示した四枚の海図が、クリストフォロ・ソリーゴによってヴェネチアで作られた。その第一図にある銘から時に『ギニア港湾譜（ポルトガレッセ）』*Ginea Portogalexe* などとも呼ばれるこの極めて重要な海図は、当時の代表的なイタリアの地図製作者達が描いた海図三五枚の集成から成る大英博物館所蔵の地図帳（所蔵番号 Egerton 73）の中に収められている。このソリーゴの地図は、カーンが一四八四年の第一次航海から帰還した直後に作られた筈の、失われたポルトガルの原図類から写されたと覚しき節がある。

喜望峰を回航したディアスの航海は、ヘンリックス・マルテルス・ゲルマヌスというドイツ人が一四八九年から一四九二年頃にかけてイタリアで作った、どちらかと言えば粗雑な世界地図（大英博物館所蔵。所蔵番号 Add. MS. 15760）に記録されている。この地図ではアフリカの西海岸が余りに遠く南東へ伸びている様に表現されているが、喜望峰は、ディアスが発見したその向う側の海岸と共に示されている。アジアは全体としてプトレマイオス風であり、先が切れてしまっている印度と、シヌス・マグヌス［＝大きな湾］によって分離されてしまった二本のマレー半島が描かれている（が、東方の半島は印度洋を囲繞する形で東南アフリカから東南アジアへかけて走るプトレマイオスの陸橋の生残りである）。もっと未熟なのは有名なマルティン・ベハイム地球儀上のアフリカの描き方であるが、これはマルテルス地図からか、あるいは他の何か共通の原型図（プロトタイプ）から写したものであろう。（一四九二年に製作され、ニュールンベルクのゲルマニア博物館に保存されている）最古の地球儀として知られるベハイムの所謂《馬鈴薯（エルドアペル）》は、古拙且つ中世的な地図製作術の名残りを留めている点では『カタロニア地図』やフラ・マウロの平面球形世界図と同列ではあるけれども、現存する最も名高い地理学遺産の一つである。これを創ったのは第3章で言及したニュールンベルクの有名な旅行者マルティン・ベハイムで、彼は何年もポルトガルやアソーレス群島に住み、往来するあらゆる航海者や地理学者達と交際していた。一枚の犢皮紙に輪郭を色で手描きしたこの地球儀の製作に当って、ベハイムは当時の地理的知識を集約しようとした。同時代の所説（シェーデルの『ニュールンベルク年代記』）からすると、彼はカーンと共にコンゴ地方まで往ったものと信じたいけれども、恐らくギニア湾の南までは行っていないと思われる。それはともかく、ベハイムは最初の偉大なドイツ人地理学者であり、現存する最古の地球儀の製作者として、永遠の尊敬を受くべき資格があるのである。

よく知られたもう一つの地図史上の宝物は、パリの国立図書館にあるあの物議を醸した《コロンブスの地図》（所蔵番号AA 562）である。一時コロンブス自身乃至は弟バルトロメオの作品と考えられたこともあったが、今日では、これはポルトガル起源のほぼ一四九九年から一五〇〇年頃のものと見做されている。この地図はヨーロッパとコンゴ辺までのアフリカを描いており、特にアフリカ海岸を埋めた地名の豊富さの点で注目に値する。小さい世界図が主図左端の円の中に嵌め込まれているが、この小さな地図が重要な所以は、それが例のマルテルス・ゲルマヌス地図やベハイム地球儀よりも遥かに正確に南アフリカや東アフリカを描いているからである。これは、この地図が一四九九年のダ・ガマの帰還後間もなく作られたことを示すものであろう。しかしながらアジアの部分については、ダ・ガマの航海の成果と思われるような示唆は全く見当らず、それは一五〇〇年のラ・コーサ地図に初めて記録されるのである。それでもこの小さな挿入図は、ベハイムの地球儀と新世紀の最初の数年間に現れた有名な幾つかの地図との間隙を十分に塡めるものであろう。

世紀の転換とポルトガル人による初期の印度航海の開始によって地図製作の地平線も著

しく拡大され、幾多の非常に重要な地図が、東アフリカや南アジアの海岸に沿う諸々の発見を記録し始めるのである。この小さな選ばれた一群の中にはラ・コーサ地図、アミイ＝ハンティントン地図、カンティノ地図、カネリオ地図、イーガートン地図帳、ヴォルフェンビュッテル海図、ペサロ地図、そして、それぞれクンストマン2及びクンストマン3として知られる地図などが含まれる。

コロンブスの旧い水先案内人であったファン・デ・ラ・コーサの偉大な世界地図はルネッサンス期地図製作術の鍵を握る証拠文書として不変の位置を保っている。一五〇〇年に製作され、マドリード海軍博物館に保存されているこの海図は、コロンブスの諸発見を物語る最古の現存地図であり、またダ・ガマの印度航海を記録した現存する最古の地図でもある。ギニアから喜望峰へかけてのアフリカ海岸の表現は見事である。その東海岸には若干の新知識の反映が見られるが、どちらかと言えばナタールから紅海へかけて伸びる膨んだ円弧で雑に描かれている。南アジアは依然として全くプトレマイオス風で、断ち截られた形の印度の基部には、この土地がポルトガル人によって発見されたという趣旨の説明文がある。

通常、年代では次に来ると目されている海図、即ちキング＝アミイあるいはアミイ＝ハンティントン世界図（イタリア製、一五〇一―一五〇二年頃。ハンティントン図書館。所蔵番号 MS. HM. 45）の中には、一つの進歩がはっきり認められる。この平面球形図では東アフリカは遥かに正確となり、ソマリランドとグァルダフイ岬が示されているのは、多分一五〇〇年の、カブラルと分離した後にこの海岸を北上したディオゴ・ディアスの航海から得た情報によるものであろう。南アジアは相変らずプトレマイオス的ではあるが、印度半島西側の乳首状突出部は半島と言える程度に延長され、そこにカリカットの町が示されている。例のシヌス・マグヌスで分離された、お定まりの形をした東・西二つのマレー半島があり、西のマレー半島にはマラッカの名が見出される。

次の地図、即ち一五〇二年のポルトガル製の海図でモデナのエステンツェ図書館に保存されている見事なカンティノの平面球形図には、更に大きな進歩が認められる。この素敵な地図は、フェララ公ヘルクレス・デステの密使としてリスボンに行っていたアルベルト・カンティノが、出来た年にそこで入手したもので、当時最新の情報を盛り込んだ地図であった。アフリカ全体が初めて、気味の悪い程の正確さで描かれており、印度にもまた『カタロニア地図』以来初めて、先へ行くにつれて尖り過ぎてはいるものの、真の半島らしい形が与えられている。マレー半島も幅が広過ぎ且つずっと南まで伸び過ぎの嫌いはあるが、ともかく一本になった。セイロン、スマトラ、マダガスカルについては、後の二つが南へ下り過ぎの観はあるけれども、その輪郭はかなり正確である。こうした完全に説明の付く誤りはあるにしても、カンティノ地図はそれまでに作られた中では断然一頭地を抜いた最高の世界地図であった。

一五〇二―一五〇四年頃の作とされる次の地図になると、ある種の退化が歴然と認められる。カンティノ地図には些か劣るけれども大体において似ているこの世界地図は、恐らくポルトガルに住んでいたと思われるジェノヴァ人ニコロ・デ・カネリオの作品で、フランス海軍省の所有物になっていて現在パリの国立図書館に預けられている。カンティノ地図と比較すると、カネリオ地図はアフリカがもっと広く描かれているが細部の精度ではむしろ遜色があり、印度は一層正確に、つまり印度半島は鋭さが減じて円味を増し、更に本物に近い形で描かれている。カンティノ地図と同様、カネリオ地図でも幅の広い、長く伸びた一本のマレー半島がある。しかしカネリオ地図の持つ大きな意味は、これが一五一三年の『プトレマイオス地理書』〔ストラスブール版〕――最初の近代的印刷地図帳――所収のアフリカ、アジアそしてアメリカの地図が彫られた原図と見做されているという事実である。実際この地図の影響は非常に広汎なものがあったと見え、地図学者達はこの種の地図に冠する属名として〝カネリオ型(タイプ)〟なる呼称を与えているのである。

一五一三年版の『プトレマイオス地理書』が近代的意味における最初の印刷地図帳であるとすれば、アジアやアメリカに関する新発見を概述している最古の手描き地図帳は大英博物館にある極めて興味深く且つ重要なイーガートン地図帳(所蔵番号 Egerton 2803)であろう。この精緻高雅な一巻は、一枚の世界地図と一九枚の地方図とを以て、当時知られていた世界を構成している。この地図帳はイタリア起源の、多分ジェノヴァのヴェスコンテ・デ・マイオッロまたはマッジョーロの海図工房が作ったもので、中の天文表の一葉に従って製作年は一五〇八年とされている。その色々な図葉の中でも一番興味深いのは、何と言っても世界地図である。これはカネリオ地図乃至は一種の共通の祖先から派生した地図らしく思われる。マレー半島の形はカネリオ地図の形に極めて近いが、印度の形は目に見えて良くなっている。マダガスカル島は初めて正しい位置に置かれ正確に描かれているが、セイロン島の位置はいい加減で、スマトラには初めてその名が付けられた。そして印度支那及び中国それ自身もちょっぴり仄めかされているのである。

ヴォルフェンビュッテル［ドイツ。ブラウンシュヴァイクの南方］に所蔵されている一五〇九年製の、印度洋を描いたポルトガル人の手に成る素晴しい海図についても一言しておくべきであろう。これはこの地域に関する現存最古のポルトガル製原図である（カンティノ、カネリオ両図とも多分〝失われた原図〟の写しであろう）。この海図は所謂カネリオ型に属するものであるが、印度は一層本物らしくなり、マダガスカルは正確で、マレー半島はかなり短くなっている。

十六世紀の最初の一〇年間に作られた世界地図のこの逸品の仲間の中には、ミュンヘン軍管区文庫所蔵の『クンストマン2』『クンストマン3』として知られるカネリオ型の海図も含まれねばならない。『クンストマン2』にはアメリカ、アフリカ、そして南アジアはベンガル湾までが、『クンストマン3』にはアメリカとアフリカのみが描かれている。

旧世界の部分ではよく似ているカンティノ地図やカネリオ地図と比較すると、その東半球部分には進歩は殆ど乃至は全く認められないものの、ほぼ一五〇三年―一五〇六年に作られたという事実によって、これらの地図は逸し難いものとなった。

従ってアルブケルケの時代には、アフリカの全体の輪郭とベンガル湾までの南アジアの大部分については(アラビアやペルシャ湾はまだ少しばかり略図的とはいえ)、地図製作の精度はかなりのものに達していた。しかし、ガンジス河三角洲以東の地図化は相変らず出鱈目で、渾沌を極めている。一五一二年のアブレウの航海はマレー半島の下部とセラム島までの東印度諸島方面を初めて明らかにするものであった。アブレウはフランシスコ・ロドリゲスという男と共に旅をしたのであるが、一五一四年頃に書かれたロドリゲスの『雑記(ブック)』には、スマトラから東の島々の地図数枚が含まれており、この原稿はパリのフランス下院〔国民議会〕図書館にある。ロドリゲスはまたこの本の中に、恐らくは東洋の水先案内人達から蒐集した情報に基いたと思われる中国に関する海図数枚を入れている。ロドリゲスが(そして無論、他の人々が彼と同じ様に)故国へもたらしたかかる地図作成に関する情報は、間もなくポルトラーノ海図そのものに採り入れられ、ペドロとジョルジエ・レイネルによる一五一七年から一五一九年の三つの海図(二つはミュンヘン軍管区文庫所蔵。一つは大英博物館所蔵、番号 Add. MS. 9812)には、マレーシア地方に関する知識の増大が認められる。特に『クンストマン4』として知られるミュンヘン所蔵の新しい方の図では、スマトラとマレー半島の輪郭が極めて精度よく描かれており、一方ジャワとその東方の島々では正確さが不足している。また印度支那はその半球状に膨んだ形をとり始め、その海岸は中国南東部まで示される様になる。フランス国立図書館の所謂『ミラー地図帳（アトラス）』（所蔵番号DD 683）にも注目しなければならない。一五一九年の恐らくロポ・オーメンの仕事と思われるこの重要なポルトガル製地図帳は、東印度地方を詳しく描いている上に、アラビア南部やペルシャ湾をこれまでよりも更に正確な形で示している。スペイン人ガルシア・デ・トレノの地図（一五二二年製。王立図書館蔵、トリノ、イタリア）にはフィリピン群島が初めて現れているが、これはマジェランの世界周航の生残り達から得た情報に基いているに相違ない。ダ・ガマの航海から四半世紀の間に、ヨーロッパから中国そしてフィリピン群島に至る海岸が正確に地図化されると共に、東半球に関する地図製作上の主要な問題は解決されたと考えてよいであろう。

　西半球の場合、その地図の歴史は一五〇〇年の『フアン・デ・ラ・コーサ地図』と共に一気に花開くことになる。コロンブスは恐らく別格として、ラ・コーサの西印度諸島に関する知識は当時の誰にも劣らなかった。彼はコロンブスの第二次航海に水先案内人として参加しており、一四九四年の〈ニーニャ〉によるキューバ、ジャマイカ巡航には提督コロンブスに随行した。一四九九年になるとオヘーダやヴェスプッチと共に南米北岸を股にかけている。後に彼はバスティダスの航海（一五〇一年）に参加し、最後にはオヘーダと共に植民地を造るべくスパニッシュ・メイン地方へ赴いた（一五〇九年）が、結局そこでインディアンと戦って命を落してしまう。彼の海図のアフリカやアジアの部分の持つ意義もさることながら、そのアメリカの部分は更に重要である。西印度諸島――大・小アンティル諸島――は彼自身の直接の知識に基いて見事に描かれている。ラ・コーサはキューバを一つの島として描いたが、この行為によってコロンブスの尽きせぬ恨みを買ってしまったと言われている。トリニダードからマラカイボへかけての南米は、前年のラ・コーサ自身の航海に基いてよく出来ている。トリニダードより東では海岸線が南に向い過ぎているが地名は豊富になっており、サン・ロケ岬の近傍には、一四九九年にビセンテ・ヤニェス・ピンソンがここを発見したという趣旨の銘文が見られる。北米は推測で描かれた部分が多いが、それでもカボット父子の諸航海が触れられており、この陸塊の東端には〝英国の岬〟Cavo de Ynglaterra なる記載があり、（ほぼ真東から真西に走っている）その海岸の中程の下には〝英国人によって発見された海〟Mar descubierta por Yngleses という説明文がある。コロンブス、カボットの諸航海やダ・ガマの印度航海を地図によって今日に伝えた記録の中では、このラ・コーサ地図が現存する最も重要なものと言っても過言ではない。

更に重要な諸発見が『アミイ＝ハンティントン地図』の上に記録されている。この地図では、南米海岸は一層厳密にポルトラーノ海図に見る様な方位線上に描かれ、ブラジルの沿海部はカブラルの航海や、(この地図が一五〇二年に作られたとして差支えなければ)ポルトガルのためにヴェスプッチが行った一五〇一年の航海に関する知識もまた披瀝されているると言ってよい程、上手に描かれている。ニューファウンドランドやラブラドール地方が未熟ながら初めて示されているが、これはガスパール・コルテ＝レアルとフェルナンデスの諸航海に関する一つの知識があったことを明らかにするものである。彼等の発見にかかる〝コルテ＝レアルの土地〟Terra Corte-Real と〝ラブラドールの土地〟Terra Laboratoris は北大西洋の二つの大きな島として表されている。カンティノやカネリオの地図では進展は殆ど見られないが、グリーンランドの位置は具体的に示され、フロリダの存在が暗示されており、カネリオ地図にはブラジル海岸沿いに地名が豊富である。一五〇二年と思われるペドロ・レイネルの大西洋図(ミュンヘン軍管区文庫保存の『クンストマン1』として知られるもの)は、コルテ＝レアルの諸発見を更に詳しく且つ相当数の地名を添えて示しているが、その土地が地図の左上隅ぎりぎりに置かれているため、作者ペドロがそこをアメリカ大陸の一部と考えていたか否かについて云々することは出来ない。多分この地図より少し後に作られたと思われる『クンストマン2』として知られる世界地図は、そのアメリカの位置についてはアミイ＝ハンティントン地図に驚く程似ているが、地名の点では、コルテ＝レアルの発見にかかる土地やブラジルのいずれでも、その原型と目される地図よりは遥かに豊富になっている。

曾てはマヨルカ人サルバート・デ・ピレストリナの作とされたが、今日では一五〇三年から一五〇四年頃のポルトガル製と考えられている海図の中には、新たに発見された北方の土地の地図化に関する一つの顕著な進歩が認められる。これは先に触れた如く、普通には『クンストマン3』として知られるものである。この海図の中ではグリーンランド、デイヴィス海峡、ラブラドール地方、そしてニューファウンドランドが全部見事に描かれているが、しかしニューファウンドランドは大陸らしき陸塊の一部として表現されている。一五〇五年―一五〇八年のペサロ地図(オリヴェリア図書館、ペサロ〔アドリア海岸のイタリア都市〕)は幾つかの珍しい特色を具えた点で古く且つ重要なもう一つの例であろう。アフリカやアジアの形はありきたりのカネリオ型海図ではあるが、その新世界に関する部分にはラ・コーサ地図やアミイ゠ハンティントン地図と共通するものがある。南米の形は後者のそれを想わせるが、ペサロ図ではラ・プラタ河口がもっと強調され、アマゾン河の幾つかの河口は全く誇張された形となり、海岸線はウラバ湾を過ぎて中央アメリカ沿海部からホンジュラスまで伸び、ユカタン半島らしき截断された形の半島で終っている。三つの大きな殆ど連続した陸塊から成る北米は、その東西に伸びる長い海岸線によって、ラ・コーサ図に戻ってしまっている。この様にペサロ図には、他の同時代の地図のいずれよりも色濃くラ・コーサ、ヴェスプッチ、そしてバスティダスの影響が認められるのである。その中央アメリカの部分はその後の一〇年間乃至それ以上の間に現れた如何なる地図よりも優れている。この点に関しては一五〇八年のイーガートン地図帳の中の世界地図のみが漸く比肩し得るけれども、これは小さな部分であり、太平洋岸とパナマ地峡が示されているということから証拠立てられる如く、後日修正されたものかも知れない。ペサロ図と同じく、イーガートン地図帳にも誇張された形のアマゾン河口を載せた南米の地方図が一枚入っていて、ブラジル海岸沖に描かれている《洗礼者ヨハネの島》という大島は、この地図の作者の完全性を信じたい気持を何となくぐらつかせるものがある。それにも拘らずイーガートン地図帳は、そのニューファウンドランド島(依然一つの半島だと考えられているが)の描き方には優れたものがあり、カボット海峡を〝西にノヴァ・スコシアを控えた一つの湾〟として、またデイヴィス海峡も〝その北東にグリーンランドが横たわる湾〟として表現している。

一五一〇—一五二〇年頃に極心投影法で描かれ、現在プロヴィデンスのジョン・カーター・ブラウン図書館に保存されている二枚の『グラレアヌス半球地図』にも注目すべきであろう。北半球部は一五〇七年の有名なヴァルトゼーミュラーの印刷地図と密接な関連を持っているが、南半球の方では海洋の概念の面で注目に値する前進を示している。南米とマレー半島との間に横たわる海は非常に広くなり、東端と西端でそれぞれ大西洋と印度洋に連続していて、今日我々が知っている様な太平洋というものを事実上初めて《地図》の上に現出させてくれる。

この辺で幾つかの地図学的珍品に一瞥を与えるのも一興であろう。例えば（恐らく一五〇七年頃の作で現在ニューヨーク公共図書館に保存されている）レノックス地球儀というものがある。卓抜な伎倆で彫刻されたこの銅球には、南米が初めて一つの島大陸として表されている。ブラジルの下には南東に伸びる角状の岬があり、太平洋の海岸はこの岬から北西へ向って伸びるものとして描かれている。明らかにこれは純然たる当てずっぽうの産物だが、それでも事実から著しく逸脱している、ということはない。しかしながら、レノックス地球儀の持つ第一の重要性は、コロンブス以後に作られた地球儀ではこれが現存最古の物であるという事実である。二番目の奇貨はフィレンツェの国立図書館にある素描地図である。これには一五〇六年の日付があり、通常バルトロメオ・コロンブスの作ったものとされている。この地図には例のシヌス・マグヌスによって分離された二本のマレー半島を持ったプトレマイオス風のアジアと、パナマ地峡によって東の方のマレー半島と連結された南米大陸が描かれている。この作者をバルトロメオとするのが正しければ、《新世界》は実際にはアジアの一部だとする考え方に関する彼の兄クリストファーの所論を説明するものかも知れない。三番目の尤物（ゆうぶつ）は一五一五年にニュールンベルクのヨハン・シェーナーが造った地球儀（大公領図書館蔵、ワイマール）であろう。ここでは南米の南端は円錐形をしており、一本の海峡によって《南方大陸》から隔てられている。この〝マジェランの航海の予見〟が果して単なる当てずっぽうだったのか、それとも根拠の疑わしい一五一四年のポルトガル人の航海によってラ・プラタ河口の状態を見誤り、一つの海峡と見做してしまったのか、あるいはまた記録に遺らぬ何らかの遠征が実際にそこに一つの海峡の存在を明らかにしていたのか、を云々することは不可能である。ともあれ、ここには、かの航海者（マジェラン）がそこを実際に抜けるより数年も前から《マジェラン海峡》の存在が示されているのであって、その航海においてマジェランに何程かの影響をあるいは及ぼした、とも考えられる一つの要素ではあった。

さて、もっと本格的な地図製作史に戻ってみると、ほぼ一五一九年作と思われるジョルジェ・レイネルの海図（『クンストマン4』）の中央アメリカの描き方には一つの進歩が見られる。この地図にはバルボアの太平洋発見が採り入れられており、パナマ地峡はコロンビアからコスタ・リカまでその輪郭が示され、ユカタン半島とホンジュラスが初めて顔を出している。恐らく一五二〇年作のアロンソ・デ・ピネーダの素描地図（インディアス文書館所蔵、セビーリャ）には北方への開拓がはっきり表れており、フロリダを実際の形で描き、メキシコ湾岸をユカタンからその先まで示している。一五二七年製のヴェスコンテ・デ・マイオッロの世界地図（一九四四年、ミラノのアンブロシウス図書館に所蔵中、戦火に罹って失われた）になると、西海岸に対する馴染みというものが一層はっきりして来る。この地図では南米は（想像部分もあるが）全体が輪郭化されており、中央アメリカとガルフ地方［メキシコ湾一帯］は、ユカタン半島が一つの島となり、その南に太平洋へ通ずる一つの海峡がある以外は、素晴しい出来栄えと言える。しかし、メキシコ西部を過ぎるとその海岸線は極めて鋭い弧を描いて曲って行き、ハッテラス岬辺の大西洋と紙一重の処まで伸びている。そこから先はこの海岸は北方へ走り、北米大陸北東部の砂時計の様な形の膨みを形成するのである。この現象が、二年後に作られたヴェラツァーノ自身の地図（ヴァチカン所蔵）の中でも彼が繰返している特色の一つ、即ち《ヴェラツァーノの神秘の海》の話に影響されたことは明白である。こうした点にも拘らず、この二つの地図はそれまでのどんな地図よりも正確な北米大西洋岸の形態化を実現しているのである。

初期植民時代におけるポルトラーノ型地図作成法はポルトガルの偉大な地図製作者ディオゴ・リベイロにおいてその極致に達したと言ってよかろう。リベイロ以後、細部の追加や訂正は沢山あったけれども、全体としては彼の描いた大陸の輪郭は東半球、西半球のいずれにおいても極めて正確だから、リベイロの地図は二世紀後でも通用したであろう。多くの同国人と同様、リベイロもその生涯の大半をスペインのために尽した。彼は永年に亙り王室付き宇宙形状誌学者（コスモグラファー）の地位を保持し、その資格においてセビーリャの契約局（カーサ・デ・コントラタシオン）に懸けてある《欽定図》（パドロン・レアル）即ち世界の基本図（マスター・マップ）を常に更新訂正してゆくのが彼の任務であった。フェルナンド・コロンブス、セバスチャン・カボット、そしてフェルディナンド・マジェランの親友であり、一五一九年の壮挙の前にはこの世界周航者マジェランのために海図を調えてやっている。従って、はっきりリベイロの作だと言える地図が僅か三点しか残っていないのは、真に惜しみてもなお余りあることである。二つの世界地図（一五二七年製と一五二九年製）はワイマールの大公領図書館に、三番目（一五二九年製）はヴァチカンに保存されている。三点の中ではヴァチカン所蔵のものが恐らく最も優れている。この地図ではヨーロッパやアフリカ、そして香港（ホンコン）の先に至るまでの南アジアの海岸の輪郭が見事なまでに詳細精確に描かれ、東印度地方は過不足のない完全性を示しているし、アメリカ地方の東海岸はニューファウンドランドからマジェラン海峡までが優れた形を見せており、その西海岸はメキシコからペルーまでがこれまた立派に図化されているのである。この地図が例えばアジアと北米、そしてオーストラリアの太平洋岸の地図化の如き、為すべき多くのものを残しているのは事実である。けれども概して言えば、リベイロの海図は〝大陸の輪郭〟という点では、ダンヴィルの時代を迎えるまで、これを凌駕するものは遂に現れなかったのである。

リベイロだけが当時の優れたポルトガル人地図学者（コスモグラファー）であった訳では無論ない。既述の通りペドロとジョルジェのレイネル父子がいて、彼等はミュンヘンにある（クンストマン1と4、そして一五一七年製の地図）や大英博物館所蔵の諸々の海図を作った。リベイロと同じくレイネル父子はスペインで働き、マジェランの遠征準備に力を尽した。続いてロポ

（父）とディオゴ（子）のオーメン父子がいる。ロポはパリにあるあの瞠目すべき美しさと装飾に富んだミラー地図帳（アトラス）や、（一九三〇年、ロンドンはサザビイ商会で売立てられた）一五一九年の素晴しい平面球形図を作り、息子のディオゴは世紀半ば以後、現在パリ、ヴェネチア、ウィーンその他に保存されている沢山の地図帳や海図を作っている。ディオゴの最も魅力的な作品は恐らく、スペインのフェリーペ二世とイングランドのメアリ女王のために作られ、今は大英博物館の地図関係史料の至宝の一つとなっている壮麗な地図帳（所蔵番号 Add. MS. 5415）であろう。しかし、一般にポルトガル最大の地図製作者と称されることの多いのはフェルナン・ヴァス・ドウラードである。一五二〇年頃ゴアで生れたヴァス・ドウラードは一五四六年のディウの攻囲で働き、その生涯の大部分を印度で送ったことは確かである。一五七〇年頃には本国ポルトガルへやって来たらしい。彼がセバスチャン王を自分の後援者（パトロン）と考えていたことは疑いなく、その作品の大部分はこの頑固な夢想家であった王の時代から始っている。彼の描いた印度洋と東印度諸島方面の海図は、バルトロメウ・ラッソというもう一人の優れた海図作者のそれと共に、リンスホーテンによって利用されたと言われている。もしそうなら、このことはかのオランダ人リンスホーテンの知識と精度の淵源を説明するのに大いに役立つものであろう。ヴァス・ドウラードの地図帳は七乃至八点が今日まで遺ったが、中でも特に見事なのは恐らく、リスボンの国立図書館（ビブリオテーカ・ナシオナール）所蔵の一五六八年のもの、リスボンのトーレ・デ・トンボ古文書館所蔵の一五七一年のもの、そして大英博物館（所蔵番号 Add. MS. 31317）の一五七三年のものである。かくしてポルトガルは、十六世紀のポルトラーノ海図作者の最も傑出した一群を生み出した。この姉妹王国に比べるとスペインは殆ど見るべきものを遺していないと言ってよい。勿論ラ・コーサやガルシア・デ・トレノはその地図を今日に残してくれたし、世紀半ばの練達の地図製作者アロンソ・デ・サンタ・クルースは確かに幾つかの優れた仕事をしている。しかし一般的に言えば、スペイン人は地図が必要になるとポルトガル人を傭って作らせただけなのである。けれどもスペインの一部には古来のポルトラーノ型海図の伝統が依然衰えておらず、マヨルカ島のオリヴェス一家（その三人は一五三〇年から一五九〇年にかけて活躍）の手に成る海図の中には、カタロニア＝バレアレス派として名高い、卓越した技術を特色とする一連の地図や地図帳があるのである。

その他、古くから地中海海域にあったポルトラーノ海図製作の中心地では引続き地図工房の活動が維持されていた。アンコナにはコンテ・フレドゥッチ（活動期間一四九七―一五五六年）の工房があり、ジェノヴァにはマイオッロまたはマッジョーロ（活動期一五〇四―一五八六年）の有名な地図屋があった。メッシナには少くとも数名の業者があり、その主なものはヤコブス・ルッソス（一五二〇―一五八八年に活躍）やフアン・マルチネス（活動期一五六四―八六年頃）などである。クレタ島はゲオルギオ・カラポーダ（一五三七―六五年に活動）を生み、そしてトルコにはあの興味津々たる航海者ピリ・ライスがいて、一五一三年に一枚の世界地図を作ったが、その西印度諸島の部分はコロンブスの資料から採られたと言われている。これらの中で最も多産であったのは一五二七年から一五六四年にかけて活躍したヴェネチアの地図製作者バチスタ・アニェーゼであった。彼の七〇点以上に達する地図帳は今日まで生残り、ヨーロッパやアメリカの主要な図書館で展示されている。アニェーゼの繊細優美で凝ったこれらの作品は殆どが小縮尺で描かれており、大部分のポルトラーノ型海図と異って実用性は乏しいけれども、絶大な装飾的魅力の対象として不易の価値を有するものである。これらは玄人筋にとってはそれなりに常に大きな魅惑であった。しかしながら、アニェーゼ地図だけでなく、地中海地方で作られた他の海図についても同様だが、これらはむしろ二番煎じであって――彼等の地図製作術も所詮はポルトガル製の原図の写しであり、また大抵の場合、「コピイのコピイ」であるとの観を否めない。それにも拘らず、この製作された量そのものは、ポルトラーノ型海図に対する極めて旺盛な需要がこの世紀を通じてずっと船長達の間にあったという事実を痛感させるものであって、ポルトラーノ型海図こそルネッサンス時代の航海実務家のための海図であり、この時代の終りを迎えるまで、印刷地図にこの役割を奪われることはなかったのである。

目覚しかったが短命だったディエップ派の製作にかかる地図には、装飾的美しさと直接的知識とが結び付いている。この進取の気に溢れたフランスの海港は、十六世紀のごく初期から海賊活動その他で幾度も西アフリカやブラジル方面に遠征隊を繰り出していた。ジヤック・カルティエはサン・マローの近くから船出したし、パルマンティエなる男の指揮するディエップの一船隊は一五二九年に遥かスマトラまで往ったと言われている。従ってディエップの船乗りや地図製作者は、ヨーロッパ大陸では最も経験豊富な集団の一つであったし、大部分が一五四〇年代から一五五〇年代のものであるこの派の海図は、セント・ローレンス河の形態と東部カナダの形状とを示した最初のものであった。ディエップの地図製作者でも群を抜いていたのはピエール・デセリエで、その傑作は後に国王アンリ二世となった皇太子（ドーファン）のために作られた、極めて装飾的ながら微細な点まで正確な平面球形図式の『ドーファン地図』（現在マンチェスターのジョン・ライランズ図書館に保管）である。大英博物館にある綺麗な『世界全図（マッペモンデ）』（ハーリイ〔オックスフォード〕伯の蒐集）（所蔵番号Add. MS. 5413）同じ博物館の一五五〇年作製の見事な平面球形図（所蔵番号Add. MS. 24065）もまた彼の作とされている。デセリエの地図はディエップ派の他の作品と同様、一つの巨大な南方大陸を描いている点で注目されるが、それは《ジャワ大島（ラ・グランド）》として、広大な南極半島という形で真っ直ぐ東印度諸島に向って伸びているのである。その他このノルマンディの海港から出た地図製作者にはニコラ・デリアンがいるが、彼はドレスデン図書館所蔵の一五四一年作の素晴しい世界地図ともう一つ、一五六六年製でパリの国立図書館にある地図（所蔵番号D 7895）の作者である。またニコラ・ヴァラールはハンティントン図書館（所蔵番号MS. HM. 29）の一五四七年の作といわれる極めて美麗な地図帳の製作者である。ディエップの地図製作者の一人ジャン・ロッツは英国（イングランド）へ渡ってヘンリイ八世付きの王室宇宙形状誌学者（コスモグラファー）になったが、この男は本当はジョン・ロスというスコットランド人であったと言われている。『水路誌』*Boke of Ydrography* と呼ばれるその素晴しく美しい絵画の様な地図帳は庇護者ヘンリイ八世に捧げられた作品であるが、これは恐らくディエップ派最大の栄光を物語るものであろう（大英博物館。所蔵番号 Royal MS. 20 E ix）。この地図帳の中のアメリカ地図は英国で作られた現存最古の西半球地図でもある。

ポルトラーノ型海図の伝統に関する概観は以上のポルトガル派、地中海派そしてディエップ派の要約的記述を以て終ることにする。海上雄飛の栄光の訪れが遅れた英国では、エリザベス女王時代以前には英国人海図製作者を一人も生み得なかったし、その後も英国の地図（例えばジョン・ディーやウィリアム・バラのそれ）は割と弱々しく素描に近いものであった。印刷による地図製作術では瞬く間に世界の先頭に立ったオランダも、筆者の知る限りでは十六世紀のポルトラーノ海図は一つも産んでいないし、当時《地理学理論》の面ではあの様に活潑であったドイツといえども同断である。それ故に栄光の棕櫚はポルトガルやノルマンディの航海業者・海図作者達に与えられて然るべきなのである。

この主題に別れを告げる前に、十六世紀のポルトラーノ海図に使われた地図投影法の問題について少しく触れておくべきであろう。何らかのきちんとした投影法が意図的に使用される場合に好まれたのは《円筒等距図法》であった。《メルカトール図法》を両極で圧し縮めた形と考えればほぼ当っているこの図法では、経度子午線は総て垂直線であり、緯度平行線は悉く等長等間隔の水平直線となり、両極は赤道と同じ長さを持つことになる。熱帯地方に対してはこの投影法は全く正確だが、極へ近づくにつれて歪みは増大する。十六世紀の海図作者達にとって幸運だったのは、ルネッサンス期の発見の大部分がこの熱帯地方で行われたことであった。これに反し《北米》部分は横方向の歪みを大きく被らざるを得なかったが、このことは、次の世紀になって他の投影法で描かれた印刷地図においてすら、《北米》が何故あんなに途方もない大きさの陸塊として姿を見せているのかを説明してくれると思う。

註　これまでに言及した海図の大半は、その優れた写真複製を次の参考書中に見ることが出来るが、本書巻末の参考書誌の中でも詳しく触れておいた。

カルタ・ピサーナ（ピサ図）

・ジョマール『地理学上の偉業』二八頁。

・『世界の姿（イマゴ・ムンディ）』第一部（一九三五年）、一六頁。

標準ポルトラーノ

・ノルデンショルド『航海案内（ペリプロス）』の随処に。

カタロニア地図帳
・フランス国立図書館所蔵『地理学史料選』(パリ、一八八三年)。
・ノルデンショルド　前掲書、11―14図。
ビアンコ地図(一四四八年)
・アスララ『年代記』(ハクルート協会、一八九九年刊)、第二巻。
フラ・マウロ地図
・サンタレム『地図帳』付録(一八五四年)、原寸複製。
・ラ・ロンシェール『アフリカの発見』図葉36(アフリカのみ)。
ベニンカーサ地図(一四六八年)
・カダモスト『航海記』(ハクルート協会、一九三七年)、八四頁。
モデナ所蔵ポルトガル人海図
・ペレス『ポルトガル人による諸発見』一四八頁。
ソリーゴ海図
・ラ・ロンシェール　前掲書、図葉25、27、29、30。
マルテルス・ゲルマヌス地図
・ラ・ロンシェール　前掲書、図葉32(アフリカのみ)。
・ノルデンショルド　前掲書、一二三頁(再現不良)。

・グリーンリー『カブラルの航海』（ハクルート協会、一九三八年）。
ベハイム地球儀
・レイヴンスタイン『ベハイム伝』。
・カンマラー『紅海』第二巻、図葉141。
コロンブス地図
・ラ・ロンシェール　前掲書、図葉30（折込）（大型地図）。
・カンマラー　前掲書、140図（挿入地図）。
・ラ・ロンシェール『クリストフ・コロンの地図』（一九二四年）。
ラ・コーサ地図
・ヴァスカーノ『ラ・コーサ伝』（原寸）。
・ナン『世界全図（マッペモンデ）』（図葉三枚）。
・サンタレム『地図帳』144図。
・ジョマール　前掲書、10—12図。
・ノルデンショルド　前掲書、43—44図。
・クレッチュマー『発見』7図（アメリカのみ）。
・カンマラー　前掲書、144図（アフリカのみ）。
・ウィリアムスン『カボット父子の航海』（小型ながら鮮明）。

アミイ＝ハンティントン地図
・ノルデンショルド　前掲書、45図。
・カンマラー　前掲書、145図。
カンティノ地図
・スティヴンスン『地図』第一（原寸）。
・コルテサン『地図製作術（カルトグラフィ）』2図。
・ハリス『北米』6図（アメリカ）、8図（アジア）。
・レイヴンスタイン『ダ・ガマ航海記』（南アフリカ部分の編輯図）。
カネリオ地図
・スティヴンスン『カネリオ…』（原寸）。
・クレッチュマー　前掲書、8図（アメリカのみ）。
・カンマラー　前掲書、151図（アジアとアフリカ）。
・レイヴンスタイン　前掲書（アジアとアフリカ部分の編輯図）。
イーガートン地図帳
・スティヴンスン『地図帳』
・ウィリアムスン　前掲書、一九六頁（世界地図）。
・パシェコ・ペレイラ『エスメラルド』（ハクルート協会、一九三七年刊）のアフリカ関係地図。

ヴォルフェンビュッテル海図

・『世界の姿』第三部（一九三九年）、八頁。

ペサロ地図

・『世界の姿』第七部（一九五一年）、八二頁。

クンストマン1

・クンストマン『地図帳…』1図。

・クレッチュマー　前掲書、9図（北米）。

・コルテサン　前掲書、3図。

クンストマン2

・クンストマン　前掲書、2図（アメリカのみ）。

・スティヴンスン『地図』第二（原寸）。

・クレッチュマー　前掲書、8図（アメリカのみ）。

・カンマラー　前掲書、153図（アジアとアフリカ）。

クンストマン3

・クンストマン　前掲書、3図（大西洋の部）。

・スティヴンスン　前掲書、第三（原寸）。

・クレッチュマー　前掲書、9図（北米）。
・ウィリアムスン　前掲書、二二〇頁（大西洋の部）。
クンストマン　4
・クンストマン　前掲書、4図（アメリカのみ）。
・スティヴンスン　前掲書、第五（原寸）。
・クレッチュマー　前掲書、12図（アメリカ）。
・カンマラー　前掲書、163図（アジアとアフリカ）。
・コルテサン　前掲書、5図。
ロドリゲス地図
・サンタレム　前掲書、66図―71図。
・『トメ・ピレスとF・ロドリゲスの雑記に関する…大要』（ハクルート協会、一九四四年）、地図二一枚。
レイネル地図（一五一七年）
・コルテサン　前掲書、8図。
・カンマラー　前掲書、161図。
レイネル（大英博物館）
・*Geographical Journal* 一九三六年六月号、五二二―五二三頁。

ミラー地図帳
・カンマラー　前掲書、1、23、40、45、102、119図。
ガルシア・デ・トレノ
・スティヴンスン　前掲書、第六（原寸）。
・カンマラー　前掲書、164図（南アジアと東印度諸島）。
グラレアヌス半球地図
・ロス『太平洋に関する初期の地図製作』5、6図。
レノックス地球儀
・クレッチュマー　前掲書、11図。
・ファイト／フリーマン『古地図』第七。
・スティヴンスン『地球儀』七二頁。
B・コロンブスの地図
・ファイト／フリーマン　前掲書、第五。
シェーナー地球儀
・クレッチュマー　前掲書、11図。
・スティヴンスン　前掲書、八四頁。
ピネーダの素描地図

・ノルデンショルド　前掲書、一七九頁。
・クレッチュマー　前掲書、14図。
マイオッロ地図（一五二七年）
・スティヴンスン　前掲書、第十（原寸）。
・ハリス　前掲書、10図。
・ファイト／フリーマン　前掲書、第十二。
ヴェラッツァーノ地図
・スティヴンスン　前掲書、第十二（原寸）。
・アルマジア『（ヴァチカン地図）珠玉集』24―26図。
リベイロ地図
・スティヴンスン　前掲書、第九、十一（原寸）。
・サンタレム　前掲書、64―65図。
・アルマジア　前掲書、21―23図。
・コルテサン　前掲書、17、20、21図。
・ノルデンショルド　前掲書、48―49図。
・クレッチュマー　前掲書、15図（アメリカ）。
・カンマラー　前掲書、168図（アジアとアフリカ）。

オーメン地図（一五一九年）
・カンマラー　前掲書、162図。
オーメン地図帳（一五五八年）
・コルテサン　前掲書、18―19図。
ヴァス・ドウラード地図帳
・クンストマン　前掲書、8―12図。
・コルテサン　前掲書、21―51図。
・ラゴア『地図帳』
ラッソ＝リンスホーテン地図
・コルテサン　前掲書、52図。
・カンマラー『紅海』第三巻、94図。
サンタ・クルース・ゴレス
・ノルデンショルド　前掲書、50図。
ピリ・ライス地図（一五一三年）
・アクスラ『ピリ・ライス』
・P・カーレ『トルコ人の描いた世界地図に見る行方不明のコロンブスの地図』（ベルリン、一九三三年）。

デセリエのドーファン地図
・ジョマール　前掲書、13―18図。
・ノルデンショルド　前掲書、51―53図。
ヴァラール地図帳
・『航海史』（パリ、*L'Illustration* 一九三四年）、一〇五頁（カナダの部）。
ディーのアメリカ地図
・ハクルート『英国民主要航海史…』（ハクルート協会、一九〇四年）、第八巻末尾。
ジャン・ロッツの地図帳についてはなお適切な処理に俟たねばならぬ点がある。

ルネッサンス期の印刷地図

十五世紀の末から十六世紀の大部分へかけての印刷地図（この見出しの下に銅版彫刻地図と木版地図とを入れる［この注記はペンローズ原文ママ：編集注］）は総てプトレマイオスの『地理書（ゲオグラフィア）』の強い影響下に置かれていた。プトレマイオスの各種の版は頻繁に刊行され、ボローニャ版の（誤って一四六二年の日付があるが、恐らく一四七七年頃の印刷と推定される）地図帳から一五七〇年のオルテリウスの地図帳の出現に至るまで、重要な地図出版物の大半はこの『地理書』の様々な版本であった。ルネッサンス期の編輯者達が最新の情報に基いた地図でこれら古典的な地図を増補し、彼等の版の陳腐化を防ぐべく努めたものの、印刷による地図製作術はポルトラーノ式地図製作術よりも遥かに長い間、プトレマイオス的なものに影響されて来たのである。一般的に言って、一五七〇年以前の印刷地図の製作は二つに分類される。第一は、プトレマイオス本の複製であり、第二は、それだけでか、あるいは地理に関する本の中に含まれるかして発行された一枚ものである。どちらの場合も、手描き地図に顕著に見られる様な不断の進歩を全く欠いているのには驚かされる。後者つまり手描き地図の場合は、どの海図もそれ以前の地図に比べて何らかの改良を示しているのが普通だが、印刷地図の場合には、例えばピエトロ・マルティーレの一五三四年作のあの見事な〝ラムージョ的〟新大陸地図が一五四〇年のバーゼル版プトレマイオス地理書に継承されるといった一種の逆行現象にぶつかっても驚くには当らず、バーゼル版には子供の悪戯描き程度にしか見えぬ一枚の西半球図が入っているのである。

それ故に初期印刷地図の研究では、手描きのポルトラーノが免れている様な絶え間のない堕落現象や奇怪極まる時代錯誤というものを心に留めておかねばならない。例えば截断された様な印度、シヌス・マグヌスによって分離された二本のマレー半島などは少くとも一五四〇年代まで生き延びて来ているし、一五五六年になってすら、ジラヴァの『宇宙形状誌（コスモグラフィア）』には、輪郭の素人臭さと粗雑さの点でマルテルス・ゲルマヌス時代以後の手描き地図とは比較にならぬ一枚の世界地図が含まれている。言うまでもなく後者は一つの極端な例であって玉石混淆の状況が続いたけれども、オランダ派の興隆までは、印刷による地図製作術は決して一定の速度による進歩は示していない。しかしながら地域的地形図（特にヨーロッパのそれ）と地図投影法の二つの部門では、印刷地図は手描き地図を遥かに引離して前進したのである。

プトレマイオス地理書の最古の印刷版（一四七七年頃のボローニャ版と一四七八年のローマ版）はプトレマイオスの各種の地図だけを含んでいたが、古典的な地図学の時代後れな本質は余りに歴然たるものがあったから、次の二つの版（フィレンツェで一四八二年頃に作られたベルリンギエリの韻文版と一四八二年のウルム版）にはポルトラーノ式方位線を加えたフランス、スペイン、イタリア及びパレスチナ地方の四枚の地図が追加された。ウルム版プトレマイオス地理書には更に一枚の世界地図が添えられているが、そこではグリーンランドがスカンジナヴィアから伸びるもう一つの半島として描かれている。

何らかのルネッサンス期諸発見を示している最古の印刷地図は（大英博物館にある唯一の写し（コピィ）で有名な）一五〇六年製のコンタリーニの地図で銅版彫刻による複心臓型投影法［極投影円錐図法が正しい］で描かれている。この地図は特に旧世界に関してはアミイ＝ハンティントン地図と幾らか類似点を持っている。アフリカは大体において正確で後者と殆ど同じ様な輪郭をしているが、南アジアは印度の西側突角が延長されている点以外、依然プトレマイオス風である。アメリカはある未知の原型から来ているらしい。アンティル諸島と南米はカンティノ地図の描写を想わせ、カボット父子やコルテ＝レアル兄弟の諸発見は、南西の中国へ向って傾斜する《アジアの北東の岬》として表されている。このため日本はキューバの西、そしてニュー・イングランドと覚しき土地の南に置かれる結果となった。地図上の一つの銘文はコロンブスが日本の西にあるアジア本土に達したことを述べ、またグリーンランドはスカンジナヴィアのもう一つの半島として描かれている。

ヴュルテンベルクのシュロス・ヴォルフェックにある無二の一枚で知られるマルティン・ヴァルトゼーミュラーの世界地図は極めて大きな木版刷で、一五〇七年の作とされている。この地図ではアフリカは申し分ないがアジアはプトレマイオス風で、マルコ・ポーロの影響が認められる。ヴェスプッチの航海を記念する地図として、その関心は挙げてアメリカに向けられている。《アメリカ》という名前が見出される地図としては最初のもので、北米と南米は一つの海峡で分離された島大陸として示されているが、主図の上端にある小さな副図では、この両大陸はパナマ地峡で繫がっている。この点ではヴァルトゼーミュラーの地図は現存する同じ頃のどんな手描きポルトラーノよりも遥かに進歩している。一方、南米はごつごつと角張っているとはいえ、真実性を感じさせるだけの姿をしており、北米はどう仕様もない程に瘦せこけているのである。

同じ年にヨハン・ルイシュが作り、長い間、アメリカを描いた最古の印刷地図と見做されていた二重円錐図法による世界地図では、進歩と退化が二つながら明白である。ローマで印刷された一五〇七—〇八年版のプトレマイオス地理書の刊本中に綴じ込まれたこの地図は、（カボットの、あるいはそれ以後のいずれかの）ブリストルからアメリカ北東部へ出かけた航海に参加したドイツ人地理学者による作品である。銅版に彫られた美麗な地図で、アフリカは型通りであり、印度は本当の半島らしい形態となり、マレー半島とスマトラはカンティノの地図に極めてよく似ている。アメリカはコンタリーニの地図を思わせ、ニューファウンドランドとその近くの海岸は、いわばアジアの北東突出部となっていて、キューバとジャワの間には広大な海洋がある。南米はコロンビアからブラジルへかけて輪郭が描かれているけれども、南米西岸があるべき処には、ルイシュは代りに釈明文を書いた大きな巻物飾り（スクロール）を描いて、この問題から逃げてしまった。

コンタリーニ、ヴァルトゼーミュラー、そしてルイシュによるこれら三つの地図は少くともアメリカに関する限り、印刷地図の初期刊本（インキュナブラ）の最も貴重な標本であり、これに続く数年間はこれ程に野心的なものは何一つ記録されていないのである。『諸国誌』*Paesi*（一五〇八年、ミラノ）のラテン語版には綺麗なアフリカの木版地図があり、マルティーレの『十年記』*Decades* の一五一一年刊セビーリャ版中には西印度諸島やスパニッシュ・メイン（とそれにユカタンの暗示も見られる）の優秀且つ極めて興味ある地図が含まれている。ヴェネチア版プトレマイオス地理書（一五一一年）のシルヴァヌス世界地図はその装飾的な見事さで有名であるが、知識の点では何の進歩も見られないし、ヨハンネス・デ・ストプニッァの『プトレマイオス地理学入門』*Introductio in Ptholomei Cosmographiam*（一五一二年、クラカウ）の中の地図は、一五〇七年のヴァルトゼーミュラー地図の上縁にある二つの小型挿入図を模したものに過ぎない。

一五一三年になると印刷による地図製作術に大きな前進が見られた。この年、旧来のプトレマイオス的地図を増補すべくヴァルトゼーミュラーが何年か前から着手し、二〇枚を下らぬ最新の地図を追加して完成に漕ぎ着けた極めて重要なプトレマイオス地理書の版本がストラスブールで発行された。新地図の中の五枚はポルトガル人やスペイン人による諸発見を記録しており、カネリオ地図（乃至は共通の原型）から複製されたものの様に思われる。大縮尺のアフリカ地図二枚、南アジア地図一枚に加えて、《提督（コロンブス）》の地図として引合いに出される、西印度諸島からギニアに至る大西洋の海図も含まれている。この一五一三年版プトレマイオス地理書は真にいみじくも近代的地図帳の嚆矢と呼ばれている。これは以後永年に亙ってヨーロッパに関する標準的な地図帳となり、幾度も版を重ねた。この一五二二年版には二つの興味深い追加があるが、一つは御世辞にも正確とは言えぬ東印度諸島の地図であり、もう一つは中国と日本の地図であった。

『ストラスブール版プトレマイオス地図帳』が四半世紀以上に亙って挑戦を許さぬ不動の地歩を占めたという事実にも拘らず、一五一三年から一五四〇年にかけては重要な意義を持つ一枚ものの地図が数多く作られた。一五一六年ヴァルトゼーミュラーは、殆どカネリオ地図の敷き写しに近い、シュロス・ヴォルフェックに遺る唯一のコピイで知られる彼の二番目の超大型木版刷世界地図を作った。この地図は、アジアの細部について特に優れており、ジャワや東印度諸島に関する若干の知識も盛込まれている。しかしながら、ヴァルトゼーミュラーの最初の地図に加えられたこの改良も大いに普及するには至らなかった。と言うのは、ソリヌスの一五二〇年のウィーン版には一五〇七年のヴァルトゼーミュラー地図の縮小でそっくりそのままの一枚の複製が、過去一三年間の探検の成果など一切知らぬ顔で納っているからである。しかしこのソリヌスの地図は、一冊の本に含まれた《アメリカ》という名のある世界最初の地図であったが故に、常に好事家の垂涎の的であったのである。一五三一年にはもっと大きな影響を及ぼした一枚の地図が現れる。オロンス・フィネの複心臓型地図である。これはグリナイオス＝ユティッシュの『新しい地球』*Novus Orbis*（一五三二年、パリ）の中の付図として世に出た。この海図の中では、アフリカとアジアは当時知られていた情報によって描かれてはいるが、北米はアジアの連続に過ぎないとするコロンブスの概念に追随するもので、南の《アメリカ》と一本の狭い地峡で繋がっていた。この南の《大陸》の表現は見事であり、マジェラン海峡によって巨大な南極大陸から分離しているように描かれている。海峡の外側の太平洋の部分には《マジェランの海（マーレ・マゲラニクム）》という名が与えられているが、これは印刷地図にこの大発見者の名が現れた最初である。

この期における両《アメリカ》の最も正確な表現を求めるならば、ピエトロ・マルティーレによる一五三四年の（ジョン・カーター・ブラウン図書館とニューヨーク公共図書館に所蔵の本で知られる）ヴェネチア版に収められた所謂《ラムージォ》地図にまで戻らねばならない。繊細さと精度の点でも注目すべき、この絶妙に仕上げられた作品は、地図製作術の面ではディオゴ・リベイロの幾つかの手描き平面球形図と殆ど同様で、その一つから模写されたであろうことは十分に考えられる。ニューファウンドランドからマジェラン海峡に至る海岸全体と西印度諸島が見事に描かれ、西海岸はメキシコからペルーへ、更にチリー南部までが示されている。卓抜さでこれに迫り得る印刷地図は、一〇年後のカボット地図の出現まで、遂に一枚もなかったのである。

円筒等距図法で描かれた《ラムージォ》地図の簡潔な美しさにも拘らず、球を平面に投影する問題の解決を目指す実験は続いていた。一五三八年、地図投影法の長い複雑な歴史の中に不朽の名を留めることになった一人の献身的な若者ゲルハルドゥス・メルカトールによって、一枚の複心臓型図法による地図が印刷された。彼のこの最初の試みは殆どオロンス・フィネの作品に倣ったものだが、フィネの地図との主な相違点は、北米を一本の海峡によってアジアから分離された大陸として描いていることである。それにも拘らず、メルカトールがこの彼の生涯の業績の形成期においてもなお、二本のマレー半島とか大西洋上の伝説的な島々といった様々な幻想に対する奇妙な信仰を抱いていたことは明らかである。しかし《北米》と《南米》の名が付けられたのは、これが最初であった。メルカトールのこの地図で現在知られているのは二部のみで、一部はニューヨーク公共図書館に、もう一部はアメリカ地理学会の所有となっている。

セバスチャン・カボットの作とされ、恐らく一五四四年にアントワープで出版された大変見事な、そして極めて大型の世界地図にもまた、注意が向けられるべきであろう。数枚の銅版で印刷された、パリの国立図書館にある唯一の原本で知られるこの楕円形の地図は、誠実さに溢れた正確なものである。神話的なものは全く姿を消しており、カナダにおけるフランス人、カリフォルニア湾におけるスペイン人の最新の探検を採り入れて北米地図の製作史に偉大な前進を見せる一方、アマゾン河の流路全体の記入はオレヤーナの探検による知識を示すものである。カボット自身が探検したラ・プラタ流域がよく描けているのは当然として、《アメリカ》の西海岸もカリフォルニアからマジェラン海峡まで切れ目なく続いている。フエゴ島は示されているが《南方大陸》はなく、アジアの描写は優秀で中国まで十分に図化され、東印度諸島は当時知られていた限りにおいて慎重に処理され、日本だけが旧態依然たる姿の島として表されている。この地図で最も興味深いのは、一四九七年のカボットの航海に関する重要な記述であろう。参照の便を図ってケイプ・ブレトン島のすぐ近くに置かれた一つの説明文によれば、〝この土地はジョン・カボットとその息子セバスチャンによって一四九四年(原文のまま)の六月二十四日に発見された〟という。「一五四九年、ロンドン」の日付のあるこの地図の第二版は今は完全に姿を消してしまったけれども、ハクルートは《ウェストミンスター女王陛下専用美術館》でそれを見たことがあると言っている。

さて『プトレマイオス地理書』はセバスチャン・ミュンスターの擁護を受けてその寿命を延ばし、一五四〇年から一五五二年の間にバーゼルにおいて、四つの版が次々にこの学者の手で出版された。ミュンスターは一方では新発見の事実を知りながらこれを無視するという裏切りを犯しただけに、彼の地図は全く時代がかった稚拙なもので魅力に乏しい。彼は地図製作者であるよりもむしろ記述を主とする地誌学者として優れていたから、その地図学に判決を下すのは恐らく冷酷の譏りを免れまい。これよりずっと面白いのは一五四八年から一五七四年にかけてヴェネチアで出版された小型ながら高雅な『プトレマイオス地理書』のイタリア語による各種の版である。これらは練達の地図製作者ジャコモ・ガスタルディのデザインによる精妙な銅版地図を含んでおり、一五四八年の版は《新世界》に関する図版全部が初めて収められた重要なものである。後期（一五六一年以後）の各版本はガスタルディの後継者ジロラモ・ルセッリによって改訂されている。

これらヴェネチア版プトレマイオス地理書は、十六世紀中葉の数十年間イタリアがヨーロッパの主要な地図製作センターとなり、それらが専ら流布した地域になったという事実を強調するものである。ヴェネチアとローマは旺盛な地図製作活動で知られた都市であり、銅版彫刻による莫大な数の一枚ものの地図が発行された。抜け目のないローマの出版者アントニオ・ラフレリはこの種の地図のシリーズを集めて組合せ、製本し、聊か出鱈目なコレクションとして売り出す仕事を始めた。この事業のために彼は一五七〇年頃、世界を支えているアトラスを描いた見事な扉絵を彫らせた――これはこの時初めて使われたモチーフで、今日我々が製本された地図帳を呼ぶのに使う言葉《アトラス》はここに由来する。他の出版業者、例えばドゥケッティなどもこの事業に手を染めたが、地図そのものは多くの地図製作者の手に成るものであり、その中でもジャコモ・ガスタルディの仕事が断然擢んでている。寄せ集めで一つの地図帳を作るといった様な、体系を欠いたラフレリ流のやり方は校合作業が非常に困難になるけれども、それでも現存する雑多な原本から六六一種の多きに上る異った地図がこれまでに確認されており、任意の一冊中に含まれる地図の種類の最大数は（大英博物館の調査によれば）一六一種であるという。年代も殆ど同程度に多様で、地図の大部分は元来一五五六年から一五七二年の間に発行されたものである。主題について言えば、その大半はヨーロッパの地方図もしくは都市図であるが、アメリカを描いたもの、あるいはアジアやアフリカにおける新発見に関する極めて興味深い地図も多数含まれている。これらの地図の多くは地図彫刻の秀麗な見本と言ってよい。

《ラフレリ地図帳》はイタリア地図製作術の頂点を示すものであった。何故なら地図製作の首位の座は間もなくオランダに遷ってしまい、一世紀乃至それ以上の間、そこに腰を据えたからである。オランダは永年に亙って立派な彫版技術の流派を育んで来ており、また

（例えばオルテリウスやリンスホーテンといった）幾人もの卓越した地理学者を生み出した。更に、オランダは間もなく海軍と植民地の拡張という大いなる時代に乗り出そうとしていた。従ってオランダが他の追随を許さぬ地図事業の中心地になるべき天の時と地の利は正に熟していたと言ってよい。

既に見た通り、ラフレリの地図帳は既刊の一枚ものの地図を手当り次第に蒐めたものであり、またストラスブール、バーゼル、ヴェネチアその他で刊行された初期の地図帳は総てがプトレマイオス的基礎にしっかりと根を下したもの――つまり、それらは一様にプトレマイオスの地図と最近の地図による補遺とを組(セット)にしたもの、であった。しかし十六世紀も後半になると、プトレマイオスがお払箱になる時が来てしまった。この地図出版史上の革命はアブラハム・オルテリウスによって成就されることになる。一五二七年にドイツ人の両親からアントワープで生れたオルテリウスは、その世渡りをまず地図の彩色工として始めた。後に彼は地図商人となり、それによって現存する地図や地図文献に関する造詣を深めて行った。鑑定家としての天賦の資質は間もなく当時の地図帳の短所に彼の眼を開かせ、この世紀の中頃まで流布していたこれらの地図帳の限界や欠点から免れた《地図帳》を製作する決意を固めさせた。その成果が彼の劃期的な『世界の舞台』*Theatrum Orbis Terrarum* で、一五七〇年にアントワープで発行されたこの地図帳は一六二四年までに四〇版を重ね、ラテン語、オランダ語、ドイツ語、フランス語、スペイン語そして英語による諸版も作られた上に、その間ずっと各版とも絶え間なく追補されて行った。それは正に時代の特色であった自由な探究の精神をそのまま具体化し表現した、嶄然一頭地を抜く《ルネッサンスの地図帳》であった。初版には五三葉、最終版には一六六葉の地図が収められているが、永年に及んだプトレマイオスの『地理書(ゲオグラフィア)』の影響が些かなりとも痕跡を止めているものは殆どないと言ってよかった。漸く完全に近代的な地図帳が誕生したのである。古色蒼然たる教義への隷従と強力なプトレマイオスの影響を特徴とする地図製作・印刷史の揺籃時代はかくして終りを告げ——地球に関する知識の基礎を古代人の著作にではなく、直接の情報と科学的な調査の上に置こうとする努力を特色とする新しき時代が始ることになる。前に見た如く、手描きによる地図製作術は夙にこうした羈絆を脱していたが、印刷地図帳の〝奴隷解放〟を実現したのはオルテリウスの大いなる功績であった。

オルテリウスの地図の持つ幾つかの特色については一言しておく価値がある。スカンジナヴィア、グリーンランド、そして北極地方はそれまでのどれよりも良い形をしているし、東印度諸島に関する優れた知識も披瀝されている。これに反して彼は、南米大陸の形が殆ど矩形になってしまう程の、南西を向いた大きな楔状の突出部をチリーに与え、また広大な《南方大陸》を置いている。北米大陸は、例の《アニアン海峡》によって北東アジアから分離されたものとして、臆測的に描かれている。内陸地方、特にヨーロッパの地方図は賛嘆に値するばかりに詳細で、彼が知識を欠いている部分には甚だ装飾的な動物達が嵌め込まれており、一方、海洋の部分は船や海の怪物達で混み合っている。恐らくこの『舞台（テアトルム）』で最も注目を惹く特色は、オルテリウスがその記録を見つけることが出来た地図製作者の総てに関する典拠照合表が付いていることであろう。彼はここで八七名を下らぬ地理学者や地図製作者の名を挙げているのである。

それにも拘らずオルテリウスの評判は、彼の好敵手であり隣国人でもあったベルギー生れのゲルハルドゥス・メルカトールの名声によってその光輝を失ってしまい、メルカトールの名が以後ずっと地図製作術と地図投影法の歴史の最前線に輝くことになる。メルカトールの生涯は長く世を益する地味なものであったが、幾つかの華々しい作品によって光芒を放っている。若者の頃に彼は既に立派な心臓型世界地図（一五三八年）を作った。以後何年もの間、彼は器具類の販売と地球儀製作者としての活動を続け、同時に地方測量や地形図の調製に携ったが、極端な新教徒として宗教改革の間は弾圧を蒙る立場にあった。従って彼のこうした活動にも拘らず、メルカトールが地図製作術の進歩を示すもう一つの里程標（マイルストーン）を作り出すには、一五六九年まで待たねばならなかったのである。この年、彼は自身の名で呼ばれる投影法を使った有名な世界地図を出版した。この（パリ国立図書館、ブレスラウ市立図書館の所蔵で知られる）地図は、細部では一五七〇年のオルテリウス地図に似ているが、その偉大な意義は斬新な投影法そのものにあり、一定の規則に従って船を進めれば航海者をその目的地へ導き得るという実用上の目的を持って考案されたものであった。換言すればその〝羅針方位は総て直線〟になる。従ってメルカトールの海図によれば、特に両地点間の距離が短い場合は、一定の羅針針路上における〝直線〟航行が実用出来るのである。しかし、メルカトール図法では大円は曲線で表されるから、大圏コースは標準化された一つの公式に則って計算され、決定されねばならない。この投影法はその本質においては、緯度平行線と子午線は直交する直線群となり、南北両極点群は赤道と同じ長さの直線となる、ポルトラーノ海図作者が昔から使って来た円筒等距図法に似ている。しかしながら、これらの古い海図には横方向の歪みがあるのみで垂直方向の歪みがないのに反し、メルカトール図法では横と縦の両方の歪みが一定の数学的比率で含まれてしまう。このため、極へ近づくにつれて緯度平行線はますます遠くへ引張られて互に離れてゆき、グリーンランドは南米と同じ大きさになる結果を生んでいる。簡単に言うなら、これは実用のための〝科学的歪曲〟であった。けれども、この地図は真に劃期的なものであったとはいえ、以後三〇年間、殆ど知られずまた使われもしなかったのは――メルカトールがその投影法の数学的根拠を説明しておかなかったからに違いない。それ故、この地図が汎く普及するのは、エドワード・ライトがその作図法を明らかにする法則と数表の一式を発表した一五九九年以後のことになるのである。

一五六九年のこの地図に具現された地図史上の革命を考えた場合、その同じメルカトールがプトレマイオス地理書のある版を作成したと聞けば、全く奇妙な感じがする。この一五七八年に刊行されたこの版は、プトレマイオス地理書として言うならば、当時としては気の毒な程に時代後れに見える、という以外何も付け加えるべきことはないが、その地図類は銅版彫刻の見事な模範であり、工人メルカトールの名声を一層高からしめたものである。

メルカトールはその偉大な地図帳の調製の方にこそ彼の本領があると感じていたに違いないが、その作品の完成を目にするまで生きることは出来なかった。一五八五年にフランス、低地国地方（ネーデルラント）［現ベネルックス地方］、ドイツから成るその第一部が刊行され、一五九〇年にはイタリア、バルカン地方、ギリシャを含む第二部が続き、そして一五九四年、ブリテン、スカンジナヴィア、アジア、アフリカそしてアメリカを含む第三部の仕上げの筆を入れている時、この偉大な地図製作者は世を去ったのである。彼の息子ルモルドは完成されたこの作品を一五九五年に発行し、それをエリザベス女王に捧げた。数年後、メルカトールの地図の銅版はヨドクス・ホンディウスという企業心に富む地図製作者の手に移ったが、彼はそれらを自分と相続者達の既得権として大いに活用し、儲けた。最初のホンディウス＝メルカトール版は一六〇六年に出版され、以後七五年の間にホンディウス家によって五〇もの版が重ねられる。こうしてこのホンディウス＝メルカトール版地図帳はオルテリウスの『世界の舞台』と肩を並べるものとなった。

かくしてメルカトールとオルテリウスによって先導された偉大なオランダ派地図製作術は、一世紀以上に亙って地図の製作を殆ど独占することになってゆく。その頃及びそれ以後のアントワープ、特にアムステルダムの地図工房（チャート・ハウス）からは極めて秀抜な地図帳や一枚ものが続々と生れた。それらの作品の中では十六世紀後半からの日付のもの数点が注目される。『地球の鏡』*Speculum Orbis Terrae* と題した一冊の美麗な地図帳が一五七八年にアントワープで出版されたが、その作者ヘラルドとコルネリウスの両ヨーデの名は、マヨルカやポルトガルのあの偉大なユダヤ人地図製作者達を想い出させる。もっと実用的な重要性を持つものとしては、ルーケ・ワーヘナーの『航海の鑑』*Spieghel der Zeevaerdt*（一五八四年、ライデン）があり、これは『航海者の鏡』*The Mariners Mirour*（一五八八年、ロンドン）として英訳された。この本は、北アフリカからスカンジナヴィアに至る大西洋とバルト海沿岸の詳しい航海案内書で、非常に重宝なものであったから、航海民族である英国人の間では『ワゴナー waggoner［ワーヘナー］』と言えば《海図集》もしくは《航海指南書一般》を意味する言葉になってしまった。リンスホーテンの『東方案内記』*Itinerario*（一五九七年、アムステルダム）には一連の見事な地図、特にアフリカ、南アジア、東印度諸島のそれが含まれている。これらはヴァス・ドウラードやバルトロメウ・ラッソによるポルトガル製のポルトラーノ海図に基いたもので——従って東印度諸島やマレーシアの場合は特に——これ以前のどんな印刷地図よりも優れている。リンスホーテンが東洋についてこうした地図を作ったのと同じく、コルネリウス・ウィトフリートは《新世界》のそれを作っている。彼の『プトレマイオス地図増補』*Descriptionis Ptolemaicae Augmentum*

（一五九七年、ルーヴァン）は《アメリカ》だけを扱った最初の地図帳である。ウィトフリートの版本はメルカトールやオルテリウスのそれらと同じく、十七世紀になっても大いに版が重ねられ、バロック期のブラウ一族、ヤン・ヤンスゾーン、ペーテル・ゴースといった巨匠達とオランダ派初期の人々とを結ぶ役割を果している。

一五七五―一六二五年の期間には、ヨーロッパ大陸のその他の国からは、注目に値する地図はごく僅か、地図帳に至っては全く出版されず、活潑であったのはオランダのみで、専らそこに集中していたのである。ドイツではオランダ人［テオドール・］ド・ブライがその『大航海』*Grandes...*『小航海』*Petites Voyages...* 譚集のために幾つかの美しく魅力的な地図を作り、イタリアではアフリカに関する二枚の精密な地図がロペスの本『コンゴ』（一五九一年、ローマ）に掲載され、そしてフランスでは巧緻正確な西半球図がハクルート版のマルティーレ『十年記』集 *Decades*（一五八七年、パリ）の中に現れている。後の方の地図は北西航路を発見したと主張しているスペインの航海者フランシスコ・グァーエの作だと考えられている。

専らオランダの影響を受けた英国では、事情はもっと活潑であった。クリストファー・サクストンが英国の州地図（カウンティ・マップ）を纏めた華麗な地図帳を一五七四年から一五七九年にかけて発行したし、一五九八年にはリンスホーテンの英語版が、英国の地図製作者の彫った地図を添えて出版された。これらの地図はオランダの原本から模写されたものなので元のよりは質が劣っていた。しかしこの頃、漸く英国人地図製作者のかなり優秀な一派が生れつつあった。一五九二年、エマリイ・モリヌーという工夫の良い工匠は（今なおロンドンのミドル寺院に保存されている）堂々たる一対の球儀（天球儀・地球儀）を作ったが、これは英国で製作された最初のものである。英国ではその道の人材を欠いていたため、その『主要航海記』*Principal Navigations* 一五八九年版ではオルテリウスの世界地図を使わざるを得なかったハクルートは英国人による地図製作の奨励に熱中していたが、メルカトール図法の謎を解いたエドワード・ライトを得て、英国はメルカトール亡き後ではヨーロッパ最高の数理地理・地図学者を持つことになった。名高い傑作『ライト＝モリヌー地図』はハクルートの鼓吹とライトの解明の結果であり、これは恐らくモリヌーの地球儀を参考にして、ライト自身がメルカトール図法で描いたものと思われる。一五九八年から一六〇〇年へかけてのハクルート版諸本の一部（決して全部ではない）に載っているこの地図は、その頃までに印刷体で発表された〝地球表面に関する最良の表現〟であった。これはシェイクスピアによっても引用されており、初期の東印度会社船（イースト・インディアメン）やヴァージニア植民地通いの船の船長達にとっては〝お馴染みのもの〟であったに違いない。従って『ライト＝モリヌー地図』はルネッサンス地図製作史の最高水準を示すものと見做されており、本章の締め括りとして真に似合いのクライマックスを提供するものである。

註　本章に言及されている印刷地図の大部分の複製はA・E・ノルデンショルド男爵の『複製古地図帳』*Fac-Simile Atlas*（一八八九年、ストックホルム）、E・D・ファイト／A・フリーマンの『古地図の本』*A Book of Old Maps*（一九二六年、マサチューセッツ州ケンブリッジ）、及びアーサー・L・ハンフリイの『装飾古地図・古海図』*Old Decorative Maps and Charts*（一九二六年、ロンドン）の中に見出されるであろう。これまでに出版された『カボット地図』の複製でこれならばと思われるものはジョマールの『地理学上の偉業』*Monuments de la géographie* 中の図葉二六―二九である。

航海術

十六世紀の船乗り達が航海に際して（ポルトラーノ海図の他に）駆使し得た補助器具の主なものと言えば、羅針盤(コンパス)とアストロラーベ〔天測儀〕である。この世紀の後半になるまでは、羅針盤に関する一つの文献が書かれるためには電磁気学について解らないことが余りにも多過ぎたけれども、海上における位置決定に占めるアストロラーベの重要性は甚だ大きかったから、『航海便覧』というものがルネッサンス期の科学的著述の基本部分になった。

海上で針で突いた程の精密な船位を知るには、緯度と経度を正確に決定しなければならない。後者、即ち経度の決定はルネッサンス人の技術的発明の才を以てしても手に余るものがあり、彼等は（測程線（ログ・ライン）の利用と自船の推定速度から判断する）推測航法（デッド・レコニング）による近似値を得るだけで満足せざるを得なかった。これに反して緯度はアストロラーべによってかなり正確に、また観測者の手許に一年中の太陽の赤緯表が用意されていれば十字桿（クロス・スタフ）を使って一層大きな精度で知ることが出来た。この方法では、観測者はまず正午に水平線上の太陽の高度を測り、日付によるその日に固有の補正を行って現在位置の緯度を決定するのである。太陽の角度による位置決定の方法は遥かな昔からのものであり、また赤緯表は東方ではアラビア人によって算定されていたと見られる。この様な数表は早くも一二五二年にカスティーリャのアルフォンソ十世賢明王により、キリスト教ヨーロッパに導入された。この所謂《アルフォンソの表》が後ウマイヤ朝回教君主（カリフ）治下のムーア時代スペインで作られた天体位置表に基いていることは疑いない。十三世紀の末にはモンペリエのロベール・アンジェールという男が同じ様な表を作ったが、これは恐らく中世の船乗りや地図製作者達によって使われたものと思われる。

二世紀の後、スペイン系ユダヤ人アブラハム・ザクートとドイツ人［フランケンの］ケーニヒスベルクのヨハンネス・ミュラー（雅号レギオモンタヌスはこの生地名のラテン化）の二人がそれぞれ独自に、それまでのどれよりも遥かに精度の高い赤緯表を作り上げた。レギオモンタヌスの仕事は印刷体となって即座に何版も重ねた（初版名『方位表』*Tabula Directionum* 一四七五年頃、ニュールンベルク。ハイン蔵書13799）が、内陸ヨーロッパから生れたこの著作がどの程度まで実際の航海者達の手に入ったかは疑問である。これに反し、ザクートの『万年暦』*Almanach Perpetumm* は、それを最も必要とする人々の間に写本の形で弘く流布した。ザクートがポルトガルへ来てから以後、彼が如何に深く航海事業に関っていたかを我々は既に見て来た。ヴァスコ・ダ・ガマの印度航海成功の因が、主としてダ・ガマのためにザクートが調製してやった各種の航海暦にあったことは知られているところである。ザクートの表は印刷体では僅かに一種(一四九六年、レイリア。ハイン蔵書16267)が知られているのみだが、大航海時代における彼の影響は実に大きなものがあった。

しかしながら、太陽赤緯表というものは航海知識の一要素でしかなく、天文学の理解というものがもう一つの要素を構成するのであって——結婚と同じく——これら二要素の統一からのみ、真の《航海便覧》が初めて誕生したのである。前述の通り、天文学に関する中世の標準的な教科書はサクロボスコの『球形の世界』*Sphaera Mundi* であり、これはプトレマイオスの『天文学(アルマゲスト)』の解り易い註釈本でもあった。ザクートとサクロボスコの二人は、今日知られている限りの航海便覧中最古のものである作者不詳のポルトガルの本『アストロラーベと象限儀の規則』*Regimento do estrolabio y do quadrante* の中で一緒に引合いに出されている。この本はザクートの同僚ヨセフ・ヴィシニョの作である可能性が強いが、現存最古の版は一五〇九年頃にリスボンで出版されており、今は湮滅してしまったそれ以前の諸版があったことは大いに考えられるところである。この非常に珍しい小著は極めて重要な内容を持っていたから、航海術に関するその後の論文は、今日に至るまで悉くこの原書『規則（レジメント）』の単なる改訂・増補版と見做して差支えあるまい。緯度の問題だけを取り上げてみても、それは太陽赤緯に関する数表でも大きな進歩を示しており、推測航法について一章を設けている他に、北極星と既知の地点の緯度表を使って夜間に緯度を決定する計算法を載せている。要するにこの本はその後のあらゆる《航海便覧》の鑑であったのである。

ポルトガルが海外雄飛民族の第一号とすれば、二番手はスペイン人であって、そしてこの『規則（レジメント）』の後を継ぐべく『地理学大全』*Suma de Geographia* が一五一九年にバルボアの旧敵フェルナンデス・デ・エンシソによって書かれ、セビーリャで印刷された。この本はサクロボスコの縮約版と言ってよく、太陽赤緯表並びに当時知られていた世界の地名表を、その地点の緯度表示と共に収載したものであった。エンシソのこの仕事は、姉妹王国スペインのために地理学の上で絶大な貢献をしたポルトガルからの移住者の一人がスペイン語で著した一冊の本によって、更に継承されることになってゆく。その著者フランシスコ・ファレイロはマジェランの莫逆の友ルイ・ファレイロの兄弟であった。この三人と地図製作者のディオゴ・リベイロは殆ど時を同じくしてポルトガルからセビーリャへやって来たのである。ファレイロの『地球と航海術に関する小論』*Tratado del esphera y del arte del marear*（一五三五年、セビーリャ）は例の『規則（レジメント）』に大変よく似たもので、その意味では、内容を拡大し新しくしたサクロボスコやザクートの一つの註釈版であった。しかし、ファレイロ自身の論文は卓説とは申し兼ねた。経度の問題の解決に野望を燃した余り、彼は兄弟ルイの計算に基いて、羅針盤の偏差によってそれを決定するという理論を推し進めてしまった。必然的にこの方法は無闇と複雑になって全く実用価値のないものになっただけでなく、地磁気偏差の永年変化に対する無知を示していたため、誤った考察に執着させる結果に終ってしまったのである。

しかし幸いにもファレイロの仕事は決定的な影響を及ぼすものではなかった。その出現の二年後には、初期航海便覧の最高且つ最も網羅的な本が現れた。これこそ才能豊かなユダヤ系ポルトガル人ペドロ・ヌーニエスによる名著の誉れ高い『地球論』*Tratado da sphera*（一五三七年、リスボン）であるが、彼はポルトガル王ジョアン三世の宮廷では宇宙形状誌学者（コスモグラファー）の首席を、またコインブラ大学では数学教授を務めた人で［英国の］ジョン・ディーの文通相手でもあった。ヌーニエスのこの非凡な著作にはサクロボスコのポルトガル語訳、レギオモンタヌスの師ゲオルク・ポイエルバッハによる太陽と月に関する一章、プトレマイオスの『地理学（ゲオグラフィア）』の第一書、航海術に関する様々な問題、そして海図についての入念精緻な一つの論攷が含まれていた。全く奇異と思われるのは、ヌーニェスが太陽赤緯表に関してはザクートの諸表を排してレギオモンタヌスのそれを採ったことであるが――これはヌーニェスの眼識を示す一つのヒントなのかも知れない。何故ならドイツ人レギオモンタヌスの計算の方が精度が少々高かったのである。同じくヌーニェスは、初めて自ら斜航曲線（ロクソドロミック）［航程線（ラム・ライン）］を描いて見せたり、また地図投影法に関する様々な工夫を示して、初期ルネッサンスの地図製作者とメルカトールとを結ぶ鐶（リンク）となるなど、地図製作理論の面で一段と進歩した鋭い知性を発揮した。実用面では大圏航法の説明もしている。ヌーニェスの本はかくの如く間然する処のない近代的なものであったから、《航海術》について書く人々は繰返しこの出発点に立ち戻るのである。

ヌーニェスの仕事は余りに立派であったから、当時の科学知識を以てこれを改良するなどということは不可能であり、以後の著述家達は精々これを祖述したに過ぎなかった。世紀半ばには二人のスペイン人がヌーニェスを手本とした《便覧》を出したが、それらは当然ながらヨーロッパ中でもて囃された。その最初は、コルテス麾下の船長の一人だったと言われ、西印度諸島へ赴く水先案内人達の試験官として、スペイン国王の信任が篤かったペドロ・デ・メディナが著した『航海術』*Arte de Navegar*（一五四五年、バリャドリー）である。彼の本は特にフランスで好評を博して五版を重ね、またイタリア語や英語（二版）でも出版された。範囲の点で更に網羅的だったのはマルティン・コルテスによる『地球及び航海術概論』*Breve compendio de la spera y de la arte de navegar*［一五五一年、セビーリャ］である。スペイン訪問旅行中にたまたまこの本にぶつかり、その価値を認めたスティーヴン・バラは一本を購って英国へ持ち帰り、リチャード・イーデンに飜訳させた（一五六一年）。コルテスの《便覧（ハンドブック）》はメディナのそれがフランスで得た以上の人気を英国で博し、八版を重ねた。これはその有用性から見れば当然で、それまでに現れた航海の科学に関する最も完璧な記述であるヌーニェスの《便覧》に匹敵するものであった。これには十字桿（クロス・スタフ）とアストロラーベの構造・使用法の、実地に即した見事な説明があり、また地球の磁極と真の極［地軸］とは同じものではないという示唆を発展させている。

他の多くの面でもそうであった如く、英国はスペインやポルトガルに追蹤する強力な三番手としてこの分野に登場するのであるが、一五五九年のウィリアム・カニンガムによる『宇宙形状誌の鏡』*The Cosmographical Glasse* の刊行以来、英国数学者の綺羅星の如き一団が、この増大する航海学文献に名を連ねて来る。レナード・ディゲス、ウィリアム・バーン、航海家ジョン・デイヴィス、そしてトマス・ブランデヴィルといった面々が挙げられるが、中でもこの分野の最も優れた英国の天才はエドワード・ライトであり、彼の地図学上の業績については既に述べた通りである。その著書『検出・修正さるべき…航海術に関する若干の誤謬』*Certaine Errors in Navigation...Detected and Corrected*（一五九九年、ロンドン）はメルカトール図法の構成を説明して地図製作に革命を起し、羅針盤（コンパス）と十字桿（クロス・スタフ）の利用を詳しく論じて、航海術に広汎な改善をもたらしたのである。

またこの時代の英国は、羅針盤と磁気に関する多くの著作の源泉でもあった。コロンブスは一四九二年に羅針盤の針が真北を指すのが普通というよりはむしろ異例であること、場所によって変化する磁気偏差が存在することを初めて観察したと言われている。北極海の航海者であり地図製作者でもあったウィリアム・バラが一五八一年に『羅針盤即ち磁針の偏差を論ず』*Discourse of the Variation of the Compas or Magneticall Needle* を著すまでほぼ一世紀の間、船乗り達はこの現象に面喰っていたのである。同じ年、ロバート・ノーマンという航海器具製作者は『新引力』*The Newe Attractive* なる一書を著し、その中で羅針盤の針が磁化されると水平面より傾く、即ち頭を下げる現象を発見したことを述べた。ノーマンは浸盆(ディップサークル)「当時の羅針盤は器の水に浮べた磁針である」を考案して、ロンドンにおける俯角の値を実に正確に見つけた。バラとノーマンの二人によって発表されたこれらの原理は、ソールズベリイの副監督であり、後にヘンリイ皇太子付き牧師となったウイリアム・バーロウが『航海者必携』*The Navigators Supply*(一五九七年)の中で俗耳に入り易い形で説いている。この独創的な聖職者は羅針筐(コンパス・ボックス)の発明者として称えられている。

しかしながら、バーロウの仕事はバラやノーマンの著作と同様、磁気と電気に関する最新の学問の基礎を他のいずれにも増ししっかりと置いたウィリアム・ギルバートの名著『磁石及び磁性体について』*De Magnete, Magneticisque Corporibus*(一六〇〇年)によって些か光彩を失ってしまった。エリザベス朝英国の最も傑出した科学者であるギルバートはその本の中で、〃地球はそれ自体大きな磁石に外ならず、地球そのものが、磁針が南北を指したり針に偏差と俯角を生ずる要因である〃という偉大な概念を推し進めた。彼はまた、数々の偉大な業績を遺した化学者・医者であると共に、英国におけるコペルニクス的見解の最初の鼓吹者であった。

殆ど同時的なギルバートの『磁石論』、ライトの『若干の誤謬』、ライト＝モリヌー地図、そしてあの偉大なハクルート版三冊本の出現によって、ルネッサンス期の航海学はその頂点に達したと言ってよい。《緯度》《地図製作術》そして《羅針盤》に関する諸問題は総て解決され、《経度》の問題だけが更にそれから一世紀半もの間、推測航法という言わば運任せの方法で格闘しなければならぬものとして残されたのである。《月距法》とか《羅針偏差》の如き非実用的な経度決定法は実はルネッサンス時代に示唆されていたし、一方、老セバスチャン・カボットはその死の床でリチャード・イーデンに対し、神の啓示によってその秘法を授かったと語っている。しかしながら、所与の地点から自分が東へ、また西へどれ程隔っているかを知る解法は、十八世紀の《経度屋》ハリソンによる経線儀（クロノメーター）「航海用精密時計」の発明を俟たねばならなかった。

大発見時代の船舶の形態（デザイン）

十五世紀には、後世に絶大な影響を及ぼすことになる幾多の技術革新——印刷術の発明、砲力の広汎な導入、そして三檣帆船（スリー・マスター）の出現——が見られたが、これらを抜きにしては大発見は決してあり得なかったと思われる。一四〇〇年以前にあっては、船の形態は古代以来ほんの僅かしか変化しておらず、橈漕ガレー船や一本の帆柱に一枚の大きな帆を張った帆船が走っていたのである。アクティウムの海戦［紀元前三一年、アントニウス＝クレオパトラ連合艦隊がアグリッパ麾下の艦隊にギリシャで敗れた海戦］以来起った様な発展は、専ら地中海の南部沿海地帯のアラビア人によるものであった。アラビア人は不恰好な横帆［四角帆］の代りにラティーン帆、つまり帆柱の前後にかけて一枚の三角帆を張ることを発達させたが、これは《三日月（クレセント）》そのものとして回教徒船の特色となった。ローマ人が時々そのアルテモン船に使った原始的な斜桁帆（スプリットスル）あるいは初期の第一斜檣（バウ・スプリット）からアラビア人は小さな前檣（フォアマスト）を発展させ、それを「均衡」または「調整」を意味する《ミズン》mizzen という言葉で呼んだのは、この帆装法が船の速度を増す追加手段というよりもむしろ操船の補助装置であったからである（《ミズン》という用語は後になって後檣（アフターマスト）に適用されたに過ぎない。と言うのは《ナウ》つまり後檣縦帆（ミズンスル）または大三角帆（ラティーンスル）を張る船ではそれが唯一の帆柱だからである）。

　こうした新機軸は中世の間に地中海のキリスト教徒の船乗り達によってある程度まで採り入れられたが、北ヨーロッパにまで影響を与えたとは思われず、大西洋に臨むイベリア半島の住人達も、少くとも中世初期にはこれをどの程度利用したかは疑問であって、大西洋の船乗りの大部分が航海王エンリケ王子の時代に至るまで、一本マストと横帆に執着していたのは確かである。従って十五世紀初頭の短い期間に、発見と文明の進展に極めて大きな役割を果すことになる《三檣帆船》が突如として姿を現したということは、実に驚くべきことなのである。この素晴しい創案が一体どんな腕の立つ船大工(シップライト)のお蔭であったのか後世の人間には知る由もないが、恐らくそれはまず、一四〇〇年頃から目立ち始めた船の大型化の結果であろう。殆ど同程度に重要であり、時期の点でもほぼ同時代（多分幾らか早かったと思われるが）のもう一つの革新は、舵の発達である。元来《船》というものは、船尾に縛り付けられて丸木舟(カヌー)を操る時の様な働きをする舵取り用の櫂で操船されていた。これが、特に荒天時の大型船の場合、如何に厄介で扱いにくい配置法であったかは想像に難くない。しかし中世以後になると舵は軸針(ピントル)や耳軸(ガジョン・ピン)によって船尾材(スターン・ポスト)に懸垂され、舵柄(チラー)によって操作されることになった。これにより、それまでは似た様な線図(ラインズ)に基いて建造されていた船の舳(みよし)と艫(とも)を区別して造るという、もう一つの効果を及ぼすに至った。この区別はチューダー時代までに〝斜出型の船首(レーキッシュ・バウ)〟と〝採光窓の付いた船尾(トランサム・スターン)〟という形に発展し、以後《帆船》の特徴として存続することになる。

　エンリケ航海王子がこうした発達に重要な役割を演じたであろうことは十分考えられる。エンリケの使用した船の型式(タイプ)は、彼が船舶設計の進歩に対して極めて積極的であったことを示している。エンリケ麾下の初期の船長達は《バルカ》barcaと呼ばれる二五トン程度の、一部にしか遮浪甲板のない小型船に一五、六人の水夫を乗せて航海していたと思われる。このバルカ船は一枚の横帆の付いた大きな主檣一基と一本の小さなミズン・マストを持っており、後者は状況の必要に応じて時々起（た）てられ、装帆された。こんな船でジル・エアンネスはボジャドール岬を回航したのだが、彼の仲間バルダーヤは、次の航海では帆装様式の似たもっと大型の《バリネル》barinel船を使っており、これは橈漕も可能であった。これら二種の船は低速で扱いにくく、おまけにバリネル船は漕ぎ手を必要としたのである。

一四四〇年までに船の形態革命は酣（たけなわ）となった。アスララによれば、この頃《カラヴェル》caravel船がエンリケ航海王麾下の船長達によって使われていたという。だからカラヴェル船は、それがエンリケ王子麾下の造船技師による発明であると見てよいあらゆる特徴を具えている。つまりそれは紛れもなくポルトガル人による開発であり、またサグレスが航海活動の源泉であったが故に、カラヴェル船発祥の地をここと考えるのは、極めて論理的な帰結と言ってよい。この船はその帆装様式と船体設計（ハル・デザイン）の双方から見て、真に革命的な《船（ヴェッセル）》であった。カラヴェル船は三檣型で通常大三角帆（ラティーン・スル）を装着しており、前部に主檣を、後部に二本の小さい帆柱を具え、その場合には《カラヴェラ・ラティーナ》caravela latinaという名で呼ばれていた。しかし、ニーニャ号やピンタ号がそうであった如く、時には横帆式のもあって、その場合には《カラヴェラ・レドンダ》caravela redonda

と呼ばれ、主檣は船の中央に移っているが、大三角帆型、横帆型のいずれであれ、その船体設計は同じ——つまり、細長かったのである。大きさの点では、カラヴェル船は当時の標準からすれば中型船に属し、大体五〇トンから二〇〇トンの間であった。

帆柱の配置の他に目立つ点は、この船の寸度関係であった。これ以前の船はだだっ広い盥（たらい）の如き代物で、その幅員は通常その長さの半分に等しい——つまり縦横比は一対二であった。対照的に、全長一〇〇フィートのカラヴェル船の幅員は二五乃至三〇フィートに過ぎず——その縦横比は一対三から一対四にすら達した。カラヴェル船の外観の比較的軽快な感じは、船首楼（フォクスル）が大変小さくなって一層強調されることになったが、さもないと、この伝統的な頭でっかちの上部構造物は主檣に掲げられた大三角帆の邪魔になったことであろう。カラヴェル船を当代無双の高性能帆船にしたのは、この様な船体構造、寸度及び帆装様式の組合せであった。風上へ廻る性能では卓越していたカラヴェル船は、風にまともに逆う以外はどこでも帆走出来たし、好天順風の際には、その一日の航程は時として後年の名高い快速大型帆船（クリッパー）の航走記録（ログ）に負けない程であった。カダモストが——彼なら知っていて当然だが——エンリケ麾下のカラヴェル船は航海用としては最高の船だと言ったのも不思議ではない。

カラヴェル船は半世紀以上に亙って遠洋航海を独占した。カーンが使い、ディアスが用い、そしてコロンブスの第一次航海では三隻中二隻までが横帆式カラヴェル船であった。

しかし、喜望峰沖でディアスが、またアソーレス沖でコロンブスが遭遇した如き暴風は、カラヴェル船が激浪荒れ狂う海ではむしろ余りに脆弱で且つ乾舷が低過ぎることを示したし、一方、印度方面への長途の航海では、十分な有効搭載量を得るにはカラヴェル船では小さ過ぎたのである。そこで次に来るべき進歩は《ナウ》nau船（スペイン語ではナオnao船）、つまり、高い船尾楼（プープ）と船首楼（フォクスル）を備え、前檣と主檣に多くの横帆を、後檣に一枚の大三角帆を展張する帆装様式を持った四〇〇トン級乃至それ以上の大型三檣帆船である。一四五〇年頃にその出現が報ぜられたこれらの大型船はダ・ガマが用い、コロンブスもまたその第二次航海時の大船団で使用しており、その各種の派生型は長い間、遠洋航海事業に活躍することになる。ナウ船の恐らく最もよく知られた変種はスペインの例の〝白銀艦隊（プレート・フリート）〟やエリザベス女王麾下の海軍で使用されて名の高かった《ガレオン》galle-on船である。これはナウ船よりも大型であったと考えられているが、その技術的な相違については諸説紛々として定まらない。次いで現れるのが巨大な《カラック》carrack船で時には七層または八層甲板の、一〇〇〇トン乃至それ以上に達する巨船であり、一〇〇〇人もの人間を乗せて航海することが出来た。

十五世紀・十六世紀に関する海洋考古学の抱える問題は、それが文書にせよ絵画にせよ、当時の正確な証拠が全くといってよい程に欠けているという点に著しい特徴を持っている。当時の紋章、彫版、絵画によって推論する図像学なるものは滅多に当てになるものではなく、一方、有力な証拠がないために、近年になって造られた幾多の模型——例えばコロンブスの船〈サンタ・マリア〉のそれ——は、到頭ルネッサンス期三檣帆船の殆どあらゆる型(タイプ)を網羅する結果になってしまった。当時つまり十五・十六世紀に造られた模型もまた大して役に立たない。何故ならそれらは教会などに吊り下げるために造られた奉納品、願掛け絵馬みたいな物が大部分であって、結局当時の船そのものに似たところは殆どないのである。

以上の様な概観に対しては、幸いにも幾つかの例外があり、それによって我々は大発見時代に使われていた船の姿の、少くとも一部分程度は描き出すことが出来る。例えば『ウォーリック伯リチャード・ボウシャンの盛儀(パジェント)』*The Pageants of Richard Beauchamp, Earl of Warwick*（大英博物館所蔵 Cotton MS: Julius E. iv）と題する興味深い写本は、一四八五年—一四九〇年当時の船の見取り図(スケッチ)数枚を含んでいるが、甚だ尤もと思わせるものがあって、チューダー初期英国船の見事な模型を造った際の基礎として使われた。ロンドン科学博物館にあるこの模型は次の寸度諸元を持つものである。トン数：約五〇〇トン、船首(ステム)より船尾(スターン)までの長さ：一〇六フィート、龍骨(キール)全長：七六フィート、幅員：三八フィート。この模型は当時の大型航洋船(オーシャン・ゴーイング)を再現した傑作として認められており、英国船ではあるけれども、船の形態(ハル・デザイン)の点では、コロンブス時代から十六世紀の最初の二五年にかけてスペイン人やポルトガル人が使った船から大きく隔ってはいない。但しポルトガル船やスペイン船は、模型に示された三つの帆の他に斜桁帆（スプリットスル）と上檣帆（トップスル）を持つのが普通であった。

十五世紀における発見事業に従事したカラヴェル船の形態（デザイン）についてはほんの僅かな証拠すら持っていないが、マドリード海軍博物館のためにフリオ・F・ギレン大佐によって製作されたサンタ・マリア号の優美な模型（この例ではナウ船よりもむしろカラヴェル船と考えられているが）の中には、カラヴェル船の船体のさこそと思われる素晴しい再現が見られる。この同じ設計図は一九二九年のセビーリャ博覧会に際して建造され、今は由縁深いパロスの近くのウエルバに繋留されている原寸大のサンタ・マリア三世号に用いられた。原型（オリジナル）の複製としてのこの〈サンタ・マリア三世〉はサミュエル・エリオット・モリソン［米国海洋史家。一九七六年歿］によれば、一四九二年の〝あの船〟はカラヴェル船よりもむしろ小型の船で恐らく高い船首楼を持っていたであろうし、また〈サンタ・マリア三世〉の船尾の組立ては一四八六年にマインツで印刷されたブライデンバッハの『旅行記』中にある木版画を模したものだから、〝細部に至るまで原型通り〟とは言えぬという。しかしながら横帆式カラヴェル船として見た場合、〈サンタ・マリア三世号〉は十五世紀の原型（プロトタイプ）の極めて忠実な表現であるというあらゆる特徴を具えているし、エンリケ王子の船長達が、カーンが、そしてディアスが使用した船は恐らく大三角帆（ラティーン）式で船首斜檣は持っていなかったにせよ、この模型に非常によく似た姿をしていたことは大いに考えられるのである。〈サンタ・マリア三世号〉の諸元を掲げておく。トン数一二〇トン、船体長：八四フィート、龍骨全長：六一フィート、幅員：二五フィート、主檣全高：九二フィート。

　ナウ船やガレオン船の基本的要素は当然ながら十六世紀を通じて変らずに残ったが、一方、特に船体設計と帆装様式の面では様々な部分的変化があり、これらがドレイク時代の大型船にコロンブスが知っていた様な船とは大きく異った外観を与えることになった。『ウォーリック伯…』の模型に見る通り、十五世紀末の船は截り立った、高い、殆ど垂直の船首と高く丸味のある船尾を持ち、中央部の船体の線(ラインズ)は直線に近く、腰部外板(ウェイルズ)は水線と平行していたから、全体の印象としては乾舷の高い、ずんぐりしたものであった。ルネッサンス時代が経過するにつれ、船はますます近代的な外観を呈し始める。十六世紀初期になると、平らで採光窓のある船尾型式が導入され、次いで高かった船首は次第に、もっとはっきりした船首斜檣(バウ・スプリット)を持つ、長く前方へ傾斜したものへと発展して行く。船体の無様(ぶざま)な直線の代りに《舷弧(シーア)》つまり船首尾で上向きに反った甲板を持つ船が造られ始め、一方、砲門(ガンポート)の採用（一五一五年頃）と砲列甲板の制式化は、舷縁に近づくにつれて船殻が内側へ彎曲する《タンブル・ホーム》［フレーアの反対］を発達させることになる。これは搭載砲の重量に対して船体強度を高めるために工夫された特徴であり、しばしば船の威容を実体以上に見せる効果を持っていた。ダ・ガマ時代のナウ船の帆装——斜桁帆(スプリットスル)、前檣及び主檣の横帆と上檣帆(トップスル)、そして後檣(ミズン)の大三角帆(ラティーンスル)——は、前檣及び主檣へのトガンスルの追加と、本来の後檣（ミズン）の後へ更に一本の小さなボナヴェンチュア後檣（ミズン）と呼ばれる四番目の帆柱（マスト）の増設によって〝九帆式（ナインスルズ）〟に発展することになった。このボナヴェンチュアという面白い名の付いた帆装法（リグ）はホイップスタフ操舵（ホイップスタフとは舵柄（チラー）に付いている縦の把手（ハンドル）で、上の甲板から操作することが出来た）を助けるためのものであった。

エリザベス朝のガレオン船に関しては、一五八六年頃に造船者によって引かれ、現在ケンブリッジ大学マグダレーン学寮のペピス記念図書館に保存されている見事な一連の図画から、我々はまず絶対といってよい正確な姿を描くことが出来る。その設計図はサミュエル・ペピスが購入した写本の中に含まれており、『往古英国造船術断章』と呼ばれるものである。これらは恐らく造船界の巨匠マシュウ・ベイカーの作らしく、そこに記された仕様書は一五九七―九八年に大改造された有名な〈エリザベス・ジョナス号〉の既知の諸元と一致すると思われる。この無二の設計図は龍骨全長一〇〇フィート、船首斜出（レーク）三六フィート、船尾斜出六フィート、垂線間長一四二フィート、幅員三八フィート、喫水一八フィートの、搭載量殆ど七〇〇トンに達する一隻の船を描き出している。ロンドン科学博物館のためにこの図面から正確且つ優美に造り出された模型は、十六世紀の船の再現としては今日最良のもの、と言ってよかろう。その軽快な姿態と極めて近代的な帆装様式によって、この船が少くともヴァスコ・ダ・ガマ時代の《ナウ船》からネルソン時代の《七十四門砲戦列艦（セヴンティ・フォアズ）》へ移る過渡期に位置することだけは確かである。

17 大航海時代に関する地理文献解題

ポルトガル人による発見と征服の文献

ポルトガルの地理文献の最大の強味はその史的年代記の瞠目すべきシリーズにある。エンリケ航海王の晩年におけるアスララの年代記から始ったそれは、十六世紀中葉にほぼ時を同じくして編まれたバロス、コレア、カスタニェーダそしてブラス・アルブケルケの作品によって絶頂に達した。その歴史地理学的記述の方法は優に十七世紀まで続き、他のいずれの民族の文献においても到達し得なかった地理年代記の一大叢書を以てポルトガルの文献を富ましめたのである。英国、フランスそしてオランダの文献のいずれにも（英国がその本領である航海関係の叢書で凌駕している外は）これに比肩する質を持った如何なる作品も見出し得ない。これら偉大なポルトガル年代記群に近づく恐らく最も手っとり早い道はスペインにあって、オビエド・イ・バルデスがバロスのそれにも比すべき華麗な風格を誇る一つの年代記を書いてはいる。しかしながら、大部分が極めて粒の揃った高水準の内容であり且つ両世紀の大半に亙る連綿たる作品のシリーズという点では、ポルトガルは断然他の追随を許さない。この国民の航海と植民の歴史を讃えるに当って叙事詩に拮抗し得るのは、独り散文による年代記を措いて外になかったからである。

ポルトガルの最初の年代記作者である十五世紀初頭のフェルナン・ロペスは差当り本書に関係はないが、その衣鉢を継いだ弟子のゴメス・エアンネス・デ・アスララ（一四七四年歿）は、熱帯アフリカに関する記述を遺した最初のヨーロッパ人として有名になった。アスララは学究肌の廷臣で、幾多の機会に王室図書館長や記録文書保管人、王付き年代記作者として仕えた。中年に至るまで彼は歴史に関する著述を始めてはいないけれども、それでも幾つかの年代記を書いており、その一つ『ギニア発見・征服年代記』はこの主題に関する最も適切な例である。これは彼の傑作であり、エンリケ航海王時代の諸航海に関する最も重要な根本史料である。セウタ攻略から始まる記述はジル・エアンネスの時代とボジャドール岬回航の話を述べ、それに続く諸航海を詳しく扱った後、一四四八年のデーン人ヴァラルテの遠征を以て終っている。同じくマデイラ島とアソーレス群島についても簡単ながら説明が与えられており、十五世紀前半に関しては、この年代記は正に知識の宝庫なのである。

アスララはこうした年代記の傑作を物するには打ってつけの人であった。何故なら彼はポルトガルの公文書を利用し得る立場にあったたし、彼自身が初期ルネッサンスの精神を吹き込まれた博学な古典学者であったからで、また長い間失われていた昔の航海に関する一つの物語を書いたと目されているものの判らないところの多い人物アフォンソ・セルヴェイラの原稿(ノート)を利用することが出来た。歴史家としてのアスララは孜々として努力する周到緻密な型(タイプ)で良心的な——しばしば［ローマの史家］リウィウスを髣髴せしめる人であった。彼は権威には絶大な敬意を抱いており、航海王エンリケ王子に対する殆ど盲目的な崇拝の擒となっていた。その『ギニア発見・征服年代記』が写本の形で弘く流布したことは疑いないが、しかしこれ程重要な本が長らく印刷されないで過ぎて来たということは、やはり驚くべきことと言わねばならぬ。この初版がパリで出版されたのは一八四一年のことで、刻苦精励のアスララがエンリケ王子と自らの同胞の鴻業を頌すべく努力した時代から算えて正確に四世紀後のことであった。

ギニアにおけるポルトガル人の物語は、ジョアン二世からその治世の年代記を録すべく命ぜられた外交官ルイ・デ・ピナ（一四四〇—一五二二年）によって継続される。ピナはアスララ程に優れた年代記作者ではなく、彼の本はややもすれば味に乏しくなり勝ちであったとはいえ、やはり新発見が相次いだ時代の空気を身を以て呑吐した人らしい率直さで書かれており、一四八〇年代と一四九〇年代のエルミナとベニンにおけるポルトガル人を描いた点で特に貴重なものである。ピナによる『ジョアン二世年代記』はアスララの仕事と同様、長い間、一五〇〇年に書かれた原稿のままで、一七九二年に至るまで印刷本になることはなかった。この本は写本の形でレセンデとバロスによって大いに利用され、事実レセンデはこれをある程度までぬけぬけと剽竊しているが、ピナの本が最終的に印刷物となって現れるまでは、全く気付かれなかったことである。

ピナと全くよく似た経歴の持主はガルシア・デ・レセンデ（一四七〇―一五三六年）で、彼は長年に亙り廷臣と外国派遣使節を務め、またジョアン完全王の治世年代記を書いた。レセンデはほぼ全面的にピナの本に依拠したため、彼の本には独創性は殆ど見られないが、逸話や風聞がたっぷり掻き集められていてピナの殺風景な記録に詩的な魅惑を添えるものとなっている。彼の最も人口に膾炙した韻文詩は当時の大事件を録した押韻偶感（コメンタリ）『雑録』 *Miscellanea* 中に見出される。これにはポルトガル人による印度各地の征服を謳ったカモエンス風というよりはむしろスケルトン風の諧謔詩が含まれている。この詩篇は一五五四年にエーヴォラで出版された彼の年代記の第二版に採録された。本書の初版は一五四五年にリスボンで出ている。

これらの年代記類に比較すると、当事者による航海談で今に伝えられたものは真に微々たるものであるが、これは恐らくポルトガル人の〝沈黙の申合せ〟の所為であって、新発見に関する情報、特に航海の問題に関るものは、ポルトガル当局によって〝最高の機密〟にされていたのである。このため、現在まで残ったエンリケ航海王時代の唯一の記録は、カダモストの諸航海（と彼の友人デ・シントラの遠征譚も追加されているが）に関する見事な、しかも大変面白い航海日誌だけである。一方、晩年になってマルティン・ベハイムに語ったディオゴ・ゴメスの冒険談もあるが、これは簡単に過ぎて隔靴掻痒の憾みがある。ダ・ガマの第一次航海については、この歴史的航海を物語る大作の一つ――『巡航記（ロテイロ）』*Roteiro* が今日に伝えられた。ダ・ガマの艦隊の誰とも判らぬメンバーの一人（多分アルヴァロ・ヴェーリョと思われる）によって書かれた、日々の出来事を記録する躍如たる航海日誌は平明で飾り気のない物語で、その純乎たる簡潔さと真摯さによって壮挙を力強く描写するものとなっている。人間記録としての価値から言ってこれに匹敵するものは、コロンブスの『航海日誌』*Journal* あるのみである。

アメリカの発見がコロンブスやヴェスプッチの報告書簡によって一般に告知されたのと丁度同じく、東洋におけるポルトガル人の征服活動もまた、その場限りの文書の氾濫という形でヨーロッパに知らされたのである。これらの征服の最初の告知が印刷された形で現れるのは、マヌエル王の代表としてヴァチカンに在ったディオゴ・パシェコから法王ユリウス二世に伝達されたラテン語の祈禱文であったと思われる。一五〇五年に『ディオゴ・パシェコによりローマ法王ユリウス二世に奉呈せられたるルシタニア王国の恭謙なる主権者マヌエルの祈禱文』*Obedientia Potentissimi Emanuelis Lusitaniae Regis per Dieghum Pacettum Oratorem ad Julius II, Pont. Max.*, という勿体ぶった題の下にローマで刊行されたこの小冊子は、南アジアにおけるポルトガル人の活動に関する最初の公式報告であった。次いで現れたのが同じ年にローマで印刷された『印度航海とその成功を伝えるポルトガル王からカスティーリャ王への手紙』*Copia de una littera del Re de Portagallo mandata al Re de Castella, del viaggio et successo de India* と題する小冊子で、これはマヌエル王からその兄弟王のアラゴン王フェルナンドへ送られた書簡と称されており、専らカブラルの航海とダ・ガマの第二次遠征を長々と述べたものである。多分同じ一五〇五年に、ドイツ語の小冊子『リスボンよりカリカットに到る正しい航路について』*Den Rechten weg ausz zu faren von Liszbona gen Kallakuth* がニュールンベルクに現れる。これは陸地に囲まれた中央ヨーロッパにおいてすら、新発見に対する関心が旺盛なことを示す徴候であった。一五〇六—〇七年には『印度、エチオピア及び東方地域におけるポルトガル人の最近の武勇伝』*Gesta proxime per Portugalenses in India, Ethiopia, & aliis Orientalibus Terris* のラテン語版がローマ（一五〇六年）とケルン（一五〇七年）で、またラテン語及びドイツ語の二つの版が、ニュールンベルク（一五〇七年）で出版されている。これは東アフリカ及びマラバール海岸におけるアルメイダの一連の作戦を叙したものであった。恐らく一五〇七年にローマで印刷されたと思われるマヌエル王からユリウス二世への印刷書簡『異教徒に対する勝利の……報告書』*Epistola...de Victoria contra Infideles* は、キロン沖、カナノール沖海戦におけるアルメイダの勝利が主題となっていた。もっと厳密な意味の地理的関心を喚ぶものは、翌年ローマで、『コロンブスの手紙』で有名なシュテファン・プランクによって印刷されたマヌエル王からユリウス法王への手紙『東洋各地の都邑に関する書簡』*Epistola de Provinciis, Civitatibus, Terris, et Locis Orientalis Partis* である。マラッカ陥落に続く一五一二年、マヌエル王がローマへ派遣した多彩な使節団は〝神秘の東方〟とその〝征服〟に対する一般的関心を繋いだが——芸をする巨象一頭と民族衣裳で豪勢に綺羅を飾ったペルシャ人の行列を引具した、当代一流の航海者の一人トリスタン・ダ・クーニャのローマ到着は、信じ易いヨーロッパ人にとっていよいよ鮮烈に映じたのである。パシェコはこの機会に再び祈禱文を作った（一五一四年に印刷された）し、一方、マヌエル王から法王レオ十世への手紙はダ・クーニャによって奉呈された。この手紙は一五一三年にローマとウィーンで『印度・マラッカ在住同胞の勝利に関する……書簡』*Epistola...de Victoriis habitis in India et Malacha* なる題の下に出版され、同じ年にアウグスブルクでドイツ語版が現れた。一五一三年のもう一つの書簡はモロッコにおけるポルトガル人の勝利に関するもので、一方、これら初期の小冊子の最後であり且つ純粋に〝アメリカ〟に関係のある唯一のものは『ブラジルの国に関する新しい情報』*Copia der Newen Zeytung aus Presillg Landt*（一五一四年、ニュールンベルク）で、ポルトガル人による初期のブラジルへの一航海を扱った回覧新聞(ニューズレター)であった。

十六世紀中葉の年代記の巨匠達へ話を移す前に、最古の印刷本航海記集成の一つであり

――同時にこれまでに出版された最も影響豊かな本の一つである――イタリア人フラカン・ダ・モンタルボドーが編纂し、一五〇七年にヴィチェンツァで初めて印刷された、かの有名な『諸国誌(パエシ)』*Paesi novamente retrovati* に触れておくべきであろう。この集成は大部分が《アメリカ関係文献》から成っているが、デ・シントラの航海の他に、ギニアへの諸航海に関するカダモストの記述も入っている。更に、リスボン在住のイタリア人商人でダ・ガマの航海を述べているジロラモ・セルニージの二つの手紙を収録し、また参加者の一人によって書かれ、ポルトガル語からイタリア語へ翻訳されたカブラルの遠征に関する極めて行届いた話も含まれている。コロンブス、ヴェスプッチそしてピンソンの物語にこれらが加えられた時、真に評価を絶する程の重要性を持った一巻が出現したのである。この『諸国誌(パエシ)』はイタリア語で六版、フランス語で六版、そしてドイツ語で二版（スワビア[南西ドイツの旧名]生れの数学者シモン・グリナイオスによる『諸国誌(パエシ)』に基いた多くの版がこれに続く）が出された結果――東と西の――大航海と大発見のニュースをルネッサンス・ヨーロッパの隅々まで弘めた白眉の書となった。東洋とアメリカの双方に関する報道価値という点では、十六世紀の如何なる本も、これに比べれば顔色を失うと言ってよい。

年代記というものを歴史地理物語の伝達手段(ヴィークル)に譬えれば、それはバロス、カスタニェーダそしてコレアの著作において絶頂に達したのであるが、彼等はいずれもポルトガルの富と力が最高を極めた時代に生きた人々であった。この三者のいずれが最も優れていたかを云々するのは難しく、恐らく不公正の譏りを免れまい。だから長短相補う形のこの三人は、一緒に扱われるべきなのである。最も有名であった（し、今もそうである）バロスは学殖最も深く、古典的ポルトガル散文による最高の文章家であり、記録文書や資料を鮮かに駆使した。しかし直接体験による知識もかけ替えのないものであって、バロスが一度も印度へ行ったことがないのに反し、カスタニェーダとコレアは共に長年彼の地で過した経験を持っている。カスタニェーダはバロスの如き学者でも文章家でもなかったけれども、長年の東方在住の成果を示す遠慮のない正直さに溢れた公正な本を書いている。コレアは大アルブケルケの秘書であったから、現実の事件に一層近く身を置くことが出来た。彼が印度における諸々の事件の目撃者の一人だったからこそかくも鮮かに語り得たのだとしても、東方事情に関してはコレアの右に出る作者はポルトガルにはいないのである。

貴族の家の庶子として北ポルトガルのヴィセウに生れた、ポルトガルのリウィウスと称せられるジョアン・デ・バロス（一四九六—一五七〇年）は宮廷で教育を受け、少年時から文章の道を歩み始めた。西アフリカで暫く勤務した後、一五二八年リスボンの印度局に入り、そこで最初は財務官、後には商館支配人としての四〇年を送ることになる。職掌柄、彼はポルトガル人による発見や征服に関するあらゆる公文書や記録に近づくことが出来た。自分の自由になる史料に秘められた可能性を十分に洞察するだけの見識を具えていた彼は、一五四〇年頃、ポルトガルの《海外帝国》の物語を執筆し始めた。彼の仕事は徹底的なだけに歩みは遅かった。最初の『十年記』*Decade* は一五五二年に漸く現れ、続いて第二が一五五三年に、第三は一五六三年になって出版され（いずれもリスボンで印刷）、そして最終巻である第四『十年記』は、スペイン王フェリーペ三世の王付き宇宙形状誌学者であったジョアン・ラヴァーニャによって整理され、印刷の手配がなされたけれども、それがマドリードで遂に出版されたのは、バロスの歿後何十年も経った一六一五年のことであった。この浩瀚な四巻本の著作は単に『アジア』*Asia* とのみ題されているのであるが、しばしば『十年記』*Decades* として引用されることの方が多いのである。その範囲は次に掲げる各巻の内容から知ることが出来る。

『十年記・一』（一四二〇―一五〇五年）＝アフリカへの航海事業、ギニアの発展、喜望峰の発見、ダ・ガマとカブラルの諸航海とアルメイダの到来までの印度における出来事。

『十年記・二』（一五〇六―一五年）＝印度副王アルメイダとアルブケルケ総督の時代。

『十年記・三』（一五一六―二五年）＝ポルトガル人の東印度地方開拓に関する夥しい情報と南及び東アジアに対する政策。ロボ・ソアレス、ロペス・デ・セケイラ及び二人のメネセスのそれぞれの総督時代、並びにヴァスコ・ダ・ガマの最後の派遣。

『十年記・四』（一五二六―三八年）＝第一次ディウ籠城に至るまでのポルトガル領印度の歴史。ヴァス・デ・サンパヨの総督職を巡る激烈な抗争とその後継者ヌーノ・ダ・クーニャの統治の成功。

バロスは『十年記』の筆者たるに全く相応しいだけのあらゆる資格を具備していた。彼はどこから見ても偉大な史家であり、その本文記述は公正と均衡を持し、明晰な解説と整然たる布置によって群を抜いている。また文章家としても無双のものがあり、簡潔雄勁な文体はその主題の燻んだ威厳に見事に調和している。総ての面でバロスの『十年記』は壮大な傑作であり、これまで（短い数節を除いては）英語に翻訳されたことがないのは、全く理解に苦しむ不幸と言わねばならない。

ポルトガル文献の研究家達は、これまで余りにも長い間バロス礼賛に終始し勝ちであったために、彼の同時代人フェルナン・ロペス・デ・カスタニェーダ（一五〇〇？―五九年）はどちらかと言えば世に忘れられる結果となった。とはいえ、カスタニェーダもまた生得の極めて有能な歴史家であって、少くとも彼の生きていた時代には、その著作はヨーロッパ中で大いに読まれたのである。十六世紀の初め、ある貴族の庶子として生れたカスタニェーダは十分な教育を受けた後、一五二八年に印度へ赴いたが――それはアルブケルケの征服がまだ人々の記憶に生々しい頃であった。カスタニェーダは《東方》で長い（権威者達の意見は一〇年から二〇年まで様々だが）年月を送り、少くともマラッカまで、否、恐らくモルッカ諸島へも旅行したらしい。彼は夙くからポルトガル領印度に関する価値の高い歴史を書く計画を抱いていた。二〇年間（と言われているが）彼はこの仕事に刻苦し、それらは『ポルトガル人による印度の発見と征服の歴史』*Historia do descobrimento e conquista da India pelos Portuguezes* と題された八巻本となって、一五五一年から一五六一年にかけてコインブラで出版された。カスタニェーダはアフリカ航海の記述に頭を悩ますことなくヴァスコ・ダ・ガマから筆を起してジョアン・デ・カストロに至っており、現地における克明な調査と良心的な誠実さ、熱心さによってバロスやコレアの著作と肩を並べる作品を生み出した。その『歴史（イストリア）』はバロスの『十年記』の現れる直前に一巻また一巻と出版されたから、バロスがカスタニェーダの本を活用したことは殆ど疑いないし、何しろこの分野では最初の文献であったために、『歴史』は当初は断然たる声望を誇った。その結果この本は、少くとも部分的にはスペイン語、イタリア語、フランス語、そして英語に翻訳されたが——一五八二年にニコラス・リッチフィールドなる人物（恐らくチューダー時代の有名な翻訳家トマス・ニコラスの見え透いた変名であろうと思われる）の訳した英語版はフランシス・ドレイク卿に捧げられている。カスタニェーダの利用した資料の出処で興味深いのは、ダ・ガマの第一次航海を記録した例の『巡航記（ロティロ）』であった。カスタニェーダは尾羽打ち枯らしてポルトガルへ還って来たと言われるが、しかしコインブラ大学の学部長になっており、晩年を（全く愉快に、と希望したいが）学界の中で送っている。

バロスやカスタニェーダの著作とは対照的に、ガスパール・コレア（一四九〇頃―一五六五年）の偉大な歴史的年代記は、それが書かれてから印刷されることなく三世紀も過ぎてしまった。この、著者自身が大変謙遜して〝簡略な概説〟と称している『印度の伝説』

Lendas da India は、一八五八―一八六六年の間に遂に八巻本となってリスボンで出版された。コレアの生涯は彼の兄弟史家［バロス、カスタニェーダ］のそれよりずっと多彩であった。一五一二年、血縁に恵まれた一人の青年として印度に赴いた時、よい地位が彼を待っていたのは当然であり、忽ちアルブケルケの主だった秘書の一人となり、アデンや紅海への作戦で総督に随行したのは驚くに当らない。アルブケルケの死後、彼は責任ある色々な地位に就いて長いこと勤務している。即ち暫くゴアの工場の査察官を務め、次いで建築技監として印度の到る処に教会を建てて廻った。後にはコチンの商館長になり、一五三一年のポルトガル人によるディウの奪取に参加している。その他の多芸多才ぶりに加えてコレアは芸術家的気質を持っていたから、ジョアン・デ・カストロに煽てられて、ゴアの宮殿を飾るべくアルメイダの時代からの歴代の副王・総督の肖像を描いている。しかし、彼は何も不満の種がなかった訳ではなく、退屈でいい加減な役人仕事と権力を握っている連中の犯す地位の濫用を慷慨し、特にダ・ガマ一族とその追随者達を嫌悪していた。コレアは一五六五年頃マラッカで惨（むご）たらしく殺されてしまうが、恐らくダ・ガマ一派の放った刺客の手に掛ったものであろう。東方におけるその生涯に亙る経験を考えると、コレアがその『伝説（レンダス）』を生々しい迫力と絵画性を以て描き得たのは、何よりもまず彼が自ら幾多の事件に参加し、その主役達を直接知っていたからに外ならない。この点ではコレアの著作は、直接の知識を持たなかった群小の歴史家はもとより、カスタニェーダのそれにさえ後塵を

拝せしめているのである。けれども、コレアの記述の精度ということになると、時に疑問を覚える点があることは付言しておくべきであろう。

しかし前に強調した通り、偉大なポルトガルの史家のある一人が幾つかの点で他を凌駕しているとしても、その他の面では、別の著述家達が優れていることもまた大いにあり得ることである。《直接の知識》に勝るものがないのと同じく、血縁関係というものもまた、かけ替えのないものである。従って庶子ブラス（一五〇〇―一五八〇年）によって書かれた『アフォンソ・デ・アルブケルケ回顧録』*Commentarios of Alfonso de Albuquerque* は、父アフォンソの記録を残らず所有していただけに、独自の価値を持つことになる。彼の父が印度でその活動を始めた時、ブラスは僅か三歳であったから、父に関する記憶は無論はっきりしたものである筈はなかった。しかしこの家族環境の中で暮したのであるし、原史料を所有した彼は、父に適わしい文学的回顧録を遺そうと決意したのであった。

ブラス自身の経歴は格別面白いものではない。彼の唯一の植民地経験は若い時にギニアのエルミナで総督を務めたことであるが、ブラスはそこで頭角を顕すことが出来なかった。これに続いて彼は宮廷で様々な職務に就く一方、研究に打ち込んで行き、晩年は遺産に頼って生活した。彼の本は一五五七年にリスボンで出版され、四巻本の素晴しい英訳版がハクルート協会から発行されている（一八七五―八四年）。これは甚だ興味深く貴重な伝記であって、ブラスには父を庇う偏見が著しいけれども、それでもなお、父総督の政敵に対する公正さも併せて、感情に動かされない抑制を驚くばかりに示しているのである。

この点では、大アルブケルケ自身が主君マヌエル幸運王に宛てて書いた書状の見事なシリーズに重点が置かれねばならない。一箇の極めて知的な将軍の、雄勁且つ直截な散文で書かれたこの比類なき報告書は、時として聖書の崇高と雄弁にまで達し、他の資料からは到底得られぬ様な《印度征服》の鮮烈な情景を描き出している。この書状はこの征服者の存命中に印刷に付されることはなかったが、リスボン科学学士院から出版されたアルブケルケ資料集成（全七巻、一八八四—一九三五年）の中に『記録説明書翰集』*Cartas seguidas de documentos que as elucidam* の題の下に収められている。

直接的な価値云々よりもむしろ含蓄の深さで優れている二つの作品は、デューラーがその肖像を描き、学問上の交遊仲間にはルーテルやエラスムスなどもいた才気溢れる外交官・人文主義者・自由思想家のダミアン・デ・ゴエス（一五〇二—七四年）による年代記である。彼は『ジョアン三世年代記』（一五六七年、リスボン）と『マヌエル幸運王年代記』（四部、一五六六—六七年、リスボン）を著した。この二著は全体としてはポルトガルの歴史を扱ったものであるが、バロス、カスタニェーダその他様々な文献資料から採られたポルトガル人の諸発見と征服に関する厖大な記述も含まれており、真の批判精神を以て書かれている。それ故この二著は、純然たる植民史的年代記の傍に置かれても独自の地位を占め得る価値を有するのである。このゴエスの『マヌエル王年代記』を無批判に真似たのがジェロニモ・オソリオ・ダ・フォンセカ司教の『マヌエル王記』*De Rebus Emmanuelis*（一五七一年、リスボン）で、これは前記のゴエスの書のラテン語訳に過ぎない。とはいえオソリオは大変なラテン語文章家であったから〝ポルトガルのキケロ〟と称されるに至ったということを付記しておく必要がある。ファロにあった蒐集の行き届いた彼の蔵書は一五九六年の侵寇の翌年、エセックス伯によって英国（イングランド）へ運び去られ、オックスフォードのボドレイ図書館に寄贈されてしまった。

様式的には別種に属するが、やはり第一級の重要性を持つものにアントニオ・ガルヴァン（一五〇三―五七年）の『アンティーリャ諸島と印度の発見に関する書』*Livro dos descobrimentos das Antilhas e India*（一五六三年、リスボン）がある。この本は、一五五五年までに行われた古代や近世の、記録に値するあらゆる発見と旅行に関する年代記的抜萃（エピトメ）である。ガルヴァンは一五二七年に印度へ赴き、モルッカ諸島総督としての長く且つ傑出した経歴を積んで、テルナテ島土侯の地位まで贈られた程であった。しかし、一五四〇年頃ポルトガルへ還って来たガルヴァンは冷やかに迎えられ、我が積年の尽瘁が意外や殆ど評価されていないのを知るのである。彼の後半生はとるに足らぬものとなり、貧窮の中に死んでしまったが、幸いにもこの独得の歴史的価値を持った有名な論文はそれ以前に完成されていた。《アメリカ》におけるスペイン人達の諸発見だけでなく、フランス人や英国人の開拓に関するその驚くべき知識の中でガルヴァンの資料蒐集や構成における見事な巧妙さと正しい典拠を見つけ出す真の直観力が披瀝されている。だから彼の本は素晴しいまでに整っており、極めて正確であった。リチャード・ハクルートがその真価を認め、一六〇一年に『世界の発見』*The Discoveries of the World* と題して翻訳した（か、乃至はさせた）のも敢えて異とするに足りない。

　これら一連の見事な歴史家の後に続くのは大した人々ではなかった。それでも注目に値する歴史が世紀の替り目を挟んで前に一つ、後に二つと計三つ書かれている。耶蘇会士J・P・マッフェイの『印度史・第十六書』*Historiarum Indicarum Libri XVI*（一五八八—八九年、ヴェネチア）はバロスを基にしているが、《東方》から寄せられた耶蘇会士報告書の素晴しい一組とロヨラの生涯も含まれている。スペイン人のベネディクト会士アントニオ・デ・サン・ローマンによる『東印度概史』*Historia general de la India Oriental*（一六〇三年、バリャドリー）もまた聖職者的観点から書かれており、ポルトガル領印度地方に関してスペイン語で書かれた最大の独創的論文として注目される。関心を惹く三番目はフランシスコ・デ・アンドラーデの、批判的とは言えないが情報に富む『ジョアン三世年代記』*Chronica do João III*（一六一三年、リスボン）で、一五二一年から一五五七年の間を扱い、この期間における印度の出来事に大きな関心を払っているものである。

　その作品を十七世紀になってから世に問うべき古典的な年代記作者・史家型に属する一人の大作家が、まだ残っていた。即ちバロスの文学的後継者ディオゴ・ド・コウト（一五四二―一六一六年）である。コウトは一五五九年に軍人として印度へ行き、一〇年間に及ぶ印度洋海域の作戦に参加した。兵役が満期になると、恐らくカモエンスと同じ船で彼はポルトガルへ還って来た。後に彼は再び印度へ渡り、ゴアで公文書保管人を務めながら後半生をバロスの『十年記』改訂に送り、その地で生涯を終えている。バロスの『十年記・四』が原稿の形で存在しているのを知らぬままに、コウトは自分の『十年記・四』を書き、それは一六〇二年にリスボンで印刷された。その後一六一五年にジョアン・バプティスタ・ラヴァーニャが本物のバロス版を世に送り、コウト自身は更に七つの『十年記』を物した。その中の三つ（第五、第六、第七『十年記』）は一六一二年にリスボン、一六一四年にマドリード、そして一六一六年に再びリスボンでそれぞれ出版された。残りの各『十年記』は後年になって不完全な原稿から印刷されたため、この著作全体の真の目録は、一七七八―八八年のリスボンにおける二四巻本となって完熟の域に達した《バロス＝コウト版》の刊行により、遂にその真正版の出現を見ることになる。これは一一の完全な『十年記』と『十年記・四』の二つの異版から成っている。コウトは『十年記・十二』のための未完の断章を遺し、ゴア文書館の彼の後継者アントニオ・ボカーロは一六一二年を起点とする『十年記・十三』を書いた。これは一八七六年に出版されている。簡単に言えば以上がポルトガル最大の年代記に関して節目節目を捉えた書誌学的変遷である。コウトはバロスよりも一層批判精神に富んだ作者で、またバロスに似て明晰正確な文章家であって、ポルトガルにおける地理・歴史文献の大作主義を不朽にした大きな功績があった。その卓越した知性によって、自身がポルトガル領印度の英雄時代の終焉に際会して生きていることを悟っていたコウトは、その『ポルトガル兵士の対話』*Dialogo do Soldado pratico portugues* つまり一人の武人、一人の元総督、そして一人の判事との対話の中で母国ポルトガルの植民帝国の衰微を分析している。この率直で真相暴露的な作品は一七九〇年になって初めて『アジアにおけるポルトガルの衰頽の主因に関する観察』*Observaçoes sobre as principaes causas da decadencia dos Portuguezas an Asia* の題の下に印刷された。

ポルトガル帝国の年代記を雄大な構想で書こうとした最後の作家はマヌエル・ファリア・エ・ソウサ（一五九〇—一六四九年）である。カモエンスの『ルシタニア讃歌（ウス・ルジーアダス）』に関する註釈で知られるこの歴史家・詩人は剰すところなき『ポルトガル人のアジア』*Asia Portugueza*（全三巻、一六六六—七五年、リスボン）と、それよりは小さい『ポルトガル人のアフリカ』*Africa Portugueza*（一六八一年、リスボン）を著したが、彼の作品はバロス＝コウトによるあの標準には到底達していない。ポルトガルがスペインの宗主権から脱する以前に書かれたこともあって、ファリア・エ・ソウサは親スペイン的傾向を示している。ポルトガル人は彼の作品を常にスペイン文学と見做し勝ちであったし、一方スペイン人自身も彼に特に関心を示したことはなかった。従ってファリア・エ・ソウサは両方から袖にされてしまった気の毒な見本と言える。

印度はさて措き、十六世紀のアフリカはそれ自身について文献上の取扱いを受けるに足るだけの十分な歴史を持っており、この時期における黒い大陸を扱った第一級の重要性を持つ本が四、五冊ある。しかしながら、ギニアに関する本はそこがポルトガル最古の植民地であったにも拘らず、唯一つしかない。この論文はカリカットのサムリ王国の征服者ドゥアルテ・パシェコ・ペレイラによる『エスメラルド地球の状態』*Esmeraldo de Situ Orbis* と題する優秀な沿岸航海案内書（コースト・パイロット）である。一五〇五年頃印度から帰還したこの豪勇の戦士は、極めて有用な西アフリカ航海便覧を編輯する仕事を始めた。幾多のポルトガル人の作品同様、これも長い間原稿のまま一八九二年まで印刷されることはなかったが、ルネッサンス期の船乗りの案内書として汎く利用されたに相違ないのである。

コンゴ王国と隣のアンゴラは、非常に名高い本を一冊生み出している。即ち、コンゴの入植者でローマへ使節として派遣されたドゥアルテ・ロペスの談話を基に、法王の侍者フィリッポ・ピガフェッタが書いた『コンゴ王国物語』*Relatione del Reame di Congo*（一五九一年、ローマ）である。ピガフェッタはロペスの談話をアフリカの大部分にまで拡張してしまったが、本書は十六世紀に生れた熱帯地方に関する最も優れた記述となっている。既述の通り、この本は一五九七年、ハクルートの指示の下に『コンゴ王国に関する報告』*A Report of the Kingdome of Congo* として英訳された。重要度では劣るけれども、次の二つの作品によってこの植民地の話は十七世紀まで続くのである。その前者『ネグロ岬のミナについて』*Da Mina ao Cabo Negro* は、パオロ・ディアスと共に勤務した軍人で一六二〇年までもアンゴラに住んでいたガルシア・メンデス・カステリョブランコの作、後者『アフリカの土地と鉱山』*Terras e minas Africanas* は、この植民地で一五九三年から一六三一年まで暮したもう一人の軍人レベリョ・デ・アラガンによって書かれた。この両論文は共にルシアノ・コルデイラが編んだ『海外植民地覚え書』*Memorias do ultramar*（一八八一年、リスボン）の中で初めて公にされた。

モザンビーク地方も同じくジョアン・ドス・サントスによる古典的作品『東洋のエチオピア』*Ethiopia Oriental*（一六〇九年、エーヴォラ）を生んでいる。この物語は、ポルトガルが大きな将来性を期待した一つの国の地誌、住民、植物、動物を描きつつ、十六世紀末へかけての騒然たる時代におけるこの地方の甚だ興味深い話を聞かせてくれるのである。残念ながら、これは極めて稀覯に属する本だが、まず満足すべき抄訳がパーカス編纂の選集に採り入れられた。

アビシニアは十六世紀には三つもの、そしてそれ以後、更に幾つかの第一級の作品を世に送り出す因をなした。この中で最も重要なのは、一五二〇—二七年の間エチオピアへ派遣されたリマ使節団に随行した聖職者フランシスコ・アルヴァレスによる『印度のプレスター・ジョン王』*Ho Preste Joam das Indias*（一五四〇年、リスボン）である。バロスもコレアもアルヴァレスを嫌っているが、彼は優れた観察者であったし、この本はこの国の風俗習慣、生活様式、歴史の大変重要な描写となっている。その評判はヨーロッパ中で高まり、各国の言葉に訳されて版を重ねたが、パーカスの尨大な選集には英語で紹介された（パーカスは奇妙なことにアルヴァレスを騎士だとしている）。他の作品二つは共にクリストヴァン・ダ・ガマの指揮するポルトガル分遣隊が参加したアビシニア人と回教徒達の間の一連の戦闘に関するものである。その一つ『クリストヴァン・ダ・ガマのプレスター・ジョン王国救援史』*Historia das cousas que o muy esforcado Capitao Dom Christovão da Gama fez nos Reynos do Preste João*（一五六四年、リスボン）と題された物語は、激闘に参加した軍人ミグェル・デ・カスタニョーソによるもので、その語り口は、この英雄劇に自ら一役を演じた者でなければ持ち得ぬ独得の生々しさに満ちている。もう一つは諸方に旅を重ねた経験豊かな聖職者ジョアン・ベルムーデスによる『エチオピア皇帝に使した使節ジョアン・ベルムーデス司教の短い物語』*Brave relaçao da embaixada do Patriarcha do João Bermudez trouxe do Emperado da Ethiopia*（一五六五年、リスボン）で、カスタニョーソの作品と同じ主題が対象となっている。これもパーカスによって英国の読書界に紹介された。

アビシニア関係の文献は、次の世紀に現れた二つの極めて重要な耶蘇会士の報告書によって、一層強化されることになる。一つはペドロ・パエス（一五六四―一六二二年）による『エチオピアの歴史』*Historia de Ethiopia* である。彼は南アラビアで何年にも及ぶ獄中・

奴隷生活の後、一六〇三年から死に至る長い年月をアビシニアで暮し、その間《青ナイル》の水源を訪れたことのある宣教師であった。パエスの作品は一九〇五年まで原稿のまま残されていた。パエスより更に英語国民によく知られているのはジェロニモ・ロボ（一五九三―一六七八年）である。彼は一六二四年以降の一〇年間、東アフリカとアビシニアを遊歴し、テレスの『エチオピア史』*Historia de Ethiopia*（一六六〇年、コインブラ）に収められたその話はサミュエル・ジョンソンによって翻訳され、『ラッセラス』を生み出す天来の妙想となった。

ポルトガル人による幾つかのブラジル関係著作も挙げておく必要がある。まず第一に、この国の創建に関る記録として、一五〇〇年にカブラルの艦隊がそこに在った間にポルト・セグロから書かれた長い通信文、つまり、マヌエル王に宛てたペドロ・ヴァス・カミーニャの書翰がある。これが《新世界》の発見に関する最も重要な文書の一つであるのは確かで、W・B・グリーンリーの『カブラルの航海』*The Voyage of Cabral*（一九三八年、ハクルート協会、ロンドン）はそれを見事に英訳して我々に提供してくれている。しかしブラジル自身は未だ大した存在というには程遠く、本格的ブラジル史家の出現を見るには長い時を要したのである。漸く一五七六年になって有名なペドロ・デ・マガリャンエス・ガンダヴォの『聖なる十字架の国の歴史』*Historia da Provincia Sãcta Cruz* がリスボンで出版されたが、これはこの植民地の初期の歴史にとって貴重且つ不可欠な史料となっている。

一一年後にガブリエル・ソアレス・デ・ソウサがその『ブラジルに関する記述的研究』*Tratado descriptivo do Brazil*（ヴァルニャジェン編、一八六五年、リオ・デ・ジャネイロ）を書いたが、これはその海岸地帯や後背地、原住種族等の描写ではあらゆる初期の物語中で恐らく最高のものである。次の世紀になると、耶蘇会士フェルナン・カルディムはブラジルを普く旅して一六〇九年にはバイア〔サルヴァドール〕に落着き、数年後には南方に住むインディアンを訪れている。彼の『書簡体物語』*Narrative Epistolar*（ヴァルニャジェン編、一八四七年、リスボン）はこの経験に関する見事な話である。ブラジルに関するポルトガル人以外の三人の重要な著者、即ちヘッセンのハンス・シュターデン、アンドレ・テヴェそしてジャン・ド・ルリについてはそれぞれの国毎の節で扱うことにする。

アフリカやブラジルと同じく《中国》も小さいながら優れた文献の中で扱われており、その幾つかはポルトガル以外の出処から来ている。（後で触れる予定の）メンデス・ピントの実に面白い話を別にすれば、ルネッサンス期旅行者による中国関係の最も古い文献は一五六〇年代から始る。中でも一番有名なのは、一五五六年に中国へ行った宣教師ガスパール・ダ・クルースによる『中国及びホルムーズ事物誌』*Tractado das cousas da China e de Ormuz*（一五六九—七〇年、エーヴォラ）である。彼の資料の大部分は、中国で囚れの身となって何年も過し、自身の本——『中国事物雑記』*Alcune cose del paese della China*（一五六五年頃、ヴェネチア）——も書いたガレオット・ペレイラという人物からのものである。ペレイラの話は英語に翻訳され、ウィルズの『旅行史』*Historye of Travaile*（一五七七年）に採り入れられたため、中国に関してエリザベス朝の人々が目にした最初の本となった。ダ・クルースの本はパーカスが英訳している。

次の二冊の本を生み出した源泉は、一五七五年から始ったメキシコからフィリピン群島を経由して中国に赴くスペイン人宣教師達の活動である。一度も中国へ往ったことのないベルナルディノ・デ・エスカランテというスペイン人聖職者によって書かれたその一冊は、バロスやダ・クルースその他の作家を土台にした事実、風聞、臆測の寄せ集めであって、明らかに《東方》におけるスペインの植民活動を鼓舞する意図を以て書かれたものであるが、二番煎じ的編輯ぶりを考慮しても、無価値ということは決してない。この本は一五七七年にセビーリャで『東洋の諸王国・諸州に対するポルトガル人の航海』*Discurso de la navigación que los Portugueses hazen a los reinos y provinvias del Oriente* として印刷され、ジョン・フランプトンが訳した英語版は一五七九年にロンドンに現れている。もっと長大で有名且つ権威ある本は、エスカランテと同じく中国へ行ったことはなかったが練達の編集者であったファン・ゴンサレス・デ・メンドーサによる『シナ大王国事物・慣習・風俗誌』*Historia de las cosa mas notables, ritos, y costumbres del gran Reyno de la China* である。メンドーサの本は、太平洋を渡って中国へ往ったスペイン人宣教師達の旅行記と共に、中国とその国民に関する行き届いた描写を与えており、またアントニオ・

デ・エスペホによるニュー・メキシコの話も収めている。一世紀以上もの間、メンドーサの論文は《帝政中国（セレスティアル・エムパイア）》に関する標準的な西欧の古典の地位を確保した。この本は汎く各国で訳され、英国ではハクルートの慫慂によってロバート・パークが英訳し、世界周航者トマス・キャヴェンディッシュに捧げられた。

印度洋周辺の地誌に関するポルトガル人作者では、二人がまずラムージォの叢書（『航海・旅行記集成』*Delle navigazioni e viaggi* 第一巻、一五五〇年、ヴェネチア）の中で代表として採り上げられている。年代的に古い方はトメ・ロペスで、彼はダ・ガマの第二次航海で印度に行き、マラバール海岸とカリカットにおける活動の優れた報告を書いた男である。東アフリカからマレー半島、更に香料群島に至る海岸地帯全体の一層詳しい描写はマジェランの義兄弟で同じ船に乗組んでいたドゥアルテ・バルボーザが物している。バルボーザは記述者・人類学者としては大したものであって、東アフリカの諸港の見事な報告とアデンやホルムーズに関する極めて興味深い知識を我々に遺してくれた。明らかに彼は印度の西海岸についてはよく識っており、ペグーやスマトラについてもまた聞きでない知識を持っていたのは確かであるが、それ以東のことは別の情報源から得ていたと思われる。彼のマラッカの描写はポルトガル人作家としては記録に残る最初のもので、またマラバール海岸に関する数節は類を見ぬ面白さだが、それも彼が長らく彼の地に滞在し、土地の言葉に通じていたからに他ならない。バルボーザはハクルート協会からその業績に相応しい扱いを受けるに至り、同協会は適切な編輯を加えて彼の『バルボーザの書』本文を二巻本として出版したのである（一九一八―二一年）。

その対象とする範囲が大変よく似ており、そして近年になってハクルート協会の手で危く忘却から救い出されたものに『トメ・ピレスの東洋大全』〔東方諸国誌〕*Suma Oriental of Tomé Pires*（全二巻、一九四四年）がある。一五一七年、最初のポルトガル使節団と共に中国へ派遣されたピレスは《東方》については広汎な知識を持ち、マラッカとジャワの両方にも暫く住んだことがあった。彼の作品は紅海から香料群島に至る国々を扱っており、また中国に関する興味深い一章を設けているが、これはピレスの中国訪問以前に書かれたものである。ピレスはマラッカ以東の国々についてはバルボーザよりもたっぷりと述べており、一方先輩バルボーザに似て、彼もまた優れた民族誌学者であった。

当時、印度半島の内陸深く入って行ったポルトガル人はそれ程多くはなかった。従って、南部中央印度にある大都市ヴィジャヤナガルをその権勢の絶頂期に訪れた二人のポルトガル人旅行者の印象的な報告が今日遺っているのは、大変有難いのである。この大都会は、極盛期の版図が印度半島を横断して海から海へ達した強大な王国、その南方ではどのヒンドゥー教徒支配者も、その至高の権威を認めた王国の首府なのであった。一五六五年に回教徒土侯の連合（ビジャプール、アーメドナガル及びゴルコンダ）によってこの首都は遂に破壊されてしまったが、一五二〇年頃ドミンゴス・パエスが、そして約一五年後にフェルナン・ヌーニスが訪れた時、ここは《東洋の華麗》の壮大な景観を現出していたに相違ない。この二人の興趣尽きない話が英語で公にされたのは、ロバート・ソーウェルの『忘れられた帝国』*A Forgotten Empire*（一九〇〇年、ロンドン）の中においてであった。

対照的に《航海》に関するものに限ればジョアン・デ・カストロの三つの『周航記』*Roteiros* があるが、彼は恐らくアルブケルケ亡き後のポルトガル領印度における最大の人物であり、軍人・行政官・著述家そして地理学者のいずれにおいても傑出していた。彼の生涯については既に前の章で素描しておいたから、ここでは、彼の作品はポルトガル帝国が生み出した最も興味深いものの中に座を占めている、とだけ言っておけば十分であろう。この三部作は《航海文献》に対する卓越した寄与を為すものと言ってよい。即ち第一巻はリスボンからゴアへの〝軌跡を描くもの〟であり、第二巻はゴアからディウに至る印度西部の沿岸航海案内書（コースト・パイロット）、第三巻は紅海沿岸とその航海を扱ったものでカストロの冒険的なスエズ航海の成果である。『周航記』全三巻は一九四〇年にリスボンで刊行された。

デ・カストロの『周航記』（ロテイロス）は分野で言えば科学的なものであったから、ここで性質は全く違うがもう一つの技術的な作品に触れておくのもあながち無駄ではあるまい。これはガルシア・ダ・オルタの『印度薬用植物・香料論』*Coloquios dos simples e drogas he cousas medeçinais da India* である。一五六三年にゴアで出版されたこの本は印度で印刷された三番目の本であり、最初の科学書であった。またカモエンスによる頌詩（オード）一篇を含んでいることでも注目される。この著者はゴアにおける指導的な医師であり、傍ら優れた植物学者でもあった。彼は珍しい外来植物で有名な植物園を持っていて、そこにはカモエンスやその他の文人達がよく集ったものだった。ガルシア・ダ・オルタの本はこうして彼の医業と植物道楽から芽生え、そしてその頃のポルトガル領の何処にてもあれ生み出された《薬種学(マテリア・メディカ)》に関する鼻祖となったのである。しかし、これにはもう一人のポルトガル人入植者の作品が後に続いている。即ちクリストヴァル・アコスタの『東印度地方の香料・薬草研究』*Tractado de las drogas y medicinas de las Indias Orientales*(一五七八年、ブルゴス)である。この著者(同じ名前を持ったスペイン系アメリカ人の科学著述家と混同してはならない)はモザンビークで生れ、オルタと同じく印度で長年に亙って医を業としていた。彼はその博物誌研究を追いかけて東洋を遠くまで汎く旅する余暇があったと見え、その間、難船したり捕えられたり様々な憂目に遭っている。ヨーロッパへやって来てスペインに落着いてから書かれたアコスタの『研究』は、それまでヨーロッパでは知られていなかった東方の植物の木版画を沢山含んでいるので、新たな興味を喚ぶものがある。

ポルトガル人の植民事業における努力の持続と範囲を考えると、十六世紀アジアにおける個人の旅行に関する物語で今日まで遺ったものは、驚く程尠いのである。ルドヴィコ・ディ・ヴァルテマの『遊歴記(イティネラリオ)』*Itinerario*(一五一〇年、ローマ)も、この破天荒の風来坊がポルトガル人による征服が始ったばかりの印度を訪れたという理由でならば、あるいはルシタニア帝国の文献中に組入れてよいかも知れぬ。厳密にポルトガル文献としてもっと適当なのはアントニオ・テンレイロの『回国譚（イティネラリオ）』*Itinerario*（一五六〇年、コインブラ）である。《東方》での長い経験を誇るこのテンレイロという愉快な人物は、公務でペルシャをタブリーズまで旅行し、一五二八年にはバスラからアレッポへ抜けるメソポタミア沙漠横断の冒険を行っている。ポルトガルに帰った後のテンレイロは、当時のポルトガルの目まぐるしい移り変りの中にあってなお、旅行者としてまた噺上手として国民的な名声の中に安住したらしい。もう一つの興味深いペルシャ横断旅行記であるメストレ・アフォンソの『旅日記』*Itinerario* は、一五六五年にリスボンで出版された。またガスパール・デ・S・ベルナルディノによる明快博識な『陸路印度旅行記』*Itinerario da India Por terra*（一六一一年、リスボン）がある。一層名高いのはメンデス・ピントで、長い間作り話ではないかと疑われていた彼の信じ難い程の冒険に満ちた旅の数々は、その『漫遊記』*Peregrinaçam* となって現れた（一六一四年、リスボン）。ピントの友人で同僚でもあったフランシスコ・ザビエルは、ルネッサンス末期に書かれた二つの有名な伝記の主題となった。二つとも同僚耶蘇会士による批判抜きの鑽仰的なもので、一つはホラシオ・トルセリーノの『フランシスコ・ザビエル伝』*De Vita Francisca Xavierii*（一五九六年、アントワープ）であり、もう一つはジョアン・ルセナの『神父フランシスコ・デ・ザビエルの生涯』*Historia da vida do Padre Francisco de Xavier*（一六〇〇年、リスボン）である。両書とも大いにもて囃され、各国語に翻訳された。ポルトガル領印度地方の生活の一側面を物語ったものにフランシスコ・ロドリゲス・シルヴェイラの『一軍人の印度回想記』*Memorias de um soldado de India* がある。これは一五八五年から一五九八年にかけて《東方》で勤務した一軍人の興味深い物語で、メキシコに転戦したベルナル・ディアスの活気溢れる記述に匹敵するものである。シルヴェイラのこの本は一六〇八年に書かれたけれども、出版されたのは一八七七年であった。その草稿は大英博物館に保存されている。

名だたるポルトガルの自由旅行者達の掉尾を飾るのはペドロ・テイセイラで、彼は印度へ二度渡航している。十六世紀の最後の一四年間を《東方》で送った後、彼は太平洋をメキシコへ渡り、そこからポルトガルへ帰還して〝地球を西から東へ一周した最初の男〟となったと言われている。一六〇四年には再びゴアに姿を現すが、間もなく彼はバスラから陸路アレッポへ戻って行った。彼の『著者自身による印度からの陸路帰還物語』*Relaciones... de un viage hecho por el mismo autor dende la India Oriental hasta Italia por tierra*(一六一〇年、アントワープ)は主としてバスラ-アレッポ間の旅を語っている。スペイン語で書かれたこのテイセイラの作品はペルシャ王国のことも記述している。

ポルトガル領印度に関して生起した二つの一連の出来事は、他の何物にも勝る大きな影響をその文芸に及ぼした。即ち一五三八年と一五四六年のディウの籠城であり、東アフリカ沿岸におけるポルトガル行き印度貿易船(インディアメン)に降りかかった様々な海難であった。第一次のディウ籠城は、その参加者ロポ・デ・ソウサ・コウティニョが書いた『ディウの囲み』*Do cerco de Diu*（一五五六年、コインブラ）の散文と年代記作者フランシスコ・デ・アンドラーデの叙事詩『第一次ディウ攻囲戦』*Primeiro cerco de Diu*（一五八〇年、コインブラ）によって記念されている。更に、壮烈を極めた第二次籠城戦は、有名なポルトガルの古典研究家ディオゴ・デ・テイヴェの『ディウを囲る印度の闘い』*Commentarius de Rebus in India apud Dium gestis*（一五四八年、コインブラ）及び攻囲戦の英雄ジョアン・デ・カストロの旗本としてディウで奮戦したレオナルド・ヌーニェスの『第二次ディウ攻囲史』*Historia do segundo cerco de Diu*とを生んだ。このディウの籠城はアソーレス生れの抒情詩人ジェロニモ・コルテ＝レアルによる血沸き肉躍る叙事詩『第二次ディウ籠城の成功』*Sucesso do segundo cerco de Diu*（一五七四年、リスボン）を生む因となったが、これは迫力と生彩に富む描写で真に価値の高い作品となっている。

《攻囲戦記》の見出しの下にアントニオ・カスティーリョの『ゴアとチョウルの攻囲』*Cerco de Goa e Chaul*（一五七三年、リスボン）も入れてよいと思うが、これはルイス・デ・アタイデによるポルトガル植民地の首府防衛を描いたもので、またジョルジェ・デ・レモスの『マラッカ籠城』*Cercos de Malaca*（一五八五年、リスボン）もこのポルトガルの拠点に対するアチンの回教徒王の攻撃を述べたものである。十六世紀末のポルトガル人による幾つかの征服戦の一つ、ビルマの大都市の奪取がアブレウ・モウシニョの『ペグー王国征服記』*Conquista del Reyno de Pegu* の中で語られている。ジェロニモ・コルテ＝レアルは、一五五二年のナタール海岸におけるサン・ジョアン号の難破を謳った有名な古典的叙事詩『セプルヴェーダの難船』*Naufragio de Sepulveda*（一五九四年、リスボン）を書いている。この詩は一部のポルトガルの批評家によれば、かの『ルシタニア讃歌』*Lusiads* に次ぐものという。コルテ＝レアルは一五〇〇—一五〇一年にニューファウンドランド沖で沈んだコルテ＝レアル兄弟の近い親戚であったから、恐ろしい海の悲劇を謳ったこの英雄詩を書くべき天命を感じていたのであろう。〈サン・ジョアン〉の悲劇に続くのは、やはりナタール海岸で難船（一五五四年）した〈サン・ベント〉の災厄である。この酷烈な試練の主人公であり、後年アフリカ海岸の立派な測量を行ったマヌエル・デ・メスキータ・ペレストレロは『サン・ベント号の遭難』*Naufragio da nao Sam Bento*（一五六四年、コインブラ）と題する力強い物語を書いた。それには真実の美しさ——嵐の恐怖、難破そのもの、そして陸上における生存者達の艱難が躍動的な筆力を以て語られているのである。それにしても、《難船》を主題にした偉大な散文叙事詩は、ベルナルド・ゴメス・デ・ブリトーが『海難悲史』*História trágico-marítima*（全二巻、一七三五年、リスボン）の題の下に蒐めた直話集である。この一五五二年から一六〇二年の間にポルトガル船に降りかかった有名な一二の海難事故の物語からなる集成は、この偉大な海洋民族に対する感動的な手向草となっている。

ディウや海上におけるポルトガル人の英雄的行為を散文や詩で描いた前記の色々な物語は無論卓越したものではあるが、ルイス・デ・カモエンスの大傑作はこれらを悉く顔色無からしめる観がある。『ルシタニア讃歌』は真に秀抜な国民詩であり、《東方》におけるポルトガル人の様々な征服を謳った最高の叙事詩である。批評家によればカモエンス自体が一箇の完全無欠な〝文学〟そのものと認められているのであって、その作品『ルシタニア讃歌』を十分に論ずることは、明らかにこの小論の域を超えるものである。地理文献という見地からすれば、ヴァスコ・ダ・ガマの航海がその構想の誘因となり、その周りに『ルシタニア讃歌』の花が咲いた基幹を成したということ、そしてあの壮麗な第十篇は、カモエンス自身の時代までの印度におけるポルトガル人の功業を物語っていることに気が付くのである。その荘重雄渾な風格においてバロスの『十年記』がポルトガル散文の精華とするならば、『ルシタニア讃歌』は正にポルトガル詩におけるそれであろう。ポルトガルの国民文学が再びこの高みに達することは遂になく、それぞれの専門領域でこの二大傑作を凌駕する程の、外国に関する著述もまた生み得ていないのである。

スペインの海外冒険事業に関する文献

スペインの地理文献は独自の際立った性格を持っている。スペインが一人のバロスも、また一人のカモエンスも生まなかったのは事実であるけれども、目撃者達の根気と聡明さのお蔭で、今日我々はコロンブスの諸航海やメキシコとペルーの征服に関する一連の感動的な報告を手にすることが出来るのである。幾つかはスペイン人というよりむしろ他の国の人々の手によって書かれたものであるが、地理文献的観点から言えば、これらの記録は《スペイン国籍》のものと考えて差支えないし、これら様々な物語総てを一つに纏めて眺めると、〝新世界におけるヨーロッパ人の最初の世紀〟に関する一つの叙事詩的文献を形成することになるのである。

優先度のみならず重要度の点でも筆頭に挙げるべきは、その第一次航海を録したコロンブスの『航海日誌』*Journal* であるが、これは人類の歴史を激変させた冒険事業の記録であるが故に、地理的発見の歴史全体の中でも最も重要な文書である、とクレメンツ・マーカム卿が独断的に呼んでいるものである。困ったことに、この驚くべき報告の〝原本〟は姿を消してから久しいものがあるけれども、ラス・カサス司教による写本がマドリードの国立図書館に遺されており、その内容はこれまでにしばしば覆刻されて来た。この『航海日誌』の全文と比較すると『コロンブスの手紙』*Columbus Letter* の各種の印刷版(一四九三年にバルセロナ、ローマ、バーゼル、パリで、一四九四年にバーゼルで、そして一四九七年にはドイツ語版がストラスブールで印刷された)の中に見られる極めて要約された報告は、大発見に関する知識の普及手段として当時それなりの重要性は持っていたものの、所詮は一つの〝影〟でしかなかった。この『航海日誌』自体は大変注意深く書かれた日記であり、その著者コロンブスをそのまま反映している。その間然するところのない豊富な項目は、活き活きした想像力の働き、景観の美を理解する力、そして何物をも見逃さぬ観察力を示している。史上最大の航海の記録として、それは高貴であると同時に完璧なのである。

彼の息子のフェルナンドが仄めかしている如く、コロンブスは第二次航海でも同じ様な航海日誌をつけていたかも知れないが、それは全く跡形もなく湮滅してしまった。しかしながら、この欠落を塡めてくれる様々な日録作者や年代記作者があった。コロンブスの艦隊付き医師ディエゴ・アルバレス・チャンカ博士は往航時とイサベラの町の創設に至るまでのエスパニョーラ島における出来事について、素晴しい話を書いた。この記述は長い間、原稿（現在はマドリードの王立歴史学士院に保存）のままであって、印刷されたのは、それがナバレーテの『航海叢書』*Colección de los viajes* に採られた一八二五年が最初である。キューバやジャマイカに対するコロンブスの巡航については、晩年の提督（コロンブス）の友人であったアンドレス・ベルナルデスによる甚だ興味深い編輯物がある。ベルナルデスはコロンブスから直接談話をとって『カトリック王国史』*Historia de los Reyes Católicos*（一八五六年、グラナダ）に纏めた。第一次航海の時と同様、第二次航海も簡略な時事通信文（ニューズレター）を生み出したが、これはコロンブスの艦隊に参加したアラゴンの水夫から貰った手紙を基にニコロ・シラチオ（またはスキラチオ）なるミラノ人が作ったものである。極めて稀覯に属するこの小冊子は、一四九四年末に『新発見の島について』*De Insulis Nuper Inventis*（チャーチ目録9）の題名でパビアで印刷された。

第三次及び第四次航海に関する優れた原資料は、コロンブスがフェルナンド王とイサベラ女王に宛てて書いた二つの手紙で、ラス・カサスが作った写本（マドリードの国立図書館に保存）から知られているものであり、これに加えてディエゴ・メンデスの天真爛漫で愉快極まりない遺書は、孤島に棄てられてしまった提督（コロンブス）の救出を求めてジャマイカ島からエスパニョーラ島へ丸木舟（カヌー）を漕いで行ったあの勇士の旅を伝えている。これら三つの文書は、第二次航海のチャンカ博士やベルナルデスの報告及び第一次の時の『コロンブスの手紙』と共に、セシル・ジェインが編輯した『コロンブスの四航海に関する記録文書抜萃』*Select Documents Illustrating the Four Voyages of Columbus*（一九三〇―三三年、ハクルート協会）の中に全文が英語で収録された。

前述の記録類はその作者がコロンブスであろうとまた彼の仲間であろうといずれにせよ、それぞれの航海に関する挿話的記述であった。しかしコロンブスが死を迎える頃には、《コロンブス時代》の優れた歴史家達は仕事を開始するに当って十分な遠近法の中でコロンブスの業績を捉えられる様になり、十六世紀の間に四人の極めて有能な作者達、即ちピエトロ・マルティーレ、バルトロメ・デ・ラス・カサス、フェルナンド・コロンブスそしてゴンサロ・フェルナンデス・デ・オビエド・イ・バルデスが提督コロンブスの生涯の物語を詳述することになる。

ピエトロ・マルティーレ・ダンギエラ（一四五七―一五二六年）は《アメリカ》に関する最初の歴史家としての栄誉を担っている。ルネッサンス人文主義に骨の髄まで染った、洗煉された教養の持主のイタリア人マルティーレは、教会収入を愉しむべく聖職者となり、生涯の大半をスペイン宮廷で送ったが、そこで若い貴族達を教え、様々な外交上の地位をこなした。コロンブスがその第一次航海から還って来るや否や、マルティーレはバルセロナで彼に会って直接の情報をたっぷり仕入れ、《新世界》（これはマルティーレ自身が造り出した言葉である）の征服の歴史を書く決意を固めた。一五〇五年にはグラナダ大聖堂の司祭長に納っており、晩年はバリャドリーでさながら回教太守の如く暮したけれども、マルティーレは第二次以降の航海の間、スペイン宮廷にコロンブスが居た時に会っているに相違なく、歴史の材料を色々な方法で掻き集めた。彼の著作は分冊で出されている。一五〇四年には『手帳』*Libretto* として知られるイタリア語の小さな海賊版冊子がヴェネチアで印刷されたが、これはコロンブスの第一次から第三次までの航海を述べており、マルティーレの主著の最初の『十年記』を構成するものである。一五一一年にはラテン語版がセビーリャに現れ、一五一六年には三つの『十年記』がアルカラ・デ・エナレスで発行され、そして一五三〇年にアルカラで八冊の『十年記』からなる全シリーズが『新世界記』*De Orbe Novo* の題の下に刊行された。マルティーレが『十年記』*Decades* を完成した頃には勿論コロンブスの時代よりずっと新しいところまで筆が進んでいた訳であるが、彼は資料を常に改訂し続けて行った。と言うのは彼は一時期、スペイン政府の印度審議会に勤務しており、その間は植民地関係の通信一切が彼の手許を通過していたのである。かくしてコロンブス以後の航海活動、パナマ植民地の物語、そしてコルテスの一連の戦闘を含むメキシコの征服に至るまでのアメリカの史的概観が誕生することになる。この様に後期の新しい材料が含まれているにも拘らず、マルティーレが今日記憶される所以は、専らコロンブスに関する彼の記述に負う処が多いからに他ならない。

マルティーレはコロンブスを無批判に眺めるには余りに知性が克ち過ぎていたし、また疑いもなくコロンブスその人よりもその業績に対する関心の方が強かったのである。従って、徹底的な《コロンブス頌》といったものを求めるなら、庶子フェルナンド(一四八八—一五三九年)によるコロンブスの伝記を採り上げねばならない。といえば読者は、アルブケルケの庶子ブラスによるその父の伝記を思い出されようが、フェルナンドは父をよく知っており、第四次航海では行を共にしているだけに、ブラスより遥かに有利な立場にあったのである。フェルナンドは敬虔で勉強好きな学者肌の人間で、我が父のために適切な文学的覚え書を遺す決心をしていた。親譲りの閑職は彼に相当な財産をもたらしてくれ、お蔭で彼は学界と交際したり図書を蒐めたりしながらヨーロッパ中を遊歴することが出来た。一五二五年セビーリャに落着いたフェルナンドはそこにアメリカ産の樹木を植えた宏い庭園を造り、大きな書庫を建てたが、これは今日でも《コロンブス文庫（ビブリオテーカ・コロンビーナ）》としてその一部が遺っている。彼の畢生の作品はその死の直前に完成した『歴史』*Historie* であるが、一五七一年になって（ヴェネチアで）印刷されるまで草稿のままであった。偉人の息子達によって書かれた多くの本の通例に洩れず、この本もまた殆ど盲目的な頌賛という弊から免れてはいないが、コロンブスの第四次航海を扱っている点で絶大な価値があるし、またコロンブスの生涯における幾多の出来事の唯一の情報源でもある。フェルナンドはアメリカへ行ったことがあり、父を完全に記憶していたし、また父の遺した記録文書の多くを利用し得る立場にあったのである。これら三つの要因は彼の『歴史』をして傑出した重要文献たらしめるに十分なものがある。

フェルナンド・コロンブスとピエトロ・マルティーレの二人だけが提督コロンブスを直接知っていた歴史家であるとすれば、もう一人の人間が、殆ど絶大といってよい――実際はそれ程ではなかったにせよ――権威の背景を以て書くべく諸々の事件の近くに身を置いていた。サラマンカ大学を出たばかりの前途有為の青年移住者バルトロメ・デ・ラス・カサスがその人である。原住民に対する同胞の残虐行為は慈悲深い人柄の彼に忽ち胸の悪くなる程の嫌悪を催させ、直ちにインディアンの境遇改善に一生を捧げる決意を固めさせた。一五一〇年、彼は司祭となり、これによって彼は《新世界》に献身した最初の聖職者と呼ばれることになる。以後彼の活動はキューバでは伝道者、ベネスエラの真珠海岸では総督、そしてメキシコのチアパスでは司教と、次々にカリブ海全域に及んで行った。この間ずっと原住民のために俠気ある努力を傾注して《インディアンの救世使徒》とまで称されるに至り、そして一連の布教に関する論争の筆を執ったが、これらは一五五二―五三年にセビーリャで『ラス・カサス説教集』という包括的な題の下に九部に分けて刊行された。こうした目的にとってもっと適切なものは歴史に関する彼の大著であるが、これまた多くの優れたスペインやポルトガルの著述同様、何世紀もの間、草稿のまま放置される運命に甘んじた。この論文が所謂〝有徳の司教〟の『インディアス概史』*Historia de las Indias* で、老境に達してスペインに帰っていたラス・カサスによって一五五二年頃に書かれたものである。(一八七五年になって漸く印刷された)この『概史』はそのままで、コロンブスの航海日誌やその他の尨大なコロンブス関係資料は申すに及ばず、西印度諸島地域におけるラス・カサス自身の観察や経験に基いた一四九二年から一五二〇年に至る《アメリカ》での出来事の見事な年代記になっているのである。S・E・モリソン教授はこの作品を「……仮に《アメリカの発見》に関する他の図書一切を破却せねばならなくなっても、これだけは残して置きたいと思う唯一の本……」であると言う。

初期のスペイン人歴史家四人の最後は、最も有名で恐らく最大と言ってよいフェルナンデス・デ・オビエド・イ・バルデス(一四七八―一五五七年)であろう。彼には文学趣味を持った行動の人としての経歴があった。イタリア戦争でゴンサルボ・デ・コルドバ麾下の軍人として頭角を顕した後、一五一四年にかの悪名高いペドラリアスと共にアメリカへやって来た彼は、以後（六回に及ぶスペイン帰還を除けば）三四年に及ぶ長い歳月をカリブ海域で送る。最初はダリエンの黄金細工場の監査官を務めたが、後にカルタヘナ州知事になり、それからサント・ドミンゴの要塞司令官になった。オビエドは偶然にもせよ、うまい時にうまい場所に居合せるという妙を得た人で、ピサロがペルーへ出発した時にはパナマに居たし、オレヤーナがアマゾン地方からスペインに帰還しつつあった時にはサント・ドミンゴに在ってボゴタから還って来たケサダと会っており、一方、コロンブスについてはマルティーレ、フェルナンド乃至ラス・カサスのいずれもが為し得なかった様な口承資料を参考にすることが出来た。彼は極めて夙くから自ら歴史を書く決意を固めていたに違いなく、一五二三年にスペインへ還った時、彼は西印度地方に関する修史官に任ぜられた。三年後（一五二六年）、その最初の作品『インディアス博物誌』*La natural historia de las Indias* がトレドで刊行されたが、これはそれまでヨーロッパでは入手し難かった夥しい植物学的・人類学的知識を含む《地理概観》であった。

九年後のスペイン再訪の折、オビエドはライフ・ワークたる『インディアス通史』*La historia general de las Indias*（一五三五年、セビーリャ）の第一部を発行したが、これは彼の先著の大部分を収録した上、コロンブスの諸航海に関するやや不十分ながら優れた記述を含む西印度地方の島々の発見と征服の物語を述べた一巻である。オビエドの著作で生前に印刷に付されたものは少い。ペルー征服に関するシェレスの物語（一五四七年、サラマンカ）の一版及びマジェランの航海に関する話（一五五七年、バリャドリー）は、もし完成時に出版されておればバロスに匹敵する程の文学的評価を得たかも知れぬ大著の一部を成すものである。『通史』第二、第三部の二つはメキシコとペルーのそれぞれの征服とラテン・アメリカの他の地方の探検を扱っているが、約三百年もの間、草稿のままに埋れていたもので、一八五一―一八五五年の間になって漸くマドリードの王立歴史学士院から四巻本として刊行された。オビエドの著作はそのまま一つの高貴な記念碑であり、事実、当時の人間によって記録された、新世界におけるスペイン人の活動の初期段階に関する最大の古典なのである。とは言え著者もまた所詮その時代の子であって、スペインの征服者達を称える一方、インディアンに対する同情を殆ど示していないからラス・カサスは当然欣ばず、オビエドの『インディアス通史』には〝頁とその数を争う程の嘘〟が含まれているとこき下している。

オビエドの大作を論じて話が十六世紀中葉にまで及び、コロンブスの時代を遥かに通り越してしまう結果になった。この辺でコルテス以前の時代に戻り、ヨーロッパの読書大衆の前に《アメリカ》を連れて来る役割を演じた出版物の幾つかについて言及しておくのが恐らく適切であろう。まず目につくのは一五〇四年から一五〇八年へかけてパリ、ローマ、ウィーン、アウグスブルクで多くの版を重ねた際物的小冊子『新世界』*Mundus Novus* であろう。これはヴェスプッチがその所謂《第三次航海》(ポルトガルのために一五〇一年に行ったもの)についてロレンツォ・デ・メディチに書き送った手紙に基いたものである。一五〇五年頃にはもう一つの《ヴェスプッチ物語》がフィレンツェに現れる。これはヴェスプッチが行ったと思われている四つの航海総てについて述べたもので、彼がフィレンツェ人ピエロ・サデリーニ宛てに書いた手紙を土台にしている。マルティン・ヴァルトゼーミュラーは一五〇七年にロレーヌのサン・ディエでこの《四つの航海》*Quattuor navigationes* の一異版を発行し、その中で《新世界》は〝アメリカ〟と呼ばれるべきだと提唱した。こうした興味深い特色はさて措き、所謂《ヴェスプッチ小冊子》なるものは好事家にはもて囃されているけれども、史家にとっては殆ど無価値に等しい。何故ならその本文は徹頭徹尾異常なまでに曖昧模糊としている上に、ヴェスプッチの第一と第四の航海は今や一般に根拠の怪しい〝外典もの〟と見做されているからである。

　これらヴェスプッチに関する話は、マルティーレの海賊版『手帳(リブレット)』からのコロンブス物語と一緒にフラカン・ダ・モンタルボドーがその航海譚集『諸国誌(パエシ)』*Paesi novamente retrovati* に使っているが、これについてはポルトガル人による初期の航海と関連して既述した通りである。この一群の物語にはニーニョ、ピンソン、そしてコルテ＝レアル兄弟の征服譚が含まれており、ラムージォの一層尨大な叢書の直接の先駆者となるものである。諸々の発見のニュースを弘める主たる手段としての『諸国誌(パエシ)』の持つ際立った重要性については既に強調しておいた。

バルボアの旧敵マルティン・フェルナンデス・デ・エンシソの『地理学大全』*Suma de Geographia*（一五一九年、セビーリャ）についても先に言及した通りである。この本の興味は主として航海に関するものであると同時に、当時知られていた世界に関する記述的地理書でもある点であって、その西印度諸島の部は初の《アメリカ沿岸航海案内》として大変面白く重要なものである。事実ジョン・フランプトンはこの部分を『西印度地方の港・水路・湾・入江の概説』*A Briefe Description of the Portes, Creekes, Bayes, and Havens of the Weast India* として訳出し、一五七八年にロンドンで印刷した。本書全体はこれより前の一五四〇年頃、カボットの船乗り仲間ロジャー・バーロウによって訳出されたが、今日まで原稿のままに残っているのである。

メキシコの征服は、この征服戦に関する感動的な物語と共に、一連の驚くべき公式報告を生み出した。神聖ローマ帝国皇帝カール五世［スペイン王としてはカルロス一世］に対するコルテスの『書簡』*Letters* 及びロペス・デ・ゴーマラとベルナル・ディアス・デル・カスティーリョによるその歴史である。コルテスの『書簡』は全部で五通あった。多分ベラ・クルースを出発するまでの作戦を述べたと思われるその第一信は完全に失われてしまったが、当時印刷に付されたものと信ぜられている。この湮滅を補って余りあるのは他の書簡、特に第二、第三信が遺っていることで、その威厳と力に溢れた簡潔さはプレスコットをしてカエサルの『ガリア戦記』に比肩するとまで言わしめた。その内容について言えば、第二信はメキシコ・シティの第一次占領、《悲愀の夜》(ノーチエ・トリステ)そしてトラスカラへの撤退に至る経緯を述べ、第三信はメキシコ・シティの包囲と奪取を、第四信はメキシコの平定、第五信はホンジュラスへの侵入作戦をそれぞれ物語っている。第五信は十九世紀まで原稿のままで残っていたが、他の三つの書簡はヨーロッパ中で評判となり、一五二二年から一五三二年の間にスペインだけでなく、イタリア、フランス、ドイツで少くとも一四に及ぶ版が印刷された。これらの文書が果してコルテス自身の手に成るものか否かを疑うべき理由はない。彼は若い頃サラマンカ大学で勉学したし、その直截雄勁な文体は教育ある行動人のものであることを示唆しているのである。

「……［メキシコ］征服物語を支える二本の柱は……」プレスコットは書く。「……上品で教養豊かな聖職者と無学な軍人という程に、互に似たところの少い二人、ゴーマラとベルナル・ディアスの年代記なのである……」と。フランシスコ・ロペス・デ・ゴーマラ（一五一〇—一五五年）は彼の主人の栄光の舞台を一度も訪れたことはなかったが、一五四〇年にコルテスがスペインへ帰還した時、この若い聖職者はコルテスの個人的な教誨師兼秘書となり、以後数年間は文字通り彼の《忠僕》(マン・フライディ)であった。こうして生れた『インディアスの歴史とメキシコの征服』*Historia de las Indias y conquista de Mexico*（一五五二年、サラゴッサ）は自らの英雄コルテスに対する褒詞に満ちた礼賛であるから、メキシコ征服の他の関係者達を激しく苛立たせる結果を招くと共に、ラス・カサスの痛烈な軽侮を買った点では、オビエドと兄たり難く弟たり難い。こうしたあらゆる依怙贔屓にも拘らず、ゴーマラの書いた歴史もまた、一つの優れた歴史であることは否定出来ない。彼は最も信頼度の高い情報源から知識を抽き出し且つ同時代の歴史家の多くに見られる散漫な支離滅裂ぶりとは対照的に、優れて瀟洒な簡潔さと構成の妙を以てその歴史を書いた。従ってこの本が時代の寵児となって方々で翻訳され、トマス・ニコラスによる英語版が二版（一五七八、一五九六年）を重ねたのも殆ど異とするに足りない。とはいえ、曾ての戦友達を踏台にした度外れのコルテス讃美はスペインでは大変な反動を喚び、この本の再版には極めて大きな抵抗があったのである。

　こうした偏向を元に戻す貴重な働きをしたのがベルナル・ディアスの著述で、ディアスはゴーマラを俗臭芬々たる阿諛者、ラス・カサスを現実離れした狂信家だと見做していた。ディアスは一軍人の観点から書いたのである。彼はベラ・クルース上陸からホンジュラスに在ったオリードに対するコルテスの討伐行まで、終始若手の将校として従っている。即ちトラスカラ人と闘い、《悲啾の夜》では堤道に血路を拓いて奮戦し、メキシコの攻城には常に働いて来た男であった。全部で彼は一一九回の戦闘に参加し、満身に創痍を被った。この功労に対して彼が得た唯一の褒賞はアステカの王女一人とグァテマラ長官の地位だけであったが、ディアスには自らの殊勲によってのみ得られた満足感があったし、彼の英雄的な逞しさはその本の行間に横溢している。ディアスの『歴史』*Historia* には上品や洗煉などは全くない。あるのはコルテス麾下の一軍人の粉飾されざる一日一日の報告である。その極めた単純さと率直さは本書に醇乎たる香気を添えるものであり、本書が描写する一連の大事件と共に『歴史(イストリア)』をしてこれまでに書かれた最も力に満ちて感動的な軍人の物語の一つたらしめた。ディアスはメキシコ征服戦のあらゆる死地を潜り抜けて円熟の老境まで生き延び、その間にこの本を書いたのである。彼の作品はその死後、長い時を経た一六三二年になって『メキシコ征服の真実の歴史』*Historia verdadera de la conquista de la Nueva España* の題の下にマドリードで出版された。

ゴーマラがコルテスの英雄的行為を持ち上げ、そしてディアスが麾下軍隊の勇敢さを書いたものとすれば、もう一つ、アステカそのものを扱った同時代の記述がある。それは一五二九年に宣教師としてメキシコにやって来たフランシスコ会修道士ベルナルディノ・デ・サーグンによる『メキシコ汎史』*Historia universal de Nueva España* である。サーグンは聡明な人物で、同僚聖職者達の如き盲目的な嫌悪を以て原住民の風俗習慣や信仰を眺めたりはしなかった。それどころかアステカ人に大変興味を惹かれたサーグンは、メキシコ考古学を一生の道楽にし、土民の町に住んで流暢に土語を操る程になってしまったから、(プレスコットによれば)本を土語で書いた、という。サーグンの『汎史』は最後の方の頁でメキシコ征服を扱っているだけで、大部分を占めるのはメキシコの宗教・神話・

社会制度に関するものである。原住民の伝統的な生活様式の大部分は征服の間及び直後に破壊されてしまったために、その記録の大半は主としてサーグンの観察を通じて今日に伝えられた。彼と共に触れておくべきはヨーロッパ化した興味あるアステカ人イストリルシヨチトル (Ixtlilxochitl) で、彼の『説話』*Relaciones* はサーグンの著作に匹敵するものである。この二人の作品は一つに纏められて、一八二九年にメキシコで出版された。

《ペルー征服》の如き激動的な事件が当時の文献の相当部分（無論、幾つかは偏向を免れてはいないが）を生んでいるのは当然で、このため後世には有用な記録の遺産が残されているが、それは、メキシコに関して今し方見て来た様な性格と一般に共通するものがある。ペルー関係の著作者で最初に現れるのは言うまでもなくピサロの秘書フランシスコ・デ・セレスで、ピサロの命を承けてペルー征服の現地報告を書いた人である。一五三〇年にピサロと共にスペインからやって来たセレスは、カハマルカを目指すアンデス踏破行からアタワルパ殺害に至るまでの征服戦に参加している。その後間もなく、ペルーの黄金の第一回船積みと共にスペインへ帰還したが、同じ年（一五三四年）に彼の記述の初版『ペルー征服実記』*Verdadera relación de la conquista del Perú* がセビーリャで出版された。セレスの物語は長大なものではないけれども、著者自身、彼が描いた諸々の所業における一箇の俳優であったが故に、恐らくペドロ・ピサロのそれを別にすれば、ペルー征服に関する他の如何なる報告にも見られぬ新鮮さと真実性を持つに至っている。

インカ帝国の崩壊を描いたもっと長く詳細な物語はアグスティン・デ・サラーテによる『ペルー発見・征服史』*Historia del descubrimento y conquista del perú*（一五五五年、アントワープ）である。プレスコットが〝極めて尊敬すべき権威〟と呼ぶサラーテはカスティーリャの会計検査官をしていたが、内紛渦巻く植民地の財政問題を整頓すべくブラスコ・ヌーニェス・ベラに随行して一五四三年にペルーへ派遣された人であった。ペルー内戦の乱闘に捲き込まれた自分を見出して呆然とする新来の生真面目な文官、を読者は想い描くことが出来よう。一連の抗争で彼はゴンサロ・ピサロに逮捕され、銃口を突きつけられてゴンサロをペルー総督に任ずる旨の布告に署名を強制されてしまった。こんな訳だから、彼の歴史が《ピサロ派》に対する絶対的な嫌悪を示しているのも無理はない。

サラーテは彼が企図した如き財政改革の実行には甚だ時宜を得ていないのに気付いた筈である。しかし彼は幸にも、植民地で続々と生起する凄じい出来事を故国の人々に熟知せしめるという考えを抱くに至った。こうした決意を固めたものの、ピサロ派の古強者達からは殆ど協力を得られなかったのみか、少くとも彼等のある者は、《征服者達（コンキスタドーレス）》の所業を記録しようなどというとんでもない剽軽者は物凄い復讐を覚悟するがよいと恫喝した。サラーテはこれに屈せず真に有益な歴史を書いて行ったが、同国人からの復讐を恐れる余り、サラーテの本が印刷されたのは彼がヨーロッパへ帰還してから七年の後で、しかも低地国地方（ベルギー）［アントワープ］で出版された。到頭主だった当時の関係者の大半が死んでしまうと、スペインで漸く一版が刊行され（一五七七年、セビーリャ）、一五八一年にはトマス・ニコラスの手に成る英語版がエリザベス朝の人士に紹介されることになるのである。

前記二著のいずれよりも恐らく更に重要なのは、フランシスコ・ピサロの従弟ペドロ・ピサロによる『ペルー王国発見・征服物語』*Relaciones del descubrimento y conquista de los reynos del Perú* であろう。この記述は抜群の実見記であるが、それはペドロが自分より有名な親戚フランシスコに協力するために一五二九年にスペインからやって来た男であり、この征服戦を通じて終始この首領の側近にあったからである。フランシスコの暗殺後は、ペドロは従弟ゴンサロとは反対に、政府側に付く様になった。後に彼はペルー南部のアレキパに引込み、そこで長い間役人勤めをした。ペドロは明らかにましな方の征服者であった。彼は何よりもまず軍人であって教育ある人物とは言えなかったが、相当に聡明な人間で、己が見たままの《ペルー征服》を物語ろうと努力した。こうして生れた彼の作品は、一人の正直なピサロ一味の眼から見た簡潔率直な物語となっている。この結果、彼はベルナル・ディアスに比較される程になり、ベルナル同様、至高の価値を有する物語を後世に遺すことになった。ペドロはこの本を一五七二年に書いたのであるが、ナバレーテが彼の『航海・発見記集』*Colección*（一八三七年）に収録するまでは印刷されたことはなかった。ペドロの労作が認められるには長い歳月を要したが、しかしその苦心は今日、英語による学術版となって酬われている（コルテス協会、一九二一年、ニューヨーク）。

ペルーの地理や歴史に関する本格的な年代記となるとペドロ・デ・シエサ・デ・レオンの著作ということになるが、彼はコロンビアのマグダレナ河流域における一連の戦闘では兵卒として働いた軍人で、ガスカと共にペルーに来た人である。従ってシエサ・デ・レオンは内戦の末期にペルーに着いたことになる。しかし彼はその後一六年に亙ってそこに住み、この間にインカの民族学やスペイン人同士の共倒れ的抗争について剰すところなく書き上げた。彼が生きている内に出版されたのはその『ペルー年代記』*Crónica del Perú* の第一部（一五五三年、セビーリャ）、即ち征服当時のペルーとコロンビアの精密な地誌的展望や住民の興味深い幾多の詳細を与える地理部門の大半である。シエサ・デ・レオンの著作の残りは十九世紀まで草稿のままであったが、ハクルートのお蔭で今日我々は《ペルー内戦》に関する三巻本と地理部門の第二部を英語で手にすることが出来る。

《ペルー内戦》は、細部に関する豊富さでは抜群の、もう一つの生々しい物語を産み出した。即ちディエゴ・フェルナンデスの『ペルー史』*Historia del Perú*（一五七一年、セビーリャ）である。シエサ・デ・レオンと同様、フェルナンデスもまたガスカ麾下の軍人の一人であり、一五四三年から一五五六年の間にペルーで起きた諸々の出来事に関する彼の話は余りにも赤裸々であったから、出版後間もなく、スペイン印度審議会の手で発禁処分に付されてしまった。殆ど同じ対象がフィレンツェの人ニコロ・デ・アルベニーノの『真実の物語』*Verdadera relación*（一五四九年、セビーリャ）に描かれているが、これはヌーニエス・ベラに対するゴンサロ・ピサロの叛乱について述べた最初の報告である。

アステカ帝国のそれよりも遥かに強く征服者達の好奇心を刺戟したのはインカ帝国の社会制度と歴史であり、このアンデス山中の古代帝国に関する幾つかの重要な著述が今日に伝えられている。あの多芸な天才ペドロ・サルミエント・デ・ガンボアは草創からアタワルパの時代までのインカ王朝の事蹟を録する一つのインカ帝国史を書いた。一九〇七年ハクルート協会によってその翻訳が刊行されるまで原稿のままで残っていたこの論文は、偏見や迷信に縛られず且つこの不幸な原住民に対する思い遣りのある博愛の尺度を失わなかった開明的な一箇の知識人による著述である。

ペルー考古学に関して一層権威ある著者を求めるならば、恐らくそれは〝血脈の故に〟自ら《インカ人》と称していたガルシラーソ・デ・ラ・ベガで、彼はスペインの征服者(コンキスタドール)とインカ王女の間に生れた息子であった。一五四〇年頃クスコで生れたガルシラーソは、その成長期を母の同族達の間で送り、部外者では決してなし得ない様な流儀で彼等の伝説や民俗を吸収しながら育った。二十歳になった時、彼はペルーを後にしてスペインに渡り、再び戻らなかった。彼はスペイン陸軍に数年間勤務し、次いで著述に携るべくコルドバに落着いた。二部から成る彼の大作が書かれたが、その第一部『インカ帝国創成記』*Commentarios reales que tratan del origen de los Incas*(一六〇九年)は、同胞の昔の栄光を誇示せんとする著者の願望のために時折、均衡を失した面はあるけれども、これまでに書かれたものでは《インカ王朝》の下における文明の実像を最も完全に近く伝えるものである。第二部『ペルー概史』*Historia general del Perú*（一六一七年）はペルー征服の歴史である。またガルシラーソは『インカの花咲ける土地』*La Florida del Inca*（一六〇五年、リスボン）というデ・ソトの旅に関する史書の著者でもあった。

ペルーから話題を転ずる前に、《アメリカ》で一四年を送った気儘な風来坊で、帰国後になかなか面白い通俗書を物したイタリア人の作品について一顧を与えておこう。青年時代の一五四一年にカリブ海地方にやって来たミラノ人ジロラモ・ベンツォーニは大アンティル列島、スパニッシュ・メインそして中央アメリカ地方を訪れた後、パナマからペルーへ渡り、これらについて短いけれども優れた小史を書いている。だからベンツォーニは当時のどの作家よりも広い地域を歩いた訳で、メキシコを除けば彼はスペイン領アメリカを殆ど隈なく旅行したことになる。風変りで趣のある木版画の挿絵を添えた彼の本は、当然ながら大いに人気を博した。一五六五年『新世界の話』*La Historia del Mondo Nuovo* としてヴェネチアで初版が出たこの本は多くの版を重ねるに至り、その最も面白い部分はド・ブライの『大航海譚集』*Grands Voyages* の第四、五、六部として収録された。

途方に暮れるのは、オリノコ河流域と《黄金郷(エル・ドラード)》探求の初期の歴史が、文献的価値を持った作品を呆れる程僅かしか生み出さなかったことである。フェーデルマンの遠征は、彼の書記が残した優れた記録『印度譚：ニコラス・フェーデルマンの…最初の旅…の話』

Indianische Historia: Ein... Historia Nicolaus Federmanns... ersster Raise（一五五七年、ハーゲナウ）となって結実した。ベネスエラにおけるドイツ人の初期の冒険もまた、軍人・司祭ファン・デ・カステリャーノスの手で立派な報告となったが、彼はまたウルスア＝アギーレ組の旅の話を最初に本にした人でもある。カステリャーノスの『インディアスに名高き男達の挽歌』*Elegias de illustres varones de Indias* は詩形式の一連の（挽歌でなく）讃歌で、その第一部は一五八九年に刊行されたが、第二、第三部は一八四七年になるまで印刷されなかった。作者はアギーレの血塗れの所業に詩数篇を割き、ウルスアの愛人を擁護して大いに味方している。この遠征に関するもう少し謹直な物語はフライ・ペドロ・シモンのそれで、彼は次の世紀の初期に『史話雑録』*Noticias historiales*（一六二七年、クエンカ）を書いた。その資料としてシモンは、この遠征に終始参加した軍人でバスケスという男の未刊の日記を大いに利用した。シモンの作品は決して史実と同時代ではないとはいえ、非の打ち処のない権威ある情報源に基いた物語と言ってよい。オレヤーナの驚異的な《アマゾン下り》の旅はオビエド、シエサ・デ・レオンそしてエレーラが記録しており、《金ぴか男》捜索に関する後半部はウォルター・ローリイ卿とキーミス船長に関係があるので、後述の《チューダー期文献》のところで扱うことにする。

　スペインがカモエンスの如き大作家を生み得なかったとしても、少くともチリーの初期の歴史は、名作といってよい一つの叙事詩を生む因にはなった。これは獰猛なアラウカ・

インディアンに対する戦闘に参加した軍人アロンソ・デ・エルシリャ・イ・スニガによる『アラウカ戦記』*Araucana*（一五七八年、マドリード）である。プレスコットはこの叙事詩を「韻文(ライム)の域に達した戦記」と称揚し、「詩的であるのみならず、政治、地理、統計に及ぶかかる詳細な列挙は詩神の未だ敢てなし得ざりしもの……」と註しているけれども、喜歌劇『ペンザンスの海賊』*Pirates of Penzance* 中の陸軍少将を想起させるものがあるとはいえ、かの『ルシタニア讃歌』とは同日の談ではないと思われる。さはいえ、この詩はチリの全き征服を描いており、スペイン人の飽くなき貪婪に対する勇気ある非難を数多く含んでいるのである。

ポルトガル植民地としての《ブラジル》に関しては本章の初めの部分で言及したが、地理知識の上で大いに人気を博した非ポルトガル系文献の一つを、南米の残りの地域に関する文献と共にここで紹介しておこうと思う。この地方に関して大いに読まれたルネッサンス期古典は、ヘッセンのハンス・シュターデンによる『事実談』*Warhaftige Historia*（一五五七年、マールブルク版及びその後の多数の版）である。シュターデンはブラジル南部に駐屯したポルトガル軍で働いた兵士で、食人種の捕虜となって生活したために彼等の風習に関する血塗れの迫真的な物語を遺すことが出来た。彼の本は数多く版を重ねたが、ブラジルの食人習俗の凄絶な銅版挿絵で飾られた後期刊本の最も精緻な版はド・ブライ編『大航海譚集』の第三部となっている。

ラ・プラタ流域におけるヨーロッパ人の初めの頃に関する資料提供者の最たるものとして、シュターデンと同時代のドイツ人がもう一人いる。ウルリッヒ・シュミットもしくはシュミーデルはメンドーサに従ってブエノス・アイレスに渡り、そこの植民地が失敗するとラ・プラタ河をパラグアイまで溯り、そこから東に横断して遂にブラジル海岸へ達した。彼の『真実の記録』*Warhafftige Beschreibnuge* は一五六七年にフランクフルトで印刷され、後にド・ブライの叢書の第八部に収録された。同じく重要なのはアルバール・ヌーニエス・カベサ・デ・バカの『回想録』*Commentarios*（一五五五年、バリャドリー）で、大西洋岸からブラジルを横断してパラグアイのアスンシオンに到った自身の大旅行を物語るものである。これは秘書ペーロ・エルナンデスという男の書いたもので、その間、主人カベサ・デ・バカは競争者イララの命令によりパラグアイで監禁されていた。カベサ・デ・バカの本は実際には二部の分冊で出版されており、『回想録』はその第二部の方である。第一部、つまり『物語』*Relación* は、彼がナルバエスの悲惨なフロリダ遠征の生残りとして何年も南部テキサスを流浪した時の、メキシコ湾北岸一帯における驚くべき探検を扱っている。今日の合衆国南部に関するもう一つの驚異的な話は、自ら〝エルバスの紳士〟と称する無名の参加者が書いたデ・ソトの長征の物語で、『フロリダ州の発見に関する……本当の話』*Relaçam verdadeira...no descobrimēto da provincia da Florida*（一五五七年、エーヴォラ）として刊行された。この手に汗握る記録は、リチャード・

ハクルート自身の手で一六〇九年に『豊饒のヴァージニア』*Virginia Richly Valued*として翻訳されたが——これがジェイムズタウン植民地に対する一つの鼓舞であったことは明白である。ガルシラーソ・デ・ラ・ベガによる『インカの花咲ける土地』*La Florida del Inca*（一六〇五年、リスボン）は、探検家デ・ソトの回想を正当に評価すべく、彼と行を共にした一人の将校からの聞書きを基本として、兵卒二人の話を含めて書かれた権威ある《デ・ソト旅行記》である。デ・ソトの旅については、遠征隊の商務員ルイス・フェルナンデス・デ・ビエドマとデ・ソトの秘書ロドリゴ・ランヘルによる報告があり、それぞれ一八四一年と一八五一年に刊行された。北米南部及び南西部に関する物語の最後を締め括るのは、比較的近年になって忘却から救い出されたコロナードの遠征に関する素晴しい報告、即ちペドロ・カスタニェーダによる『シボーラ旅行記』*Relación de la jornada de Cíbola*（一八九六年、ボストン）である。

西半球の産物に関しては二人の有名な十六世紀の作家がいる。年代的に古い方はセビーリャ出身の医者ニコラス・モナルデスで、彼の著『西印度地方事物誌』*Dos libros de todas las cosas de Indias Occidentales*（一五六五年、セビーリャ）は、ゴアの医者ガルシア・ダ・オルタの本に似た、植物と治療法に関する著述である。ジョン・フランプトンが一五七七年にこれを『新世界からの朗報』*Joyful Newes out of the Newe Founde Worlde*として翻訳したが、これには英国で印刷された最初の煙草の挿絵が入っている。モナルデス自身の名は《モナルダ属》［北米原産紫蘇科矢車藿香属の植物、モナルダ花］によって不滅のものとなったが、彼はヨーロッパへ《凌霄葉蓮》［ナスターシアム。ペルー原産の草花］をもたらしたことで一層知られている。植物に関心を抱いたもう一人の著者は耶蘇会士ホセ・デ・アコスタで、ペルーに一五七〇年から一五八五年頃まで住み、それからスペインへ還る前にメキシコを訪れている。彼の『インディアス博物・精神誌』*Historia natural y moral de las Indias*（一五九〇年、セビーリャ）は二部に分れた権威ある作品である。博物の部は新世界の地理・植物・動物を、精神の部はメキシコとペルーの考古学について論じたものである。この本は一六〇四年に英訳された。

スペイン領アメリカに訣別する前に忘れてならないのは、発見時代末期に書かれた尨大な概史、即ち一六〇一―一五年にかけてマドリードで出版されたアントニオ・デ・エレーラによる八巻本の大著『通史』*Historia general* である。もしもエレーラにその力があったならば、彼は偉大なポルトガルの年代記作者達の古典に匹敵する作品を生み出したことであろう。『通史』はそれ自体一種の年代記的排列を持った年史として書かれており、《事実》の莫大な集積といってよい。従って、極めて当惑すべき代物となった。そこには話の脈絡が欠けていて、エレーラの述べていることの筋道を辿るのに苦労する。忍耐力と想像力を持った研究者にとっては、エレーラはいつでも実に得難い資料の宝庫なのであるが、彼の本を果して一般読者に推奨したものか否か、逡巡せざるを得ない。エレーラはこの大著の資料としてラス・カサスの未刊の史料を大いに参考にしている。

スペイン人の活動舞台のもう一つ、即ち《太平洋》についても考察されねばならない。マジェランの大航海は二つの物語によってよく伝えられている。その一つはアントニオ・ピガフェッタによるもので価値最も高く、もう一つのトランシルヴァニアのマクシミリアンのそれは、また聞きとはいえ、有用である。ヴィチェンツァの紳士アントニオ・ピガフェッタは志願者としてマジェランの艦隊に乗組み、この倦き倦きする程に長い航海の間中、日誌をつけ続けたが、これは彼の帰還後、刊行された（現存最古の版は一五二五年にパリで出た『モルッカ諸島のスペイン人による旅と航海』*La Voyage et navigation faict par les Espaignolz és isles de Mollucques* である）。この日誌では風聞による証拠が著者自身の経験とごちゃまぜになっている部分が甚だ多いけれども、全体としてはこの《世界周航》に関する最も優れ且つ充実した記録なのである。マジェラン海峡の発見、恐怖に満ちた太平洋横断、そしてフィリピン群島におけるマジェランの死を扱っている条(くだり)などが活き活きした鮮烈なリアリズムで語られる一方、指揮者マジェランに対する讃辞は誠実な素朴さによって人を強く感動させるものがある。人類史の三大航海の一つの当事者による話として、このピガフェッタの書は、実にコロンブスの『航海日誌』やダ・ガマの『巡航記(ロティロ)』に比肩するものである。

ピガフェッタとは対照的に、マクシミリアンは出来事を扱う単なる歴史家であるけれども、その知性と熱意により、利用し得る最良の情報源、つまり参加者達の直話に基いて注意深く書かれた一つの物語を作り出した。ザルツブルクのカトリック大司教の息子マクシミリアンは〈ビクトリア〉がその大航海から帰って来た時、ピエトロ・マルティーレの弟子としてスペインに住んでおり、バリャドリーにおける皇帝の歓迎会で生還者達に会い、取材することが出来た。彼が父に送った手紙に表れているその情報は、ピガフェッタの物語を見事に補うだけの堅実且つ均衡のとれた質を示している(『モルッカ諸島誌』*De Moluccis Insulis* 一五二三年、ローマ及びケルン)。

既にポルトガル文献の部でその作品に触れておいたが、西太平洋を扱っているスペイン文献の見出しの下には、ベルナルディノ・デ・エスカランテとゴンサレス・デ・メンドーサによる中国関係の啓発的性格の編輯物をも含めるべきであろう。スペイン人に極東に近づく道を与え、フィリピン群島に彼等の重要な植民地を造り上げ、そして日本や中国に対する広汎な布教活動に乗り出させたのは他ならぬ《太平洋》であった。殊にメンドーサの本は一世紀以上もの間、ヨーロッパ中で多くの言葉に訳されて版を重ねた、中国に関する基本参考書であった。一つの地方に関する地理書としての人気と影響という点でこれに匹敵するのは、僅かにレオ・アフリカヌスの『アフリカ記』*Africa* しかない。これに続いて極東やアジアの島嶼、特にフィリピン群島や日本に関する幾つかの重要な著作が現れた。これらの中で最も重要な一つは、一五九〇年代にフィリピン群島、日本、澳門(マカオ)を訪れたフランシスコ会修道士フライ・マルセロ・リバデネイラによる『多島海地方の島国とシナ大王国の歴史』*Historia de las Islas del Archipiélago, y Reynos de la Gram China*（一六〇一年、バルセロナ）である。この本の初めの部分はフィリピン群島の発見とその初期の歴史に割かれているが、残りの大半は日本における伝道事業と殉教に関するものであり、また一章を中国や暹羅（シャム）から宣教師達によってもたらされた情報に充てている。マジェランの後続者達による諸航海や西太平洋の島々におけるスペイン人の冒険事業を扱った有名な本に、アントニオ・デ・モルガの『フィリピン群島誌』*Sucesos de las Islas Filipinas*（一六〇九年、メキシコ）があるが、これはフィリピン群島にとって基本的とも言える重要性を持つ史書でレガスピの征服を扱っており、またキロスによるメンダーニャの第二次航海の報告も含んでいる。スペインの東印度諸島に対する関心は同じ年に刊行された貴重な一書『モルッカ諸島の征服』*Conquista de las Islas Molucas*（一六〇九年、マドリード）によって力説されているが、これはよく知られたスペインの詩人・歴史家でセルバンテスの友人でもあったバルトロメ・レオナルド・アルヘンソーラによるもので、文学者らしい並々ならぬ雅趣と見識で書かれた作品である。モルガやアルヘンソーラの著作の他にも何世紀もの間、スペイン古文書の中に原稿のまま埋没し、ハクルート協会によって忘却から救出されたメンダーニャやキロスの諸航海に関する優れた物語が幾つかある。

　この辺で、十六世紀の後半から十七世紀一杯に亙って公刊された耶蘇会士の『書簡集』

Letters の多くの巻々に言及しておくのが適当であろう。これらの書簡は、それ自体極めて重要な主題を成すものである。その筆者達は多くの場合、アカプルコのガレオン船でメキシコから太平洋を渡って来たスペイン人で、書簡の大部分は日本・中国・フィリピン群島・マレーシアそして東印度諸島における布教活動に関するものであるが、これらの報告書の中では恐らく日本と中国が最も多く扱われている。これらの書簡は、その頃までヨーロッパには届いていなかった様な貴重且つ興味深い《極東の知識》の豊かな宝庫なのである。事実や出来事を述べる筆者達の快い文体と鋭い観察は、彼等の著述をしてルネッサンス期の東洋事情に関する格別に興味深い研究たらしめていると言ってよい。本章の如き短い概説ではこの魅惑的な主題を十分に扱い得ないのを真に遺憾とするものである。

スペインの地理文献の概観を締め括るに当って特記しておくべきは、最も古い文献解題であるアントニオ・デ・レオン・ピネーロの『東西両洋航海・地理関係叢書摘要』*Epitome de la biblioteca oriental y occidental, nautica y geografica*（一六二九年、マドリード）のことである。これはそれ自身の持つ極めて高い価値の故のみならず、《アメリカ誌》に関するその後の偉大な書誌学的研究総ての先駆者でもあるが故に、この上もなく重要な文献と言ってよい。

ヨーロッパ大陸諸国の地理文献

ルネッサンス期を通じてイベリア半島以外（英国（イングランド）も恐らく除かれる）の諸国の地理文献は、スペインやポルトガルの生み出した文献に比べて質・量共に劣っていたことは認めざるを得ない。勿論、これは予測されるところであって、スペインやポルトガルは探検家とその航跡に続く探検文献の大半を生み出したが、それでもこの二つの国が才能豊かな一連の作家を持っていなかったなら、これらの文献は恐らくあの水準には達し得なかったであろう。作者の幾人かは——例えばコロンブスやピエトロ・マルティーレの如く——スペイン人でもポルトガル人でもなかったが、彼等が物を書いた時の帰属関係を言うならスペイン人であって、こうした場合、彼等の作品は総て《スペイン文献》の範疇に入れてよかろう。ヨーロッパ大陸の他の諸国は、探検家こそ僅かしか生まなかったものの、探検に関心を抱く大きな読書界を擁しており、スペインやポルトガルの偉大な地理文献の名著の多くはイタリア、フランスそしてドイツで翻訳されて行ったのである。《新世界》や《南アジア》に対する関心は決してイベリア半島だけに限ったことではなく、ヨーロッパ中の人間が（『諸国誌（パエシ）』の絶大な人気の如く）新発見について熱心に知りたがっており、こうした知識の伝播は決して一国の独占に終ることはなかった。とはいえ、独創的作品ということになれば、ピレネー山脈の彼方の旧大陸になると、どうしてもある種の下降感を否むことは出来ないのである。

イタリア

イベリア半島以外のヨーロッパでは、多分イタリアが旅行文献に関して最も長い伝統を持っていた。ルネッサンスはイタリアに発祥し、イタリアは文化ある都市の国であり、当時ヨーロッパ中で最も開明的で洗煉された人々が住んでいたのである。従って、（極めて積極的であったヴェネチアは別として）これらの発見がイタリア人に直接関るものではなかったとはいえ、新発見に対して旺盛な関心をイタリア人一般が抱いていたのはむしろ当然であった。

ルネッサンス期初頭においてすら、既に見た如く、ポッジョはニコロ・コンティの話を筆録して『明らかにされた印度』*India recognita*（一四九二年、ミラノ。ハイン蔵書13208）として初めて印刷されたし、マルコ・ポーロの著述は、無論十五世紀イタリアにおいて当然ながら絶大の人気を博した。当時の出版物にはペルシャへ派遣されたヴェネチア使節団のことを述べたアンブロジオ・コンタリーニの『ペルシャ旅行記』*El viazo a Persia*（一四八七年、ヴェネチア。ハイン蔵書5673）がある。この物語は、バルバロの旅行記、一五二九年に印度へ行ったアロイジ・ディ・ジョヴァンニなる男の旅行記、及び第一次ディウ攻囲当時、トルコ人と共に参加したあるヴェネチア人の旅行記と一緒に『ペルシャ・印度旅行記』*Viaggi alla Tana, in Persia, in India*（一五四三年、ヴェネチア。オールダス版）に収められた。初期旅行記の重要な集成であるこの魅力的な小型本は、かのオールダス［・マヌシウス」一家が出版した古典名著中唯一の地理関係文献らしく思われる。ヴァルテマは言うまでもなくこの時期にその不羈奔放な南アジア遊歴に関する大作を物しているが、彼の本は、名だたる旅行家が輩出した当時ですら、名声世界に冠たるものがあった大旅行家に相応しい一つの古典的記念碑なのである（一五一〇年、ローマ）。

《アメリカの発見》についてイタリアで大いなる関心が示されたことは、一四九三年にローマで印刷されたコロンブスの『手紙』の様々な版、ピエトロ・マルティーレの『手帳（リブレット）』（一五〇四年、ヴェネチア）、そしてコロンブス、カダモスト、ヴェスプッチといったイタリア人の物語を含むモンタルボドーの『諸国誌（パエシ）』*Paesi novamenta retrovati* の多くの版などから明らかである。そして、アジアを語るにヴァルテマがあった如く、アメリカを語るには、スペイン人の熱狂的愛国心の影響を被らなかった知的な遊覧旅行者であり、スペイン人達を激怒させる程の率直さを以て一冊の通俗書を著したベンツォーニがいる。同じ様な事情で、もしもピガフェッタの筆の力がなかったならば、マジェランの世界周航に関する知識の普及も遥かに限定されてしまったことであろう。またポルトガル勢力の退潮期における南アジアについてはチェザーレ・フェデリチの『東印度及び以遠の旅行記』*Viaggio nell India Orientale et oltra l'India*（一五八七年、ヴェネチア）とガスパーロ・バルビの『東印度地方旅行記：一五七九―一五八八年』*Viaggio dell'India Orientali, 1579–1588*（一五九〇年、ヴェネチア）から得るところが非常に大きい。後世に名を遺したルネッサンス期イタリア人旅行家の最後を飾るのはピエトロ・デラ・ヴァッレであり、その『旅行譚』*Viaggi*（一六五七—六三年、ローマ）はペルシャと印度に関する資料が豊富である。

ヨーロッパ人として分類することは出来ないけれども、その作品がイタリアで書かれたために、ここで言及するに適わしい一人の頗る注目に値する旅行者兼地理作家がいる。この数奇な人生を送った面白い人物は、アル・ハッサン・イブン・モハメット・アル・ヴェザズ・アル・ファシ、などと呼ぶよりもキリスト教改宗後の名の方でよく知られたレオ・アフリカヌスである。グラナダがスペイン人に奪還される数年前にそこで生れたレオは、子供の時に両親によってモロッコへ連れて行かれ、若い頃は回教徒の支配する北アフリカを旅して廻り、ティンブクトゥからニジェール河流域にまでも足を踏み入れた。真に運命の悪戯というべきか沿岸航海をしていたある時、キリスト教徒の海賊に捕まってしまうのであるが、彼は並外れて聡明怜悧な人間であったから、海賊共は彼を法王レオ十世（ジョヴァンニ・デ・メディチ）に献上した。この奴隷が実は大変な学者であることを知った法王レオはいたく喜んで彼を解放してやり、年金を給した。このムーア人は間もなくキリスト教に改宗させられ、法王の名を一つずつ取ったジョヴァンニ・レオなる洗礼名が付けられた。レオは一五二〇年頃ローマに到着したと思われる。以後二〇乃至三〇年の間、彼はそこに暮して知識階級の寵児となっていたらしい。この間ずっと彼は、まずアラビア語で初稿を書き、次いでそれをイタリア語に訳すという方法で《アフリカ》に関する素晴しい著述に携っている。後に大いに人気を博して決定的な著作となったこの本は、ラムージォの『集成』(一五五〇年、ヴェネチア)にまず取り入れられて出現したが、ヨーロッパ中で広く翻訳され、一六〇〇年にはジョン・ポリイが英訳している。しかし、レオは自分の本を印刷された形で目にすることは遂になかったものと思われる。何故なら彼は十六世紀半ば以前にチュニスへ戻り、一五五二年頃そこで死んでいるからであるが、これは明らかにその父祖の信仰に殉じたものであった。

十六世紀のイタリア地理文献において最も名高い人物は、ヴェネチアの名門出身で十分な教育を受け、若い頃から地理研究に熱中していたジァン・バティスタ・ラムージォ(一四八五―一五五七年)である。彼はヴェネチアの自分の邸に地理学の学校を開設し、早くも一五二三年、重要な航海記や旅行譚は残らず蒐集するという野心的な計画を思い付いたと言われている。この目的のため、彼は殆ど三〇年以上に亙って努力を重ねた。労を惜しまず資料を索めてイタリア、スペインそしてポルトガルを渉猟し、必要とあれば、それらを当時の生き生きしたイタリア方言に翻訳して行ったのである。一五五〇年、彼の『航海・旅行記集成』*Delle Navigazioni e Viaggi* の第一巻がヴェネチアで発行されたが、これはその大半をアフリカと南アジアに割いている。その中にはレオの『アフリカ記』、『諸国誌』から採ったカダモスト、ダ・ガマ、カブラルやヴェスプッチの話、ヴァルテマの遊歴譚、アビシニアに関するアルヴァレスの著作、トメ・ロペス、ドゥアルテ・バルボーザ、アンドレウ・コルサリ等による印度とその近隣諸国誌、コンティとサント・ステパノのそれぞれの旅行記、そしてマジェランの航海を録したピガフェッタの日記等の重要な報告が含まれている。ラムージォの死後の一五五九年に出た第二巻は中央アジア、ロシア及び北洋に関するものである。これに収録されたのは（トレド大聖堂で近年発見された写本（コーデクス）に酷似している各種の原文の入念な複合校訂版の形による）マルコ・ポーロの旅行記、アルメニアのヘイトンの話、ペルシャ派遣のヴェネチア使節団の物語、トルコ人に関するパオロ・ジョヴォの本であり、第三版（一五七四年）にはルブルクとオドリコのそれぞれの旅行記、ヘーベルシュタインのロシア旅行、そしてゼノ兄弟の伝説的なグリーンランド航海が加えられた。第三巻（一五五六年、ヴェネチア）は純粋に《アメリカ》に関するものばかりで、その目次を見るとピエトロ・マルティーレによる『十年記』の最初の三部、オビエド・イ・バルデスの一五三五年版全部、コルテスの第二、三、四書簡、カベサ・デ・バカの流浪譚、コロナードの大旅行、ウリョアとアラルコンの太平洋岸航海記、セレスのペルー征服記、オレヤーナのアマゾン下航記、及びヴェラツァーノとジャック・カルティエの功業などが収録されている。《イタリアのハクルート》という異名を得たラムージォは編輯者として傑出した人物であり、その材料の料理に卓越した腕の冴えを見せ、独自の価値を持った『集成』を生み出したのである。

フランス

ルネッサンス期のフランスの地理文献はイタリアのそれにかなり似た面を持っている。フランス人の探検家や旅行者は寥々たるものであるが、極めて知的な読書界を擁しており、ヨーロッパ以外の国々に関する彼等の好奇心は、数多の翻訳によって満たされることになった。この故にコロンブスの『手紙』は早くも一四九三年にフランス語版を生んだし、かの『諸国誌(パエシ)』は少くとも六版を重ねる程の評判を喚び、一方ピガフェッタによる『マジェランの世界周航記』は恐らくイタリアにおけるそれよりも早くフランスで出版されている。ルネッサンス期のフランス人は《新世界》に興味を持つならピエトロ・マルティーレ、オビエド・イ・バルデス、ロペス・デ・ゴーマラ、ベンツォーニ、ラス・カサス、アコスタを、《ポルトガル領印度》についてはカスタニェーダ、アルヴァレス、マッフェイを、《北アフリカ》に関してはレオ・アフリカヌスを、そして《中国》を知りたければゴンサレス・デ・メンドーサを、それぞれ思いのままに自国語(フランス)で読むことが出来たのである。しかし、第一級の独創的なフランス地理文献を捜すとなると真に虚しいのであって、二流の良書といえども暁天の星と言わざるを得ない。

フランス人の手になる現存の僅かな地理文献は、主として――カナダやブラジル、フロリダにおける――植民事業の試みに関するものである。従って、ジャック・カルティエの『カナダ諸島航海略記』*Brief Récit de la navigation faicte ès isles de Canada*(一五四五年、パリ）やロベルヴァルの航海長であったジャン・アルフォンスによるセント・ローレンス河の見事な描写（『冒険航海談』*Les Voyages avantureux* 一五五九年、ポワティエ及び『地球誌』*Cosmographie* 一九〇四年、パリ）は貴重と言わねばならない。リオ・デ・ジャネイロにおけるヴィルガニョンのユグノー教徒植民地については、権威ある二人の著者アンドレ・テヴェとジャン・ド・ルリがいる。レヴァント地方を広く旅行したフランシスコ会修道士であり、フランス王室付き地理学者という半ば公的な地位を占めていたテヴェはこの遠征に観察者として参加し、入植者達と共に一年を過した後、『極南フランス異誌』*Les Singularités de la France antarctique*（一五五七年、パリ）を著すべくフランスへ帰還した。テヴェは公正な人であったがカトリック僧であったから、カルヴァン派からは強い猜疑の眼で見られており、入植仲間のジャン・ド・ルリはこの修道士の誤りや虚偽と呼ばれているものを匡すべく『ブラジル渡航誌』*Histoire d'un voyage fait en la Terre du Bresil*（一五七八年、ラ・ロシェル）を書いた。

フロリダに植民地を企図したユグノー教徒達もまた彼等の年代記作者を擁していた。ジャン・リボウはその『フロリダ発見全記』*The Whole and True Discoverye of Terra Florida*（一五六三年、ロンドン）で北米海岸に対する彼の航海を初めて詳細に語っている。この本は、リボウがフランスへ還ったものの英国へ遁れねばならなかったこと、従って彼の本がロンドンで印刷されたこと、フランスでは一八七五年！になるまで公刊されなかったこと、などを想起させるものがある。ルネ・ド・ロードニエルはフロリダにおけるフランス人について三つの有名な手紙を書いたが、これは『フロリダ新誌』*L'Histoire notable de la Floride*（一五八六年、パリ）として出版され、ウォルター・ローリイ卿に捧げられた。ディエップの年輩の船匠ニコラ・ル・シャルウは『フロリダ史話』*Discours de l'Histoire de la Floride*（一五六六年、ディエップ）においてスペイン人によるフランス人大虐殺に関する率直で飾り気のない話を書いたし、ジャック・ル・モワーヌの迫真的な物語はその素晴しい挿絵と共にド・ブライの『大航海譚集』の第二部に収められている。ブラジルとフロリダの、いずれも水泡に帰した植民地計画の悲劇的な歴史はヴォアザン・ド・ラ・ポペリニエールの『三つの世界』*Les Trois Mondes*（一五八二年、パリ）の中で語られているが、これは初期アメリカに関する莫大な情報を含んだ重要な地理書（コスモグラフィア）である。十七世紀の最初の数年まで、つまりサミュエル・ド・シャンプランによってセント・ローレンス河流域に永久的な居留地が確立されるまでは、フランスの植民地経営は一つも成功しなかった。幸いにもシャンプランは植民者であると共に優れた著作者でもあって、その『サントンジュの人シャンプラン氏の旅』*Les Voyages du Sieur de Champlain Xaintongeois*（一六一三年、パリ）〔サントンジュはフランスのビスケー湾、ジロンド河口地方〕はカナダの草創時代に関する偉大な古典である。シャンプランの書を見事に補うものとしてマルク・レカルボの『新フランス史』*Histoire de la Nouvelle France*（一六〇九年、パリ）があるが、レカルボは一六〇六年、ノヴァ・スコシアのポール・ロワイヤルにおけるシャンプランの植民事業に同行した文学趣味豊かな弁護士であった。

東方旅行、特にルネッサンス期後半におけるそれに関しては、また聞きでないフランス人の旅行記が、若干ながら今日まで伝えられている。レヴァント地方についてはニコラ・ド・ニコレによる、夥しい挿絵の入った『東方航海・遍歴記』*Navigations et pérégrinations orientales*（一五六七年、リヨン）があるが、一五八五年にトマス・ウォシントンによって英訳されただけの価値がある作品である。フランス人は英国人やオランダ人と同じ頃に印度へ到着し始めた。ラヴァルの人フランソワ・ピラールの『航海記』には華麗な頽唐期のゴアに関する実に見事な描写が見られる。またチュイルリー宮にあるアンリ四世の博物館管理人であったジャン・モケの興味深い『アフリカ・アジア・東西両印度地方旅行記』*Voyages en Afrique,Asie, Indes Orientales et Occidentales*（一六一七年、パリ）や、（長い間単なる作り話ではないかと疑われていて、フランスにおけるよりも先に）英国で『東印度地方精覧』*An Exact and Curious Survey of All the East Indies*（一六一五年、ロンドン）の題の下に刊行されたモンファール伯シゥル・ド・フェネの話がある。また眉唾物で面喰う話ではあるけれど『マルセイユの人ヴァンサン・ルブラン氏の名高き旅』*Voyages fameux du Sieur Vincent Leblanc Marseillois*（一六四九年、パリ）があり、一方、ピラールもその一人であった東印度地方への不運な航海（一六〇一年）についてはフランソワ・マルタンの『フランス人による最初の東印度諸島航海記』*Description du premier voyage faict aux Indes Orientales par les François*（一六〇四年、パリ）があることを記しておく。またかなり疑わしいピエール・マレルブの旅行譚を含んではいるが、なかなか役に立つ物語集がピエール・ベルジュロンの『発見航海・旅行概説』*Traite de la navigation et des voyages de découvertes*（一六二九年、パリ）の中に見出されよう。

ドイツ

ルネッサンス期に関するドイツの地理文献に含まれるまた聞きでない旅行記は、フランスのそれよりも更に少い。それにも拘らずドイツの文献が独自の重要性を有する所以は、十六世紀前半においてはドイツが数理・記述両地理学の発展の主たる中心であったからに他ならない。ゲオルク・ポイエルバッハ（一四二三―六一）、その弟子レギオモンタヌス（一四三六―七六）、航海者で地球儀製作者のマルティン・ベハイム（一四五九―一五〇七）、そしてマルティン・ヴァルトゼーミュラー（一四七〇―一五一八）の地図製作術や天文学上の仕事によって発展の兆候を与えられたこの学問は、主として理論的な性質を持つものであった。今挙げた名前の中では、正しくはマルティン・ヴァルトゼーミュラーのみを地理作家として分類できるが、その訳は彼の『宇宙形状誌序説』*Cosmographiae Introductio*（一五〇七年、サン・ディエ）が、同じ年の彼の有名な地図と対になるように書かれた、地理に関する小論文であったからである。それは本文中にヴェスプッチの『四大航海』*Quattuor navigationes* を含んでいたのみか、うっかり二つの大陸〔南・北両アメリカ〕に誤った命名をしてしまったことでも一層有名である。しかしながら、このドイツの地理学派はペーター・アピアン（一五〇一―一五五二年）とセバスチャン・ミュンスター（一四八九―一五五二年）という二人の典型的代表者を生み出した。アピアンは天文学者であり数学者でもあった。その『宇宙形態学教本』*Cosmographicus Liber*（一五二四年、ラントスフート。後にフランドルの大数学者ヘンマ・フリシウスがもっと簡潔な題名『宇宙形状誌（コスモグラフィア）』を与えて編輯した）の中で、彼はプトレマイオスに倣って地理学（ジオグラフィ）（全体としての地球の研究）と地方地誌（コログラフィ）（特定地域の研究）の間に区別を設け、学問体系の基礎を数学と測量に置いた。彼の本は理論的な教科書というのが一番当っているかも知れぬ。それは百年にも亙って基本文献の地位を占め続けたのである。

これに反してミュンスターはストラボーンの流れを汲む者といってよく、地理学の数学的基盤には一顧すら与えることなく、ひたすら一国また一国と全世界の徹底的な記述を行った。彼の関心は専ら様々な地方の産物や住民の風俗習慣にあった。従って彼の『万国形状誌』*Cosmographia Universalis*（一五四四年、バーゼル）は純粋明快な記述地理学なのである。この本は、こうした主題についてそれまでに書かれた最も間然するところのない著述であり、余りにも決定的なものであったから、出版後一世紀に亙り六ヶ国語、四六版を下らぬ版を重ねた。地理学を全く記述的な見地から扱っているミュンスターの書は、数学的・科学的角度から同じ主題に迫ろうとするアピアンの書の見事な姉妹篇を形成している。従ってこの二人が長い間《数理及び政治地理学》と呼ばれていたもの、即ち、主として科学者の関心を喚ぶ前者と専ら歴史家の対象となる後者の分離を彼等の間で事実上開始したことは殆ど異とするに足りないのである。

　ドイツ人の手になる直接の記録で目を惹くのは四点のみで、内三点は南米を扱っている。ニコラス・フェーデルマンはその『印度譚』*Indianische Historia*（一五五七年、ハーゲナウ）で（彼の書記の手を通じてだが）ベネスエラ西部とコロンビア高地における《黄金郷（エル・ドラード）》探究の旅を語っている。ヘッセンのハンス・シュターデンは評判になった『事実談』*Warhafftige Historia*（一五五七年、マールブルク）でブラジル南部の食人種に捕まっていた経験を述べ、同じくウルリッヒ・シュミットもしくはシュミーデルはメンドーサやイララと一緒のラ・プラタ流域彷徨を、これまた幾度も版を重ねた彼の『真実の記録』*Warhafftige Beschreibunge*（一五六七年、フランクフルト）の中で描写している。《東方》に関して（巡礼回国記は別として）自らの眼で見たものを書いた唯一のドイツ人はアウグスブルクのレオンハルト・ラウヴォルフ博士で、彼は植物研究の旅（一五七三―七六年）でオスマン・トルコ帝国からメソポタミア地方まで行き、それを『東洋旅行記』*Beschreibung der Reyss in die Morgenländer*（一五八二年、ラウインゲン）に纏めた。この様な所謂〝本道を外れた〟旅の記録を遺したルネッサンス期ドイツ人は恐らくこの四人に過ぎまい。先に強調した通り、地理学文献におけるチュートン族の重点（フォルテ）は別の方面に置かれていたのである。

読書界に地理学の一層理論的な面におけると同じく《旅行記》に対しても関心があったことは、《航海記集》の人気からも明らかである。一五〇八年には早くもかの『諸国誌（パエシ）』が『近時発見の新しき未知の国々と新世界』*Newe unbekanthe Landte und ein Newe Weldte in kurtz Verganger Zeythe erfunden* としてニュールンベルクで印刷されていたし、一五三二年にはシモン・グリナイオスが彼の有名な『新世界』*Novus Orbis* の初版をバーゼルで発行したが、この本には前記『諸国誌』の物語の他にヴァルテマ、マルコ・ポーロ及びピエトロ・マルティーレによる物語も入っていた。しかし、これより更に名高いのはフランクフルトに住んでいたフランドル人ド・ブライ一家による面白い出版物であって、十六世紀末の頃、《アメリカ》と《東洋》の両方を扱った豊富な挿絵入り二つ折判（フォリオ）シリーズの出版という雄大な構想を樹てた。一五九〇年から一六三四年にかけてフランクフルトで一三分冊に分けて製作されたド・ブライの堂々たる『大航海譚集』*Grands Voyages* は、ロアノーク植民地に関するヘイリオットの物語、フロリダにおけるフランス人の様々な記録、シュターデンとシュミーデルの話、ベンツォーニの本（この叢書の三冊を占めている)、ドレイク、キャヴェンディッシュ、キロス、スピルベルヘン、スホーテン他の多数の航海記、ジョン・スミス船長とラルフ・ヘイマーによるヴァージニアの報告、その他多くの筆者による様々な物語や記述を含んでいるが故に、《アメリカ誌》関係各図書館の礎石に等しい重要性を持つものとなっている。同じくその『小航海譚集』*Petits Voyages* は一五九八年から一六二八年にかけて出版された一二分冊で、アフリカ、アジア、東印度諸島及び北東航路を扱っている。そのシリーズ名にも拘らず、『小航海譚集』各巻は『大航海譚集』を構成する大冊よりは幾らか小さいとはいえ、かなり大型の二つ折判(フォリオ)である。このシリーズに含まれるのはロペスの『コンゴ記』*Congo*、リンスホーテンの著作、ハウトマン、ネック、スピルベルヘンの東洋を目指すオランダ人の初期の諸航海やデ・ヴェールによるバレンツの北極航海であり、それぞれ贅沢に挿絵が入り、地図が添えられたものである。もう一つの、そして歴史的には更に大きな意味を持つシリーズが、ゲント〔ベルギー北西部の海港都市〕出身でド・ブライ一家同様フランクフルトに住んでいたレヴィヌス・フルシウスによって、十六世紀の終り頃から発刊された。一五九八年、彼はもっと手頃な大きさの四つ折判(クオート)で印刷された、二六の航海に関する集成の第一巻を出版した。彼の関心は専らオランダ人と英国人の活躍にあり、その本の適当な大きさと豊富な挿絵のお蔭でこの事業は好評を博し、その刊行は一六六三年まで続いて、全六九巻にも達した。見事に奏功したフルシウスの業績は〝地理文献の二世紀〟に対する一つの適切な締め括りをなすものである。

ドイツで働く低地国家出身の市民として、ド・ブライ一家とフルシウスはドイツとオランダを繋ぐ一つの鐶であったから、順序から言えば、オランダ人の旅の記録を一瞥することが次に来る。オランダは航海と発見の領域には後れて顔を出した国で、事実、その後植民地を持つことになった諸国の中では殿(しんがり)であった。だからオランダの地理文献は殆どルネッサンス終末近くになってから出現するのであるが、それでもなお注目に値する幾人かの地理著作家を生んでおり、その一人ヤン・ホイヘン・ヴァン・リンスホーテンは逸すべからざる重要性を持っている。

先に述べた通り、リンスホーテンは印度で数年を送ったことがあるが、そこでは《東方》知識に対する飽くことを知らぬ渇望を披瀝しているし、また暫くアソーレス群島に住んだこともあり、バレンツの北極探検航海には最初の二つに参加した。ハクルートに似てリンスホーテンもまた一箇の宣伝者であって、オランダの海外雄飛を鼓吹する気持があった。この意図は記述的・航海記的性格の方が勝っている彼の著作の中では、それ程明白ではない。しかし彼は計画推進者として一五九〇年代には極めて活動的であったに相違ない。彼の有名な作品は『東方案内記』*Itinerario*(一五九六年、アムステルダム)であるが、これは本来、オランダ国民に対する一つの決定的且つ実用的な教科書として意図されたもので、彼自身の経験と深い研究の成果であった。本書は三部に分れていて、第一部は印度における彼自身の経験を扱うと共にこの国について充実した描写を行っており、第二部はスペインやポルトガルの水先案内達の手稿から翻訳した印度やアメリカに到る様々な航路情報の集成を収めているが、特に東印度諸島と中国の水域を含むマラッカ以遠の航路の詳細が豊富であって、リンスホーテンがオランダ人に対して為した最大の功績は、実にこの《水路誌》の編纂にあった。第三部はドゥアルテ・ロペス、ピエトロ・マルティーレ、オビエドそしてド・ルリから採ったアフリカやアメリカの沿岸航海案内と地理の記述から成っており、第二部と同じくオランダの航海者にとって実用性の高いものであった。更に三六の図版や図面並びに六枚の大型地図の付録によって完璧のものとなった本書を携行せずには、如何なるオランダ人船長も航海を躊躇したのである。旅行者、著作家また海外発展の鼓吹者として、リンスホーテンはルネッサンス期オランダにおける地理学上の代表的人物といってよい。

十六世紀の交替期になるとオランダ人による航海記が現れ始め、東印度諸島、北極地方及びオランダ人の世界周航などを記録する。スマトラとジャワに対する最初のオランダ人の航海はコルネリウス・ハウトマンの『オランダ船東印度航海記』*Verhael vande Reyse by de Hollandtsche Schepen gedaen naer Oost Indien*（一五九七年、ミッデルブルク）に記録され、一方、ネックとワルウェークの航海は、ネックの作とされる愉快な挿絵入りの興味深い本『航海日誌』*Journael ofte Dagh-Register*（一六〇〇年、アムステルダム）の因となった。この二つの本はド・ブライとフルシウスによって覆刻され、また早くから英国東印度会社の教育指導資料として英訳された。オランダ人による初期の航海で最も壮烈であったのは、三次に及ぶバレンツの《北東航路》打通への雄々しい挑戦であった。第二次、第三次の生残りの一人ヘーリット・デ・ヴェールは『本当の物語』*Waerachtighe Beschryvinghe*（一五九八年、アムステルダム）という真に素晴しい冒険の記録を書き、その中で北極圏の荒地で過した凄じい冬の艱難を感動的な散文で詳しく物語った。同じく、マジェラン海峡を通過したオランダ人の色々な航海も、よく知られた物語の中で描写されている。ヴァン・ノールトの世界周航は挿絵の優れた『世界周航記』*Beschryvinghe vande Voyagie om den geheelen Werelt Cloot*（一六〇二年、アムステルダム）を生み、幾つも版を重ねたが、これは《日本》に関する詳細な記述という点に特に興味深いものがあり、また日本の船や日本人を描いた銅版画は、ヨーロッパにおける最古の部類に入る。

ホーン岬の発見といった様な大事件は、当然ながら大きな関心を喚び起し、スホーテンのホーン岬回航談は、彼の『航海…日録』*Diarium...Itineris*（一六一九年、アムステルダム）の中で語られている。帰航時に船中で歿した彼の同船者ヤコブ・ル・メールは一つの日記を遺したが、これは、もう一人の有名なオランダの世界周航者ヨリス・ヴァン・スピルベルヘンの報告と一緒に印刷された。スピルベルヘンのマジェラン海峡通過と南米西岸沿いの海賊行動に関する迫真的な話は『東・西両印度諸島の鑑』*Oost ende West-Indische*

Spiegel（一六一九年、ライデン）という地図や図版で魅力的に飾られた本の中で、ル・メールの物語と共に語られている。この時代のオランダの航海文献を論ずるに当っては、実に〝銅版画〟というものがそれぞれの本に魅力と有用性を与えた役割を大いに強調しなくてはならないだろう。当時のオランダはメルカトールやオルテリウスに代表される如く、ヨーロッパにおける最も活潑な地図製作の一派の中心であって、優秀なオランダ人彫版工の一団を擁しており、ルネッサンス期のオランダ地理書（この中にはド・ブライやフルシウスの諸版を含めてもよい）は、魅力という高度な領域では、他の諸国の類書とは比較にならぬ程の豊富な挿絵と地図によって断然傑出しているのである。

チューダー期の地理文献

この研究でヨーロッパ大陸を歴訪して来た我々は、旅と発見に関する文献では優にスペインやポルトガルのそれに匹敵するといってよい一つの国、即ち英国へ到頭やって来た。英国は十六世紀の中葉を過ぎてなお、文献の名に値する程の地理文献は殆ど生み出してはいなかったが、それに続く七五年間に地理文献の特異な多様性——旅行記・航海記の集成——を完璧なまでに発展させた。他の諸国も探検記や発見記の叢書を生み出したのは事実であって、イタリアにはかの『諸国誌（パエシ）』がありラムージォがいた。ドイツにはグリナイオス、ド・ブライ一家、そしてフルシウスがいた。けれども英国のイーデン、ハクルートそしてパーカスの《集成》は、これらのいずれよりも完全であったばかりでなく、大英国を海外に建設するための宣伝・鼓吹の書という点で、明確な一つの目的を持っていたと言ってよかろう。他の国の場合、旅行文献は常に現実の進展の後を追って生れている。バロス、カスタニェーダ、そしてブラス・アルブケルケの年代記はポルトガル勢力が正に衰退し始めた時に刊行され、オビエド・イ・バルデスはメキシコが征服されてしまった後、そしてピサロが既にペルーに在った時にその歴史を書いた。しかしハクルートの活動は英国東印度会社の設立やジェイムズタウンへの植民の前夜から始っている。リンスホーテンがオランダにおける大変積極的な一つの力であったことは事実であるが、彼の《オランダ帝国》なるものの唱道は、その著作からは殆ど明らかに出来ない。従って、各国の旅行文献の様々な性格の中では、独り英国型のみが明白に〝海外発展の刺戟〟という点にその狙いを定めていたということが出来よう。英国の《航海記集成》をポルトガルの《年代記集》と同等の地位に置くものは、資料が扱われている叙事詩的な雄大さと結合したこの様な性格なのである。

《探検》と《旅行文献》のいずれの面でも、英国が舞台に登場するのは遅かった。チューダー期の英国人によって書かれた当時の地理的関心を示す最初の作品はトマス・モア卿の義弟ジョン・ラステルの『新幕間劇と四大素から成る自然界の喜劇』*A New Interlude and a Mery of the Nature of the IIII Elements*（一五一九年頃、ロンドン）であって、これは芝居の形をとった韻文による自然科学の講義であった。ラステル自身も一五一七年にブリストルから《新しく発見された地方》（ニュー・ファウンド・ランズ）への航海を企てたが、アイルランドより先に行くことは出来なかった。こうした事情から彼は新しい発見には敏感であって、そのへんてこな滑稽詩の〝宇宙形状誌〟の部では、カボット父子によって発見された土地を二〇年以上も前に描写している。このように早い段階で北米の大陸的性質を見抜いていたのはラステルの誉れであって、その《幕間劇》を通じて彼はアメリカへの航海を支持する気運を盛上げようと努めたのだと言っても、あながち失当の示唆ではないのである。

初期の里程標がもう一つ、一五二七年に現れる。この年ロバート・ソーンはヘンリイ八世とそのスペイン駐劄大使エドワード・リー博士に宛てて有名な手紙を書き、英国と東印度地方との通商のために《北方航路》の利用を説いた。『ロバート・ソーンの本』*The Book of Robert Thorne* として知られるこの二つの書簡は、殆ど半世紀以上に亙って写本の形で回覧され、後にハクルートの『航海雑録』*Divers*（一五八二年）の中で印刷体となった。一五四一年にはソーンとセバスチャン・カボットの親友ロジャー・バーロウがエンシソの『地理学大全』（ヘオグラフィア）*Suma de Geographia* を訳したが、これはなかなか精力的な訳業であって四世紀もの間、原稿のまま眠って陽の目を見なかった。約一〇年後には、イタリア贔屓で血のメアリ一世「メアリ・チューダー」の「新教徒迫害の」犠牲者ウィリアム・トマスが、ヴェネチア人バルバロとコンタリーニのそれぞれのペルシャ旅行記を一五四五年のオールダス版から英訳した。ここに掲げた僅かな目録から見ても、こうした初期の努力が如何に間歇的で相互にばらばらであったかが判るのである。《宇宙形状誌劇》《北方航路奨励の書簡》《スペイン人の地理要覧の訳出》そして《中東派遣ヴェネチア使節旅行記の翻訳》——これら四つの作品が三〇年間に亙って次々に現れたのであるが、著者の生存中に印刷に付されたのは最初の《劇》だけであった。

従ってルネッサンス期地理学の進歩に関する本格的研究は、十六世紀前半の英国では何一つ出版されず、また書かれさえもしなかったのが実情であるといってよく、外国文献に近づく手段を持たなかった一般読書界にとっては、大発見時代を演ずる舞台は未だ見えていなかった。一五五三年はこの舞台の幕が揚った象徴的な年として考えてよいであろう。何故ならこの年、ウィロビイが北東航路で中国に達するべく船出をし、ウィンダムが西アフリカのギニア海岸へ航海したからであり、またリチャード・イーデンが英国で印刷された最初の本格的な地理書を発行した年でもあるからである。

リチャード・イーデンはケンブリッジ大学出身の若者でウィリアム・セシル［バーリイ卿］に使われており、また老セバスチャン・カボットの友人・崇拝者でもあった。少年時代から地理学に興味を示し、この面で英国を覆っている長い沈滞（サイレンス）を打破し——それによって〝新しい土地における他の国々の功業について国人を啓蒙する〟計画を夙くから抱いていた。彼の最初の著作は軽い実験的なものであったが、正しい方向へ踏み出された巨大な一歩であった。『新印度論』*A Treatyse of the Newe India* として出版されたこの本は、セバスチャン・ミュンスターの『万国形状誌』のその部分の翻訳で、コロンブスやヴェスプッチの諸航海、マジェランの世界周航、東方におけるポルトガル人の初期の業績を扱ったものである。本書はコロンブス、ヴェスプッチ、マジェランそしてアルブケルケの名を初めて英国読書界に知らしめたものであり、それ自体は軽いものではあったが、エリザベス女王とジェイムズ一世の時代に承け継がれる地理文献の豊かな将来性を具えていたのであった。イーデンは彼の主題に対して堅固で批判的な感覚を持っており、二年後には前著を遥かに凌ぐ権威と有用性を具えた充実した一書を世に送った。この書『新世界――即ち西印度地方に関する十年記集』*The Decades of the Newe Worlde, or West India*（一五五五年、ロンドン）は、英語による最初の航海記集であった。この本にはピエトロ・マルティーレ、オビエド・イ・バルデス、ロペス・デ・ゴーマラの諸史、ピガフェッタによるマジェランの物語、カボットの諸航海の報告、ロシアに関する記述数篇、そして最後には〝輪転機を停めて挿入する〟程のホット・ニュースとして、英国初の西アフリカに対する二つの航海の話が、抄録の形で載っている。本書の卓越した業績が、大発見に関する基本資料の集成を英国で初めて公にすると同時にこの主題に関る主要作者達を明らかにした、という点にあったことは疑問の余地がない。けれどもそれが総てであったのではない。イーデンの緒言には、北米における英国植民地というものの鼓吹が初めて姿を現しているのである。この故に我々は、イーデンの『十年記集』の刊行によって英国が新時代へ向けて完全に覚醒した、と言ってよいであろう。世界が実質的にすっかり変ってしまったという事実は遂に明白となったのである。

この《集成》はイーデンの偉大な業績であったが、彼は以後マルティン・コルテスの有用な航海便覧をスペイン語から（一五六一年）、同じくジャン・テニエのそれをフランス語から（一五七六年）訳出する仕事を続け、一五七六年、大幅に増補された彼の『十年記集』第二版の完成を目前にして亡くなった。これを完成する任務は彼の弟子リチャード・ウィルズに残され、そして『西・東両印度地方旅行史』*The History of Travayle in the West and East Indies* として一五七七年に刊行されたが、その出版は北西航路開拓を目指すフロビッシャーの航海に時期を合せる意図があったことは明白である。こうした理由から、第二版にはアジアに関する多くの新資料、例えばヴァルテマの遊歴譚、ペレイラによる中国の記述、そして日本に関するマッフェイの報告などが、ロシアや中央アジアにおける（ジェンキンスンの旅の如き）英国人の旅行談と共に収載された。その結果、ウィルズ版によって《中国(カタイ)》とそこに到る道が英国の読者にとって初めて現実のものとなったのは、恰もイーデンの初版が《アメリカ》を一つの現実としてチューダー期の読者の前に引き出したのと揆を一にしているのである。

イーデンは一箇の先達であった。ハクルート程の偉大な人物ではなかったにせよ、英国の地理文献を初めてその針路に乗せたのは彼である。そして彼の海外雄飛の示唆は、その後継者達の間に活潑な鼓吹と議論とを芽吹かせたのであった。この種の宣伝文書は、約一〇年前に書かれて以来写本の形で広く回覧され、一五七六年になってロンドンで印刷された強力な《北西航路》擁護論であるハンフリイ・ギルバート卿の『中国(カタイア)に到る新航路の発見を論ず』*A Discourse of a Discoverie for a New Passage to Cataia* によく代表されている。他の如何なる文書にも増してフロビッシャーの諸航海を背後から刺戟したのは本書であった。この主張はジョン・デイヴィスの熱烈で真摯な『世界水路誌』*The Worlds Hydrographical Description*(一五九五年、ロンドン)の中で繰返されている。そしてこの時期の舞台裏には常にかの神秘的な人物ジョン・ディーの姿が見られた。この頃ずっと彼は尨大な著述に取組んでいたが、これは今日まで全篇がそのまま陽の目を見たことはなく、あるいは残念ながら将来もまたその見込はなさそうな——『完全なる航海術に付随する一般的・特殊的覚え書』*General and Rare Memorials Pertayning to the Perfect Arte of Navigation* というものである。その第一部のみが『小海軍論』*Pety Navy Royall*(一五七七年、ロンドン)として発行されたが、これは常備艦隊保有の有利性を説き、その計画に要する資金の調達方法を示唆したもので、ディーが唱道していた海外発展政策に関する一つの必要条件であった。この作品の第二部、即ち航海に関するものばかりであるが、これは悉く湮滅してしまった。第三部は明らかに政治的な内容のもので、完成していたけれども不穏文書であるとして焼却された。纔（わず）かに第四部の主要部のみ原稿の形で大英博物館に遺っている――『名高く実り多き諸発見に関する偉大な一巻』*The Great Volume of Famous and Rich Discoveries*（コットン草稿。ヴィテリウス C・vii）がそれで、ハクルートやパーカスには知られており、今もなお根気のよい編輯者の注意を待っている、ルネッサンス期の探検に関する論究である。この最終の部は第一部と同様、海外冒険事業に対するディーの主張を披瀝したもので、その全体の目的は如何にすれば英国人が〝中国（カタイ）の伝統的な富〟と〝オフルの財宝〟を英国にもたらし得るかを示すことにあった。

何事にまれ計画を樹てる最善の方法の一つは、他の人間がこれまでに何をして来たかを知ることであり、そしてエリザベス時代の初期には幸いにも、価値ある旅行記をフランス語やスペイン語から翻訳して刊行するのを仕事とした三人の優秀な翻訳家がいた。その第一はよく知られたエリザベス朝の出版者トマス・ハケットで、フロリダやブラジルにおけるフランスのユグノー教徒植民地の物語を翻訳した。十九世紀になるまでフランス語版では出なかったオリジナルの原稿から翻訳したジャン・リボウの『フロリダ発見全記』*The Whole and True Discoverye of Terra Florida*（一五六三年、ロンドン）やニコラ・ル・シャルウの『フロリダへの…最後の航海』*Last Voyage...into Terra Florida*（一五六六年、ロンドン）及びアンドレ・テヴェの『新しく発見された世界、即ち極南（アンタルクチカ）の土地』（一五六八年、ロンドン）といった英語版は彼のお蔭である。こうした書物がアメリカ大陸海岸部に対する英国植民活動の激励を意図したものであったことは確かであり、テヴェの本はいずれにしても極めて有用と考えられたから、フロビッシャーの航海時には船内図書室に備えられていたのである。スペイン文献からの翻訳は、スペイン貿易から引退した二人の商人の手で行われたが、彼等が共に相当な文学的才能に恵まれていたのは幸いであった。その一人ブリストル生れのジョン・フランプトンは、曾てリスボンからカディスへ航海中に異端審問の網にかかって酷い目に遇わされたことがあった。結局彼は逃げ出すことに成功し、意欲旺盛な同胞のために色々な基本的地理文献を次々に翻訳することでカトリック・スペインに復讐した。それらの翻訳には『新世界からの朗報』*Joyfull News out of the Newe Founde Worlde*(一五七七年、ロンドン)という面白い書名で訳出されたモナルデスの植物誌、『西印度地方…港湾略誌』*A Briefe Description of the Portes...of the Weast India*(一五七八年、ロンドン)として抄出したエンシソの地理書のアメリカの部、ベルナルディノ・デ・エスカランテの『東方諸国…航海談』*A Discourse of the Navigation...to the Realmes of the East*(一五七九年、ロンドン)、『ニコロ・デ・コンティ』*Nicolo de Conti* の話を含む『マルコ・ポーロ記』*Marco Polo*(一五七九年、ロンドン)、そしてペドロ・デ・メディナの『航海術』*The Arte of Navigation*(一五八一年、ロンドン)などがある。もう一人の翻訳者トマス・ニコラスはカナリア群島に住んでいてフランプトンと同じく異端審問に連座したが、英国帰還の後はロペス・デ・ゴーマラの『西印度地方征服史』*His-*

torie of the Conquest of the Weast India（一五七八年、ロンドン）やサラーテの『ペルー発見・征服史』*History of the Discoverie and Conquest of Peru*（一五八一年、ロンドン）を翻訳して、メキシコとペルーの征服譚を英国読書界に提供した。この時期にポルトガル書から訳されたのはたった一つしかない。即ちロペス・デ・カスタニェーダの『東印度地方発見・征服史』*Historie of the Discoverie and Conquest of the East Indias* の第一書をニコラス・リッチフィールドが英訳し（一五八二年、ロンドン）、それをフランシス・ドレイク卿に捧げた。リッチフィールドはトマス・ニコラスの筆名の一つであったろうと思われる。一方、一五八〇年には無名ながら潑溂たる若さに溢れた一人の地理愛好者に慫慂された英伊混血の若者の手に成る翻訳が現れた。即ちジャック・カルティエの『二つの航海と発見』*The Two Navigations and Discoveries* がそれで、訳者はジョン・フロリオ、計画を吹き込んだのはかのリチャード・ハクルートであった。

ヘレフォード州の旧家の子として一五五二年頃ロンドンに生れたハクルートは、ウェストミンスター校とオックスフォード大学のクライスト・チャーチ学寮で教育を受け、そこで聖職に就いた。爾来彼は、ミドル・テンプル［四法学院の一つ］所属の弁護士で地理に凝っており、地理学専門家（コンサルタント）として重きをなしていた従兄リチャード・ハクルートの強い影響下に入ることになる。従兄の薫陶は優れた土壌に根を下したと言ってよい。何故ならこの若い同名の従弟は英国人を海外の冒険事業に向けて覚醒させることを常に念じつつ、その一生を地理知識の普及・宣伝に献げることになったからである。《未来の大英帝国》という可能性に対する預言者的熱情を以て若きハクルートは特に気に入った二つの地方、即ち《北米東部》と《印度》とを生涯に亙って強調した。彼の最初の仕事がカルティエの《カナダ航海記》の訳出の慫慂にあった理由は、疑いもなくこれであった。二年後彼は同じ北米というテーマを扱った一つの出版物『アメリカ発見に関する航海雑録』*Divers Voyages Touching the Discoverie of America*（一五八二年、ロンドン）を送り出したが、これはカボット父子、ロバート・ソーン、ヴェラツァーノ、ゼノ兄弟、そしてジャン・リボウの記録や文書の集成である。この貴重な小型四つ折本には共通の主題による話が蒐められていて、編者の意識的な狙いといったものが窺われる。本書刊行の更に二年後、ハクルートはアメリカの植民地化を専心鼓吹する力に溢れた解説文書『西方植民論』*Discourse on the Western Planting* を書き、写本の形で回覧されたが、印刷体となったのは三世紀後（一八七七年）のことであった。

この分野におけるハクルートの知識は、英国大使付き牧師として一五八三年から一五八八年にかけてパリに住んだことにより、一層拡大された。即ちパリで彼は他国の航海事業を大いに学び、英国人が〝のろまな安全主義者〟として物嗤いになっているのを知るに至ったのである。パリ在住の間に彼はピエトロ・マルティーレの『十年記集』*Decades* の完全改訂ラテン語版を発行（一五八七年）したが、この作品はマイケル・ロック（フロビッシャーの後援者）によって翻訳された（一六一二年）。この期間を通じてハクルートは疲れを知らぬものの如く、彼の大集成——英国人をしてますますその偉業に駆り立てることになったそれまでの英国人による航海の記録の集成——のための資料蒐集を怠らなかった。彼の英国帰還後及びスペイン無敵艦隊の撃滅の翌年、その記念碑的作品の初版『英国民主要航海・旅行・発見記』*The Principall Navigations, Voiages, and Discoveries of the English Nation*（一五八九年、ロンドン）一巻本が現れた。英国は少くとも十五世紀以来航海民族であり、ヘンリイ八世の晩年には海軍国となり、今や植民国家に成長しようとしていた。リチャード・ハクルートはこの初めの二つの段階を個々の物語を通じて年代記化することにより、その第三段階を推進する努力を払ったのである。『主要航海記』の構想はラムージォの言わば改良・修正版であるが、ハクルートは一層優れた編輯者・記録編纂者であることを自ら立証しただけでなく、生涯に亙って一種の使命感を抱き続けた地理専門家なのであった。従って『主要航海記』の初版が自身の第二版によって凌駕されたのは当然とはいえ、それまでの何物をも遥かに引き離したものであったことには何の不思議もないのである。この初版は次の三部に分れている。即ち、第一部は《レヴァント会社》《近東・中東における初期の旅行》及び《西アフリカへの初期の航海》、第二部は《北東航路の探求》《ジェンキンスンとその後続者達によるロシア及び中央アジア旅行》、第三部は《ホウキンズとフロビッシャーの諸航海》《ヘイリオットによるロアノーク植民地記》《ギルバート及びペクハムによる鼓吹宣伝文書》そして《ドレイク、デイヴィス、キャヴェンディッシュの大航海》から成っていたのである。

ハクルートの初版が真に雄大なものであったことは何人も否定出来ないが、彼の収録から洩れた情報はまだ沢山あって、次の一〇年間には英国人(ブリトン)による旅が盛んに行われたから、この版も忽ち時代遅れとなってしまった。それ故、一五九〇年代を通じて、この倦むことを知らぬ編輯者ハクルートは《集成》の拡大充実と更新という手強い仕事に没頭した。これがどれ程大変な仕事であったかは、初版が約七〇万語から成っていたのに対し、第二版は約一七〇万語という事実からもよく諒解されよう。遂に一五九八年、『主要航海記』第二版第一巻が現れ、続く二年間に第二、第三巻が刊行された(一五九九年、一六〇〇年)。これは実にハクルートの歴史的な傑作であり、エリザベス朝の一大散文叙事詩なのであった。その構成は初版に似ており、第一巻は北及び北東への航海、第二巻は南と南東への、そして第三巻はアメリカへの航海を扱っている。各部とも増補され、第一、第二巻はほぼ倍増、アメリカの部は殆ど三倍に達した。新しくて重要なもの、例えばニューベリイとフィッチの旅行記、ランカスターの最初の航海、スパニッシュ・メイン地方における新たな業績、それにローリイ卿の熱帯地方における冒険等が数多く収録された。この増補版は一見したところ広過ぎて混乱した知識の陳列場の観があるが、仔細に吟味するとそこには明確な統一性と一貫した編輯方針が認められる。本書は常に、歴史に関する偉大な著作であり地理知識の宝庫であると共に、その物語自体はチューダー期の時代精神と傾向を理解する上で無二の価値を有する物語文学の根幹を形成しているのである。

この三巻本『主要航海記』はハクルートの金字塔であり、これ程に野心的なものは流石のハクルートも再び企図し得なかった。しかし『主要航海記』と同時に、彼は殆ど同等の価値を有する一つの仕事――即ち《翻訳》を成し遂げつつあったのである。彼の『集成』中に含まれた英国関係以外の資料は極めて寥々たるものであったが、海外で生み出された旅行文献の大部分が英国では至大の価値を持つであろうことを、彼は鋭くも洞察していた。この故に、フロリオによるカルティエの航海記訳出の時以来ほぼ三〇年間、永続的な有用性を具えた重要文献と思われるものの翻訳を奨励し（時には自ら翻訳し）て来たのである。パリ在住の間に彼はロードニエルの『フロリダ新誌』*Florida*を訳していた（刊行一五八七年、ロンドン）し、翌年にはメンドーサの『シナ大王国誌』*China*を訳すべくロバート・パークを傭い（刊行一五八八年、ロンドン）、そして一五九七年には牧師仲間のエイブラハム・ハートウェルがハクルートの示唆の下にロペスの『コンゴ王国物語』*Congo*を訳出した。ハクルートの擁した翻訳家の中で最も活躍したのはウィリアム・フィリップで、彼の本領はオランダの旅行文献にある。英語版のリンスホーテンのもの（一五九八年、ロンドン）、ハウトマンによる初のオランダ人東方航海記（同じく一五九八年）、デ・ヴェールのバレンツの航海に関するもの（一六〇九年、ロンドン）等は彼のお蔭であった。レヴァント会社とヴァージニア植民地の双方に関係していた面白い人物ジョン・ポリイは、自身の蒐集による新たな資料を沢山追加して、レオ［・アフリカヌス］の『アフリカ記』を訳出した。その他のハクルートの弟子で同じ様な仕事をした人にウィリアム・ウォーカーがいるが、彼は一六〇一年にオランダ語からネックの航海記を訳し、エロンデルという名のフランス人はレカルボの『新フランス記』*Nova Francia* を英訳した（一六〇九年、ロンドン）。ハクルート自身は多分ガルヴァンの『世界の発見』*Discoveries of the World*（一六〇一年、ロンドン）とデ・ソトの『豊饒のヴァージニア』*Virginia Richly Valued*（一六〇九年、ロンドン）を訳出しているし、一方、マイケル・ロックはハクルート自らの編纂によってピエトロ・マルティーレのものを英訳している。従ってこれらの訳業はハクルートの活動の重要部分を形成していたのであって、これらの翻訳文献は、かの『主要航海記』が英国側の文献を提示した如く、ルネッサンス期の外国の旅行文献を示すものであり、両者は共に英国人による利用とそれによる鼓吹とを意図したものであった。それ故にハクルートの活動はその生み出した結果によって判断されるべきなのである。何故なら旅行・航海記の集成やその翻訳を抜きにしては、英国の海外発展の活力など望むべくもなかったからである。彼ハクルートこそ実に大英帝国建設者中最大の著作家であったと言ってよかった。

一六一六年にハクルートが歿すると、その仕事は疲れを知らぬ精力の持主であるが、どちらかと言えば平凡な聖職者サミュエル・パーカスによって継承されることになった。パーカスは一六二五年、『ハクルート忘れ形見もしくはパーカス編・遍歴談叢＝付、英国人その他による航海記・陸上旅行記より見たる世界史』*Hakluytus Posthumus, or Purchas His Pilgrimes, Contayning a History of the World in Sea Voyages and Travells by Englishmen and Others* というハクルートの大量の遺稿、英国東印度会社による最近の諸航海やヴァージニア植民地の記述並びに大量の翻訳を含む尨大な著作を刊行した。この『遍歴談叢』は大冊四巻から成るものであるが、これと全く同じ判型のパーカスの『遊歴記』*Pilgrimage* 第四版（一六二六年）はしばしば『遍歴談叢』第五巻として目録に載ることがある。パーカスの集成は実に地理史の無尽蔵の宝庫であり、最も重要な資料源であることは言を俟たない。

　しかしながら、ここにはハクルートの『主要航海記』を貫いて流れる統一的な主題といったものが欠けているため、普通の読者は〝木を見て森を見ない〟危険に陥る虞れがある。恐らくこれは資料の莫大さが一因であるが、一半はパーカスがハクルート程の編輯の才を持ち合せていなかったという事実にも起因している。けれども、いずれにせよ啓蒙宣伝的な訴えはもはやそれ程必要ではなくなっていた。と言うのは、一六二五年頃には、《英帝国（ブリティッシュ・エムパイア）》はヴァージニアと印度にかなりしっかりと根を下していたからである。疑いもなくパーカスはハクルートの器量に及ばず、当然とはいえ何かにつけて比較されるという損な役廻りを強いられて来た。しかし彼もまた生得立派な人物なのであって、英文学や英国史を学ぶ者は、ごく最近、この裨益するところ甚だ多かった著作家に正しい評価を与えたウィリアム・フォスター卿の如き人々に、大いに感謝せねばなるまい。パーカスなかりせば、英国人による初期の海外雄飛の記録（特に東洋への航海に関するもの）の大部分は失われてしまったかも知れない。蓄積者・蒐集家としての彼の孜々たる努力と能力のお蔭で莫大な量の生き生きした貴重な物語が救われ、出版されることになったのである。サミュエル・パーカスは後世に偉功を遺した人と言わねばならない。

ハクルートとパーカスによる百科全書的な《集成》には非常に多くのものが組み込まれているので、個々に出版された英国人の旅行記、特に一六〇〇年以前の記録は数も少く且つ比較的重要でない様に見えるし、また幾つかの例で目立つ点は、冒険それ自体とその物語の出版の間に時のずれが認められることである。英国人の航海に関するあらゆる物語の中で、単独で現れた最初のものはサン・フアン・デ・ウルアにおけるジョン・ホウキンズの悲劇的冒険の話『ギニア及び西印度地方への…苦難の航海』*The Troublesome Voyadge …to the Parties of Guynea and the West Indies*（一五六九年、ロンドン）で、極めて入手困難な小史であるが、この本は、もう一人の生残りで長い間スペインの捕虜になっていたジョブ・ホートップの『一英国人の旅行譚』*The Travailes of an English Man*（一五九一年、ロンドン）という物語によって十分にその欠が補われている。フロビッシャーの諸航海は国民的規模の関心を呼んだに相違なく、散文や詩の形で今日に遺っているが、就中興味深いのはジョージ・ベストの『中国（カタイア）航路開拓のための最近の発見航海に関する真実の論文』*A True Discourse of the Late Voyages of Discoverie, for the Finding of a Passage to Cathaya*（一五七八年、ロンドン）である。もう一つはディオニーズ・セトルとジョン・エリスによるフロビッシャーの第三次航海に関する注目に値する報告であろう（一五七七年初版、ロンドン。第二版は一五七八年）。

フランシス・ドレイク卿の崇拝者達は、彼の大向うを沸かせた功業に関するそれぞれの話を愉しむには遥かに永く待たされることになる。一五七二―七三年のパナマ襲撃という痛快な行動がフィリップ・ニコルズの筆による『蘇ったフランシス・ドレイク卿』*Sir Francis Drake Revived* となって現れるのは一六二六年のことであり、一方かの世界周航談の刊行は一六二八年の『フランシス・ドレイク卿世界を股にかける』*The World Encompassed by Sir Francis Drake* まで延びてしまったのである。これに反し、一五八五年の冒険は、ウォルター・ビッゲス作『フランシス・ドレイク卿西印度航海記』*Discourse of Sir Francis Drakes West Indian Voyage*（一五八九年、ロンドン）という、バティスタ・ボアツィオが描いた有名な地図で飾られた小さい本によって、殆ど同時代的な注目を惹いたのである。そしてドレイクとジョン・ホウキンズの最後のそして運命的な航海はヘンリイ・サヴィル卿の『スペイン人の背信を嗤う』*A Libell of Spanish Lies*（一五六九年、ロンドン）の中で物語られている。

チューダー期の航海記中最も生彩に富んでいて面白い一つ、『リチャード・ホウキンズ卿南海を征く』*The Observations of Sir Richard Hawkins in his Voiage into the South Sea, 1593*（一六二二年、ロンドン）は力強い描写力と想像力で書かれた雄々しき失敗の劇的な物語である。もう一つ文献的価値の高いのはウォルター・ローリイ卿の『広大肥沃にして美しきギアナ帝国の発見』*The Discoverie of the Large, Rich, and Bewtiful Empire of Guiana*（一五九六年、ロンドン）で、一方それに続くキーミス船長の航海は、彼の大変に詳しい『第二次ギアナ航海記』*A Relation of the Second Voyage to Guiana*（一五九六年、ロンドン）の中で語られている。この地方に関するもう一つの物語はロバート・ハーコートの『ギアナ航海記』*A Relation of a Voyage to Guiana*（一六一三年、ロンドン）であるが、なかなか洗煉された描写である。

ローリイ卿の初期の関心の対象であったロアノーク植民地は、数学者・自由思想家として有名であった才気煥発の若いお気に入りの部下が書いた古典的な報告の因となった。即ち一五八五—八六年に最初の入植者と共にヴァージニアを訪れたトマス・ヘイリオットによる『新しき土地ヴァージニアの簡潔且つ真実なる報告』*A Briefe and True Report of the New Found Land of Virginia*（一五八八年、ロンドン）である。この植民地が失敗した後は、沿岸偵察を除くと北米の開拓事業に関しては殆ど見るべきものがないが、偵察航海の内の二つが真に立派な記録を生んだ。即ちコッド岬とマーサズ・ヴィニヤードに対するゴスノールドの冒険はジョン・ブリアトンの『ヴァージニア北部の発見に関する略報』*A Brief and True Relation of the Discoverie of the North Part of Virginia*（一六〇二年、ロンドン）となって結実し、一方、ウェイマスによるメイン州沿岸航海はジェイムズ・ロジアの『ヴァージニア発見における…最も稔り多き航海の実記』*A True Relation of the Most Prosperous Voyage...in the Discovery of the Land of Virginia*（一六〇五年、ロンドン）の出現を促した。この二著は歴史的・地理的観点から極めて重要なものであったから、愛国心に燃えるアメリカ史研究の老大家ヴァーモントのヘンリイ・スティーヴンスをして〝ニュー・イングランドの歴史の二つの眼目〟と言わしめたのである。

一六〇七年に北米最初の恒久的植民地がジェイムズタウンに拓かれた結果、根本史料となる文献――即ち個人の記録、宣伝文書、説教その他様々な雑録――が多数出現する。これらの出版物の中では船長ジョン・スミスの名が断然光っているが、それは彼がその主役の一人であったからだけでなく、文学的才能と流暢な筆の持主でもあったからであり、これらが彼をしてこの揺籃期の植民地に関する自他共に許す修史の第一人者たらしめた。この植民地が漸く一歳に達した頃、彼はその第一作『ヴァージニア入植以来の記録に値する諸事件の報告』*A True Relation of Such Occurrences and Accidents of Noate as Hath Hapned in Virginia since the First Planting of that Collony*（一六〇八年、ロンドン）を書いた。この後には更に充実した『ヴァージニアの地図＝並びに同地方誌』A *Map of Vir-*

ginia: With a Description of the Countrey（一六一二年、オックスフォード）が続くが、この本の中で彼はウィリアム・シモンズと協力して初期ヴァージニアの地理と植民事業の優れた描写を遺している。スミスの大傑作に話を移す前に、他の二人の重要な著作に言及しておく要がある。アレグザンダー・ウィテイカーの『ヴァージニアからの嬉しい報せ』*Good Newes from Virginia*（一六一三年、ロンドン）はポカホンタスとジョン・ロルフを結婚させた教区牧師による極めて興味溢れる直話であり、ラルフ・ヘイマーの『ヴァージニアの現状報告』*A True Discourse of the Present Estate of Virginia*（一六一五年、ロンドン）は入植地に纏わる多くの情報と共に、この結婚の風変りで面白い記述が見られる。スミスはその間に彼の関心を同海岸の北方、即ち、それまで《ヴァージニア北部》と呼ばれていた地方へと転じ、一六一六年に『ニュー・イングランド誌』*A Description of New England* を刊行したが、これは彼のマサチューセッツとメイン地方の沿岸測量の成果である。この偵察とこの本の出版とによって、彼は《ニュー・イングランドの提督》なる称号で呼ばれることになる。これに続くものに二つの宣伝文書がある。一つは『ニュー・イングランドの試練』*New Englands Trials*（一六二〇年、ロンドン）であり、もう一つは『ニュー・イングランドの未経験入植者に対する忠告』*Advertisements for the Unexperienced Planters of New England*（一六三一年、ロンドン）である。しかしヴァージニアを忘れてしまった訳ではなく、一六二四年には彼は幾らか自己中心的ではあるが権威ある

傑作『ヴァージニア通史』*The Generall Historie of Virginia* を著したが、これはアメリカに関する第一級の著述の一つである。この極めて重要且つ決定的な本は『ジョン・スミス船長の旅と冒険と観察に関する事実談』*The True Travels, Adventures, and Observations of Captaine John Smith*（一六三〇年、ロンドン）によって更によく補われており、この『事実談』の中ではスミスの冒険に満ちた経歴が感動的な散文で物語られている。《東方》における英国の冒険事業は、スミスの『通史』の如き重要な意義を持つ大作となって結実することはなかったが、それでも東印度会社の初期の航海活動は、かなり価値の高い幾つかの物語を生み出した。ランカスターが東印度会社のために行った航海は、無名氏による『東印度地方艦隊航海実記』*A True and Large Discourse of the Voyage of the Fleet to the East Indies*（一六〇三年、ロンドン）の中によく語られており、一方、ジャワに残され、ミドルトンが故国へ連れ帰った人々の話はエドマンド・スコットの『東印度会社社員…事実譚』*An Exact Discourse...of the East Indians*（一六〇六年、ロンドン）の中に躍如たる描写が見られる。スコットの話の直ぐ前にはミドルトンの征服譚『最後の東印度地方航海』*The Last East-Indian Voyage*（一六〇六年、ロンドン）があるが、これは実にずば抜けた価値を有する面白い物語である。各航海毎に詳細な日誌をつけるべきだという東印度会社理事達の主張のお蔭で、初期の航海事業については素晴しい航海日誌の一群が得られたが、これらは今なお、英国インド庁図書室に保存されている。こうした原稿の中で最も重要なものは恐らくフロリス船長によるベンガル地方と暹羅（シャム）への航海（一六一一―一五年）、サリス船長の日本航海（一六一二―一三年）、同じくスラト沖の海戦でポルトガル人を撃ち破り、印度本土における東印度会社の足場の確立に大いに役立ったベスト船長（一六一二―一四年）とダウントン船長（一六一四―一五年）の航海のそれぞれの日誌である。ハクルート協会による最も学問的なやり方で編輯されたこの四つの航海日誌は平明且つ力強い報告書で、純粋簡潔な《海洋文学（シー・リテラチュア）》の域に達しているのである。

エリザベス女王の晩年からジェイムズ一世時代の初期へかけて、個人の旅行に関する大変見事な古典的作品が英国人によって数多く書かれたが、その多くは地中海地域やレヴァント地方を述べている。これらの旅行記は、その性格や並々ならぬ文学的価値、そして悉くが殆ど同じ地域を扱っているという事実を特色とする、際立った一群である。著者達の大部分は前の諸章で既に論じてあるので、彼等の生涯や旅行に関してはここで再説する必要はないが、その作品については強調しておかねばならない。これら《放浪文士》の中で最も念入りなのは何と言ってもファインズ・モリソンで、そのヨーロッパと中東全域に及んだ遍歴は、彼の冗長で徹底的な『旅日記』*Itinerary*（一六一七年、ロンドン）の中で百科全書風に細を穿って記録されている。モリソンのこの網羅的な《オスマン・トルコ帝国物語》を補うものとしては、ジョン・サンダスンの『旅行記』*Travels*（ハクルート協会編輯、一九三一年）がある。サンダスンは二〇年近く（一五八四―一六〇二年）に亙って殆ど切れ目なくコンスタンチノープルに住んだ商人で、その間彼は小アジアを隈なく旅行し、聖地を訪れている。次に来るのはトマス・ダラムの天衣無縫とも言うべき素朴な『日記』*Journal*（一八九三年、ハクルート協会）であるが、彼はムハンマド三世の宮廷（セラグリオ）に珍奇な装置の一杯付いた風琴（オルガン）を据付けるために一五九九年にコンスタンチノープルへ赴いた英国の風琴製作者であった。当時印刷された旅行記の中で明らかに最も人気を博したのは、まずヘンリイ・ティンバーレイクが書いた、どちらかと言えば軽い読物であるシリア、パレスチナ地方への旅行譚『英国人巡礼者二人の旅の実話・奇談』*A True and Strange Discourse of the Travailes of Two English Pilgrimes*（一六〇三年、ロンドン及びその後の諸版）であり、もう一つはアレッポ在住の英国商人達の牧師を務めたウィリアム・ビダルフの『一六〇八年に成就された一部の英国人によるアフリカ、アジア及び黒海地方への旅』*The Travels of Certaine Englishmen into Africa, Asia, and to the Blacke Sea, Finished 1608*（一六〇九年及び一六一二年、ロンドン）である。

勿論トム・コライアットも、かの一風変った、しかし、なかなか権威ある案内・旅行記『ありのまま』*Crudities*（一六一一年、ロンドン）を書いたけれども、これは彼のヴェネチアへの徒歩旅行を扱っているに過ぎない。レヴァント地方に関するコライアットの旅行記はサミュエル・パーカスの熱烈な編輯の犠牲！となって、ずたずたに鋏を入れられてしまった。一方、トムが印度から送った二つの出版物（『旅行者トマス・コライアットの英国風機知奇智嘶』*Thomas Coriate Traveler for the English Wits*（一六一六年、ロンドン）と『アグラより送るT・コライアット氏の挨拶』*Mr. T. Coriat...sendeth greeting: from Agra*（一六一八年、ロンドン））は大変愉快で面白いものだが、所詮は通信文に過ぎない。コライアットが印度から帰還出来なかったことは大変な損失であったと言わねばならない。何故なら、彼は必ずやその《東方》旅行について一作を物したであろうし、それはかの『ありのまま』を遥かに引き離したであろうからだ。けれども我々の手許には、頑固なスコットランド人ウィリアム・リスガウの著作に見られる近東及び地中海地方における手に汗握る冒険や苦難の物語が遺されている。彼の古典的作品『ヨーロッパ、アジアにおける…最も痛快なる遊歴実話』*A Most Delectable and True Discourse of a Peregrination in Europe, Asia...*は一六一四年にロンドンで初版が出たが、その後少くとも五版を重ねており、リスガウがどんどん旅行をしたために、絶え間なく追補されて行った。この陰鬱だが無鉄砲極まるカレドニア人［＝スコットランド人］に比較すると、学者肌で上品なジョージ・サンディスは、都会風の威厳を反映している様に見える。このことは彼のトルコ、パレスチナ、エジプト旅行記『キリスト暦一六一〇年に始った旅の物語』*A Relation of a journey Begun Anno Dom. 1610*（一六一五年、ロンドン）から明らかであるが、この本は挿絵の美しい瀟洒な二つ折版（フォリオ）で、古典的な比喩やラテン語の引用句に満ちているのである。

レヴァント地方から中東へ眼を移すと、英国の《旅行文献》が、かのアンソニイ・ジェンキンスンのトルキスタンからペルシャへかけての大旅行（一五五八―六三年）と共に始り、ハクルートの手で印刷に付された結果、オクソス河やブハラのこと、西部コーカサスのこと、カズヴィンのペルシャ国王の宮廷の模様といった知識がチューダー期の読書界に知られるに至ったことが判る。

カスピ海横断という冒険的なペルシャ貿易におけるジェンキンスンの後続者達の物語もまたハクルートの手を煩したが、イラクを通り抜けてペルシャへ、そしてまたペルシャを踏破して戻って来る、一つの国の端から端への横断という、ジョン・ニューベリイの極めて重要な旅（一五八〇―八二年）の記録は、パーカスの《集成》の中で初めて活字となった。ペルシャやそこに赴いた個性豊かな冒険家達に対するこうした関心が著作物の面でも重要な位置を占めていたことは、シャーリイ兄弟に関するかなりな文献からも明らかであるが、中でも断然擢んでているのはウィリアム・パリイの『新編・アントニイ・シャーリイ卿旅行記』*A New and Large Discourse of the travels of Sir Anthony Sherley*（一六〇一年、ロンドン）である。この大変生彩ある物語が、アントニイ卿自身の誇張された自己正当化の書で一般読者にとっては退屈至極な『ペルシャ旅行譚』*His Relation of His Travels into Persia*（一六一三年、ロンドン）よりは大いに好まれるのも蓋し当然である。シャーリイ兄弟の冒険がロンドン児に人気があったことは、有名なエリザベス朝のパンフレット作者アンソニイ・ニクソンの小冊子『英人三兄弟』*The Three English Brothers*（一六〇七年、ロンドン）やデイ、ロウリー、ウィルキンズ三人共作の、構想力には富むが全く退屈な芝居『英人三兄弟の旅』*The Travailes of the Three English Brothers*（一六〇七年、ロンドン）から判る。ペルシャやロバート・シャーリイ及びジョン・ミルデンホールを扱ったもっと充実した価値のある作品はジョン・カートライトの『旅の説教者』*The Preachers Travels*（一六一一年、ロンドン）であり――この地域における一人の先駆的遊覧者による興味深い一巻である。南アジアに関するもう一つの魅惑的な本は、難破した船乗りでスラトからアレッポまで陸上横断旅行をしたロバート・コーヴァート船長の元気溌溂たる物語『陸路数多の王国を旅せる一英人の真実にして驚嘆すべき報告』*A True and almost Incredible Report of an Englishman that Travelled by Land Throw Many Kingdomes*（一六一二年、ロンドン）である。本書はジャハンギル皇帝から受けた歓待、印度、アフガニスタンそしてペルシャを踏破する倦き倦きする程の長い旅を物語っており、それ自体がこの時代の生んだ旅日記の最も優れた典型の一つなのである。

エリザベス女王やジェイムズ一世時代の印度について個別に出版されたものは比較的少いが、それでも印度旅行に関する迫力に富んだ重要な物語の幾つかがハクルートやパーカスの《集成》の中に顔を出している。これらはその著者が誰であるかに関係なく、皆それぞれ独自の価値を有するものと見做してよい。その中の白眉は恐らく英国人旅行家中の大物の一人であり、ハクルートの《集成》の中で詳しく物語られたその遊歴（一五八三—九一年）において黄金のゴアから大ムガール帝国の宮廷へ、そしてベンガル地方からお伽噺的なビルマの大都会ペグーにまで驥足を伸ばしたラルフ・フィッチの活力に溢れた話である。ジャハンギル皇帝の宮殿における英国東印度会社の初代代表（一六〇八—一三年）であったウィリアム・ホウキンズの興味深い話は、スラト駐在のホウキンズの代理人ウィリアム・フィンチ（一六〇八—一一年）の話と共にパーカスの《集成》に採られている。フィンチより更に権限も大きく一層成功を収めたホウキンズ後継者の任務はトマス・ロウ卿の見事な日記に描かれている（一六一五—一八年。ハクルート協会、一八九九年）が、これはこの外交官の印度赴任とアグラやアジメールにおける大ムガール帝国皇帝との交渉を録した、実に面白い報告と言ってよい。本書をよく補完するものとしては、ロウ付きの牧師エドワード・テリイの単調平凡な話（パーカスの《集成》で初めて要約・印刷され、後に『東印度への旅』*A Voyage to East-India* として一六五五年にロンドンで刊行）があるが、牧師仲間パーカスの風変りな比喩によれば、これは〝英・印混合の美酒の別盞に等しい〟ものなのだそうだ。ジョン・ジャーデンの極めて重要な日記（一六〇八—一七年）の主題は、印度そのものだけでなく南アラビアや東印度諸島方面にも及んでいるが、これは、東印度会社社員の中で最も有能な一人として《東方》に永らく住み、卓越した業績を遺した人物による物語（一九〇五年、ハクルート協会）である。チューダー朝からスチュアート朝初期へかけての直話旅行譚には、中国は姿を現していないけれども、ウィリアム・アダムズ〔三浦按針〕の書翰（一八五〇年、ハクルート協会により『日本帝国覚え書』Memorials of the Empire of Japan として刊行）とか平戸の英国商館にいた事務長（ケイプ・マーチャント）リチャード・コックスの日誌（一六一五―二二年。ハクルート協会、一八五〇年刊行）の中には、日本へやって来た最初の英国人二人による真に興味津々たる記録を見ることが出来るのである。

アジアと違ってアフリカは、その初期においては英国人旅行記の中には殆ど顔を出さない。言及に値するのは恐らく精々一握り程度である。ウィンダムとロックのギニア航海に関する優れた威勢のよい直話は遥か昔の一五五五年にイーデンの《集成》を生み出しており、その後の二度のギニア冒険航海は、ロバート・ベイカーの見事な詩篇（一五八九年のハクルート版のみに印刷された）の出現を促したが、その驚くばかりに劇的な力強さ、航海の艱難という全体のテーマ、そして暗示に富んだ神秘的浪漫主義といったものは、コールリッジの『老水夫行』*Ancient Mariner* を不思議にも見越しているのである。散文の分野では、アンゴラで長い間ポルトガル人の捕虜となったり、奥地の獰猛なジャッガ土人の中に身を潜めたことのあるアンドルウ・バッテルの感動的な記録がある（パーカス版に印刷され、一九〇一年ハクルート協会により再刊）。リチャード・ジョブスンの貴重な『黄金貿易』*Golden Trade*（一六二三年、ロンドン）は、流域の一層の開拓を刺戟する意図を以て書かれた、ガンビア河畔における英国の冒険事業の物語である。

従ってルネッサンス期における英国の旅行・航海文献は、外国文献の翻訳とそれぞれ独立した個人の旅行記という強力な脇役を持った一大集成において、その最高潮に達したものと見てよい。終始一貫して高度な文献的水準が保持されている一方、英国民の歴史と文化にこの文献が占める地位というものは、それが一つの衝動(インパルス)の発現であり、海外雄飛の物語であって、それらが即ち大英帝国形成の因を成したという事実によって測ることが出来よう。英国の旅行・航海文献はそれなりにスペインやポルトガルの文献と同等の価値を誇り得るものなのである。

地理文献の集成というものがルネッサンス人に及ぼした影響は実に遠大なものがあって、簡単に分析することは容易でない。一四〇〇年には教育あるヨーロッパ人と言えども《アメリカ》なるものの存在については夢想だにせず、アジアやアフリカに関しても殆ど知るところがなかったが、一六〇〇年になるとその知識は莫大なものとなる。それは恰も幕が揚って地球の表面の一層広大な部分が姿を現したかの如くであり、そうした意外な新事実の判明は、その殆ど総てが印刷された本という手段を通じてであった。帰って来た航海者達は必ずや彼等の様々な土産話を小さな集りで物語ったに相違ない。しかし、かの古き《オイコウメーネー》の外にある世界を人々の大半が意識するに至ったのは、やはり『コロンブスの手紙』『諸国誌(パエシ)』、ラムージォやハクルートの集成、その他これに類する著作といった方法によって――つまり、十五、十六世紀の地理学的著作物を通じてであったのである。

これらの著作物は国によって皆異った型を持っており、そしてこの要因はヨーロッパの大衆に及ぼした影響について一つの指標を与えるものなのである。年代記類ではポルトガルを凌駕するものなく、個々の報告・記録ではスペインが恐らく随一であり、集成では英国に匹敵する国はない。一段下った役割を演じた国々について言うなら、イタリアはラムージォや興味深い個人旅行者の一群を生み出し、一方ドイツはその出発からして科学的地理学の本家本元であり、オランダは優れた彫版工や地図製作者を擁し、いつの世にも大した人気を博し得る程の絵入り本を出版して新しき土地を広く紹介したのである。ポルトガルにあっては、植民地の発展は当時最大の国家的関心事であり、地理文献は正に国民文学であった。このことを理解するにはバロスやカモエンスを想起するだけで十分である。スペインではこうした風潮がポルトガル程に強くはなかったとは言うものの、やはり大したものであって地理文献は隠然たる存在を誇っているが、姉妹国ポルトガルにおいて果した如き全くの独占的地位を占めるには至っていない。イタリアやフランスにおいては《地理文献》なるものは二次的水準に置かれていたけれども、そこには疑いもなく熱心な読書界が在って、旅に関する本の影響は――例えばイタリアのフラカストーロやジョルダーノ・ブルーノの作品、フランスのラブレーやモンテーニュの作品に見る如く――文学一般にも歴然と及んでいる。殊にフランスでは（英国でも同様であるが）地理文献の一つの直接的な発展として所謂《奇想天外なる旅》ものが生れ、それらはスウィフトやヴォルテールの如き人々の手中にあって、明確な政治的効果を狙って仕組まれた諷刺の伝達手段を与えるもの、であったのである。ドイツではどうかと言えば、地理文献の影響というものはそれ程顕著ではないけれども、しかしセバスチャン・ブラント、ヴィリバルト・ピルクハイマー、そしてウルリッヒ・フォン・フッテンの如き人文主義者達（フマニスト）は悉くそれを強調していたし、そしてドイツ地理学の学問的伝統は紛れもなくマルティン・ヴァルトゼーミュラー、ペーター・アピアン、セバスチャン・ミュンスターの仕事から発しているのである。英国にあっては勿論ハクルートの『主要航海記』がエリザベス女王時代の海外雄飛を謳った一大散文叙事詩であるが、モアの『ユートピア』からベイコンの『新アトランティス』、ロバート・バートンの『解剖（アナトミイ）』に至る殆ど総ての真面目な作品には、旅行文献からの示唆がゆくりなくも認められるのであって、こうしたインスピレーションは純文学や戯曲においても同じく明瞭であり、英国人の思想に占める地位の程が偲ばれると言うものである。とすれば、ルネッサンス時代の地理文献というものは単に《発見》のニュースを弘める手段であったのみならず、当時の生活や文芸にとっても至大の意義を有するものであった、と思い切って結論してもよいであろう。実際このことは、従来認められ評価されて来たよりも遥かに重要なことなのかも知れない。何故なら《地理文献》というものは、これまで文芸史の一単位として概観されたことはなかったからである。確かにその若干のものは一般に承認された純文学の判断基準には達しないかも知れぬ。この主題が一種の孤児として文芸史家の間に放置されて来た理由はこれであったろう。しかしながら全般的に見れば、大発見時代の地理文献は、その当然と思われる称賛の報酬をこれまで殆ど受けて来なかったのである。

18 結論

この大観を結ぶに当っては、十六世紀全体を一五年乃至二五年毎に区切り、それぞれの期の地理知識の状態を回顧してみるのが適切と思われる。

一五〇〇年当時、ヨーロッパの読書界が持っていた新発見に関する知識は、印刷物または地図のいずれによるにせよ、真に微々たるものでしかなかった。例えばコロンブスの第一次航海にしても単に彼の『手紙』の様々な版があるだけで、しかもそれは精々のところスケッチ程度の代物に過ぎず、そこから新発見の土地に関する本当の概念を得ることは不可能であったに違いない。……西方遥か彼方に横たわる幾つかの熱帯の島々に着いた……これはどうやらアジアらしい……。『コロンブスの手紙』から捻り出せることはこれだけであった。コロンブスとは逆に地球の反対側を目指したポルトガル人の航海活動にしても、その報告はまだ数行すらも印刷された形では現れていなかった。南アジアに関する最高権威は、今は失われてしまった一四九九年かその翌年の出版にかかるサント・ステパノの短い物語だけであった。ニコロ・コンティの報告があったけれども、その唯一の版（一四九二年、ミラノ）は弘くは行き渉らなかったし、ペルシャについては一四七四年から一四七七年にかけて使節として赴いたアンブロジオ・コンタリーニ一行の話があるが、これまた唯一の版（一四八七年、ヴェネチア）が知られるに過ぎぬ。中東への道を示すものにブライデンバッハの豪華な挿絵入りの巡礼物語があり、中国に関しては聊か〝古ぼけて〟来ていたものの、マルコ・ポーロが依然ベスト・セラーであった。アフリカにおけるポルトガル人については、ヴァスコ・フェルナンデスの『法王祈禱書』中に若干の言及が見られ（一四八五年頃、ローマ。ハイン蔵書No. 15761）、『ニュールンベルク年代記』にはディオゴ・カーンとマルティン・ベハイムに関する不確実な記載がある。印刷地図ではアメリカにおけるスペイン人、アジアにおけるポルトガル人の進出を描いたものは未だ現れていないが、一四九〇年頃に作られた見事な木版彫刻地図（『世界の姿』（イマゴ・ムンディ）第七集一〇八図として複製）は西アフリカ海岸を喜望峰まで正確に示している。しかし、一般的に言えば一五〇〇年頃の古典地理学者達は、事態の進行と地球の姿の発展形式については大して判っていなかったのである。

一五一五年までには事情は一変してしまう。というのは、この新しい世紀の最初の一五年間は他に類を見ない期間であって、史上最大級の地理知識の拡大が起きた時期なのである。この知識の普及にはかの『諸国誌』（パエシ）が主導的役割を演じ、コロンブス、ヴェスプッチ、ニーニョ、ピンソンによる西印度諸島、スパニッシュ・メイン地方そして南米への諸航海、コルテ＝レアル兄弟のニューファウンドランドへの航海、カダモストの西アフリカ航海、そしてダ・ガマやカブラルの印度航海等を描き出した。これら英雄的な諸発見は読書界にとって初めて現実のものとなり、人々は古き《オイコウメーネー》の彼方に広大な世界をまざまざと想い浮べ始めたのである。恰も『諸国誌（パエシ）』を補足するかの如く、極めて重要な地図帳（アトラス）『一五一三年版プトレマイオス地図』が出現したが、『諸国誌（パエシ）』が記述を以てした如く、これは地図によって発見の成果を弘く告知するものであり、一五〇六年のコンタリーニ地図やその翌年のルイシュ、ヴァルトゼーミュラーの地図の様な一枚物の地図に続くものであった。そしてこれでもなお足りないかの如く、ポルトガル人による諸征服を伝えた所謂『マヌエル王の書簡』なるものの氾濫や南アジアに遍く足跡を印したヴァルテマの古典的な『遊歴記』の出現を見る一方、一五一六年にはピエトロ・マルティーレの『十年記集』の最初の三つが刊行された。実にこの期間たるや比類を絶する地理思想の大革命時代であったと言ってよい。

一五三〇年までには、マジェランの航海を叙したピガフェッタの物語によって地理知識は更に拡大されていた。地球が丸いこと、アメリカがヨーロッパとアジアの中間に存在すること、そして香料群島へ南米を回航して達し得ることは、今や証明済の問題となった。《東印度諸島》は現実のものとなり、スペインとポルトガルの闘争の場と化した。マジェランの航海以後、この期間で最も重要な地理知識への貢献はスペイン領アメリカに関する諸文献である。即ち『コルテス書簡集』、オビエドの『博物誌』、マルティーレの『十年記集』全巻、そしてエンシソの『地理学大全』である。アピアンの『宇宙形状誌』(一五二四年)はルネッサンス科学地理学に対する傑出した貢献である。この期の印刷地図は前期よりもその重要性では劣っていて、採り上げ得るのは僅かに一五一六年のヴァルトゼーミュラー地図に過ぎぬ。但し、リベイロのポルトラーノ式海図には一五三〇年当時の知識の状態が見事に反映されているので逸する訳にはゆかない。

一五四五年頃になると、特にアメリカに関する知識に一層の拡大が見られる。セレスとカルティエはそれぞれペルーとカナダを現実のものとしたし、一方ではオビエドの『通史』が一五三五年に刊行され始めた。アメリカの三大河川系、即ちセント・ローレンス河、アマゾン河そしてラ・プラタ河の姿が、カボット地図(一五四四年)の中に示されている如くこの頃には明らかになり、また初期のラムージォ地図は《西半球》を極めて高い精度で描き出している。地球の反対側については、アビシニアに関するアルヴァレスの本が最高の価値を持っているが、これはアフリカのいずれの部分についてであれ書かれた最初の重要な一巻である。この頃には地図製作術に大きな影響を及ぼした二つの典型的作品が現れている。即ち一五三一年のオロンス・フィネによる心臓型地図と一五三八年のメルカトールの心臓型地図である。百科全書派ではセバスチャン・ミュンスターによる『万国形状誌』が一五四四年に刊行されている。

一五四六年から一五六〇年に至る一五年間にはルネッサンス時代のあらゆる地理書の中で最も重要な数点が刊行された。その影響と知識の普及という点では、この期は一五〇一―一五一五年のそれに次ぐ意義を持っている。ラムージオ、レオ・アフリカヌス、バロス、ロペス・デ・カスタニェーダ、ブラス・アルブケルケ、そしてリチャード・イーデン……何たる壮観！ 綺羅星の如しとはこれであろう。ポルトガル領印度の歴史は今や文字の読める者総ての前にその姿を現したし、回教圏北アフリカは三世紀に亙って決定版となった見事な記述を与えられ、地理文献というものが英国へ紹介されるに至った。更に今日の合衆国南部の土地は〝エルバスの紳士〟、カベサ・デ・バカの著作やコロナードの物語（ラムージォの集成による）の中で描写され、メキシコはロペス・デ・ゴーマラが、ペルーはサラーテとシエサ・デ・レオンが、ベネスエラはフェーデルマンが、ブラジルについてはテヴェとドイツ人銃手ハンス・シュターデンがそれぞれ書き留めた。地図製作の面ではこの期はイタリアが覇を唱えた時期で、ガスタルディとルセッリがプトレマイオス地図の諸版の仕事を進めており、ラフレリ地図帳の各地図が発行され始めている。

前述の期間が余りにも多彩であったため、次の期（一五六一―七五年）は地理学上の意義は見劣りして映るけれども、純文学の面では決して遜色はない。何故ならそれはカモエンスの、テンレイロの、そしてベンツォーニの時代なのであって、この人達は地球という惑星に関する人類の知識には幾許も付け加えはしなかったものの、面白味のない連中では到底なし得なかった様な関心の刺戟を十分計算に入れて、彼等はこれらを物したのである。またこの期以後になると、ヨーロッパ読書界は東・西両印度諸島の天産品に関するダ・オルタやモナルデスの本の如き専門的著作を手にするに至る。そして地図に関して言えばオルテリウスの地図帳の発行（一五七〇年）という地図史上の小革命があった。その間ずっと、地球表面の更に多くの部分、即ちフロリダがユグノー教徒植民地のフランス人の記録により、ラ・プラタ河上流地方がシュミーデルの人気を博した物語により、そして、イラクがテンレイロの本によって明らかにされてゆくのである。またアビシニアもベルムーデスやカスタニヨーソの著作の中に〝珍聞〟として顔を出し始め、一方、中国はペレイラやダ・クルースの本の中へどっと出現して来る。

一六〇〇年までには、ヨーロッパの到る処でルネッサンス期地理知識の最後の仕上げが行われた。ハクルートとド・ブライは知識の宝庫とも言うべき、世界各地への旅行記の名高い《集成》を世に送り出し、リンスホーテンは網羅的な沿岸航海案内書を作ったが、これには南アジアの詳細な記述が含まれており、中国に関するメンドーサの立派な作品は一つの決定版となったし、ヴェールが北極圏地方の事情をもたらした如く、ロペスは赤道アフリカを我々の視野に入れてくれたのである。地図史の面でもこの時期は少からぬ重要性を持っており、メルカトール、デ・ヨーデ、そしてウィトフリートの地図帳は、それぞれこの惑星地球の正しい姿を人々に示すという点では、非常に大きな影響を及ぼした。エリザベス女王時代の終り頃には、一般大衆はチューダー時代初期の彼等の父祖達が夢想だにしなかった程の地球に関する広汎な理解力を有するに至ったと言ってよい。

ヨーロッパの人々に与えた諸発見の影響は四つの項目の下に分析出来よう。即ち経済的、政治的、知的、そして社会的影響である。これら各項目はそれぞれ非常に抽象的且つ奥行の深い分野であるから、その分析の結果は漠として理窟っぽいものになり勝ちである。それでもここで簡単に要約しておけば、この古今未曾有の《拡大の二世紀》において特に際立った成果の幾つかを強調するのに役立つかも知れない。

十六世紀の間におけるアメリカの財宝、殊にペルーの銀の流出が及ぼした経済的影響については既に幾度か言及して来た通りであるが、前代未聞の規模による通貨膨脹がヨーロッパ中で起き、スペインは最悪の影響を受けたけれども、経済の蒙った結果がそれ程深刻なものばかりであった訳ではない。政治や金融の体制がこうした情勢の急変に順応し得た北ヨーロッパにおいては、金銀塊の殺到は大変有利な結果を生んだし、特に英国とオランダの二国にあっては、近代的な意味における資本主義の勃興というものがこの時期の顕著な動向であり、《スペイン人による諸征服》のもたらした最も重要な結果なのであった。こうした動きはアントワープにおける仲介代理業の発展、そして株式会社の創設（その最も有名な例は官許東印度会社とレヴァント会社）や近代的銀行業や海上保険制度の導入などによって異彩を放っている。英国と低地国家地方はこれら総てによってフランス、イタリアあるいはドイツを引き離す利益を挙げたのである。フランスはこうした諸発見による影響をそれ程は蒙らなかったけれども、政治・経済面におけるスペインの政策の打ち続く失敗はジェノヴァや南ドイツの大手金融業者の幾人かを再起不能に陥れ、遂にはアウグスブルクのフッガー家の如き桁外れの金満家の財産すら蕩尽させるに至る。この時期における北ヨーロッパの商業の進展は最も重大な意味を持つ一つの現象であり、ヨーロッパ随一の富裕な港となったアントワープの興隆というものは、東・西両印度諸島との貿易の直接的帰結であった。しかしアントワープの目覚しい繁栄も永続した訳ではなかった。何故ならこの都市はオランダの一揆の際の〝スペインの忿怒〟、つまり一五七六年のスペイン王フェリーペの軍団による寇掠の傷手から遂に回復出来なかったからである。にも拘らずアントワープの力が隆盛を極めた時代には世界の通商組織に重心の変化が生じたのであって、ヴェネチア、ジェノヴァ、マルセイユそしてバルセロナといった古くからの地中海諸港は徒らに後塵を拝するのみとなり、リスボンやセビーリャといえどもこのフランドルの港市の役割を代行するだけの力を持たなかった。アントワープの凋落後はアムステルダムとロンドンの興隆が代って通商に覇を唱えるに至り、以後この北ヨーロッパの二港の優位が奪われることは決してなかった。またこの覇権の到来と共に貿易基盤は大いに拡大し、スペイン領アメリカからの財宝やポルトガル領印度地方からの香料・薬味の他に様々な富の源泉、即ちニューファウンドランド沖の大浅瀬（グランド・バンクス）の鱈、小アンティル列島の砂糖、ヴァージニアの煙草、カナダの毛皮そして――中でも一番ぼろいのが西アフリカの奴隷貿易――が育ってゆき、これらの総てが、オランダと英国の商業都市が成果を収穫する形の、世界規模の通商の発展に結び付いたのである。

　政治的影響は経済に与えた影響と同類であって、特にスペインへの富の殺到は戦費を与えたと同じ結果になり、カール五世やその子フェリーペ二世が彼等の政策をヨーロッパ中に推進する陰謀の追求に当って、ふんだんにアメリカの黄金を武器とすることが出来た。これは特に宗教面での反応を喚び起した。というのは、自身の生存のために苦闘していた北ヨーロッパの新教徒達は、黄金の供給をその根源において切断すべく努力を重ねていたし、ドレイクとその仲間達の遠征はその直接的な結果であったのである。また一層広い意味では、広大な海外領土の獲得はそれまでよりも更に中央集権的な王国の出現を促したのであって、かのハプスブルク絶対主義の究極的発展を見たのは正にこの十六世紀においてであった。武力外交の主要素としての帝国主義の誕生もまたこの時に始る。帝国主義とは、峻厳且つ中央集権的な統制とその本国政府の指揮による海外領土の開拓を目指すものであり、同時に他の帝国主義諸国の犠牲において自己の領土拡張を図るもの、であるからだ。

　知的な面から言うなら、諸発見のもたらした衝撃（インパクト）は全く抽象的であるが、一般的には、初期の諸航海の刺戟は未曾有の規模で知識の発展を促したといってよいであろう。人々は地球そのものに関する広汎な理解力を獲得したに止らず、新発見の植物、動物その他天産物の知識によって植物学・動物学・地質学・化学・医学（特に治療法）といった分野が大いに伸長した。こうした総てによって、中世の遺産である歴史や地理に関する偏狭な概念は、文明に対する展けた純粋な関心に道を譲ることになる。固陋な旧套墨守は永遠に過去のものとなり、拡大を続ける世界の地平に対する限りない理解がそれに取って代るのである。

人々を駆ってこうした動きに参加せしめた諸発見の現実的な刺戟について述べれば、この時期の前半では、それはポルトガルとスペインにおいて断然著しいものがあった。ポルトガルの航海者や軍人は、ポルトガルという小さな国のミーニョ〔ポルトガル最北県〕からアルガルヴェ〔ポルトガル最南県〕に至るあらゆる地方からやって来たらしいが、彼等は群をなして《東方》へ押し出して行き、その数は莫大であったために故国の人的資源は危殆に瀕するに至り、ポルトガルの衰頽は不可避となった。スペインでは水夫達は主としてアンダルシア地方の海港から供給される一方、《征服者達（コンキスタドーレス）》の主力は内陸の州エストレマドゥラから供給を仰いだらしいが、これは実質的には大量移民にも等しい程で、同地方の人口は激減するに至った。チューダー時代の英国にあっては、こうした推進力は西部地方即ちデヴォン、サマセット、コーンウォールの諸州及びブリストル港から供給されたが、特にデヴォン州は航海関係の人材を応分以上に送り出した。東印度会社の設立（一六〇〇年）と共にロンドンが舞台の前面に登場し、ジョン・カンパニイの所属船はテムズ河を彩る名高い風景の一つになった。初期ヴァージニアにはブリストルとロンドンからの移民が入植する一方、ニュー・イングランドにはイースト・アングリア地方［今日のノーフォークとサフォークの両州］からの本格的大量移住が行われた。フランスの海外進出事業はその勢力をノルマンディとブルターニュの船乗り稼業の連中から、そしてラ・ロシェルのユグノー教徒及びこれに類する新教徒勢力の各中心地から仰いでいた。オランダでは海外発展という衝動は比較的遅く訪れたが、国民全体の関心を惹きつけたと見えて、東印度貿易に最も積極的だったのはアムステルダムと北オランダの古くからの海港都市であった。ヨーロッパのその他の国々は、旅行・航海や発見の活動の中では何らかの総括に値するだけの積極的な役割は演じなかったのである。

《大発見》がもたらした多方面に亙る影響の中でも、最も完全且つ具体的な実感を以て我々に迫って来るのは恐らく、それが及ぼした社会的影響であろう。アメリカやアジアからもたらされた商品雑貨の多くは直接ヨーロッパ中で日用に供せられた。一例を挙げれば、宝石や装身具類における金銀の使用に顕著な増大が見られる。それまでは貴金属類が払底していて王家や富豪の装飾品に過ぎなかったが、メキシコやペルーの金・銀鉱の開発によって、昔には考えられなかったやり方で一般の男女までが身を飾ることが可能になった（ルネッサンス期の市民一般は何よりもまず華美を尚んだ）。これは装飾美術の分野全体に影響を与え、十六世紀には教会の標札、食卓用銀器、把手付コップ、盃（タンカード）の類、塩入れ等が大層な趣向と贅を凝らして作られた。ポルトガル領印度の開拓はモスリン（元来「イラクの」モスル地方産の綿布）、チンツ（彩色更紗。ヒンドゥー語のチントから来た名）、ギンガム（縞を意味するマレー語「ギンガン」に由来する綿布の名称）、中でも有名なカリカットの布、即ち「金巾（キャラコ）」といった廉価な織物の歓迎すべき流入を呼んだ。これらの輸入品は衣服に小さな革命をもたらし、木綿の肌着や手巾（ハンカチーフ）の如き衣料品が一般化するに至るのである。十字軍以来ヨーロッパで知られていた絨毯や敷物が商業規模で持ち込まれて個人の住居の模様を変えてしまい、中国貿易の開始によって、壁紙と共に磁器がヨーロッパへ送られることになる。家庭用品の面におけるアメリカの唯一の貢献は吊床（ハンモック）だけらしいが、これは家庭よりも船中の使用に適していたから、爾来、海軍の備品として重要なものとなった。

植物、特に新世界のそれは、ハプスブルク王朝やチューダー王朝時代の人々にとって大きな関心事であった。フェルナンド・コロンブスが異国の珍草奇樹を蒐めてセビーリャに造った様な植物園だけでなく、馬鈴薯（ポテト）、赤茄子（トマト）、西洋南瓜（パンプキン）、玉蜀黍（メイズ）、棗椰子（ディツ）、梵天瓜（メロン）、鳳梨（アナナス）「パイナップル」、そして甘蕉（バナナ）が知られ、時と共に次第に風土に馴染んで帰化し、遂に日常必需の食物として然るべき座を占めたのである。砂糖と米はもっと早くから知られていたがその輸入が急増し、次いで砂糖はラム酒の製造を促したけれども、これは忽ち大衆の嗜好に投じた飲料となってゆく。紅茶と珈琲（コーヒー）は十七世紀の後半になって入って来るが、チョコレートはコルテスの征服当時のアステカからもたらされている。しかしながら、これらの植物性輸入品の中で最も傍（はた）迷惑な代物は何と言っても煙草（タバコ）であって、ヴァージニアへの入植と共に商業植物にのし上って以来、人類に莫大な影響を及ぼした。従って《食べること》《飲むこと》そして《喫煙》に関して言うならば、ルネッサンス期の諸々の発見が成し遂げた革命の前には、世界史における他の如何なる一連の大事件も全く顔色を失うのである。

スキティア
1000マイル
アラル海
タシュケント
トルキスタン
ンジ
ヒヴァ
カシュガル
アライ峡谷
パミール高原
ヤルカンド
オクソス（アム・ダリア）河
ブハラ(シルクロード)
サマルカンド
ワフジール峠
ヒンドゥ・クシ山脈
ヒマラヤ山系
メルヴ
バルフ
メシェッド
カブール
ヘラート
アフガニスタン
カンダハル
イエズド
デリー
インダス河
ケルマン
バルチスタン
ラル
バンダル・アッバース
カラチ
印度
ホルムーズ
アラビア海
55°
60°
65°
70°
75°

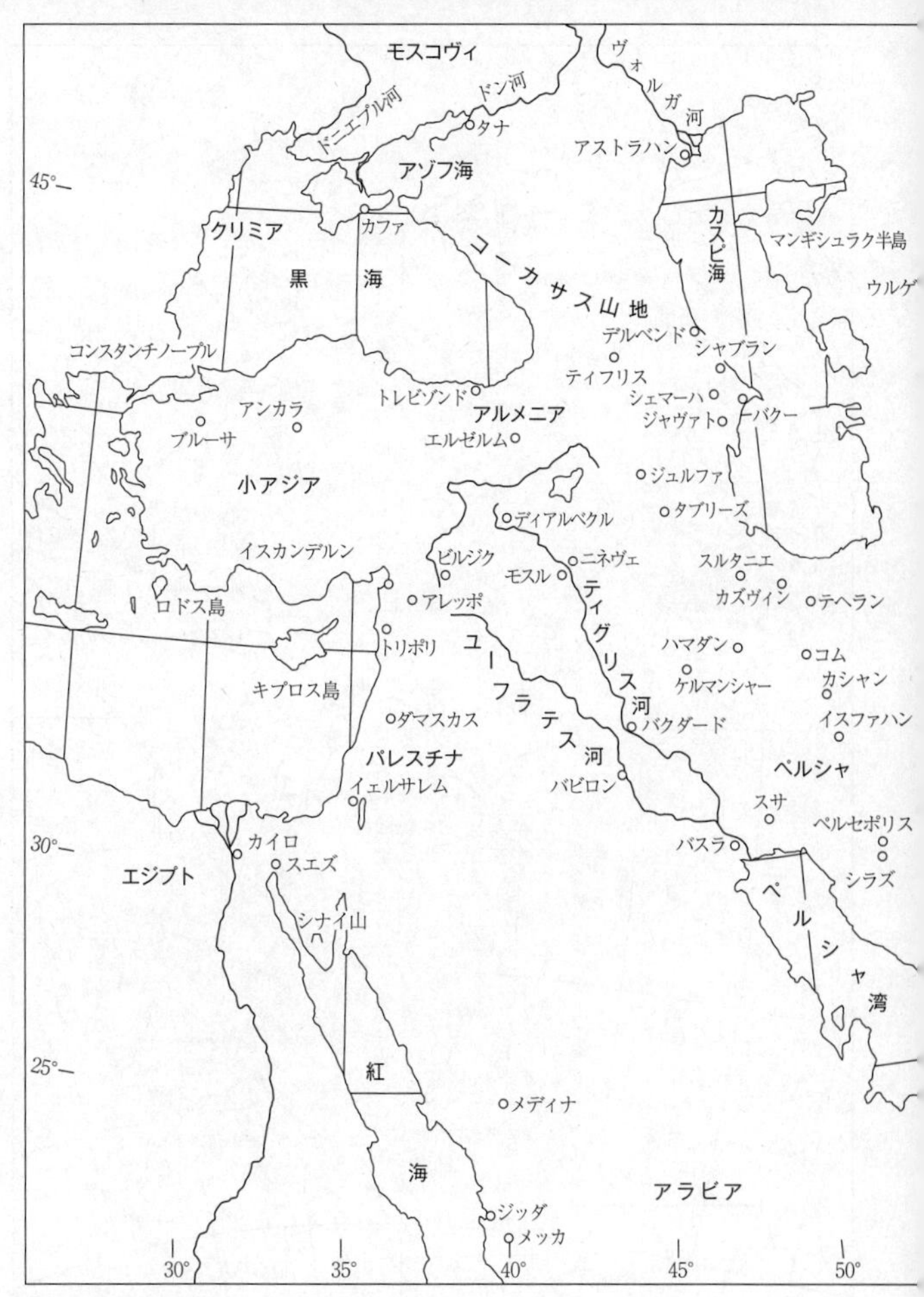
モスコヴィ
ドニエプル河
ドン河
タナ
ヴォルガ河
アストラハン
アゾフ海
45°
クリミア
カファ
黒海
コーカサス山地
カスピ海
マンギシュラク半島
ウルゲ
デルベンド
シャブラン
ティフリス
コンスタンチノープル
トレビゾンド
シェマーハ
バクー
ジャヴァト
アンカラ
アルメニア
ブルーサ
エルゼルム
小アジア
ジュルファ
タブリーズ
ディアルベクル
イスカンデルン
ビルジク
ニネヴェ
モスル
スルタニエ
カズヴィン
テヘラン
アレッポ
ティグリス河
ロドス島
トリポリ
ハマダン
コム
ユーフラテス河
ケルマンシャー
カシャン
キプロス島
ダマスカス
バクダード
イスファハン
パレスチナ
バビロン
ペルシャ
イェルサレム
スサ
ペルセポリス
30°
カイロ
スエズ
バスラ
シラズ
エジプト
シナイ山
ペルシャ湾
25°
紅海
メディナ
アラビア
ジッダ
メッカ
30°
35°
40°
45°
50°

『中 東 地 方』

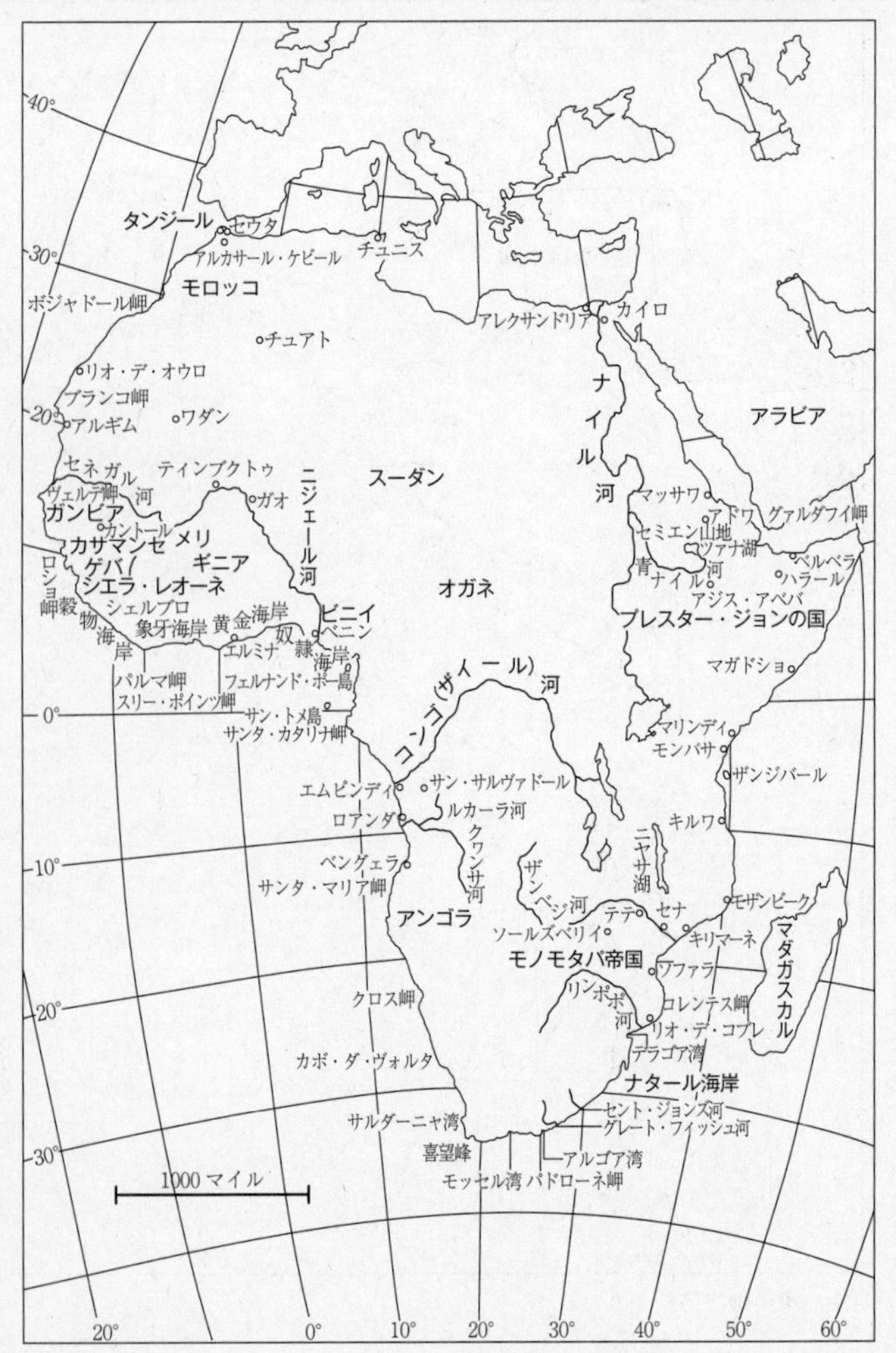

タンジール
セウタ
アルカサール・ケビール
チュニス
モロッコ
ボジャドール岬
アレクサンドリア
カイロ
チュアト
リオ・デ・オウロ
ブランコ岬
アルギム
ワダン
ナイル河
アラビア
セネガル河
ティンブクトゥ
ガオ
ニジェール河
スーダン
ヴェルデ岬
ガンビア
カントール
メリ
カサマンセ
ゲバ
ギニア
ロショ岬
シエラ・レオーネ
穀物海岸
シェルブロ
象牙海岸
黄金海岸
奴隷海岸
ビニイ
ベニン
エルミナ
オガネ
マッサワ
アドワ
グァルダフイ岬
セミエン山地
ツァナ湖
青ナイル河
ベルベラ
ハラール
アジス・アベバ
プレスター・ジョンの国
パルマ岬
スリー・ポインツ岬
フェルナンド・ポー島
サン・トメ島
サンタ・カタリナ岬
コンゴ(ザイール)河
マガドショ
マリンディ
モンバサ
ザンジバール
エムピンディ
サン・サルヴァドール
ロアンダ
ルカーラ河
クワンサ河
キルワ
ベングェラ
サンタ・マリア岬
ザンベジ河
ニヤサ湖
アンゴラ
テテ
セナ
モザンビーク
ソールズベリイ
キリマーネ
モノモタパ帝国
ソファラ
マダガスカル
リンポポ河
コレンテス岬
クロス岬
リオ・デ・コブレ
デラゴア湾
カボ・ダ・ヴォルタ
ナタール海岸
セント・ジョンズ河
グレート・フィッシュ河
サルダーニャ湾
喜望峰
アルゴア湾
モッセル湾
パドローネ岬
1000マイル
40°
30°
20°
0°
10°
20°
30°
20°
0°
10°
20°
30°
40°
50°
60°

『アフリカ』

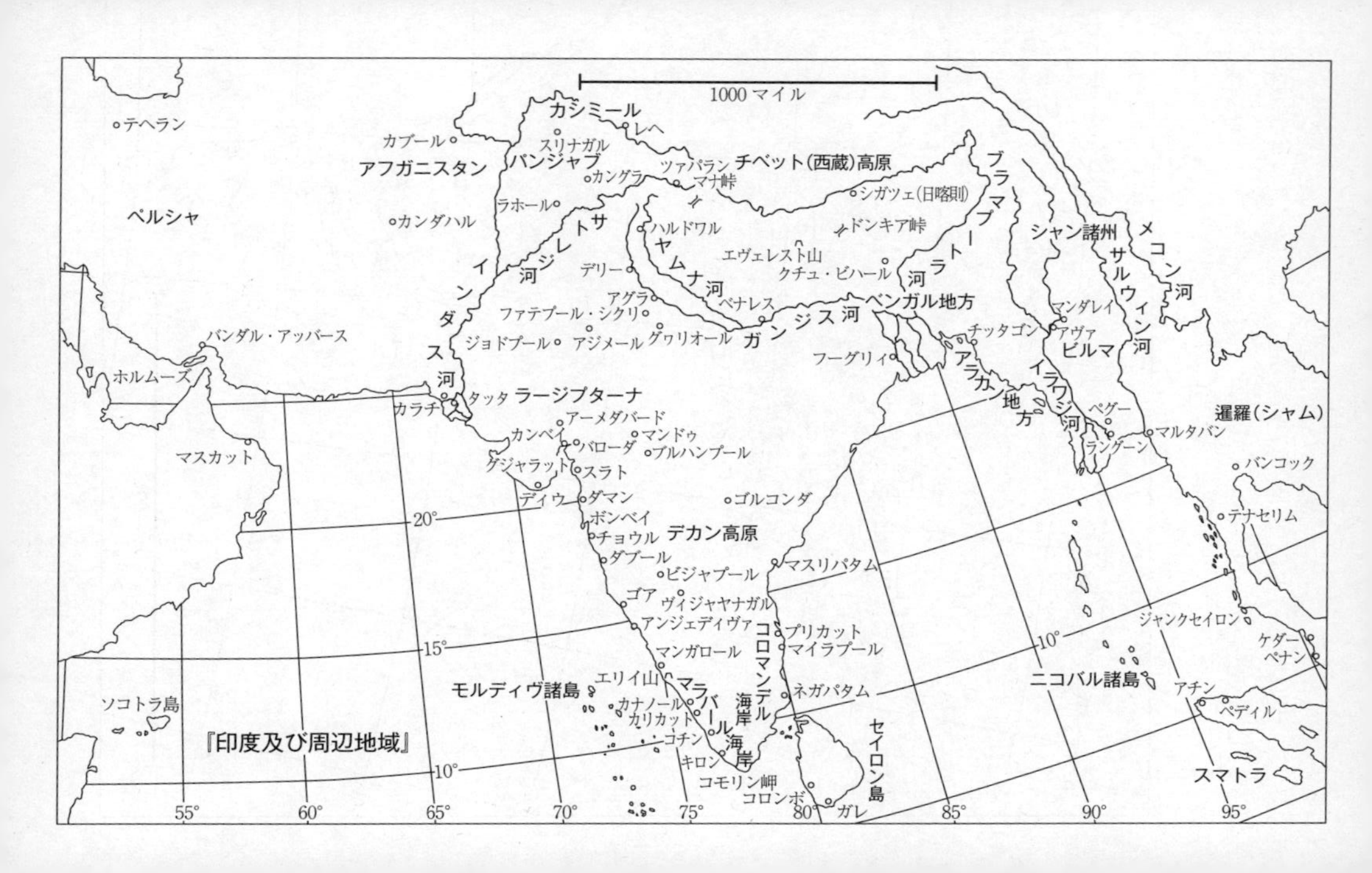
1000 マイル
テヘラン
カブール
カシミール
レヘ
スリナガル
パンジャブ
アフガニスタン
ツァパラン
マナ峠
チベット(西蔵)高原
カングラ
シガツェ(日喀則)
ラホール
ペルシャ
カンダハル
サトレジ河
ハルドワル
ドンキア峠
ブラマプートラ河
シャン諸州
メコン河
サルウィン河
エヴェレスト山
クチュ・ビハール
インダス河
デリー
ヤムナ河
アグラ
ファテプール・シクリ
ベナレス
ガンジス河
ベンガル地方
マンダレイ
アヴァ
ビルマ
チッタゴン
バンダル・アッバース
ジョドプール
アジメール
グワリオール
フーグリィ
アラカン地方
イラワジ河
ホルムーズ
タッタ
ラージプターナ
カラチ
ペグー
遅羅(シャム)
アーメダバード
マンドゥ
カンベイ
バローダ
ブルハンプール
ラングーン
マルタバン
マスカット
グジャラット
スラト
バンコック
ディウ
ダマン
ゴルコンダ
ボンベイ
テナセリム
20°
チョウル
デカン高原
ダブール
マスリパタム
ビジャプール
ゴア
ヴィジャヤナガル
ジャンクセイロン
アンジェディヴァ
プリカット
コロマンデル海岸
15°
マイラプール
10°
ケダー
マンガロール
ペナン
エリイ山
マラバール海岸
ニコバル諸島
モルディヴ諸島
ネガパタム
アチン
ソコトラ島
カナノール
カリカット
ペディル
セイロン島
コチン
『印度及び周辺地域』
キロン
10°
コモリン岬
スマトラ
コロンボ
55°
60°
65°
70°
75°
80°
ガレ
85°
90°
95°

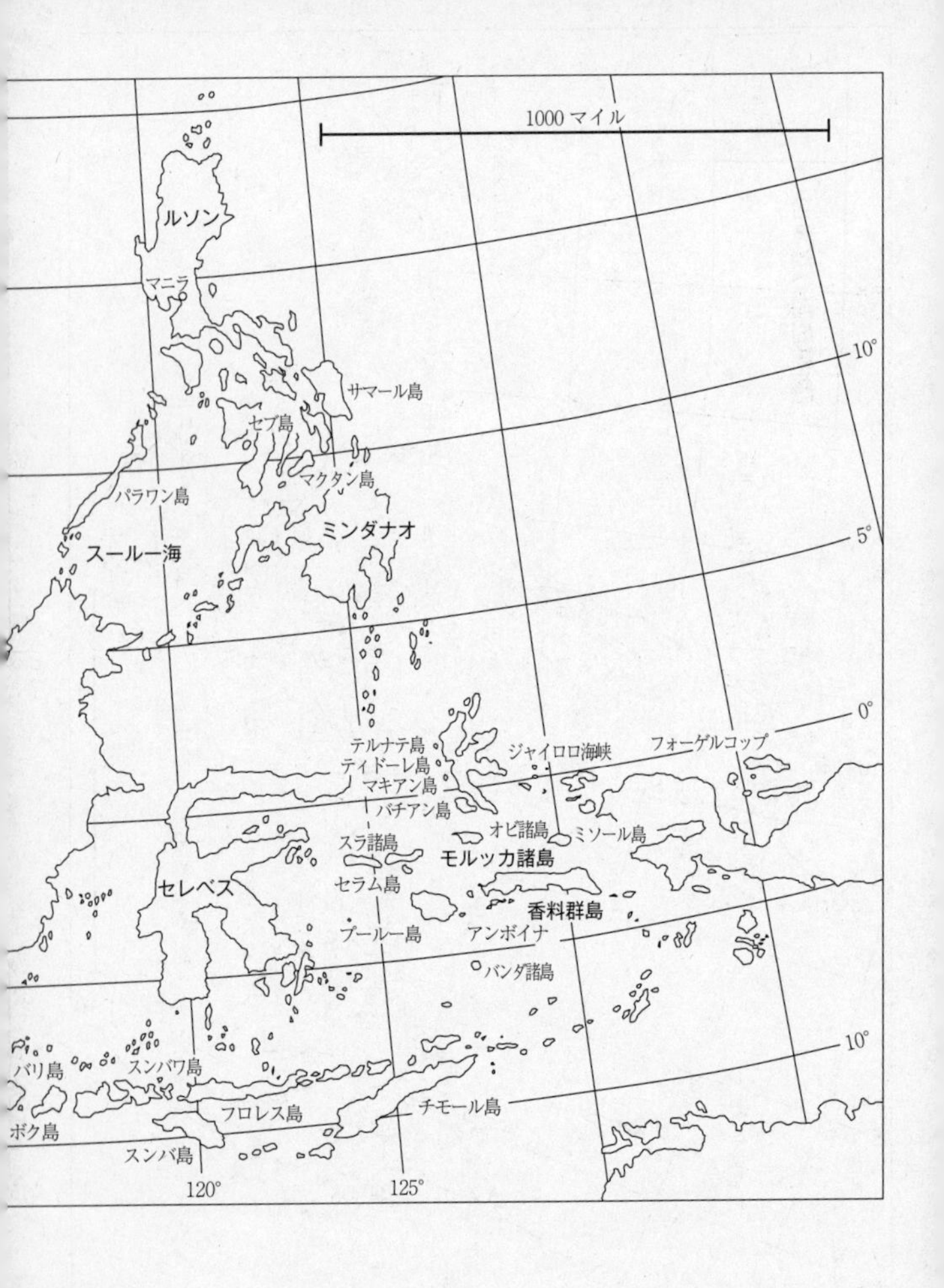

1000 マイル
ルソン
マニラ
サマール島
セブ島
マクタン島
パラワン島
ミンダナオ
スールー海
10°
5°
0°
10°
テルナテ島
ティドーレ島
マキアン島
バチアン島
ジャイロロ海峡
フォーゲルコップ
オビ諸島
ミソール島
スラ諸島
モルッカ諸島
セラム島
香料群島
セレベス
ブールー島
アンボイナ
バンダ諸島
バリ島
スンバワ島
フロレス島
チモール島
ボク島
スンバ島
120°
125°

『東南アジア及び東印度諸島』

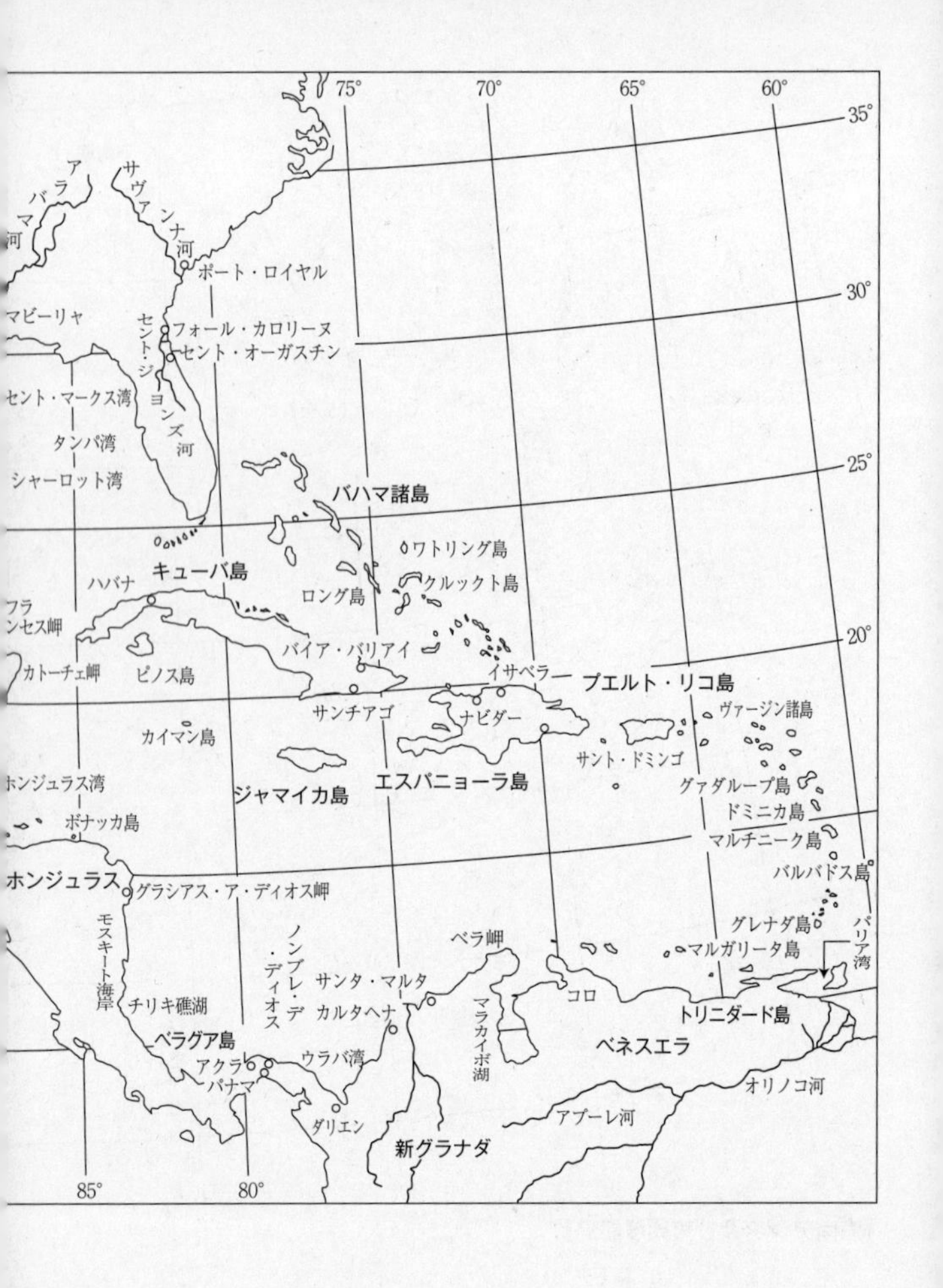
75°
70°
65°
60°
35°
30°
25°
20°
85°
80°
アラバマ河
サヴァンナ河
ポート・ロイヤル
マビーリャ
セント・ジョンズ河
フォール・カロリーヌ
セント・オーガスチン
セント・マークス湾
タンパ湾
シャーロット湾
バハマ諸島
ワトリング島
キューバ島
ハバナ
クルックト島
ロング島
フランセス岬
バイア・バリアイ
カトーチェ岬
ピノス島
イサベラ
プエルト・リコ島
サンチアゴ
ナビダー
ヴァージン諸島
カイマン島
サント・ドミンゴ
ホンジュラス湾
ジャマイカ島
エスパニョーラ島
グァダループ島
ドミニカ島
ボナッカ島
マルチニーク島
ホンジュラス
グラシアス・ア・ディオス岬
バルバドス島
モスキート海岸
ノンブレ・デ・ディオス
ベラ岬
グレナダ島
パリア湾
マルガリータ島
サンタ・マルタ
チリキ礁湖
カルタヘナ
マラカイボ湖
コロ
トリニダード島
ベラグア島
アクラ
パナマ
ウラバ湾
ベネスエラ
オリノコ河
ダリエン
アプーレ河
新グラナダ

グランド・キャニオン
コロラド河
ハウィクー
サンタ・フェ
アーカンザス河
カナディアン河
ミシシッピー河
オハイオ河
ヤズー河
レッド河
ヒラ河
カリフォルニア湾
トリニティ河
ブラゾス河
リオ・グランデ河
南カリフォルニア
ガルヴェスト湾
ラ・パス
タンピコ
メキシコ
メキシコ・シテイ(メヒコ)
コリマ
トラスカラ
ベラ・クルース
カンペチェ
ユカタン半島
サカトゥラ
アカプルコ
テワンテペック地峡
テワンテペック
グァテマラ
1000マイル
30°
25°
20°
15°
10°
5°
110°
105°
100°
95°
90°

『中南米及び西印度諸島』

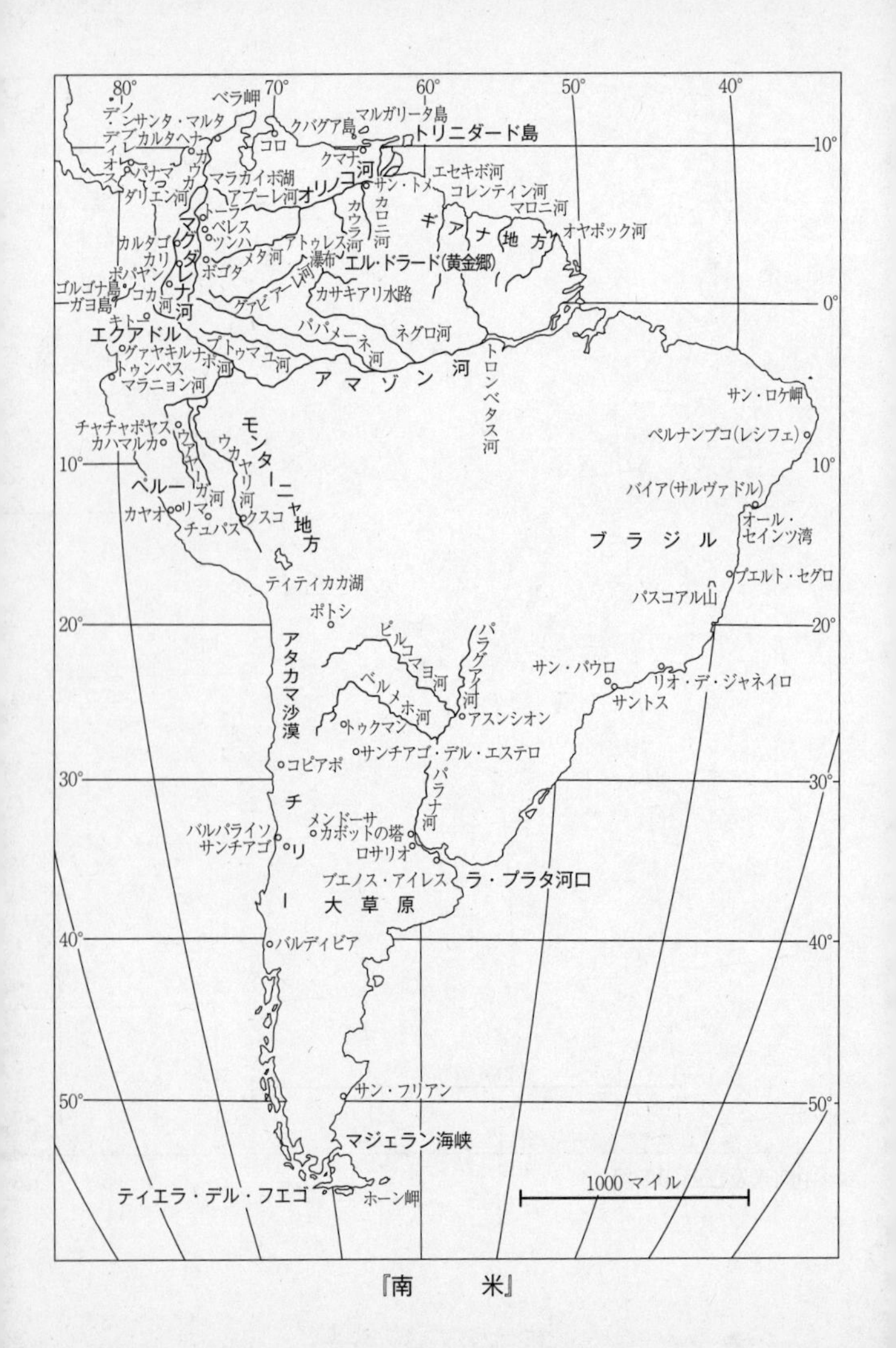

80°
70°
60°
50°
40°
10°
0°
20°
30°
ベラ岬
マルガリータ島
クバグア島
トリニダード島
サンタ・マルタ
カルタヘナ
コロ
クマナ
パナマ
ダリエン河
マラカイボ湖
アプーレ河
オリノコ河
サン・トメ
エセキボ河
コレンティン河
マロニ河
オヤポック河
カウラ河
カロニ河
ギアナ地方
トーラ
ベレス
ツンハ
カルタゴ
カリ
マグダレナ河
アトゥレス瀑布
メタ河
エル・ドラード(黄金郷)
ボゴタ
ポパヤン
グァビアーレ河
ゴルゴナ島
ガヨ島
コカ河
カサキアリ水路
キト
エクアドル
パパメーネ河
ネグロ河
グァヤキル
ナポ河
プトゥマユ河
トゥンベス
アマゾン河
トロンベタス河
マラニョン河
サン・ロケ岬
チャチャポヤス
カハマルカ
ウァヤーガ河
モンターニャ地方
ウカヤリ河
ペルナンブコ(レシフェ)
ペルー
バイア(サルヴァドル)
カヤオ
リマ
チュパス
クスコ
オール・セインツ湾
ブラジル
ティティカカ湖
プエルト・セグロ
パスコアル山
ポトシ
アタカマ沙漠
ピルコマヨ河
パラグアイ河
サン・パウロ
リオ・デ・ジャネイロ
サントス
ベルメホ河
アスンシオン
トゥクマン
サンチアゴ・デル・エステロ
コピアポ
パラナ河
チリ
メンドーサ
カボットの塔
バルパライソ
サンチアゴ
ロサリオ
ブエノス・アイレス
ラ・プラタ河口
大草原
バルディビア
サン・フリアン
マジェラン海峡
1000マイル
ティエラ・デル・フエゴ
ホーン岬

『南　米』

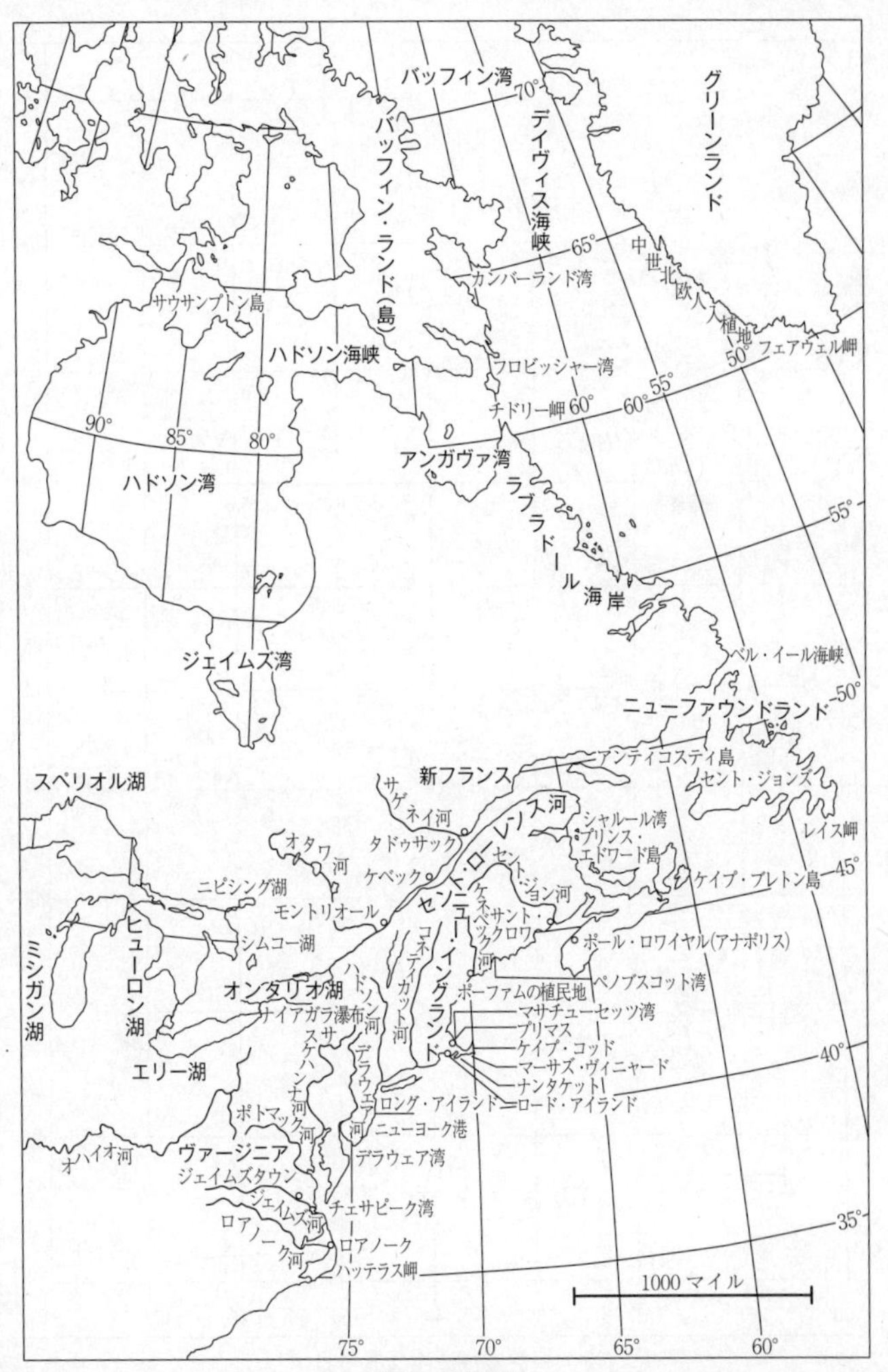

バッフィン湾
グリーンランド
バッフィン・ランド(島)
デイヴィス海峡
中世北欧人入植地
カンバーランド湾
サウサンプトン島
フェアウェル岬
ハドソン海峡
フロビッシャー湾
チドリー岬
ハドソン湾
アンガヴァ湾
ラブラドール海岸
ジェイムズ湾
ベル・イール海峡
ニューファウンドランド
アンティコスティ島
新フランス
セント・ジョンズ
スペリオル湖
サゲネイ河
セント・ローレンス河
シャルール湾
タドゥサック
レイス岬
オタワ河
プリンス・エドワード島
ケベック
セント・ジョン河
ケイプ・ブレトン島
ニピシング湖
モントリオール
ケネベック河
サント・クロワ
ニュー・イングランド
ヒューロン湖
ポール・ロワイヤル(アナポリス)
ミシガン湖
シムコー湖
コネティカット河
ハドソン河
ペノブスコット湾
オンタリオ湖
ポーファムの植民地
ナイアガラ瀑布
マサチューセッツ湾
プリマス
サスケハンナ河
ケイプ・コッド
デラウェア河
マーサズ・ヴィニャード
エリー湖
ナンタケット
ロング・アイランド
ロード・アイランド
ポトマック河
ニューヨーク港
オハイオ河
ヴァージニア
デラウェア湾
ジェイムズタウン
ジェイムズ河
チェサピーク湾
ロアノーク河
ロアノーク
ハッテラス岬
1000 マイル

『北米北東部』

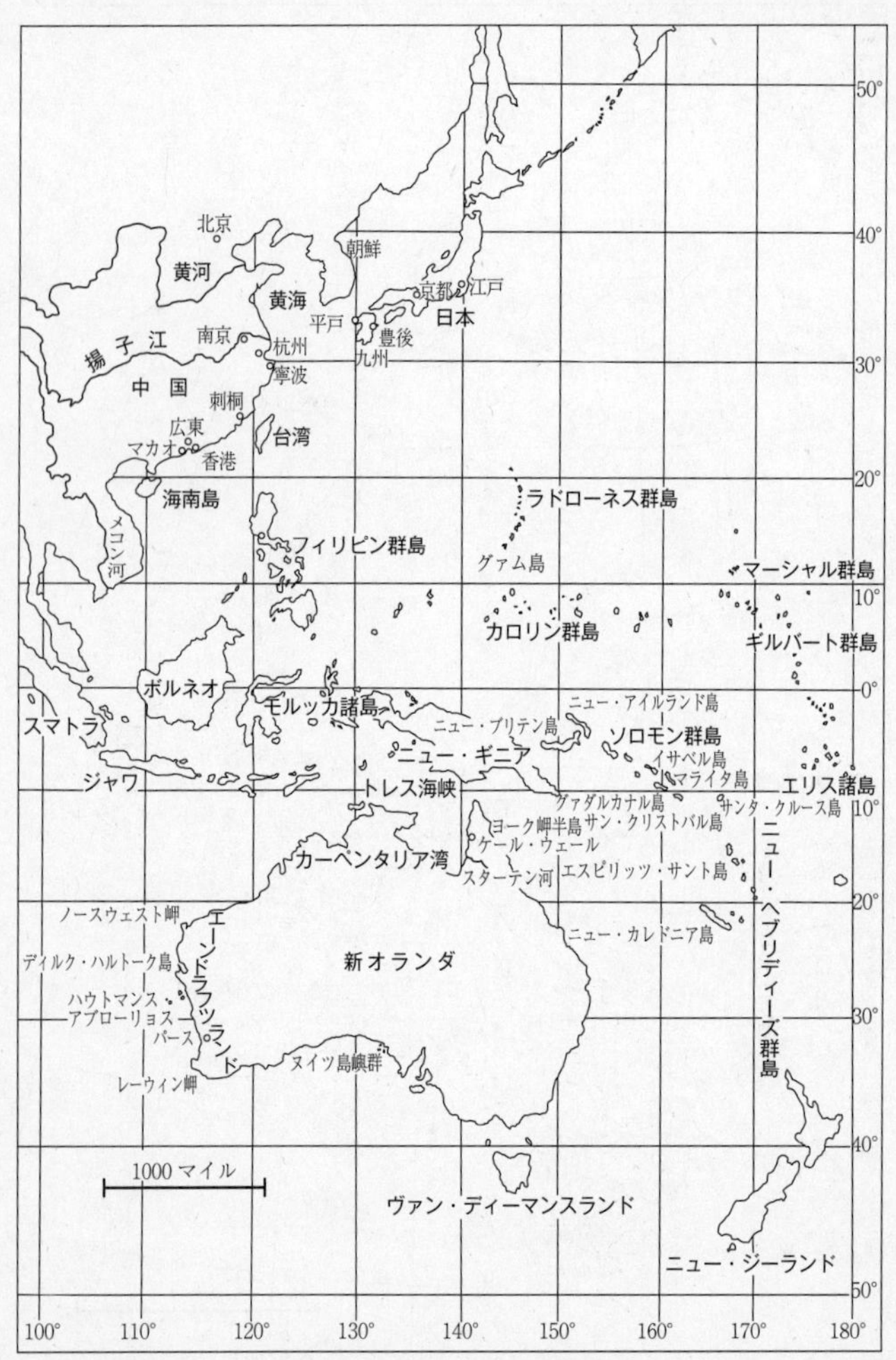

『東アジア及びオーストラリア』

Moses, Bernard. *Spanish Colonial Literature in South America.* New York, 1922.

Nuñes, Leonardo. *Crónica de Dom João de Castro.* Edited by J. D. M. Ford. Cambridge, Massachusetts, 1936.

Oliveira Martins, J. P. *Camões e a Renascenca em Portugal.* Lisbon, 1910.

Oviedo y Valdes, G. F. de. *Historia general y natural de las Indias.* ed. J. A. de los Rios. 4 vols. Madrid, 1851-55.

Palau y Dulcet, A. *Manual del Librero Hispano-Americano.* 7 vols. Barcelona, 1923-27.

Parks, George B. *Richard Hakluyt and the English Voyages.* New York: American Geographical Society, 1930. 甚だ有用の書。

Prestage, Edgar. *The Chronicles of Fernão Lopes and Gomes Eannes de Zurara.* London, 1928.

Purchas, Samuel. *Hakluyt Posthumus or Purchas His Pilgrimes.* 20 vols. Glasgow: James MacLehose and Sons, for the Hakluyt Society, 1905-1907.

Sencourt, Robert. *India in English Literature.* London, 1926.

Stillwell, Margaret B. *Incunabula and Americana, 1450-1800.* New York, 1931.

Taylor, E. G. R., ed. *The Original Writings and Correspondence of the two Richard Hakluyts.* 2 vols. London: Hakluyt Society, 1935.

Ticknor, George. *History of Spanish Literature.* 3 vols. Boston, 1849.

Underhill, J. G. *Spanish Literature in the England of the Tudors.* New York, 1899.

Wright, Louis B. *Middle-class Culture in Elizabethan England.* Chapel Hill, North Carolina. 1935.

ciones africanas. Madrid, 1946.

Gallois, L. *Les Géographes allemands de la renaissance.* Paris, 1890.

Goes, Damião de. *Crónica do Serinissimo Senhor Rei Dom Manoel.* 4 vols. Coimbra, 1926.

Gomara, F. L. de. *Historia General de las Indias.* 2 vols. Madrid, 1922.

Hakluyt, Richard. *The Principal Navigations, Voyages, Traffiques, and Discoveries of the English Nation.* 12 vols. Glasgow: James MacLehose and Sons, for the Hakluyt Society, 1903-1905. 16世紀の英国人の諸航海に関するローリイ教授の名論文を収載。

Hantzsch, Viktor. *Sebastian Münster; Leben, Werk, und wissenschaftliche Bedeutung.* Leipzig, 1898.

Las Casas, Bartolome de. *Historia de las Indias.* Edited by Gonzalo de Reparaz. 3 vols. Madrid. 1927.

Leonard, Irving A. *Books of the Brave.* Cambridge, Massachusetts, 1949.

Lopes de Castanheda, Fernão. *Historia do descobrimento e conquista da India pelos Portugueses.* 4 vols. Coimbra, 1924-7.

Lynam, Edward, ed. *Richard Hakluyt and His Successors.* London: Hakluyt Society, 1946. ハクルート協会百周年記念刊行物。

Machado, Barbosa. *Bibliotheca Lusitana.* 4 vols. Lisbon. 1741-1759.

Maggs Brothers. *Bibliotheca Asiatica et Africana.* Catalogue 519. London, 1929.

Bibliotheca Brasiliensis. Catalogue 546. London, 1930.

Seventy-five Spanish and Portuguese Books, 1481-1764. Catalogue 589. London.

Manuel II, King of Portugal. *Early Portuguese Books, 1489-1600, in the Library of H. M. the King of Portugal.* 3 vols. London, 1929-1936. 自身傑出した学者であったマヌエル二世による初期ポルトガル文学と書誌に関する卓越した著作。

Manwaring, G. E. *Bibliography of British Naval History.* London.1930.

Martyr, Peter. *Decades.* Translated by F. A. MacNutt. 2 vols. New York, 1912.

Means, Philip A. *Biblioteca Andina: The Chroniclers of the 16th and 17th Centuries Who Treated of the pre-Hispanic History and Culture of the Andean Countries New Haven,* Connecticut, 1928.

Medina, J. T. *Bibliotheca Hispano-Americana (1493-1810).* 7 vols. Santiago, Chile, 1898-1907.

Mendes dos Remedios. *Historia da literatura portugueza.* Lisbon, 1908.

Les Relations de voyages du 17ᵉ siècle et l'évolution des idées. Paris, 1924.

Baginsky, P. B. *German Works Relating to America, 1493-1800.* New York, 1942.

Barros, Joáo de, and Diogo do Couto. *Da Asia.* 24 vols. Lisbon, 1779-1788. (New ed. of Barros' four Decades, Lisbon, 1945.)

Bell, Aubrey. *Diogo do Couto.* London, 1924.

Gaspar Correa. London, 1924.

Luis de Camoens. London, 1923.

Portuguese Bibliography. London, 1922.

Portuguese Literature. Oxford, 1922. 見事な概説。

Beristain de Souza, J. M. *Biblioteca Hispano-Americana Septentrional.* 5 vols, Mexico, 1947.

Böhme, Max. *Die grosse Reisesammlungen des 16e Jahrhunderts.* Leipzig, 1904.

Boxer, C. R. *Three Historians of Portuguese Asia: Barros, Couto, and Bocarro.* Macao, 1948. 短いが情報に満ちている。

Braga, Theophilo. *Camões, epoca e vida.* Oporto, 1907.

Burton, Sir Richard. *Camoens: His Life and His Lusiads: A Commentary.* 2 vols. London, 1881.

Callender, Sir G. A. R. *Bibliography of Naval History.* London, 1924-25.

Cambridge Bibliography of English Literature. Volume I.《旅行文献》の部。

Cambridge History of English Literature. Volume IV, chap. iv, "The Literature of the Sea"; chap. v, "Seafaring and Travel." By C. N. Robinson and John Leyland.

Camoens, Luis de. *The Lusiads of Camoens.* Translated by Leonard Bacon. New York, 1950. 最新の翻訳，最良のものの一つ。貴重な註を含む。

Cawley, Robert R. *The Voyagers and Elizabethan Drama.* Boston, 1938.

Unpathed Waters: Studies in the Influence of Voyagers on Elizabethan Literature. Princeton, 1940.

Cole, G. W. *A Catalogue of Books Relating to the Discovery and Early History of North and South America, owned by E. D. Church.* 5 vols. New York, 1907. チャーチ蔵書は現在ハンティントン図書館に在る。

Correa, Gaspar. *Lendas da India.* 4 vols. Lisbon, 1858-1860.

Cox, E. G. *A Reference Guide to the Literature of Travel.* Seattle, 1935.

Faria e Sousa, Manuel de. *Asia Portuguesa.* 6 vols. Lisbon, 1945-1947.

Fontán y Lobé, J. *Bibliografía colonial: Contribución a un indice de publica-*

Caravelas, naus, e galés de Portugal. Oporto, n. d.

Cantera, Francisco. *Abraham Zacut*. Madrid, 1935.

Castro, João de. *Roteiros*. 3 pts. Lisbon: Agencia Geral das Colonias, 1940.

Tratado da sphaera, da geographia. Lisbon, 1940.

Clowes, G. S. Laird. *Sailing Ships: Their History and Development*. 2 pts. London: Science Museum, 1931-1936. 好著。

Fontoura da Costa, A. *A marinharia dos descobrimentos*. Lisbon, 1933. 重要な著作。

Guillén, Julio. *La carabela Santa Maria: Apuntes para su reconstitución*. Madrid, 1927.

Gunther, R. W. T. *The Astrolabes of the World*. 2 vols. Oxford, 1932.

Hewson, J. B. *A History of the Practice of Navigation*. London, 1951.

Marquet, F. *Histoire générale de la navigation*. Paris, 1931.

Meigs, J. F. *The Story of the Seaman*. Philadelphia, 1924.

Morais e Sousa, L. de. *A sciencia nautica dos pilotos portugueses nos séculos XV e XVI*. 2 vols. Lisbon, 1924.

Oliveira. João Braz de. *Os navios da descoberta*. Lisbon, 1940.

Quirino da Fonseca. *A caravela portuguesa*. Coimbra, 1934.

Stevens, John R. *An Account of the Construction and Embellishment of Old-time Ships*. Toronto, 1949.

Villiers, Alan. *Sons of Sinbad*. London, 1940. 自らそれを試みたヨット乗りによるアラビアの《ダウ船》に関する定本。

Viterbo, Marquès de Sousa. *Trabalhos nauticos dos Portugueses nos séculos XVI e XVII*. 2 vols. Lisbon, 1890-1900.

Wroth, Lawrence C. *The Way of a Ship: An Essay on the Literature of Navigational Science*. Portland, Maine, 1937. 貴重な本。

第17章　大航海時代に関する地理文献解題

（この参考書誌および本文の随所を参照）

Anselmo, Antonio J. *Bibliografia das obras impressas em Portugal no século XVI*. Lisbon, 1926.

Arber, Edward, ed. *The First Three English Books on America*. Birmingham, 1885. リチャード・イーデンの作品が本書に覆刻されている。

Atkinson, Geoffroy. *La Littérature géographique française de la renaissance*. 2 pts. Paris. 1927-36. 代表的な文献目録。

Les Nouveaux Horizons de la renaissance française. Paris, 1935.

な本，カーンの諸航海を叙した点でも有用である。
Santarem, Visconde de. *Atlas.* Paris, 1849. *Supplement.* Paris, 1854.
Essai sur l'histoire de la cosmographie et de la cartographie. 3 vols. Paris, 1849-1852. 古地図について書かれた最初の重要な研究，今日もなお有益。
Stevens, Henry N. *Ptolemy's Geography.* London, 1908. イリノイ州シカゴのニューベリイ図書館所蔵の諸版に関する詳細な一覧表が付く。
Stevenson, Edward L. *Atlas of Portolan Charts* (Egerton MS 2803). New York, 1911.
Maps Illustrating Early Discovery and Exploration in America, 1502-1530. New Brunswick, 1906. 初期地図作品の原寸大複製集の見事な一巻。
Marine World Chart of Nicolo de Canerio. New York, 1908. 原寸複製を含む。
Portolan Charts, Their Origins and Characteristics. New York, 1911.
Terrestrial and Celestial Globes. 2 vols. New Haven, Connecticut, 1921.
Stevenson, Edward L., ed. *Geography of Claudis Ptolemy.* New York, 1932. プトレマイオス地理書の最初の英語版。図版はニューヨーク公共図書館所蔵のエブナー文書よりとられている。
Tooley, R. V. *Maps and Map-Makers.* London, 1949. 極めて有用。
Vascano, Antonio. *Juan de la Cosa.* Madrid, 1892.
Wagner, Henry R. *The Cartography of the Northwest Coast of America to the Year 1800.* 2 vols. Berkeley, California, 1937.
Wauermann, H. E. *L'Ecole cartographique belge et Anversoise du XVIe siècle.* 2 vols. Brussels, 1895.
Wertheim, Alexander. *Old Maps and Charts.* Berlin, 1931.
Wieder, F. C. *Monumenta Cartographica.* 4 vols. The Hague, 1925-1933. 主に17世紀を扱う。
Wroth, Lawrence C. *The Early Cartography of the Pacific.* New York: Bibliographical Society of America, 1944. 決定的な研究。

航海術

Anderson, Roger C. *The Rigging of Ships (1600-1720).* London, 1927.
The Sailing Ship. London, 1926.
Barbosa, Antonio. *Novos subsidios Para história da ciencia nautica portuguesa da epocha dos descobrimentos.* Oporto, 1948.
Bensuade, Joaquim. *Histoire de la science nautique portugaise.* 7 vols. Lisbon, 1914-19. 航海術関係の初期の諸版の複製。
L'Astronomie nautique au Portugal à l'époque des grandes découvertes. Berne, 1912.

XVI. 2 vols. Lisbon, 1935. 必読文献。

Denucé, Jean. *Les Origines de la cartographie portugaise et les cartes des Reinel.* Ghent, 1908.

Fischer, Joseph, and Franz von Wieser. *The "Cosmographiae Introductio" of Martin Waldseemüller.* New York, 1907.

Fite, E. D., and A. Freeman. *A Book of old Maps.* Cambridge, Massachusetts, 1926. 主としてアメリカ誌に関る。図版は処により不鮮明。

Fontoura da Costa, A. *Roteiros Portugueses.* Lisbon, 1940.

Fordham, Sir H. G. *Maps: Their History, Characteristics, and Uses.* Cambridge, 1927.

Guillén, Julio. *Cartografía marítima española.* Madrid, 1943. *Monumenta chartographica indiana.* Madrid, 1942.

Humphreys, Arthur L. *Old Decorative Maps and Charts.* London, 1926. グリニッジ国立海事博物館所蔵の印刷地図を解説したもの。目録が完備している。

Imago Mundi. 7 Parts (to date). Berlin, London, Stockholm, 1935-51. 極めて貴重な出版。

Jervis, Walter W. *The World in Maps.* London, 1938. 地図及び参考書誌の年表によって特に有用。

Jomard, E. François. *Les Monuments de la géographie.* Paris, 1862.

Kretschmer, Konrad. *Die Entdeckung Amerikas.* Atlas. Berlin, 1892.

Kunstmann, Frederich. *Atlas der Entdeckung Amerikas.* Munich. 1859. 有名な著作。これにより初期の四つの地図に《クンストマン》の名が冠せられた。

Lagoa, Visconde de. *Atlas de Fernão Vaz Dourado.* Oporto, 1946.

La Roncière Charles de. *La Carte de Chistophe Colomb.* Paris, 1924. 地図史学界に大論争を惹起した論文。

Müller, Frederick. *Remarkable Maps of the XV, XVI, and XVII Centurties.* 6 parts. Amsterdam, 1894-1897.

Muris, Oswald. *Der Behaim-Globus zu Nürnberg.* Berlin, 1943.

Nordenskiöld, Baron A. E. *Facsimile-Atlas to the Early History of Cartography.* Stockholm, 1889. 必備の文献。

Periplus: An Essay on the Early History of Charts and Sailing Directions. Stockholm, 1897. 必読書。

Nunn, G. E. *The Mappemonde of Juan de la Cosa.* Jenkintown, Pennsylvania, 1934. ラ・コーサ地図は1500年以降の作とする説を述べている。

Outhwaite, Leonard. *Unrolling the Map.* London, 1935. 一般向け。

Ravenstein, E. G. *Martin Behaim: His Life and His Globe.* London, 1908. 貴重

1604-5. Trans. and ed. by W. F. Sinclair. London: Hakluyt Society, 1902.

第15章　北米植民地の草創時代

（第6，第9，第12，第17章関係の書誌も参照のこと）

Andrews, Matthew Page. *The Soul of a Nation*. New York, 1944. 初期ヴァージニアの物語。

Bishop, Morris. *Champlain: The Life of Fortitude*. New York, 1948.

Bourne, E. G. *The Voyages of Champlain*, 2 vols. New York, 1922.

Brown, Alexander. *The First Republic in America*. Boston, 1898.

The Genesis of the United States. Boston, 1890. ジェイムズタウン植民地の話。

Champlain, Samuel de. *The Works of Samuel de Champlain*. Edited by H. P. Biggar. 7 vols. Toronto: Champlain Society, 1922-1936.

Dionne, N. E. *Champlain*. Oxford, 1926.

Lescarbot, Marc. *Nova Francia*. Edited by H. P. Biggar. London, 1927.

Lorant, Stefan. *The New World*. New York, 1946. フロリダにおけるフランス人，ロアノーク島の英国人を描く。美麗な本。

Parkman, Francis. *The Jesuits in North America in Seventeenth Century*. 諸版あり。

Quinn, D. B., ed. *The English Voyages to North America, 1584-1605*. 2 vols. London: Hakluyt Society.

Smith, Captain John. *Works*. Edited by Edward Arber. 2 vols. Glasgow, 1907.

第16章　ルネッサンス期の地図学と航海術

（第3，第4，第5，第6，第7，第9，第10，第17章の文献も参照のこと）

Alba, Duke of. *Mapas Españoles de America, siglos XV-XVII*. Madrid, 1951. 豪華に造られた決定版。

Almagia, Roberto. *Monumenta cartographica Vaticana*. 2 vols. Rome, 1944. 重要な研究。

Anthiaume, Albert. *Cartes marines, constructions navales, voyages découverte chez les Normans, 1500-1650*. Paris, 1916.

Pierre Desceliers, Père de l'hydrographie et de cartographie françaises. Paris, 1926.

Brown, Lloyd. *The Story of Maps*. Boston, 1949. 優れた概論。著者はポルトラーノ海図よりも印刷地図に重点を置いている。

Cortesão, Armando. *Cartografia e Cartografos Portugueses dos Seculos XV e*

第14章　東方旅行者群像

（第4，第13及び第17章の文献も参照のこと）

Bates, E. S. *Touring in 1600*. Boston, 1911. ヨーロッパ及びレヴァント地方を扱う。

Bent, J. T., ed. *Early Voyages and Travels in the Levant*. London: Hakluyt Society, 1983.

Chew, Samuel C. *The Crescent and the Rose*. New York, 1937. 英国人による初期の東洋旅行の博学な研究。

Coverte, Rovert. *A True and Almost Incredible Report of an Englishman That Travelled by Land Throw Many Kingdomes*. Edited by Boies Penrose. Philadelphia, 1931.

Della Valle, Pietro. *The Travels of Pietro Della Valle in India*. Edited by Edward Grey. 2 vols. London: Hakluyt Society, 1892.

Foster, Sir William, ed. *Early Travels in India, 1583–1619*. Oxford, 1921. フィッチ，ミルデンホール，ウィリアム・ホウキンズ，コライアット等を扱うもの。

The Travels of John Sanderson in the Levant, 1584–1602. London: Hakluyt Society, 1931.

Howard, Claire. *English Travellers of the Renaissance*. London, 1914.

Hughes, Charles. *Shakespeare's Europe*. London, 1903. ファインズ・モリソンの旅行記を土台にしたもの。

Lithgow, William. *A Most Delectable and True Discourse*. Glasgow, 1906.

Moryson, Fynes. *An Itinerary*. 4 vols. Glasgow, 1907–1908.

Mundy, Peter. *The Travels of Peter Mundy*. Edited by Sir Richard Carnac Temple. 5 vols. London: Hakluyt Society, 1907–1936.

Oaten, E. F. *European Travellers in India during the 15th, 16th, and 17th Centuries*. London, 1909.

Penrose, Boies. *The Sherleian Odyssey*. London, 1938.

Urbane Travelers. Philadelphia, 1942. モリソン，コライアット，リスガウ，サンディス，カートライト，ブローント，ハーバート等の旅行を論じたもの。

Pyrard, François. *The Voyager of François Pyrard of Laval to the East Indies*......Edited by Albert Gray. 2 vols. in 3. London: Hakluyt Society, 1887–1889.

Ross, Sir E. Denison, ed. *The Travels of Anthony Sherley*. London: Broadway Travellers, 1933.

Teixeira, Pedro. *The Journey of Pedro Teixeira from India to Italy by Land,*

The Voyage of Sir Henry Middleton to the Moluccas, 1604–1606. London: Hakluyt Society, 1943.

The Voyage of Thomas Best to the East Indies, 1612–14. London: Hakluyt Society, 1934.

The Voyages of Sir James Lancaster to Brazil and the East Indies, 1591–1603. London: Hakluyt Society, 1940.

Hunter, Sir William W. *A History of British India*. 2 vols. London, 1899. 未完ながら，初期に関する記述は見事。

Jenkinson, Anthony. *Early Voyages and Travels to Russia and Persia*. Edited by E. D. Morgan and C. H. Coote. 2 vols. London: Hakluyt Society, 1886.

Keuning, J., ed. *De tweede Schipvaart der Nederlanders naar Oost-Indie onder Jacob Cornelisz van Neck en Wybrant Warwijk 1598–1600*. The Hague: Linschoten Vereeniging, 1938.

Linschoten, Jan Huyghen van. *The Voyage of Jan Huyghen van Linschoten to the East Indies*. From the English translation of 1598. Edited by A. C. Burnell and P. A. Tiele. 2 vols. London: Hakluyt Society, 1885.

Locke, J. C. *The First Englishmen in India*. London: Broadway Travellers, 1930.

Mollema, J. C. *De eerste Schipvaart der Hollanders naar Oost-Indie, 1595–97*. The Hague: Linschoten Vereeniging, 1935.

Moreland, W. H. *Jahangir's India*. Cambridge, 1925.

Moreland, W. H., ed. *Peter Floris: His Voyage to the East Indies, 1611–15*. London: Hakluyt Society, 1934.

Relations of Golconda in the Early Seventeenth Century. London: Hakluyt Society, 1931.

Satow, Sir Ernest M., ed. *The Voyage of Captain John Saris to Japan in 1613*. London: Hakluyt Society, 1900.

Scott, Sir W. R. *The History of Joint Stock Companies to 1720*. 2 vols. London, 1910–1912.

Stevens, Henry. *The Dawn of British Trade to the East Indies*. London, 1886.

Vlekke, Bernard. *The Story of the Dutch East Indies*. Cambridge, Mass., 1945.

Wood, A. C. *A History of the Levant Company*. Oxford, 1935.

Wright, Arnold. *Early English Adventurers in the East*. London, 1907.

Temple, Sir Richard Carnac, ed. *The World Encompassed by Sir Francis Drake*. London: Argonaut Press, 1926. 1628年版の改訂新編覆刻版。

Tenison, E. M. *Elizabethan England*. 9 vols. London, 1933-1951. 通史ではあるが海外冒険事業に対する大きな関心が払われている。図版優秀。

Thompson, Edward. *Sir Walter Ralegh: The Last of the Elizabethans*. London, 1935. ローリイ卿伝としては恐らく最高の一巻本の一つ。

Wagner, Henry R. *Sir Francis Drake's Voyage around the World: Its Aims and Achievements*. San Francisco, 1926. 良書。

Williamson, James A. *Hawkins of Plymouth*. London, 1949.
同じ著者の『ジョン・ホウキンズ卿伝』(1927年, ロンドン) に代るべき決定版。

Maritime Enterprise, 1485-1558. Oxford, 1913.

The Age of Drake. London: Pioneer Histories, 1938. 簡潔貴重な一書。

Williamson, James A., *The Observations of Sir Richard Hawkins*. London: Argonaut Press, 1933.

Wright, Irene A., tr. and ed. *Documents Concerning English Voyages to the Spanish Main, 1569-80*. London: Hakluyt Society, 1932. Contains *Sir Francis Drake Revived*.

Further Documents Concerning English Voyages to the Spanish Main, 1580-1603. London: Hakluyt Society, 1951.

Spanish Documents Concerning English Voyages to the Caribbean, 1527-68. London: Hakluyt Society, 1929.

第13章　英・蘭人の東洋進出

(第4, 第11, 第12, 第14及び第17章関係の文献も参照のこと)

Birdwood, Sir George, and Sir William Foster, eds. *First Letter Book of the East India Company, 1600-19*. London, 1893.

Danvers, F. C., and Sir William Foster. *Letters Received by the East India Company from its Servants in the East, 1602-17*. 6 vols. London, 1896-1902.

Foster, Sir William. *England's Quest for Eastern Trade*. London: Pioneer Histories, 1933. 円熟した学殖による名著。

John Company. London, 1926.

Foster, Sir William, ed. *The Embassy of Sir Thomas Roe*. London, 1926.

The Journal of John Jourdain. London: Hakluyt Society, 1905.

The Voyage of Nicholas Downton to the East Indies, 1614-15. London: Hakluyt Society, 1939.

Hudson, Henry. *Henry Hudson the Navigator*. Edited by G. M. Asher. London: Hakluyt Society, 1860.

Quinn, David B., ed. *The Voyages and Colonising Enterprises of Sir Humphrey Gilbert*. 2 vols. London: Hakluyt Society, 1940.

Smith, Charlotte Fell. *John Dee*, 1527–1608. London, 1909.

Stefansson, Vilhjalmur. *The Three Voyages of Martin Frobisher in Search of a Passage to Cathay and India by the North-West, A.D. 1576–82*. 2 vols. London: Argonaut Press, 1938. 見事な出版物。

Veer, Gerrit de. *The Three Voyages of William Barents to the Arctic Regions*. Edited by Koolemans Beynen. London: Hakluyt Society, 1876.

第12章　ドレイクの時代

（第8，第9，第13，第14，第16章関係の書誌も参照のこと）

Cambridge History of the British Empire. Vol. I. Cambridge, 1929.

Clowes, Sir William Laird, ed. *The Royal Navy: A History*. 2 vols. London, 1879–1898. 航海と発見に関するクレメンツ・マーカム卿及びH. W. ウィルソンによる諸章を含む。

Corbett, Sir Julian. *Drake and the Tudor Navy*. 2 vols. London, 1917. ドレイクに関する定本，但し今日では多少時代後れとなった。

The Successors of Drake. London, 1900.

Dudley, Robert. *The Voyage of Robert Dudley to the West Indies and Guiana in 1594*. Edited by Sir George Warner. London: Hakluyt Society, 1899.

Markham, Sir Clements, ed. *The Hawkins' Voyages*. London: Hakluyt Society 1878.

Monson, Sir William. *Naval Tracts*. Edited by M. Oppenheim. 5 vols. London, 1902.

Nuttall, Zelia, tr. and ed. *New Light on Drake: A Collection of Documents Relating to His Voyage of Circumnavigation, 1577–80*. London: Hakluyt Society, 1914.

Oppenheim, M. *A History of the Administration of the Royal Navy, 1509–1660*. London, 1896.

Rowse, A. L. *Sir Richard Grenville of the Revenge*. London, 1937.

Taylor, E. G. R. *Late Tudor and Early Stuart Geography, 1583–1650*. London, 1934.

Tudor Geography, 1485–1583. London, 1930. 本書と前掲書はチューダー期地理学理論及び著作に関する傑れた大観を形成する。

Markham, Sir Clements, tr. and ed. *Early Spanish Voyages to Magellan's Strait.* London: Hakluyt Society, 1911.

Mendaña Alvaro. *The Voyage of Mendaña to the Solomon Islands in 1568.* Edited by Lord Amherst of Hackney and Basil Thomson. 2 vols. London: Hakluyt Society, 1901.

Morga, Antonio de. *The Philippine Islands* (1609). Translated and edited by Lord Stanley of Alderley. London: Hakluyt Society, 1868.

Quiros, Pedro Fernandez de. *The Voyages of Pedro Fernández de Quiros, 1595 to 1606.* Translated and edited by Sir Clements Markham. 2 vols. London: Hakluyt Society, 1904.

Rainaud, Armand. *Le Continent Austral.* Paris, 1893.

Robertson, James A. ed. *Magellan's Voyage arouund the World.* Cleveland, Ohio, 1906. 巧みな編輯によるピガフェッタの覆刻。

Sarmiento de Gamboa, Pedro. *Narratives of the Voyages of Pedro Sarmiento de Gamboa to the Straits of Magellan, 1579-80.* Translated and edited by Sir Clements Markham. London: Hakluyt Society, 1894.

Spilbergen, Joris van. *East and West Indian Mirror.* Edited by J. A. J. de Villiers. London: Hakluyt Society, 1906.

Stanley of Alderley, Lord, ed. *The First Voyage Around the World by Magellan.* London: Hakluyt Society, 1874. ピガフェッタ他の物語の集成。

Stevens, Henry N., ed. *New Light on the Discovery of Australia, As Revealed by the Journal of Captain Dom Diego de Prado y Tovar.* Translations by G. F. Barwick. London: Hakluyt Society, 1929.

Wood, G. Arnold. *The Discovery of Australia.* London, 1922.

第11章　北方航路の探求

（第9，第12，第13及び第16章の文献も参照のこと）

Baffin, William, *The Voyages of William Baffin, 1612-1622.* Edited by Sir Clements Markham. London: Hakluyt Society, 1881.

Bond, Edward A., ed. *Russia at the Close of the Sixteenth Century.* London: Hakluyt Society, 1856. ジャイルズ・フレッチャー及びJ・ホージイ卿の記述。

Christy, Miller, ed. *The Voyages of Captain Luke Foxe of Hull, and Captain Thomas James of Bristol.* 2 vols. London: Hakluyt Society, 1893.

Crouse, Nellis M. *In Quest of the Western Ocean.* New York, 1928.

Davis, John. *The Voyages and Works of John Davis, the Navigator.* Edited by A. H. Markham. London: Hakluyt Society, 1880.

United States, 1513-61. New York, 1901.
Maynard, Theodore. *De Soto and the Conquistadores*. New York, 1930.
Murphy, Henry C. *The Voyage of Verrazano*. New York, 1875.
Ober, F. A. *Juan Ponce de Leon*. New York, 1908.
Parkman, Francis. *Pioneers of France in the New World*. 諸版あり。
Wagner, Henry R. *California Voyages, 1539-41*. New York: American Geographical Society, 1925.
Spanish Voyages to the Northwest Coast of America. San Francisco, 1929.
The Spanish Southwest, 1542-1794: An Annotated Bibliography. Berkeley, California, 1924. 大変役に立つ。
Williamson. James A. *The Voyages of the Cabots*. London: Argonaut Press, 1929. この主題についての基本書。
Winship, George P. *Cabot Bibliography*. London, 1900.
Sailors' Narratives of Voyages along the New England Coast. Boston, 1905.
The Journey of Francisco Vazquez de Coronado. San Francisco, 1933.

第10章　マジェランとその後続者達

（第12，第13及び第17章関係の書誌も参照のこと）

Beaglehole, J. C. *The Exploration of the Pacific*. London: Pioneer Histories. 1934. 貴重な本。
Bourne, E. G. *Discovery, Conquest and Early History of the Philippine Islands*. Cleveland, Ohio, 1907.
Burney, Admiral James. *A Chronogical History of the Discoveries in South Sea*. 5 vols. London, 1803-1817. 注目すべきもの。
Calvert, Albert F. *The Discovery of Australia*. London, 1902.
Collingridge, George. *The Discovery of Australia*. Sydney, 1895.
Denucé, Jean. *Magellan: La Question des Moluques et la première circumnavigation du globe*. Brussels, 1911.
Denucé, Jean. *Pigafetta: Relation du première voyage autour du monde par Magellan, 1519-22*. Antwerp, 1923.
Guillemard, F. H. H. *The Life of Ferdinand Magellan and the First Circumnavigation of the Globe*, 1480-1521. London, 1890. 英語による最高のマジェラン伝。
Lagoa, Visconde de. *Fernão de Magalhães*. Lisbon, 1938.
Major, R. H., ed. *Early Voyages to Terra Australis*. London: Hakluyt Society, 1859.

History of Africa south of the Zambesi. London, 1896.
The Portuguese in South Africa. London, 1896. ティールの著書は悉く権威あるものである。
Theale, George McC., ed. *Records of South Africa*. 9 vols. Cape Town, 1901. 第7巻にはドス・サントの『東洋のエチオピア』の翻訳を収載。
Tracey, Hugh. *Antonio Fernandes, Descobridor do Monomotapa, 1514-15*. Lourenço Marques, 1940.
Welch, Sidney R. *South Africa under King Manuel*. Cape Town, 1946.
Wyndham, H. A. *A Family History, 1410-1688*. Oxford, 1939. ウィンダムのギニア航海談が含まれている。

第9章　初期の北米探検

（第6，第14及び第17章の文献も参照のこと）
Barbeau, Marius. *The Kingdom of Saguenay*. Toronto, 1936. カルティエのラブレーとの関係を採り上げている。
Biggar, H. P. *Precursors of Jacques Cartier*. Ottawa, 1911.
Bishop, Morris. *Odyssey of Cabeza de Vaca*. New York, 1933.
Bolton, Herbert E. *Coronado, Knight of Pueblos and Plains*. New York, 1949.
Bourne, E. G. *Narratives of the Career of Hernando de Soto*. 2 vols. New York, 1922.
Brebner, John B. *The Explorers of North America, 1492-1806*. London: Pioneer Histories, 1933. スペイン人，フランス人，英国人旅行者に関する優れた通史。
Cartier, Jacques. *The Voyages of Jacques Cartier, published from the Originals*. Edited by H. P. Biggar. Ottawa, 1924.
Castenheda, Pedro. *Jornada de Cíbola*. Boston, 1896. コロナードの遠征を扱う。
De Soto, Hernando. *The Discovery and Conquest of Terra Florida*. Edited by W. B. Rye. London: Hakluyt Society, 1851.
Hakluyt, Richard. *Divers Voyages Touching the Discovery of America, Collected in 1582*. Edited by John Winter Jones. London: Hakluyt Society, 1850.
Harrisse, Henry. *The Discovery of North America*. London, 1892. 地図及び伝記の部が秀逸で捨て難い。
Hallenbeck, Cleve. *The Journey of Fray Marcos de Niza*. Dallas, Texas, 1950.
Hodge, F. W., and Lewis, T. H. *Spanish Explorers in Southern United States, 1528-43*. New York, 1907.
Lowery, Woodbury. *The Spanish Settlements within the Present Limits of the*

the Years 1520-27. Edited by Lord Stanley of Alderley. London: Hakluyt Society, 1881.
Axelson, Eric. *South East Africa, 1490-1540*. London, 1940. 重要図書。アントニオ・フェルナンデスの話とポルトガル各図書館に関する有益な手引を収載。
Battell, Andrew. *The Strange Adventures of Andrew Battell in Angola*. Edited by E. G. Ravenstein. London: Hakluyt Society, 1901.
Castanhoso, Miguel de. *The Portuguese Expedition to Abyssinia in 1541-43*. Edited by R. S. Whiteway. London: Hakluyt Society, 1902.
Colvin, Ian D. *The Cape of Adventure*. London, 1912. 航海者の語る"歴史における喜望峰"。
Cortesão, Armando, and Sir Henry Thomas. *The Discovery of Abyssinia by the Portuguese in 1520*. London: British Museum, 1938.
Delgado, Ralph. *História de Angola, 1482-1648*. 2 vols. Benguela, 1948.
Gomes de Brito, Bernardo, comp. *História trágico-marítima*. Edited by Damião Peres. 6 vols. Oporto, 1942-1943.
Hamilton, Genesta. *In the Wake of Da Gama: The Story of Portuguese Pioneers in East Africa, 1497-1729*. London, 1951.
Jobson, Richard. *The Golden Trade*. Edited by C. G. Kingsley. London, 1932. 17世紀初頭のガンビアを描写。
Kammerer, Albert. *La Mer Rouge: L'Abyssinie et l'Arabie depuis l'antiquité*. 3 vols. in 7 parts. Cairo, 1929-1949. 第2, 第3巻は16世紀のポルトガル人を扱っている。価値高い堂々たる出版物。
Lima, Americo Pires de. *Explorações em Moçambique*. Lisbon, 1943.
Mesquita Perestrelo, Manuel de. *Roteiro of South and Southeast Africa*. Edited by Fontoura da Costa. Lisbon, 1939.
Pacheco Pereira, Duarte. *Esmeraldo de Situ Orbis*. Translated and edited by G. H. T. Kimble. London: Hakluyt Society, 1937. 西アフリカ沿岸航海案内として名高い。
Penrose, Boies, ed. *Robert Baker: An Ancient Mariner of 1565*. Boston, 1942.
Rey, Charles F. *The Romance of the Portuguese in Abyssinia, 1490-1633*. London 1929.
Sanceau, Elain, *The Land of Prester John*. London, 1944. アビシニアにおけるポルトガル人の話。
Theale, George McC. *History and Ethnography of South Africa*. 3 vols. London, 1907.

don: Hakluyt Society, 1889. シュミーデルとカベサ・デ・バカの物語を含む。

Federmann, Arnold. *Deutsche Konquistadoren in Südamerika*. Berlin, 1938.

Gandavo, Pero de Magalhães. *The Histories of Brazil*. Edited by John B. Stetson. 2 vols. New York: Cortes Society, 1922.

Haebler, Konrad. *Die überseeischen Unternehmungen der Welser*. Leipzig, 1903. 極めて重要な作品。

Hantzsch, Viktor. *Deutsche Reisende des 16ten Jahrhunderts*. Leipzig, 1895. 南米に対するドイツ人の遠征を収載。

Harcourt, Robert. *A Relation of a Voyage to Guiana*. Edited by Sir Alexander Harris. London: Hakluyt Society, 1928.

Harlow, Vincent T., ed. *The Discoverie of Guiana, by Sir Walter Ralegh*. London: Argonaut Press, 1928. 序文には《黄金郷》(エル・ドラード)探求に関する傑れたエッセイが含まれている。

Ralegh's Last Voyage. London: Argonaut Press, 1932.

Leite, Duarte. *Descobridores do Brasil*. Oporto. 1931.

Lery, Jean de, *Histoire d'un voyage faict en la Terre du Brésil*. Parish, 1880. ユグノー教徒植民地に関する記述。

Marcondes de Sousa, Thomas. *O descobrimento do Brasil*. São Paolo, 1946.

Markham, Sir Clements, ed. *Expeditions into the Valley of the Amazons, 1539, 1540, 1639*. London: Hakluyt Society, 1859.

Medina, José Toribio. *The Discovery of the Amazon*. Translated and edited by B. T. Lee and H. C. Heaton. New York: American Geographical Society, 1934. オレヤーナの旅に関する基本文献。

Rubio, Julian M. *Exploración y conquista del Rio de la Plata, siglos XVI y XVII*. Barcelona, 1942.

Simon, Pedro. *The Expedition of Pedro de Ursua and Lope de Aguirre in Search of El Dorado*. Edited by Sir Clements Markham. London: Hakluyt Society, 1861.

Staden of Hesse, Hans. *The True History of His Captivity, 1557*. Edited by Malcolm Letts. London: Broadway Travellers, 1929.

第8章　16世紀のアフリカ

(第3, 第4, 第12及び第17章の文献も参照のこと)

Almada, Alvares d'. *Tratado breve dos rios de Guiné, 1594*. Edited by D. Köpke. Oporto, 1841.

Alvares, Francisco. *Narrative of the Portuguese Embassy to Abyssinia during*

1934. この分野の一巻本として恐らく最良。
Madariaga, Salvador de. *Hernán Cortés, Conqueror of Mexico*. London, 1942.
Markham, Sir Clements. *The Conquest of New Granada*. London, 1912.
Markham, Sir Clements, ed. *Reports on the Discovery of Peru*. London: Hakluyt Society, 1872.
Means, Philip A. *Fall of the Inca Empire, and Spanish Rule in Peru, 1530-1780*. New York, 1932.
Spanish Main: Focus of Envy, 1492-1700. New York, 1935.
Merriman, Roger B. *Rise of the Spanish Empire*. Cambridge, Massachusetts, 1918.
Newton, Arthur P. *The European Nations in the West Indies, 1493-1688*. London: Pioneer Histories, 1933. アンティル諸島史として傑出している。
Pizarro, Pedro. *Relation of the Discovery of the Kingdoms of Peru*. Translated and edited by P. A. Means. 2 vols. New York: Cortes Society, 1921. ペルー征服に関する必読文献。
Prescott, William H. *History of the Conquest of Mexico*. 諸版がある。
History of the Conquest of Peru. 各版あり。
Sanchez, Alonso, B. *Fuentes de la historia Española e Hispano-Americana*. 3 vols. Madrid, 1927-1946.
Wagner, Henry R. *The Discovery of New Spain in 1518 by Juan de Grijalva*. Berkeley, California: Cortes Society, 1942.
The Rise of Fernando Cortes. Berkeley, California: Cortes Society, 1944.

第7章　南米東部地方

（第6及び第17章関係書誌も参照のこと）

Acosta, José. *Descobrimiento de la Nueva Granada*. Bogotá, 1942.
Arcinieges, German. *Knight of El Dorado*. New York, 1942. The life of Quesada.
Germans in the Conquest of America: A 16th Century Venture. New York, 1943.
Capistrano de Abreu, João. *O Descobrimento do Brasil pelos Portugueses*. Rio de Janeiro, 1929.
Cardim, Fernão. *Tratados de terra e gente do Brasil*. Rio de Janeiro, 1925. 初期古典の新版。
Cunninghame Graham, R. B. *The Conquest of the River Plate*. London, 1924.
Dominguez, Luis L., tr. and ed. *The Conquest of La Plata, 1535-1555*. Lon-

Morison, Samuel Eliot. *Admiral of the Ocean Sea.* 2 vols. Boston, 1942. コロンブス伝の白眉として不易の地位を約束するもの。

Portuguese Voyages to America in the Fifteenth Century. Cambridge, Massachusetts, 1940.

Nunn, G. E. *The Geographical Conceptions of Columbus.* New York: American Geographical Society, 1924. 大変有益な，但し専門的な研究。

Pohl, Frederick J. *Amerigo Vespucci: Pilot Major.* New York, 1944. 熱狂的なところはあるが優れた伝記。

Thacher, John Boyd. *Christopher Columbus: His Life, His Work, His Remains.* 3 vols. New York, 1903-1904. 依然として極めて有用の書。原資料多数覆刻及び翻訳を含む。

Varnhagen, Francisco de. *Amerigo Vespucci.* Lima, Peru, 1865.

Vignaud, Henri. *Améric Vespuce, 1451-1523.* Paris, 1917.

Histoire critique de la grande enterprise de Christophe Colomb. 2 vols. Paris, 1911. ヴィニョーの所説は今や“古色蒼然”ながら，やはり面白い。

Winsor, Justin. *Christopher Columbus.* Boston, 1891.

第６章　征服者達

（第5，第9及び第17章関係の文献も参照のこと）

Alvarado, Pedro de. *An Account of the Conquest of Guatemala in 1524.* Edited by S. J. Mackie. New York: Cortes Society, 1924.

Anderson, C. L. G. *Life and Letters of Vasco Nuñez de Balboa.* New York, 1941.

Cortes, Hernando. *The Letters of Hernando Cortes.* Edited by J. Bayard Morris. London: Broadway Travellers, 1928.

Crow, J. A. *The Epic of Latin America.* New York, 1946. 南米史の優れた概観。

Cunninghame Graham, R. B. *Pedro de Valdivia.* London, 1926. *The Conquest of New Granada.* London, 1922.

Diaz del Castillo, Bernal. *The True History of the Conquest of New Spain.* Edited and translated by A. P. Maudslay. 5 vols. London: Hakluyt Society, 1908-1916. メキシコ征服に関する史料の宝庫。

Helps, Sir Arthur. *Conquerors of the New World.* 2 vols. London, 1848-1852.

The Spanish Conquest in America. Edited by M. Oppenheim. 4 vols. London, 1900-1904. 基本資料としての本書の最良版。

Kelly, J. E. *Pedro de Alvarado, Conquistador.* Princeton, N. J., 1932.

Kirkpatrick, F. A. *The Spanish Conquistadores.* London: Pioneer Histories,

Sewall, R. *A Forgotten Empire*. London, 1900. パエスとヌーニスの話を含むヴィジャヤナガルの歴史。

Slater, Arthur B. *Departed Glory: The Deserted Villages of India*. London, 1937. ゴアとヴィジャヤナガルを収載。

Stanley of Alderley, Lord, tr. and ed. *The Three Voyages of Vasco da Gama ...... from the "Lendas da India" of Gaspar Correa*. London: Hakluyt Society, 1869.

Sykes, Sir Percy. *A History of Persia*. 2 vols. London, 1930.

Vasconcelos, Frazão de. *Pilotos das nevegaçoes portuguesas dos séculos XVI e XVII*. Lisbon, 1942.

Whiteway, Richard S. *The Rise of Portuguese Power in India, 1497-1550*. London, 1899. 明快な通論。

Wilson, Sir Arnold. *The Persian Gulf*. London, 1928.

第5章　コロンブスの諸航海

（第6，第9及び第17章の書誌も参照のこと。コロンブスに関する文献は尨大なため，基本的なもののみを掲げて置く）

Columbus, Christopher. *Raccolta di documenti e studi pubblicati dalla R. Commissione Columbiana pel quarto centenario della scoperta dell' America*. 15 vols. Rome, 1892-1894. コロンブス関係資料の全集成。

Columbus, Ferdinand. *Le histoire della vita e dei fatti di Cristoforo Colombo*. Edited by Rinaldo Caddeo. 2 vols. Milan, 1930.

Harrisse, Henry. *Christophe Colomb*. 2 vols. Paris, 1884.

Jane, Cecil, ed. *Select Documents Illustrating the Four Voyages of Columbus*. 2 vols. London: Hakluyt Society, 1930-1933.

Jane, Cecil, ed. *The Voyages of Christopher Columbus*. London, Argonaut Press, 1930. 第一次航海の日誌全部を収録。

Kretschmer, Konrad. *Die Entdeckung Amerikas*. 1 vol. text; 1 vol. atlas. Berlin, 1892. 初期の地図の見事な複製を含む地図帳。

Lollis, Cesare de. *Cristoforo Colombo nella legenda e nella storia*. Rome, 1923.

McClymont, J. R. *Vincente Añez Pinzón*. London, 1916.

Magnaghi, Alberto. *Amerigo Vespucci*. 2 vols. Rome, 1924.

Markham, Sir Clements, tr. and ed. *The Journal of Christopher Colombus ...... and Documents relating to John Cabot and Gaspar Corte Real*. London: Hakluyt Society, 1893.

The Letters of Amerigo Vespucci. London: Hakluyt Society, 1894.

da Costa. Lisbon, 1940.

Gonçalves, Julio. *Os Portugueses e o Mar das Indias*. Lisbon, 1947.

Greenlee, William B., tr. and ed. *The Voyage of Pedro Alvares Cabral to Brazil and India*. London: Hakluyt Society, 1938. 重要文献。

Hart, Henry H. *Sea Road to the Indies*. New York, 1950. 主としてヴァスコ・ダ・ガマを扱った興味深い一巻。

Hümerich, Franz. *Die erste Deutsche Handelsfahrt nach Indien, 1505-6*. Munich, 1922. アルメイダに使われたドイツ人代理業者の話。

Vasco da Gama und die Entdeckung das Seewegs nach Ostindien. Munich, 1898.

Jayne, Kingsley G. *Vasco da Gama and His Successors, 1460-1580*. London, 1910. この分野における良書の一つ。

Kammerer, Albert. *La Découverte de la Chine par les Portugais au XVIème Siècle*. Leyden, 1944.『通報(トウン・パオ)』シリーズの中にあり。

Lagoa, Visconde de. *Grandes e humildes na epopeia portuguesa do Oriente*. 2 vols. Lisbon, 1942-43.

Ley, Charles D., ed. *Portuguese Voyages, 1498-1663*. London: Everyman's Library, 1947. 有益かつ手頃な集成。

Lupi, Eduardo de Couto. *A Empresa Portuguesa do Oriente: conquista e sustenção senhorio do Mar*. Lisbon, 1943.

Maclagen, Sir Edward. *The Jesuits and the Great Mogul*. London, 1932

Maynard, Theodore. *The Odyssey of St. Francis Xavier*. London, 1936.

Pieris, P. E. *Ceylon: the Portuguese Era, Being a History for the Period 1505-1658*. 2 vols. Colombo, 1913-1914. 重要図書。

Pinto, Mendes. *The Voyages of Mendes Pinto*. Edited by A. Vambery. London, 1891.

Ravenstein, E. G., ed. *The Journal of the First Voyage of Vasco da Gama, 1497-1499*. London: Hakluyt Society, 1898. よく編纂された航海日記。

Rundall, Thomas, ed, *Memorials of the Empire of Japan in the XVI and XVII Centuries*. London: Hakluyt Society, 1850. ウィリアム・アダムズ(三浦按針)書簡集。

Sanceau, Elaine. *Indies Adventure: The Amazing Career of Afonso de Albuquerque*. London, 1936. 生彩と興趣に溢れた信用出来る本。

Knight of the Renaissance: D. João de Castro. London, 1949. 前著の続篇をなす好著。

O Caminho da India. Oporto, 1948.

doça. 6 vols. Lisbon, 1884-1915. アルブケルケ文書の基本史料。

[Albuquerque, Afonso (Braz) de.] *The Commentaries of the Great Afonso Dalboquerque*. Translated and edited by W. de G. Birch. 4 vols. London: Hakluyt Society, 1875-1883. 標準的英語版。

Ayres, Christovam, *Fernão Mendes Pinto*. 2 vols. Lisbon, 1904-1906.

Baião, Antonio, ed. *Itinerários da India a Portugal por Terra (Antonio Tenreiro e Mestre Afonso)*. Coimbra, 1923.

Ballard, Admiral G. A. *Rulers of the Indian Ocean*. London. 1928. 特に海軍史的観点から興味深いもの。

Botelho da Sousa, Alfredo. *Subsidios para a história militar-marítima da India*. 2 vols. Lisbon, 1930-48.

Boxer, C. R. *Fidalgos in the Far East, 1550-1770*. The Hague, 1948. 澳門(マカオ)と日本に関する興味ある一巻。

Breve discurso em que se conta a conquista do Reino de Pegu. Barcelos, 1936.

Cambridge History of India. 4 vols. Cambridge, 1922-1937.

Campos, J. J. A. *History of the Portuguese in Bengal*. Calcutta, 1919. 重要且つ興味ある本。

Campos, Moreira. *Francisco de Almeida, Vice-Rei da India*. Lisbon, 1947

Collis, Maurice. *The Grand Peregrination*. London, 1949. メンデス・ピントの旅を描いたもの。

The Great Within. London, 1941. マテオ・リッチ(利瑪竇)に関する一章を含む愉快な本。

The Land of the Great Image. London, 1943. アラカン地方における修道士マンリケの経験譚。

Correia, A. C. G. da Silva. *Historia da colonizacão o portuguesa na India*. Vol. 1. Lisbon, 1948.

Cortesão, Armando, ed. *The Suma Oriental of Tomé Pires, and the Book of Francisco Rodrigues*. 2 vols. London: Hakluyt Society, 1947. 本書は《地図史》研究の面でも極めて重要な価値がある。

Danvers, Frederick C. *The Portuguese in India; Being a History of the Rise and Decline of Their Eastern Empire*. 2 vols. London, 1894. 19世紀までのポルトガル領印度に関する詳細な歴史。

Du Jarric, Pierre. *Akbar and the Jesuits*. London, Broadway Travellers, 1928.

Ficalho, Francisco. *Viagem de Pero de Covilhan*. Lisbon, 1898.

Fonseca, J. N. de. *Historical Sketch of the City of Goa*. Bombay, 1878.

Gama, Vasco da. *Roteiro da primeira viagem*. (*1497-99*). Edited by Fontoura

Branquinho da Fonseca, ed. *As grandes viagens portuguesas*. Lisbon.

Cortesão, Armando. *Subsidios para a historia do descobrimento da Guiné e de Cabo Verde*. Lisbon, 1931.

Cortesão, Jaime. *The National Secret of the Portuguese Discoveries of the Fifteenth Century*. Trans. by W. A. Bentley. London.

Crone, G. R., tr. and ed. *The Voyages of Cadamosto, and Other Documents on Western Africa in the Second Half of the Fifteenth Century*. London: Hakluyt Society, 1937. この時代を扱った最良の書物の一つ。

Dinis, Antonio Dias. *O V Centenario (1446–1946) do Descobrimento da Guiné Portuguesa a Luz da Critica historica*. Braga, 1946.

Fontoura da Costa, A. *As portas da India em 1484*. Lisbon, 1935. カーンの第一次航海における喜望峰発見に関する学説を前進させるもの。

Fortunato de Almeida, J. *Historia de Portugal*. 6 vols. Coimbra, 1922–1929.

Gonçalves Viana, Mario. *As viagens terrestres dos Portugueses*. Porto, 1945.

Livermore, H. V. *History of Portugal*. Cambridge, 1947. 英語による最も優れた通史。

Magalhães Godinho, Vitorino, ed. *Documentos sobre a expansão Portuguesa*. 2 vols. Lisbon, 1945.

Major, Richard. *Life of Prince Henry the Navigator*. London, 1868.

Marques, João M. da Silva. *Descobrimentos portugueses*. Volume 1 and Supplement. Lisbon, 1944. 1460 年に完成したもの。

Oliveira Martins, J. P. *The Golden Age of Henry the Navigator*. London. 1914. 問題の書。徹底したエンリケ頌。

Peres, Damião. *Historia de Portugal*. 7 vols. Barcelos, 1928–1935. バルセロス版史書の名作，挿絵豊富な豪華版。

Historia dos descobrimentos portugueses. Porto, 1943. 好著。

Prestage, Edgar. *The Portuguese Pioneers*. London: Pioneer Histories, 1933. アフリカ航海に関して英語で書かれた最良の概論。

Sanceau, Elaine. *Henry the Navigator*. London.

第４章　東洋におけるポルトガル人

（第 2，第 3，第 8，第 13，第 17 章に関する文献も参照のこと）

Adams, William. Rundall, Thomas を参照。

Alaux, Jean Paul. *Vasco da Gama: ou l'épopée des Portugais aux Indies*. Paris, 1931. 挿絵が特に優れている。

Albuquerque, Afonso de. *Cartas*. Edited by Bulhão Pato and Lopes de Men-

Longhena, Mario. *Viaggi in Persia, India et Giava di Nicolo di Conti, Girolamo Adorno e Girolamo di San Stefano*. Milan, 1929.

Major, Richard H., ed. and trans. *India in the Fifteenth Century*. London. Hakluyt Society, 1858. コンティとサント・ステパノの物語を含む。

Polo, Marco. *The Most Noble and Famous Travels of Marco Polo*. Edited by N. M. Penzer. London: Argonaut Press, 1929. フランプトンによるエリザベス時代のコンティの翻訳を含む。

Prescott, H. F. M. *Friar Felix at Large*. New Haven, Connecticut, 1950. 巡礼廻国の極めて人間味ある物語。

Röhricht, Reinhold. *Deutsche Pilgerreisen nach dem Heiligen Lande*. Innsbruck, 1900. 基本図書。

Tafur, Pero. *Travels and Adventures of Pero Tafur* (*1435–39*), ed. Malcolm Letts. London: Broadway Travellers, 1926.

Varthema, Ludovico di. *The Itinerary of Ludovico di Varthema of Bologna, from 1502–1508*. Edited by Sir Richard Carnac Temple. London: Argonaut Press. 1928. ハクルート協会のための1863年の翻訳を含む《ヴァルテマ漫遊記》決定版。

Von Harff, Arnold. *The Pilgrimage of Arnold von Harff, Knight*. Translated and edited by Malcolm Letts. London: Hakluyt Society, 1946.

第３章　航海王エンリケ王子とアフリカ航路の開拓

（第1，第4，第8，第17章に関する書誌も参照のこと）

Atlas de Portugal ultramarino e das grandes viagens portuguesas de descobrimento e expansão. Lisbon, 1948. 地図110枚を収載。

Azurara, Gomes Eannes de. *The Chronicle of the Discovery and Conquest of Guinea*. Translated and edited by Sir Raymond Beazley and Edgar Prestage. 2 vols. London: Hakluyt Society, 1896–99.

Baião, Antonio, with Hernani Cidade and Manuel Murias. *Historia da Expansão Portuguesa no Mundo*. 3 vols. Lisbon, 1937–1940. 至大の価値ある記念碑的出版物。

Beazley, Sir Raymond. *Prince Henry the Navigator*. London, 1895. 《各国英雄伝（ヒーローズ・オブ・ネイションズ）》中の一巻。

Blake, John W. *European Beginnings in West Africa, 1454–1578*. London, 1937. 初期ギニアに関する決定的研究。

Blake, John W., tr. and ed. *Europeans in West Africa, 1450–1560*. 2 vols. London, Hakluyt Society, 1942.

地理学協会理事による優れた研究の一巻本。

La Roncière, Charles de. *La Découverte de l'Afrique au moyen âge*. 3 vols. Cairo, 1925-1927. 極めて価値高い名著。

Lelewel, J. *La Géograehie du moyen âge*. 5 vols. Brussels, 1852-1857. 古くはなったが依然古典の一つ。

Letts, Malcolm. *Sir John Mandeville: The Man and His Book*. London, 1949. *Mandeville's Travels, Texts, and Translations*. London: Hakluyt Society.

Mandeville, Sir John. *The Buke of John Maundeuille*. Edited by Sir George Warner. London: Roxburghe Club, 1889. イーガートン本による豪華版。

Newton, Arthur P., ed. *Travel and Travellers of the Middle Ages*. London, 1930. 研究家による貴重な論文集。

Polo, Marco. *The Book of Ser Marco Polo*. Edited by Sir Henry Yule and Henri Cordier. 2 vols. London, 1921. 今なお標準的な版といってよい。

Polo, Marco. *Marco Polo: The Description of the World*. Edited by A. C. Moule and Paul Pelliot. 2 vols. London, 1938. 近年発見の《トレド草稿》を含むポーロ手稿の調査と分析を収載する。

Prutz, Hans G. *Kulturgeschichte der Kreuzzüge*. Berlin, 1883.

Schoff, Wilfred. *The Periplus of the Erythraen Sea*. London, 1912.

Tarn, William W. *Greeks in Bactria and India*. London, 1938.

Thomson, J. Oliver. *History of Ancient Geography*. Cambridge, 1948. 決定版。

Tozer, H. F. *A History of Ancient Geography*. London, 1935.

Warmington, Eric H. *Greek Geography*. London, 1934.

Wright, J. E. *Geographical Lore in the Time of the Crusades*. New York: American Geographical Society, 1925. 知識の宝庫。

Yule, Sir Henry, and Henri Cordier, eds. *Cathay and the Way Thither, Being a Collection of Mediaeval Notices of China*. 4 vols. London; Hakluyt Society, 1913-1916. ポーロ以後の人々の旅行記。

第2章　ルネッサンス初期の漫遊者

（第1，第4，第17章関係の文献も参照のこと）

Atiya, Aziz S. *The Crusade in the Later Middle Ages*. London, 1938. 巡礼旅行の見事な通覧と充実した参考書誌を含む。

Barbaro, Josafa and Ambrogio Contarini. *Travels to Tana and Persia*, ed. Lord Stanley of Alderley. London: Hakluyt Society, 1873.

Davies, H. W. *Bernhard von Breydenbach and His Journey to the Holy Land, 1483-4*. London, 1911. 豪華な文献学的研究。

に関する秀抜な小史。

Ruge, Sophus. *Geschichte des Zeitalters der Entdeckungen*. Berlin, 1881. 極めて学殖豊かな基本文献の一つ。

Segundo de Ispizua. *Historia de la geografía y de la cosmografía con relación a los grandes descubrimientos marítimos reliazados en los siglos XV y XVI por Españoles y Portugueses*. Madrid, 1922.

Sykes, Sir Percy. *A History of Exploration*. London, 1950. 準専門書，特にアジアに詳しい。

Synge, Margaret B. *A Book of Discovery*. London, 1912. 少年向きながら大変優れている。

Uzielli, G., and P. Amat di S. Filippo. *Studi biografici e bibliografici sulla Storia della Geografia in Italia*. Rome, 1882.

Winsor, Justin, ed. *Narrative and Critical History of America*. 8 vols. Boston, 1884-1889. 今なお不可欠の文献。

第1章　背景＝古代と中世

（第2，第3章関係の書誌も参照のこと）

Babcock, W. H. *Legendary Islands of the Atlantic*. New York: American Geographical Society, 1922.

Beazley, Sir Raymond. *The Dawn of Modern Geography*. 3 vols. Oxford, 1897-1906. 中世地理学に関する最高の著作。必読の決定版。

Bovill, E. W. *Caravans of the Old Sahara: An Introduction to the History of the Western Sudan*. London, 1933. 余り知られていない主題を扱った甚だ面白い本。

Bunbury, Sir, E. H. *A History of Ancient Geography*. 2 vols. London, 1883. この分野の古典的著作。

Burton, H. E. *Discovery of the Ancient World*. London, 1932.

Cary, M., and E. H. Warmington. *The Ancient Explorers*. London, 1929.

Charlesworth, Martin P. *Trade Routes and Commerce of the Roman Empire*. Cambridge, 1926.

Collis, Maurice. *Marco Polo*. London, 1950. 簡潔ながら秀逸。

Duhem. Pierre M. *Les Systèmes du monde de Platon à Copernic*. 5 vols. Paris, 1913-17. 網羅的。

Heyd, W. von. *Histoire du commerce du Levant au moyen âge*. 2 vols. Leipzig, 1936. レヴァント地方及び中東に関して特に有益。

Kimble, George H. T. *Geography in the Middle Ages*. London, 1938. アメリカ

Bullon, E. *Los Geografos en el Siglo XVI.* Madrid, 1925.

Dickinson, R. E., and O. J. R. Howarth. *The Making of Geography*. Oxford, 1933. 短いが全分野の優れた概説。

Friederici, G. *Der Character der Entdeckung und Eroberung Amerikas durch die Europäer*. 3 vols. Stuttgart, 1925-1936. ドイツ人による最も重要な貢献の一つ。

Galvão, Antonio. *The Discoveries of the World; From Their First Original unto ...... 1555.* Edited by C. R. Drinkwater Bethune. London: Hakluyt Society, 1862.

Gillespie, J. E. *A History of Geographical Discovery* (*1400-1800*). New York, 1933. 簡潔な略史。

Günther, Siegmund. *Das Zeitalter der Entdeckungen*. Leipzig, 1919.

Hamy, E. T. *Recueil de voyages, XIII-XVI siècles*. Paris, 1908.

Harlow, Vincent T., ed. *Voyages of the Great Pioneers*. London, 1929. 重要且つ興味深い一群。

Heawood, Edward. *A History of Geographical Discovery in the Seventeenth and Eighteenth Centuries*. Cambridge, 1912. 円熟した決定的論攷，但しルネッサンス期後半よりを扱う。

Hennig, Richard. *Terrae Incognitae*. 4 vols. Leyden, 1936-1939. 15 世紀末までの古典・中世時代の探検に関する多くの原典を含む極めて重要且つ貴重な大観。

Keane, J. *The Evolution of Geography*. London, 1899.

Keltie, John S., and O. J. R. Howarth. *History of Geography*. London, 1913. 優れた著作。

Kretschmer, Konrad. *Geschichte der Geographie*. Berlin, 1912.

La Roncière, Charles de. *Histoire de la découverte de la terre*. Paris, 1938. 一般向け，挿絵に優れる。

Histoire de la Marine française. Paris, 1934. 正史。

Leroi-Gourhan, André, ed. *Les Explorateurs célèbres*. Paris, 1947. 有名探検家 70 人の業績と生涯に関する略説。

Navarrete, Martin Fernandez de. *Colección de los viajes y descubrimientos que hicieron por mar los Españoles desde fines del siglo XV*. 5 vols. Madrid, 1825-1837.

Newton, Arthur P., ed. *The Great Age of Discovery*. London, 1932. 多くの寄稿者による小論集。

Parry, J. H. *Europe and a Wider World, 1415-1715*. London, 1949. 海外発展

参考書誌

この参考書誌では，声価の確立した書物のみを，そして可能な限りそれぞれの主題に関する最新の文献を収録しようと努めた。曾ては基本文献と考えられたものの今日では一層確かな著作による補いを必要とする古い作品は，勿論多くの例外はあるけれども——原則として割愛した。近年の通俗書，特に所謂《偉人伝》的なものは，サンソウ女史の優れた諸作は別として，省いてある。コロンブスの様に無数の本が書かれている人達については，この書誌では精選したつもりである。この様な参考書誌作成の方法はアテナイの執政官ドラコ流で厳格に過ぎるかも知れないが，ここに載せた書物の大部分にはそれぞれかなり整った参考書誌が付いているから，必要の向きはそれらを参照して戴きたい。この参考書誌は本文の各章に対応して設けられているため，簡潔を旨として各書名を一回だけ載せるに止めたが，それは例えばハクルートの『主要航海記』を殆ど各章毎の文献書誌で繰返すのはどうも無駄としか思われぬからである。本書の主題に関する雑誌記事や学術誌への寄稿論文の一覧表も際限がないので同じく略したけれども，こうした傍路をも探検したいという熱心家のために『地理学雑誌』*The Geographical Journal*（1830年以降今日まで王立地理学会より刊行）とペーテルマンの『地理学報』*Geographische Mitteilungen*（1855-1945年，ゴータ）が最適であることを挙げて置く。両誌とも索引が完備している。

単行本のところで幾つかの基本的シリーズを挙げたが，これらは実質的に本書の主題のあらゆる局面に亙っており，ハクルート協会，アーゴノート・プレス社，ザ・ブロードウェイ・トラヴェラーズ，ザ・パイオニーア・ヒストリーズ（以上英国書），コルテス協会（米国書），そしてリンスホーテン協会（オランダ）による刊行図書が含まれる。この参考書誌の中では，これらシリーズ中の大部分の刊行図書への参照が行われている。

歴史地理学を対象とする近代ポルトガル文献の大部分の特色をなす絢爛華麗な作品群とその学問的水準の高さについても，また同様に注目して欲しいところである。これらはこの分野における貴重極りない貢献なのである。

原資料は米国やヨーロッパ各地の多くの図書館の蔵書中に存在しており，二次資料は大抵の大図書館であれば見られるものである。

一般参考文献

Baker, J. N. L. *A History of Geographical Discovery and Exploration*. London, 1937. 旅行史に関する恐らく最良の通観。

文庫版解説「欧米を世界支配に導いた歴史」の明暗を考える

伊高浩昭

この大著は、一挙に読了するのを迫られるほど面白い。とくに世界史、文明史、世界地理、博物学、天文学、海洋学、航海、旅行、探検などの好きな読者には堪えられないだろう。読書中に躍動感を、読後には意義ある長旅の後に味わえるような快い疲労感とともに、ずっしりとした充実感を与えてくれる。世界地図と照合しながら読めば、世界史の一大転換期の「勲（いさおし）」を暗部にも触れつつ綴る本書は一層興味深くなるだろう。

読者を時空を超えた俯瞰者にせしめ、著者の言う「欧州人による非欧州地域の一五―一七世紀の大発見時代」に限らず、グレコローマン期からルネッサンス終焉期まで約二〇〇〇年の人類史の表舞台を彷徨い冒険させてくれる。著者が操舵する「大航海」の最終的主人公は読者にほかならない。

この解説では、まず大部な本書の流れをざっとさらい、その上でこの本が書かれた二〇世紀中葉には予測し難かった今日的意義を探ってみたい。

†東西を結びつけたインド航路開発

「ギリシャ人は紀元前五世紀までに地球球体説を発展させていた」。この魅力的な史実から本書は説き起こされる。アレクサンドロス大王は地中海を出発、ペルシャを越え、インドに到達した。インドの先にはマレー半島が、その彼方には中国や日本があった。

地中海から中東やアフリカ北部を経由してのインド方面との交易は徐々に発展してゆくが、それはイスラム教支配地域の多い西南アジアへの冒険旅行であり、「文明の衝突」を覚悟せねばならない苦難に満ちた旅路だった。

交通は海路と陸路の組み合わせで、隊商を連ねたり貨物を積み下ろしたり道中の危険があったりして、決して楽な道程ではなかった。南欧人は未知の地ではない明確な目的地インドへの海路到達を熱望し、航海術向上と航路開発の努力を重ねた。

先陣を切ったのはポルトガルのエンリケ航海王子だった。長期的視野に立ち一四一九年、自国南部はサグレス岬に「航海学校」を建てた。これを基盤にポルトガルは、西アフリカ到達（一四三六年）、バルトロメウ・ディアスのアフリカ大陸最南端アグーリャス岬（針の岬）と、その手前の喜望峰への到達（一四八七―八八年）、ヴァスコ・ダ・ガマのインド到達（一四九八年）を果たし、ペドロ・カブラルのブラジル到達（一五〇〇年）もあって、一大海洋帝国にのし上がった。

著者は、歴史をつくる者は「夢想家と実務家の資質が半分ずつ」あるのが望ましいと指摘する。遠大な理想を追求するには地道な努力が不可欠だからだ。確乎たる意志をもって大海原に挑んだエンリケ航海王子はそんな人だったのだろう。

商人が欧州に持ち帰る最重要商品は、インドからモルッカ諸島（現インドネシア領）にかけて産する胡椒、丁子（ちょうじ）、肉桂など、黄金にもたとえられた高価な香料だった。

ポルトガルの航海者は、南大西洋、アフリカ大陸、インド洋の拡がりを認識し、中国や日本にまで到達して、ユーラシア（欧亜）大陸の南岸と東岸を確認した。しかし、ルネッサンス期の世界観を決定的に変えるまでには至らなかった。

それはマレー半島東岸やモルッカ諸島や中国が面している大洋がインド洋とは別物であるにせよ、大西洋とどのような地理的関係にあるのかを究明することができなかったからだ。言い換えれば、その大洋は大西洋の延長で両洋は一つの海洋だと信じていたのだ。地球を小さく捉えていたわけで、著者に言わせれば、それは「中世的認識の限界」だった。

†世界観を変えた「新世界」到達

その限界に縛られながらも世界観を革命的に変えたのは、イタリア・ジェノヴァ人の航海者クリストーフォロ・コロンボ（コロンブス）だった。大西洋を西に向かい、一四九二年一〇月一二日、カリブ海に近い西大西洋のグアナハニ島（現バハマ・サンサルバドール島）に辿り着いた。これが欧州人による「新世界到達」である。

コロンブスはカリブ海方面を四回航海したが、三回目の一四九八年七月三一日、南米大陸の一部であるベネズエラの海岸に行き着いた。これが「新大陸到達」だった。

極めて皮肉かつ惜しむらくは、自ら到達した大地が「新世界・新大陸」だと気づかなかったこと。「中世的認識」を無意識の裡に葬りながら、その束縛から逃れられなかった稀代の航海者コロンブスは、到達した陸地の「少し先にあるはずの水路を辿ればインドに行き着く」と頑迷に信じていたのだ。

このため「新世界」全体の名称は、コロンブスに因む「コロンビア」でなく、一四九九年にブラジル東岸まで到達し、これを「新大陸初到達」として喧伝したイタリア・フィレンツェ人アメリゴ・ヴェスプッチに因む「アメリカ」になってしまった。

ヴェスプッチには、コロンブスを出し抜いて「最初の新世界到達者」になろうと画策し失敗した逸話がある。航海者としては「二番煎じ」で、歴史家の間で評価は高くない。

コロンブスの偉業は青天の霹靂の最たるもので、「地球の概念」を変えた。南北両米大陸とその間にあるカリブ海諸島の存在が明らかになり、その富を我が物としたスペインはポルトガルを凌ぐ海洋帝国になる。欧州人の意識は「新世界」に釘付けになった。

両米大陸とアジア大陸の間の大洋は、スペイン人征服者バスコ・ヌニェス＝デ・バルボアによるパナマ地峡からの（太平洋）東岸到達（一五一三年）や、スペインのために航海したポルトガル人航海者フェルナン・デ・マガリャンイス（マジェラン）と部下たちの世界一周航海（一五一九―二二年）によって、「新大洋（太平洋）」と確認された。「新世界到達」は「太平洋の存在確認」でもあった。

航海途上、フィリピンで命を落としたこの航海者は、南米大陸南端に「マジェラン海峡」の名を残した。コロンブスの米州到達後にインド航路を拓いたダ・ガマは「新世界」の出現に加え「太平洋」の存在も生前に知り得たが、それは自ら航跡を刻んだ結果ではなかった。

†欧米支配五百年を経て中国台頭

著者はコロンブス、ダ・ガマ、マジェランの航海を「世界三大航海」と呼ぶ。三者に代表される航海により「地球球体説」は完全に証明され、世界地理は真の姿を見せはじめた。

同時代には重要な出来事があった。イタリアに始まるルネッサンスは芸術のみならず、科学技術を発展させた。ドイツで一五世紀半ばに発明された「活版印刷」は、知識の伝播を容易にした。ポーランド人天文学者ミコワイ・コペルニク（コペルニクス）は一六世紀初頭に「地動説」を創唱した。英国人物理学者アイザック・ニュートンは一六六〇年代に「万有引力」に気づき、球体の地球から船が「落ちない」理屈を同時代人に納得させた。

文芸や科学の発展は人間解放を促し、崇められていた「創世主」の「神権」という権威は地に落ちてゆく。カトリックが万能だった「暗黒の中世」の迷信の多くは打ち払われた。ローマ教皇を頂点とする世俗化し腐敗した旧教は、マルティン・ルター、ジャン・カルヴァンらのプロテスト（反逆）を招き、新教を生む。この「宗教改革」は、後発航海国の英蘭仏三国のアフリカ、アジア、および「新世界」への進出競争を加速させた。ルネッサンス期の「進取の精神」は大航海を導き、欧州人の前に水平線と地平線を途方もなく拡げ、欧州に莫大な富をもたらし、ルネッサンスを深化させた。極めつきは、「アメリカ世界」を奪取・獲得した欧州および、その延長として登場した米国による五〇〇年に及ぶ世界支配を可能にしたことである。

植民地拡張と相俟って新旧キリスト教は世界的に拡がり、スペイン語、ポルトガル語、英語、フランス語などは国際的言語になる。「白人優越主義」を伴う欧州文明が世界を凌駕した。グレコローマン期の「白人彫像」が、あたかも「人間美」の代表のごとくもてはやされるようになってしまった。

しかしオスヴァルト・シュペングラーが『西洋の没落』で指摘したように、文明は衰退する。それを如実に物語るのが、二一世紀初頭以降の中国の急激な台頭だろう。本書にわずかに触れられている「シルクロード（絹の道）」の踏み跡や、記されていない鄭和提督による一五世紀前半のインド洋航海とアフリカ東岸到達の航跡は今、中国の「一帯一路」政策として姿を変え、大きく現出している。米中の利害対立は尖鋭化するばかりだ。

†忘れてはならない「大航海時代」の闇

本書は、記述対象でない一八世紀以降、現代までの世界史の流れを理解するための基礎的知識を提供し、さまざまな発想や閃きを醸し出してくれる。世界史で学んだ断片的知識を歴史の全体像に組み込み、相互の関連性を指摘してくれるのもありがたい。

名誉欲、物欲、そこから発する妬み、嫉み、欺瞞、密告、裏切り、出し抜き、殺人など、人間性の葛藤、さらには海賊行為までもが「大航海」の無視できない「原動力」だったのも事実である。著名な一握りの群像とともに、無数無名の貪欲な人間が地球を拡げたのだ。

残念なのは、カトリックの「新世界」布教に熱心で、コロンブスの航海に理解のあったカスティージャのイサベル女王を除いて、女性の活動がほとんど描かれていないこと。女性の存在は、入植後の植民地時代にとくに重要になる。

忘れてはならないのは、欧州人にとって世界支配に道を拓いた輝かしいルネッサンス期は、虐げられたアフリカ人や米州先住民族にとっては「暗黒時代」だったこと。先住者にとり「大航海時代」は「大殺戮・大収奪時代」だった。征服者らが犯した夥しい「人道犯罪」を批判したのは、宣教師バルトロメ・デ・ラス・カサスら少数派だった。

「発見」という先住者を無視した言葉の使用は慎重でなければなるまい。読者は時には、欧米の史観や価値観に立つ著者の認識に隔たりを感じるはずだ。マジェランがフィリピンで、キャプテン・クックがハワイで、それぞれ先住者に殺された史実は、「征服者・侵略者」の側に落ち度と責任があったことを象徴的に示している。

葡西英蘭仏五カ国をはじめとする航海者や入植者は、先住者を殺戮、土地・資源を奪取、社会や文明を破壊し、アフリカ人をはじめとする奴隷貿易で大儲けし、さらに梅毒、天然痘などの疫病を撒き散らした。初期の混血民族は、愛のない征服(強姦)によって生まれたのだ。「大航海時代」後、世界史は弱肉強食の一途を辿る。

往時の奴隷貿易は米国に顕著な黒人差別の源であり、差別は癒し難い歴史の深い傷を疼かせている。そんな「負の遺産」は、コロナ疫病COVID19が猛威を振るった二〇二〇年、一大問題として米国と国際社会を震撼させた。警官が黒人を理不尽に殺した事件に端を発し激化した米国でのBLM(ブラック・ライヴズ・マター=黒人の命は大切だ)運動のさなか、オハイオ州コロンバスで巨大なコロンブス像が撤去された。メリーランド州ボルティモアでは、コロンブス像が引き倒され海に投棄された。

像の撤去や、米国の「コロンブスの日」(一〇月第二月曜日)を「先住民の日」に変更する動きは全米各地に拡がっている。スペインや米国で「新世界の父」として「絶対的な偉人」とされてきたコロンブスの評価は、「米州到達五〇〇年」の一九九二年に目立って揺らぎはじめた。白人国民も巻き込んだ歴史見直しの波は、今や米国に押し寄せているのだ。

メキシコのアンドレス＝マヌエル・ロペス＝オブラドール大統領は二〇一九年、ローマ教皇フランシスコとスペイン国王フェリーペ六世に、メキシコ征服時から植民地時代にかけての先住民族虐待を謝罪するよう求めた。ベネズエラのニコラース・マドゥーロ大統領は二〇年、同国王に一〇月一二日を「先住民族殺戮を詫びる日」にするよう呼びかけた。

こうした一連の現象は「欧米文明衰退」と無縁ではないはずだ。歴史に刻み込まれた底知れない暗部に、私たち現代人も人間として悔恨の念に駆られるのである。過去の出来事を追体験させ考えさせてくれる書物は「古典」であり、本書にはその価値がある。

†日本人に未来への展望開く

日本に関する記述は少ない。そこで補足的に関連事項を幾つか挙げたい。ポルトガル人による「鉄砲伝来」（一五四三年）は戦国時代の戦法を変え、織田・豊臣・徳川と繋がる支配の系譜づくりに寄与した。スペイン・バスク人のイエズス会宣教師フランシスコ・ザビエルはポルトガル船で東洋に来航、一五四九年にキリスト教を日本に伝えた。ザビエルの通訳は、マラッカ辺りに滞在していた日本人「アンジロウ」だった。

ローマ教皇に謁見した「天正遣欧使節」（一五八二―九〇年）は喜望峰回りのポルトガル

航路で往復した。日本に活版印刷の技術を伝えたのは、この遣欧使節一行だった。伊達政宗に派遣された支倉常長使節団（一六一三—二〇年）は新スペイン（ヌエバ・エスパーニャ）（現メキシコ）経由のスペイン航路でローマまでを往復し、教皇に謁見した。敢えて付言すれば、三〇年の時間差はあるものの、ローマまでの西行と東行に分かれた両航海を合わせれば、日本人が加わった世界一周航海が二回達成されたことになる。

一四世紀以降の倭寇の暗躍も無視できない。本書には、マレー半島東岸パタニ沖で一六〇五年、英国船が「日本の海賊船」と戦ったという記述がある。これは史実だ。山田長政はシャム（現タイ）で一七世紀前半に活躍し、妬まれ暗殺された。

日本は鎖国（一六三九〜一八五四年）によって世界史の流れから自己隔離したが、背景には、「新世界」米州でのスペイン人の悪行を並べ立てた「黒の伝説」をオランダ人が幕府に吹き込むという策謀があった。長い鎖国が、外に開かれた海洋民族であるべき日本人に内に籠もる「島国根性」を植え付け、それが「第二の天性」化したのは否定できないだろう。

日本は欧米に迫られて開国し、明治維新を遂げたが、その後の針路を誤り、無謀な戦争に突入して敗れ、国は破れた。それから四分の三世紀。私たち日本人が愚かな行為を繰り返すことなく、この「地球社会」に望ましい針路を見出すには、過去のさまざまな出来事を点検・検証し、教訓とすることが必要だろう。

本書は、日本が敗れた「欧米による世界支配」の基礎がいかにして築かれたかを学ぶのに恰好の教材である。読者の前に必ずや未来への良き展望を開くだろう。

（いだか・ひろあき　ジャーナリスト）

二〇二〇年一〇月一二日記す

ワ行

ラ行

ヤ行

マ行

ハ行

ナ行

タ行

サ行

カ行

索引

ア行

本書は一九八五年九月三十日、筑摩書房より刊行された。

本書には今日の人権意識に照らして不適切と思われる語句や表現があるが、時代的背景にかんがみ、そのままとした。

（ちくま学芸文庫編集部）

ヨーロッパの帝国主義　アルフレッド・W・クロスビー　佐々木昭夫訳

15世紀末の新大陸発見以降、ヨーロッパ人はなぜ次々と植民地を獲得できたのか。病気や動植物に着目して帝国主義の謎を解き明かす。（川北稔）

民のモラル　近藤和彦

統治者といえど時代の約束事に従わざるをえなかった18世紀イギリス。新聞記事や裁判記録、ホーガースの風刺画などから騒擾と制裁の歴史をひもとく。

台湾総督府　黄昭堂

清朝中国から台湾を割譲させた日本は、新たな統治機関として台北に台湾総督府を組織した。抵抗と抑圧と建設。植民地統治の実態を追う。（檜山幸夫）

増補 大衆宣伝の神話　佐藤卓己

祝祭、漫画、シンボル、デモなど政治の視覚化は大衆の感情をどのように動員したか。ヒトラーが学んだプロパガンダを読み解く「メディア史」の出発点。

ユダヤ人の起源　シュロモー・サンド　高橋武智監訳　佐々木康之／木村高子訳

〈ユダヤ人〉はいかなる経緯をもって成立したのか。歴史記述の精緻な検証によって実像に迫り、そのアイデンティティを根本から問う画期的試論。

中国史談集　澤田瑞穂

皇帝、彫青、男色、刑罰、宗教結社など中国裏面史を彩った人物や事件を中国文学の碩学が独自の視点で解き明かす。怪力乱「神」をあえて語る！（堀誠）

ヨーロッパとイスラーム世界　R・W・サザン　鈴木利章訳

〈無知〉から〈洞察〉へ。キリスト教文明とイスラーム文明との関係を西洋中世にまで遡って考察し、読者に歴史的見通しを与える名講義。（山本芳久）

図説 探検地図の歴史　R・A・スケルトン　増田義郎／信岡奈生訳

世界はいかに〈発見〉されていったか。人類の知が全地球を覆っていく地理的発見の歴史を、時代ごとの地図に沿って描き出す。貴重図版二〇〇点以上。

同時代史　タキトゥス　國原吉之助訳

古代ローマの暴帝ネロ自殺のあと内乱が勃発。絡みあう人間ドラマ、陰謀、凄まじい政争を、臨場感あふれる鮮やかな描写で展開した大古典。（本村凌二）

近代ヨーロッパ史
福井憲彦
ヨーロッパの近代は、その後の世界を決定づけた。現代をさまざまな面で規定しているヨーロッパ近代の歴史と意味を、平明かつ総合的に考える。

イタリア・ルネサンスの文化(上)
ヤーコプ・ブルクハルト
新井靖一訳
中央集権化がすすみ緻密に構成されていく国家あってこそ、イタリア・ルネサンスは可能となった。ブルクハルト若き日の着想に発した畢生の大著。

イタリア・ルネサンスの文化(下)
ヤーコプ・ブルクハルト
新井靖一訳
緊張の続く国家間情勢の下にあって、類稀な文化と個性的な人物達は生みだされた。近代的な社会に向かう時代の、人間の生活文化様式を描ききる。

はじめてわかるルネサンス
ジェリー・ブロトン
高山芳樹訳
ルネサンスは芸術だけじゃない! 東洋との出会い、科学と哲学、宗教改革など、さまざまな角度から光をあてて真のルネサンス像に迫る入門書。

増補 普通の人びと
クリストファー・R・ブラウニング
谷喬夫訳
ごく平凡な市民が無抵抗なユダヤ人を並べ立たせ、ひたすら銃殺する——なぜ彼らは八万人もの大虐殺に荷担したのか。その実態と心理に迫る戦慄の書。

叙任権闘争
オーギュスタン・フリシュ
野口洋二訳
十一世紀から十二世紀にかけ、西欧では聖職者の任命をめぐり教俗両権の間に巨大な争いが起きた。この出来事を広い視野から捉えた中世史の基本文献。

20世紀の歴史(上)
エリック・ホブズボーム
大井由紀訳
第一次世界大戦の勃発が20世紀の始まりとなった。この「短い世紀」の諸相を英国を代表する歴史家が渾身の力で描く。全二巻、文庫オリジナル新訳。

20世紀の歴史(下)
エリック・ホブズボーム
大井由紀訳
一九七〇年代を過ぎ、世界に再び危機が訪れる。不確実性がいやますなか、ソ連崩壊が20世紀の終焉を印した。歴史家の考察は我々に何を伝えるのか。

アラブが見た十字軍
アミン・マアルーフ
牟田口義郎/新川雅子訳
十字軍とはアラブにとって何だったのか? 豊富な史料を渉猟し、激動の12、13世紀をあざやかに、しかも手際よくまとめた反十字軍史。

ちくま学芸文庫

大航海時代（だいこうかいじだい）　旅（たび）と発見（はっけん）の二世紀（にせいき）

二〇二〇年十二月十日　第一刷発行

著　者　ボイス・ペンローズ
訳　者　荒尾克己（あらお・かつみ）
発行者　喜入冬子
発行所　株式会社　筑摩書房
東京都台東区蔵前二―五―三　〒一一一―八七五五
電話番号　〇三―五六八七―二六〇一（代表）
装幀者　安野光雅
印刷所　株式会社精興社
製本所　加藤製本株式会社

ISBN978-4-480-51019-8 C0120